Peter James

Ten dode opgeschreven

De Fontein

Van Peter James verschenen eveneens bij De Fontein:
Doodsimpel
De dood voor ogen
Op dood spoor
Op sterven na dood

© 2009 Really Scary Books/Peter James
© 2009 Uitgeverij De Fontein Baarn, voor de Nederlandse vertaling
Oorspronkelijke uitgever: Macmillan Publishers
Oorspronkelijke titel: *Dead Tomorrow*
Vertaald uit het Engels door: Ineke de Groot
Omslagontwerp: Wil Immink Design
Omslagillustratie: Andy & Michelle Kerry/Trevillion Images
Zetwerk: ZetSpiegel, Best
ISBN 978 90 261 2671 0
NUR 332

Ter herinnering aan Fred Newman. Respect!

I

Susan had een grondige hekel aan de motor. Ze vertelde Nat telkens weer hoe gevaarlijk motoren wel niet waren, dat er niets gevaarlijkers bestond. Elke keer weer. Nat joeg haar dan op de kast door te zeggen dat ze het statistisch gesproken helemaal mis had. Dat je in de keuken het meeste gevaar liep. Daar was de kans het grootst om te sterven.

Hij zag dat als hoofd Aankomend Medisch Specialisten van een ziekenhuis elke dag op zijn werk. Oké, er waren wel eens akelige ongelukken met motoren, maar dat was niets vergeleken bij wat er in de keuken kon gebeuren.

Mensen elektrocuteerden zichzelf door met een vork in de broodrooster te wroeten. Of ze braken hun nek als ze van een keukenstoel vielen. Of ze verslikten zich en stikten. Of ze kregen voedselvergiftiging. Hij vertelde haar wat dat betrof graag het verhaal over een vrouw die bij de Spoedeisende Hulp in het Royal Sussex County ziekenhuis, waar hij werkte – of beter gezegd overwerkte – binnen was gebracht, omdat ze haar vaatwasser had willen ontstoppen en het vleesmes in haar oog had gekregen.

Motoren waren niet gevaarlijk, vertelde hij haar keer op keer, zelfs het monster niet waar hij op reed, de Honda Fireblade (die in drie seconden optrok tot honderd kilometer per uur). Het lag aan de andere weggebruikers, die vormden het probleem. Je moest voor hen uitkijken, meer niet. En laten we wel zijn: zijn Fireblade was een stuk milieuvriendelijker dan haar aftandse Audi TT.

Maar daar reageerde ze nooit op.

Net zoals ze nooit reageerde op zijn tegenzin om eerste kerstdag – over vijf weken alweer – met de schoonfamilie door te brengen. Wijlen zijn moeder zei altijd dat je je vrienden kon uitkiezen, maar je familie niet. Ze had helemaal gelijk.

Hij had ooit eens gelezen dat als een man met een vrouw trouwde, hij hoopte dat ze altijd zo zou blijven, maar dat als een vrouw met een man trouwde, ze hem wilde veranderen.

Nou, Susan Cooper was daar hard mee bezig, en ze had daartoe het beste wapen in de strijd gegooid dat een vrouw maar kon hebben: ze was zes maanden zwanger. En natuurlijk was hij daar hartstikke trots op. Maar hij wist ook dat hij binnenkort de waarheid onder ogen moest zien. De Fireblade moest de deur uit en daarvoor in de plaats zou een praktische auto komen, een stationcar of een personenbusje of zoiets. En om Susans sociale en milieubewuste geweten te sussen, zou het verdorie wel zo'n vreselijke hybride met een diesel- en elektromotor worden!

Nou, leuk hoor.

Hij was in de vroege uurtjes thuisgekomen en zat gapend aan de keukentafel in hun kleine cottage in Rodmell, vijftien kilometer van Brighton, naar het vroege nieuws te kijken over een zelfmoordaanslag in Afghanistan. Op het scherm stond dat het elf minuten over acht was, maar zijn horloge gaf negen over acht aan. Hij had het gevoel dat het midden in de nacht was. Hij lepelde wat cornflakes naar binnen, spoelde ze weg met sinaasappelsap en zwarte koffie, voordat hij weer snel naar boven rende. Hij gaf Susan een kus en klopte voorzichtig op haar dikke buik.

'Rij voorzichtig,' zei ze.

Denk je soms dat ik gevaarlijk zal rijden, vroeg hij zich af, maar hij zei het niet hardop. In plaats daarvan zei hij: 'Ik hou van je.'

'Ik hou ook van jou. Bel me.'

Nat kuste haar weer, liep naar beneden, zette zijn helm op, trok zijn leren handschoenen aan en stapte naar buiten, de frisse ochtend in. De dag was net aangebroken toen hij de zware rode motor de garage uit reed, en de garagedeur met een klap achter zich dichtsloeg. Hoewel het aan de grond had gevroren, had het al een paar dagen niet geregend, dus zou het niet glad zijn.

Hij keek even naar boven, naar de dichte gordijnen van hun slaapkamer, en startte voor de laatste keer van zijn leven zijn geliefde motor.

2

Dokter Ross Hunter was een van de onveranderlijke grootheden in Lynn Becketts leven, bedacht ze toen ze op de stoep van zijn praktijk op de bel drukte. Als ze eerlijk tegen zichzelf was, kon ze zo snel geen andere constante factoren noemen. Behalve dan fiasco. Dat was wel degelijk eveneens een onveranderlijke grootheid. Ze was al haar hele leven een fiasco. Ze was er zelfs briljant in. Geen groter fiasco dan Lynn.

Haar leven, in een notendop, bestond uit een zevenendertig jaar lange keten van fiasco's. Het begon klein, zoals toen ze op zevenjarige leeftijd het topje van haar vinger kwijtraakte tussen een autoportier, en werd geleidelijk aan erger. Ze had als kind haar ouders teleurgesteld, als echtgenote haar man, en nu stelde ze als alleenstaande moeder haar tienerdochter uiteraard ook teleur.

De dokter hield praktijk in een grote oude villa aan een rustige straat in Hove, die vroeger uitsluitend als woning had dienstgedaan. Inmiddels waren de meeste prachtige huizen daar gesloopt en vervangen door flats. De paar die er nog stonden, zoals deze, werden gebruikt als kantoor of als praktijkruimte.

Ze stapte de vertrouwde hal in, die rook naar meubelwas en een vleugje ontsmettingsmiddel, zag de secretaresse van dokter Hunter een eind verderop aan haar balie zitten, telefonisch in gesprek, en liep de wachtkamer in.

Ze kwam er al vijftien jaar en in die tijd was er niets veranderd in die grote maar sombere kamer. Op het plafond was nog steeds een grote watervlek te zien, een beetje in de vorm van Australië, bij de haard stond nog steeds dezelfde nepplant, er hing dezelfde muffe lucht, en de verzameling stoelen en banken die niet bij elkaar pasten en zo te zien heel lang geleden op een veiling waren gekocht, stonden er ook nog steeds. Zelfs een paar van de tijdschriften die op de ronde eiken tafel in het midden van de kamer lagen zagen eruit alsof ze in al die tijd niet waren vervangen.

Ze keek even naar de magere, oude man die diep was weggezakt in een oude leunstoel met kapotte vering. Hij had zijn wandelstok in het vloerkleed geprikt en hield hem stevig vast, alsof hij bang was anders in de stoel weg te zakken. Naast hem zat een ongeduldig uitziende man van in de dertig. Hij had een blauwe jas aan met een fluwelen kraag en was druk bezig op zijn

BlackBerry. Er stond een rek met diverse folders, onder andere een met aanwijzingen hoe je kon stoppen met roken, maar op dit moment, terwijl de zenuwen door haar lijf gierden, had ze meer aan aanwijzingen hoe ze méér kon roken.

The Times van die dag lag op de tafel, maar ze was niet in de stemming om zich te concentreren op iets te lezen. Ze had bijna geen oog dichtgedaan nadat de secretaresse van dokter Hunter haar de middag ervoor had gebeld en haar had gevraagd om de volgende ochtend, in haar eentje, langs te komen. En ze had ook de rillingen omdat haar bloedsuiker te laag was. Ze had haar medicijnen wel ingenomen, maar had die ochtend geen hap door haar keel kunnen krijgen.

Ze ging op het randje van een harde, rechte stoel zitten, rommelde wat in haar tas, en stopte een paar glucosetabletten in haar mond. Waarom wilde dokter Hunter haar zo dringend spreken? Waren de bloedtests die ze de afgelopen week had gehad niet goed? Of ging het – en dat leek haar waarschijnlijker – om Caitlin? Ze was al vaker zo bang geweest, bijvoorbeeld toen ze een knobbeltje in haar borst had ontdekt, of toen ze dacht dat het excentrieke gedrag van haar dochter misschien te wijten was aan een hersentumor, maar toen had hij haar zelf opgebeld en haar het goede nieuws gegeven dat het knobbeltje goedaardig was, dat de bloedtests prima waren en dat er helemaal niets aan de hand was. Voor zover er natuurlijk ooit 'helemaal niets' met Caitlin aan de hand was.

Ze sloeg haar benen over elkaar, en zette ze toen weer naast elkaar op de grond. Ze zag er chic uit, en had haar beste jas aan, een blauwe wollen kasjmieren jas tot op haar knie – een uitverkoopje – een donkerblauwe trui, een zwarte broek en zwarte suède laarzen. Hoewel ze het nooit zou toegeven, zag ze er graag goed uit voor de dokter. Niet dat ze zich sexy had gekleed – dat deed ze allang niet meer, ze zou zelfs niet meer weten hoe en het ontbrak haar sowieso aan het zelfvertrouwen voor zoiets – maar wel mooi. Net als ongeveer de helft van dokter Hunters vrouwelijke patiënten had ze een oogje op hem. Maar dat zou ze hem nooit durven zeggen.

Nadat Mal en zij uit elkaar waren gegaan, was er van haar zelfvertrouwen niets meer overgebleven. Ze zag er goed uit voor haar zevenendertig jaar, en volgens haar vriendinnen, haar broer en haar overleden zus zou ze er nog veel beter uitzien als ze wat zou aankomen. Ze zag er afgetobd uit; dat zag ze zelf ook wel als ze in de spiegel keek. Dat kwam doordat ze zich overal zorgen over maakte, maar de afgelopen zes jaar toch wel het meest over Caitlin.

Kort na haar negende verjaardag werd vastgesteld dat Caitlin een leveraandoening had. Sinds die tijd was het net of ze met z'n tweeën in een lange, donkere tunnel zaten. De eindeloze bezoeken aan de specialisten. De tests. De korte opname in een ziekenhuis hier in Sussex, en de langere opnamen – een duurde zelfs bijna een jaar – op de afdeling Maag- Darm- en Leverziekten in het Royal South London ziekenhuis. Ze had operaties ondergaan om stents in haar galwegen te plaatsen. Vervolgens weer operaties om die stents te verwijderen. De ene na de andere bloedtransfusie. Soms was ze door haar ziekte zo uitgeput dat ze op school in slaap viel. Ze kon geen saxofoon meer spelen, terwijl ze er zo dol op was, omdat ze moeilijkheden had met ademhalen. En in de loop der tijd, en nu als tiener helemaal, werd Caitlin steeds bozer en opstandiger. Ze wilde weten waarom het haar was overkomen.

Lynn wist het ook niet.

Ze was allang de tel kwijtgeraakt van het aantal keren dat ze op van de zenuwen in het Royal Sussex County ziekenhuis had gezeten, terwijl haar dochter werd behandeld. Toen ze dertien was moest Caitlins maag een keer worden leeggepompt, omdat ze een fles wodka uit de drankenkast had gepikt. En toen ze veertien was, was ze stoned van de hasj van het dak gevallen. Dan was er nog de keer dat ze om twee uur 's nachts Lynns slaapkamer in was komen lopen, met glazige ogen, badend in het zweet en klappertandend omdat ze het zo koud had. Ze zei tegen Lynn dat ze een xtc-pilletje had gekregen van een of andere schooier in Brighton, en dat ze hoofdpijn had.

Elke keer kwam dokter Hunter naar het ziekenhuis toe en bleef hij bij Caitlin totdat het gevaar was geweken. Dat hoefde hij niet te doen, maar zo was hij nu eenmaal.

En nu ging de deur open en daar stond hij. Een lange, elegante man, met rechte rug en gekleed in een streepjespak. Hij was knap, had golvend peperen-zoutkleurig haar, en vriendelijke, meelevende groene ogen, die gedeeltelijk achter een leesbril verborgen waren.

'Lynn!' zei hij, maar zijn krachtige, levendige stem leek deze ochtend vreemd gematigd. 'Kom erin.'

Dokter Ross Hunter had twee verschillende begroetingen van patiënten in zijn arsenaal. Hij had normaal gesproken een oprecht hartelijke glimlach, en die kende Lynn van alle jaren dat ze al bij hem kwam. Nog niet eerder had ze de grimas gezien waarbij hij op zijn lip beet. De grimas die hij verborgen hield en niet graag toonde.

De grimas die hij vandaag op zijn gezicht had.

3

Het was de perfecte plek om snelheidsovertreders te betrappen. Forenzen die regelmatig over Lewes Road Brighton in reden wisten dat ze, hoewel ze daar maar vijfenzestig kilometer per uur mochten rijden, na de verkeerslichten rustig gas konden geven en pas bij de volgende snelheidscamera, zo'n anderhalve kilometer verderop op de tweebaansweg, weer af moesten remmen.

De blauw-geel-zilverkleurige BMW stationcar die langs de kant van de weg stond geparkeerd, gedeeltelijk verborgen achter een bushalte, kwam dan ook als een onwelkome verrassing voor de meeste chauffeurs.

Agent Tony Omotoso stond achter de auto, met de lasergun boven op het dak voor steun, en richtte de rode stip op de kentekenplaat van de auto's waarvan hij dacht dat die de maximale snelheid overtraden. Bij een Toyota drukte hij af. Op het schermpje stond zeventig kilometer te lezen. De chauffeur had hem opgemerkt en stond al boven op de rem. Volgens de strikte regels mocht hij tien procent over het maximum zitten en dan nog drie kilometer erbij. De Toyota kwam langsrijden met brandende remlichten. Vervolgens kwam het kenteken van een wit Transit-busje in zijn vizier, dat negenenzestig kilometer per uur reed. Daarna scheurde er een zwarte Harley Softail motor langs, maar die ging zo snel dat hij niet kon afdrukken.

Links van hem stond zijn collega van de verkeerspolitie, agent Ian Upperton. Met zijn lange en magere lijf in een geel jasje gehuld en een pet op stond Ian klaar om indien nodig in actie te komen. Beide mannen hadden het bitterkoud.

Upperton keek de Harley na. Hij vond hem prachtig, vond alle motoren prachtig, en het liefst wilde hij motoragent worden. Maar Harleys waren bedoeld om mee rond te toeren. Hij vond de snelheidsmonsters zoals de BMW's, de Suzuki Hayabusa's en de Honda Fireblades het mooist. Bij dat soort motoren moest je in de bocht meehangen en niet alleen maar aan de handvatten draaien alsof het een stuur was.

Er kwam een rode Ducati langs, maar de chauffeur had ze gezien en remde af tot een slakkengangetje. De aftandse groene Fiesta die op de andere rijbaan reed had hen duidelijk niet gezien.

'De Fiesta!' riep Omotoso. 'Vierentachtig!'

Agent Upperton stapte naar voren en gaf aan dat de auto moest stoppen.

Maar zonder iets te zien, of expres, scheurde de auto langs. 'Oké, we gaan erachteraan.' Hij riep het kenteken – 'Whisky vier drie twee Charlie Papa November' – en sprong in de auto.

'Klootzakken!'

'Ja, eikels!'

'Waarom pak je geen echte misdadigers op, hè?'

'In plaats van die arme automobilisten achternazitten.'

Tony Omotoso keek om en zag twee jongens aan komen slenteren.

Omdat er in Engeland per jaar vijfendertighonderd mensen op de weg omkomen, tegenover vijfhonderd die worden vermoord, daarom, wilde hij zeggen. Omdat Ian en ik elke dag van de week dode en verminkte mensen van de straat krabben, vanwege mensen als die smeerlap in de Fiesta.

Maar daar had hij allemaal geen tijd voor. Zijn collega had het zwaailicht en de sirene al aangezet. Hij gooide de lasergun op de achterbank, stapte in, trok het portier dicht en deed zijn gordel om terwijl Upperton invoegde en flink gas gaf.

Zodra de auto naar voren vloog en hij het in zijn maag voelde en tegen de rug van de stoel aan werd geperst, spoot de adrenaline door hem heen. O yes, dit was het mooiste van zijn baan.

Het scherm op het dashboard toonde de gegevens van de Fiesta. Whisky vier drie twee Charlie Papa November had geen wegenbelasting betaald, was ook niet verzekerd en stond op naam van iemand zonder rijbewijs.

Upperton nam de rechterrijbaan en liep al snel op de Fiesta in.

Toen kwam er een melding binnen. 'Hotel Tango vier twee?'

Omotoso zei: 'Ja, ja, Hotel Tango vier twee.'

De centralist zei: 'Er is een ernstig ongeluk gebeurd. Motor en auto op de kruising van Coldean Lane en Ditchling Road. Kunt u ernaartoe?'

Verdorie, dacht hij, want hij wilde de Fiesta niet opgeven. 'Ja, ja, we gaan al. Geef even door aan de verkeerspolitie van Brighton dat er een groene Ford Fiesta, kenteken Whisky vier drie twee Charlie Papa November, over Lewes Road rijdt met te hoge snelheid, hij nadert het verkeersknooppunt. De chauffeur heeft vermoedelijk geen rijbewijs.'

Hij hoefde zijn collega niet te vertellen dat hij moest omkeren. Upperton stond al boven op de rem, met zijn richtingaanwijzer aan, en keek of hij zich tussen het tegemoetkomende verkeer kon voegen.

4

Malcolm Beckett rook de zee terwijl hij in zijn dertig jaar oude blauwe MGB GT voor een rood licht naar de oprit stopte. Het was net een drug, alsof het zout van de zee in zijn aderen zat en hij na een afwezigheid weer een dosis nodig had. Sinds hij als tiener bij de marine was gegaan, had hij zijn hele carrière op zee doorgebracht. Eerst tien jaar bij de Koninklijke Marine en vervolgens eenentwintig jaar bij de Koopvaardij.

Hij was dol op Brighton, waar hij geboren en getogen was, omdat het zo dicht bij zee lag, maar hij voelde zich het prettigst als hij op een schip zat. Zijn drie weken verlof waren weer afgelopen en nu ging hij drie weken de zee op, op de Arco Dee, waarvan hij hoofd machinekamer was. Nog niet eens zo lang geleden was hij de jongste hoofdmachinist bij de Koopvaardij geweest, bedacht hij spijtig. Maar nu, op zijn zevenenveertigste, was hij bijna een veteraan, een oude zeebonk.

Net als zijn geliefde schip, waar hij elke klinknagel van kende, kende hij elke schroef en moer van zijn auto, die hij talloze malen helemaal uit elkaar had gehaald en weer in elkaar had gezet. Hij luisterde voldaan naar het gepruttel van de draaiende motor en meende iets te horen in de nokkenas. Daar zou hij de volgende keer eens naar kijken.

'Gaat het?' vroeg Jane.

'Ja hoor, prima.'

Het was een prachtige ochtend, de lucht was helderblauw, er stond geen wind en de zee was zo glad als een spiegel. Tijdens zijn vorige werkperiode hadden de herfststormen zijn verblijf aan boord behoorlijk onaangenaam gemaakt, maar nu was het weer, deze dag althans, mooi. Het was wel koud, maar helder.

'Zul je me missen?'

Hij legde zijn arm om haar schouder en trok haar naar zich toe. 'Ontzettend.'

'Liegbeest!'

Hij gaf haar een kus. 'Elke seconde dat we niet samen zijn, mis ik je.'

'Gelul!'

Hij gaf haar weer een kus.

Het licht werd groen, hij schakelde naar de eerste versnelling en reed de helling af.

'Ik kan niet concurreren met een schip,' zei ze.

Hij grijnsde. 'Dat was anders een fantastische wip vanochtend.'

'Daar moet je het weer even mee doen.'

'Zeker weten.'

Ze reden naar links, om de Hove Lagoon, een kunstmatig merengebied waar je een roeiboot kon huren, surfles kon nemen en met modelzeilboten kon varen. Voor hem uit, links van de haven, stond een rij witte, in Moorse stijl gebouwde huizen aan zee, waar rijke mensen zoals Heather Mills en Fatboy Slim woonden.

De lucht was al wat zouter, en het rook ook naar zwavel van de haven, en naar olie, touw, teer, verf en kolen.

Shoreham-Haven lag ten westen van Brighton and Hove en bestond uit een anderhalve kilometer lang dok, waar aan beide kanten houtopslagterreinen, pakhuizen, brandstofreservoirs en depots stonden. Er waren aanlegplekken, hier en daar een woonhuis en een paar flats. Het was ooit een drukke handelshaven geweest, maar doordat de containerschepen steeds groter werden en dus te groot voor deze haven, was zijn bestemming veranderd.

Er werd nog steeds door tankschepen, kleinere vrachtschepen en vissersboten druk gebruik van gemaakt, maar het meeste verkeer bestond uit commerciële baggerboten, zoals die van hem, die de zeebodem afgroeven naar stenen en zand voor de betonindustrie.

'Wat ga je de komende drie weken doen?' vroeg hij.

Alle zeelui vonden het lastig hun vrouw achter te laten. Toen hij net bij de Koninklijke Marine was gegaan, werd hem verteld dat er vrouwen waren die een zakje OMO-waspoeder voor hun raam hingen als hun man weg was voor zijn werk. Het stond voor Ouwe Man Overzee.

'Jemma's kerstspel, dat je net zult mislopen,' antwoordde ze. 'En Amy heeft over veertien dagen vakantie. Dan hangt ze de hele tijd in huis rond.'

Amy was Janes elf jaar oude dochter uit haar eerste huwelijk. Mal kon goed met haar opschieten, hoewel er wel altijd een onzichtbare barrière tussen hen in stond. Jemma was hun zesjarige dochter, en met haar had hij een veel betere band. Ze was zo hartelijk, zo opgewekt, zo'n positief klein persoontje. Ze was het tegenovergestelde van zijn eigen vreemde, afstandelijke en ziekelijke dochter uit zijn eerste huwelijk. Hij hield van haar, maar ondanks alle moeite die hij had gedaan, waren ze nooit echt close geworden. Hij vond het heel vervelend dat hij er niet bij kon zijn terwijl Jemma Maria mocht spelen, maar dat soort dingen hoorde nu eenmaal bij de baan. Het was een van de voornaamste redenen waarom hij van zijn eerste vrouw was gescheiden, en iets waar hij nog altijd over piekerde.

Hij keek naar Jane terwijl ze reed, en rechts afsloeg langs de huizen aan de lange, rechte weg ten zuiden van de haven. Ze reed heel langzaam, of ze zo de laatste minuten met hem wilde rekken. Ze was pittig en heel lief, met haar korte rode haar en haar kleine wipneus. Ze droeg een leren jasje, een wit T-shirt en een gescheurde spijkerbroek. Het contrast tussen de twee vrouwen was enorm. Jane, een angsttherapeut, vond het fijn dat ze onafhankelijk kon zijn, en dat ze drie weken kon doen wat ze wilde, waardoor ze hem juist meer waardeerde als hij weer thuis was.

Terwijl Lynn, die voor een incassobedrijf werkte, hem altijd zo nodig had gehad. Veel te nodig. Het was leuk als een vrouw je wilde, als ze je leuk vond en op je geilde. Maar nodig hebben is heel wat anders. Door die afhankelijkheid was het uiteindelijk fout gegaan tussen hen. Hij had gehoopt – ze hadden dat eigenlijk allebei gehoopt – dat dat zou veranderen door een kind te nemen. Maar dat was niet het geval geweest.

Het had het zelfs nog erger gemaakt.

De auto minderde vaart en Jane zette de richtingaanwijzer aan. Ze stopten, lieten een vrachtwagen met een lading hout langsdenderen, en toen draaiden ze naar rechts, door het open hek van Solent Aggregates. Ze zette de auto voor het hokje van de bewaker.

Mal stapte uit, al gekleed in witte overall en rubberlaarzen, en maakte de kofferbak open. Hij haalde de grote weekendtas eruit en plaatste de gele helm op zijn hoofd. Toen boog hij zich door het raampje heen en gaf Jane een kus ten afscheid. Het was een heel lange kus. Zelfs na zeven jaar laaide hun hartstocht nog hoog op. Dat was een van de voordelen als je elkaar regelmatig drie weken niet zag.

'Ik hou van je,' zei hij.

'Ik hou nog veel meer van jou,' antwoordde ze en ze gaf hem weer een kus.

Hij was een grote, knappe man, slank en sterk, met een eerlijk gezicht en kort blond en dunner wordend haar. Hij was het soort man dat collega's meteen mogen en respecteren. Hij had geen dubbele bodem: hij was gewoon recht door zee.

Hij keek hoe ze achteruitreed en luisterde naar het gepruttel van de uitlaat, bezorgd over het geluid dat hij hoorde toen ze gas gaf. Een van de platen in de knalpot moest vervangen worden. Hij zou 'm moeten optakelen als hij terug was. Hij moest ook naar de schokdempers kijken; de auto leek niet zo goed over hobbels te rijden als hij zou moeten. Misschien moesten de voorste schokdempers vervangen worden.

Toen hij het hokje van de bewaker binnenliep en zijn naam in het logboek schreef, ondertussen een praatje makend met de bewaker, dacht hij alweer aan andere dingen. De stuurboordmotor van de Arco Dee had al bijna twintigduizend uur achter de rug, wat betekende dat hij volgens de bedrijfsregels binnenkort een servicebeurt moest krijgen. Hij moest uitvogelen wanneer dat het beste kon gebeuren. Het dok zou tijdens de kerstvakantie gesloten zijn. Maar de eigenaars van de Arco Dee trokken zich daar niets van aan. En als hij negentien miljoen pond aan een schip had uitgegeven, zou hij dat waarschijnlijk ook niet doen, dacht hij zo. Daarom wilden ze ook dat ze het hele jaar door achter elkaar in bedrijf was.

Hij slenterde in een goed humeur naar de kade, naar haar zwart met oranje romp, en was zich niet bewust van de lading die hij over een paar uur zou innemen, en de ellende die deze zou veroorzaken in zijn eigen leven.

5

Het kantoor van dokter Hunter was lang, met een hoog plafond, schuif-
ramen met uitzicht op een kleine, ommuurde tuin en, een beetje verborgen
achter kale bomen en struiken, de metalen brandtrap van het gebouw erachter. Lynn had het vermoeden dat het kantoor waarschijnlijk de eetkamer was
geweest in de tijd dat dit nog een woonhuis was.

Ze hield van huizen, en met name van het interieur. Ze vond het heerlijk
om naar oude landhuizen te gaan die waren opengesteld voor het publiek,
en een tijdje had Caitlin dat ook leuk gevonden. Ze was al heel lang van plan
om als Caitlin eenmaal het huis uit was, en zij niet per se meer geld hoefde
te verdienen, een cursus interieurontwerp te gaan volgen. Misschien zou ze
dan wel aanbieden de spreekkamer van Ross Hunter eens onderhanden te
nemen. Net als de wachtkamer kon die wel een opknapbeurt gebruiken. Het
behang en de verf waren niet zo mooi oud geworden als de dokter zelf. Hoewel ze moest toegeven dat het wel prettig was dat de ruimte in al de jaren dat
ze hier nu kwam nauwelijks veranderd was. Er hing een academische sfeer,
waardoor ze zich, tot deze dag althans, altijd op haar gemak voelde.

Het zag er alleen elke keer weer wat rommeliger uit. Het aantal grijze archiefkasten tegen de muur scheen steeds weer toe te nemen, net als de dozen
met systeemkaarten waar de gegevens van de patiënten op stonden en,
vreemd genoeg, een plastic waterdispenser. Er hing een verlichte kast met
een ogentest aan de muur, er stond een witmarmeren borstbeeld van een of
andere oude wijze die ze niet herkende – het zou Hippocrates kunnen zijn –
en wat foto's van zijn gezin hingen boven een paar afgeladen ouderwetse
boekenplanken.

Aan de andere kant van de ruimte, achter een kamerscherm, stond de
onderzoekstafel, enkele onderzoeksapparaten, een assortiment medische
toestellen en lampjes. Er was in het tapijt een stuk linoleum gelegd, zodat
het wel een kleine operatiekamer leek.

Ross Hunter gebaarde naar een van de zwartleren stoelen bij het bureau.
Lynn ging zitten en zette haar tas naast zich op de grond, maar hield haar
jas aan. Hij zag er nog steeds ernstig uit. Ze had dat nog niet eerder meegemaakt en de zenuwen gierden door haar keel. Toen rinkelde de telefoon.
Hij hief verontschuldigend zijn hand toen hij opnam en gaf met zijn ogen

aan dat het niet lang zou duren. Terwijl hij in gesprek was, keek hij op zijn laptop.

Ze keek in de kamer om zich heen, luisterde naar zijn gesprek met het familielid van iemand die duidelijk ernstig ziek was en naar Martletts, het plaatselijke hospice, zou worden overgebracht. Door het gesprek voelde ze zich nog minder op haar gemak. Ze keek naar de kapstok, waar maar één jas aan hing – die van dokter Hunter, nam ze aan – en naar een elektrisch apparaat dat ze nog niet eerder had gezien, of dat haar nog niet eerder was opgevallen, en vroeg zich afwezig af waar het voor was.

Hij beëindigde het gesprek, maakte een aantekening, keek nog eens op zijn laptop en wendde zich toen tot Lynn. Hij sprak vriendelijk en bezorgd. 'Fijn dat je er bent. Ik wilde je eerst liever zonder Caitlin spreken.' Hij zag er nerveus uit.

'Oké,' wilde ze zeggen, maar ze kreeg het niet over haar lippen. Het was net alsof iemand haar mond en keel met vloeipapier had afgeveegd.

Hij trok een map uit een stapel vandaan, legde die voor zich neer en sloeg hem open. Vervolgens verschoof hij zijn leesbrilletje en las een stukje, alsof hij tijd aan het rekken was. 'Dit zijn de uitslagen van de tests van dokter Granger, en het is helaas niet goed, Lynn. Haar lever functioneert heel slecht.'

Dokter Neil Granger was de maag-darm-leverarts die Caitlin al zes jaar in behandeling had.

'De enzymwaarden zijn erg gestegen,' ging hij door. 'Met name de gamma-GT-enzymen. En het aantal bloedplaatjes is erg laag, dat is schrikbarend snel omlaaggegaan. Heeft ze snel blauwe plekken?'

Lynn knikte. 'Ja, en als ze zich snijdt duurt het heel lang voordat het bloeden stopt.' Ze wist dat de lever bloedplaatjes aanmaakte en dat een gezonde lever ze onmiddellijk op weg zou sturen om het bloed te laten klonteren zodat het bloeden zou ophouden. 'Hoe hoog zijn de enzymwaarden?'

Lynn had jarenlang alles wat de dokters haar over Caitlin hadden verteld opgezocht op internet, en ze wist er nu redelijk veel van. Genoeg in elk geval om zich zorgen te maken, maar niet genoeg om te weten wat eraan gedaan kon worden.

'Nou, een normale, gezonde lever heeft enzymwaarden van rond de vijfenveertig. De uitslag van de tests van een maand geleden geven duizendvijftig aan. Maar deze recentere tests geven een waarde aan van drieduizend. Dokter Granger vindt dit zorgwekkend.'

'Wat houdt het in, Ross?' vroeg ze met verstikte stem. 'Dat het zo is gestegen?'

Hij keek haar vol medelijden aan. 'De geelzucht is erger geworden, zegt hij. Net zoals de encefalopathie. Met andere woorden: haar lichaam wordt langzaamaan vergiftigd. Ze heeft ook steeds meer last van hallucinaties, toch?'

Lynn knikte.

'Wazig zicht?'

'Ja, zo nu en dan.'

'Jeuk?'

'Ze wordt er gek van.'

'Caitlin reageert niet meer op de medicijnen. Ze heeft levercirrose. Er is helaas niets meer aan te doen.'

Een diep duister nam bezit van Lynn. Ze draaide zich om en keek even door het raam naar buiten. Naar de brandtrap. Naar de winterse, kale boom. Die zag er dood uit. Net zo dood als zij zich vanbinnen voelde.

'Hoe gaat het nu met haar?' vroeg de dokter.

'Het gaat wel, ze is een beetje down. Heeft veel last van die jeuk. Ze was bijna de hele nacht wakker, omdat haar handen en voeten zo jeukten. Ze zegt dat haar urine erg donker is. En haar onderlijf is opgezwollen, dat vindt ze nog het ergste.'

'Ik schrijf haar wel wat plaspillen voor, dan heeft ze daar geen last meer van.' Hij schreef iets op Caitlins patiëntenkaart en plotseling was Lynn verontwaardigd. Hier kon verdorie toch wel iets meer gedaan worden dan alleen wat op een kaartje krabbelen! En waarom gebruikte hij geen computer?

'Ross, wat bedoel je precies met dat het aantal bloedplaatjes schrikbarend snel omlaag is gegaan? Kan daar niets aan gedaan worden? Wat moeten we doen?'

Hij kwam overeind, liep naar de boekenplanken en kwam terug met een bruin, driehoekig voorwerp, maakte plaats vrij op zijn bureau en zette het neer.

'Kijk, zo ziet een volwassen menselijke lever eruit. Die van Caitlin is een tikje kleiner.'

Lynn keek ernaar, zoals ze er al duizend keer naar had gekeken. Hij tekende op een blocnote iets wat op een struik broccoli leek. Ze luisterde terwijl hij geduldig uitlegde hoe de galwegen werkten, maar toen hij de tekening af had, was ze nog niet veel wijzer geworden. En er was trouwens maar één vraag die haar nu bezighield.

'Er moet toch iets aan gedaan kunnen worden?' vroeg ze. Maar erg overtuigd klonk ze niet. Alsof ze besefte – alsof ze beiden beseften – dat ze na zes jaar wanhopig hopen eindelijk bij het onvermijdelijke waren aanbeland.

'We kunnen er jammer genoeg niets meer aan doen. Dokter Granger zegt dat er nog maar weinig tijd is.'

'Hoe bedoel je?'

'Ze reageert niet op de medicijnen en er zijn geen andere medicamenten meer die we haar kunnen toedienen.'

'Er moet toch nog wel iets zijn wat jullie kunnen doen? Dialyse?'

'Dat helpt inderdaad als de nieren niet meer werken, maar niet voor de lever. Daar is niets voor.'

Hij was even stil.

'Hoezo niet, Ross?' vroeg ze.

'De lever is daar te gecompliceerd voor. Ik teken het wel even voor je, dan kun je zien –'

'Rot op met je kuttekening!' viel ze uit. Toen barstte ze in snikken uit. 'Maak nou maar gewoon mijn allerliefste engeltje beter. Je moet toch íéts kunnen doen.' Ze snoof. 'Wat gaat er nu gebeuren, Ross?'

Hij beet op zijn lip. 'Ze heeft een andere lever nodig.'

'Een transplantatie? Maar ze is pas vijftien jaar! Vijftien!'

Hij knikte, maar zei niets.

'Sorry hoor, ik schreeuw niet tegen jou... Ik...' Ze zocht in haar tas naar een zakdoek en bette haar ogen ermee. 'Ze heeft al zo veel meegemaakt in haar leven, mijn arme engeltje. Een transplantatie?' vroeg ze opnieuw. 'Is dat echt de enige mogelijkheid?'

'Ja, helaas wel.'

'En anders?'

'En anders gaat ze dood.'

'Hoelang hebben we nog?'

Hij stak zijn handen hulpeloos in de lucht. 'Dat weet ik niet.'

'Weken? Maanden?'

'Hooguit een paar maanden. Maar als haar lever zo achteruit blijft gaan, zal het een stuk korter zijn.'

Er viel een lange stilte. Lynn staarde naar haar schoot. Uiteindelijk, en heel zachtjes, vroeg ze: 'Ross, hoe riskant is een transplantatie?'

'Er zijn inderdaad risico's aan verbonden. Maar het grootste probleem is er een te vinden. Er is een tekort, omdat er te weinig donoren zijn.'

'Ze heeft ook nog eens een zeldzame bloedgroep, toch?' vroeg Lynn.

Hij keek even in zijn aantekeningen en antwoordde: 'AB negatief. Ja, dat is zeldzaam, maar zo'n twee procent van de bevolking heeft die bloedgroep.'

'Is de bloedgroep erg belangrijk?'

'Die is inderdaad belangrijk, maar hoe belangrijk weet ik niet precies. Volgens mij kan een andere bloedgroep eventueel ook wel.'

'En ik? Kan ik mijn lever aan haar doneren?'

'In principe is een gedeeltelijke transplantatie mogelijk, waarbij maar een van de kwabben gebruikt wordt. Maar jullie bloedgroepen moeten wel overeenkomen, en ik denk niet dat je lever groot genoeg is.'

Hij keek het op haar patiëntenkaart even na. 'Jij bent A positief,' zei hij. 'Ik weet niet of dat kan.' De dokter glimlachte haar somber en hulpeloos toe. 'Dokter Granger weet dat beter dan ik. En hij weet ook of het feit dat je aan diabetes lijdt van belang is.'

Ze vond het beangstigend dat de man die ze zo vertrouwde er opeens verloren en onwetend bij zat.

'Mooi,' zei ze bitter. Diabetes was een van de dingen die ze aan haar scheiding had overgehouden. Diabetes type 2, die volgens dokter Hunter waarschijnlijk was veroorzaakt door stress. Dus had ze zichzelf niet eens als troost met lekkere dingen kunnen volproppen. 'Caitlin moet dus wachten tot er iemand met dezelfde bloedgroep doodgaat? Wil je dat soms zeggen?'

'Ja, dat denk ik wel. Tenzij er iemand in de familie is of je bevriend bent met iemand die dezelfde bloedgroep heeft en een gedeelte van zijn lever wil afstaan.'

Lynn kreeg weer een beetje hoop. 'Zou dat ook kunnen?'

'De grootte van de lever is wel van belang, het zal dus een groot persoon moeten zijn.'

De enige grote man die haar zo snel te binnen schoot was Mal. Maar hij had dezelfde bloedgroep als zij. Daar waren ze een paar jaar geleden achter gekomen, toen ze als brave burgers bloeddonoren waren geworden.

Lynn rekende snel iets uit. Er woonden vijfenzestig miljoen mensen in Engeland. Zo'n vijfenveertig miljoen waren tieners of ouder. Twee procent daarvan zou zo'n negenhonderdduizend mensen zijn. Dat waren een hoop mensen. Er ging vast wel elke dag iemand met de bloedgroep AB negatief dood.

'We komen op een wachtlijst, neem ik aan? Als aasgieren wachten tot iemand sterft? Stel dat Caitlin dat niet aankan?' vroeg ze. 'Je weet hoe ze is. Ze wil niets doden, maar dan ook niets. Ze schiet al in de stress als ik een vlieg doodmep!'

'Je kunt maar beter even met haar langskomen. Vanmiddag zou kunnen, als je wilt. Er zijn vaak familieleden die graag de organen van hun overleden dierbare ter beschikking stellen voor transplantatie, omdat het sterfgeval zo nog enig doel en nut krijgt. Zal ik dat aan haar uitleggen?'

Lynn greep de armleuningen van haar stoel en probeerde zo rustig mogelijk te blijven. 'Ik kan niet geloven dat ik dit denk, Ross, want ik ben helemaal geen gewelddadig persoon. Zelfs voordat Caitlin daar een punt van maakte, vond ik het al niet leuk om vliegen in de keuken dood te slaan. Maar nu zit ik hier gewoon te hópen dat er iemand onmiddellijk doodgaat.'

6

De ochtendspits op Coldean Lane was tot stilstand gekomen door het ongeluk en stond al bijna tot aan de voet van de heuvel vast. Links lag Moules-
comb, de grote naoorlogse wijk met sociale huurwoningen, en rechts, achter een vuurstenen muur, gaven bomen de oostgrens van Stanmer Park aan,
een van de grootste open ruimten in de stad.

Agent Ian Upperton manoeuvreerde voorzichtig de politieauto om een
stilstaande pruttelende bus achter aan de file, totdat hij de weg voor zich zag,
en toen, met loeiende sirene, scheurde hij over de verkeerde kant van de weg
naar voren.

Tony Omotoso zat zonder iets te zeggen naast hem en hield de auto's voor
hen in de gaten, voor het geval iemand ongeduldig werd en zo stom was de
rij te verlaten of om te keren. De meeste chauffeurs waren blind of doof en
hadden de muziek zo hard aanstaan dat ze de sirenes niet hoorden, en keken
alleen maar in de achteruitkijkspiegel om hun haar goed te doen. Hij was gespannen en de zenuwen gierden hem door de keel, waar hij altijd last van
had als hij op weg was naar een auto-ongeluk. Je wist nooit wat je zou aan-
treffen.

Bij een ongeluk werd de auto voor de meeste mensen in plaats van een
vriend een vijand, die hen vastspietste, opensneed, verpletterde, en hen
soms afschuwelijk genoeg levend bakte. Het ene moment reden ze nog vrolijk rond, met de muziek aan, of gezellig kletsend, het volgende moment
– een fractie van een seconde later – zaten ze, verbijsterd en hulpeloos, opgesloten en met veel pijn in een verwrongen hoop metaal met vlijmscherpe
randen. Hij haatte de idioten op de weg, mensen die slecht of onvoorzichtig
reden, en de halve zolen die hun gordel niet omdeden.

Ze waren nu bijna boven op de heuvel, bij de kruising van Ditchling Road
en Coldean Lane, en hij zag voor aan de file een blauwe Range Rover met
beide knipperlichten aan. Iets verderop stond een oude, witte BMW cabrio-
let, uit de 3-serie, dwars op de weg met het portier aan de chauffeurskant
open en niemand erin. Er zat een gigantische v-vormige deuk in het portier
en van het stuur was weinig over. De achterruit lag aan diggels. Even verderop stond een groepje mensen op de weg. Sommigen draaiden hun hoofd om
toen de politieauto eraan kwam, en sommigen gingen uit de weg.

Door de opening die ze maakten, zag Omotoso een klein wit Ford-busje staan, met draaiende motor en de neus naar hen toe gekeerd. Op de grond lag een motorrijder, wijdbeens en doodstil. Er liep een dun straaltje donkerrood bloed onder zijn zwarte helm uit op de weg, waar het een plasje vormde. Twee mannen en een vrouw zaten bij hem. Een van de mannen praatte tegen hem. Iets verderop lag een rode motor.

'Weer een Fireblade,' mompelde Upperton grimmig, terwijl hij de auto stilzette.

De Honda Fireblade was dé motor voor mannen in de veertig die vroeger motor hadden gereden en nu wat meer geld hadden en weer wilden rijden. En natuurlijk wilden ze de snelste motor die er was, hoewel ze er geen idee van hadden hoeveel sneller dat in de loop der jaren was geworden, en hoe moeilijk het was de macht over het stuur te houden. Het was een gegeven, en Omotoso en Upperton konden beamen – en heel veel verkeersagenten met hen – dat de grootste risicogroep geen onbesuisde tieners waren, maar zakenmannen van middelbare leeftijd.

Omotoso gaf via de portofoon door dat ze op de plek van het ongeval waren aangekomen en kreeg te horen dat een ambulance en een brandweerauto onderweg waren. 'Er kan maar beter ook een rechercheur van de verkeerspolitie bij komen, Hotel Tango drie negen negen,' zei hij tegen de coördinator, en hij gaf meteen diens oproepnaam door. Het zag er slecht uit. Zelfs van een afstand was duidelijk dat het bloed niet lichtrood was zoals bij een oppervlakkige hoofdwond, maar donker, wat een inwendige bloeding betekende.

De agenten stapten uit de auto, namen de omgeving snel en nauwgezet in zich op. Als Tony Omotoso één ding wel had geleerd in zijn werk, was het dat je nooit voorbarige conclusies mocht trekken over hoe het ongeluk was gebeurd. Maar aan de remsporen en de positie van de auto en de motor te zien, leek het erop dat de auto de motor had gesneden. Die had behoorlijk snel gereden om zo veel schade te veroorzaken en de auto om zijn as te laten draaien.

Hij moest er allereerst voor zorgen dat de andere weggebruikers geen gevaar liepen. Maar het verkeer stond zo te zien van beide kanten vast. In de verte hoorde hij een sirene aankomen.

'Ze ging opeens naar de andere rijbaan, die stomme trut! Ze schoof er gewoon voor!' riep een man naar hem. 'Hij kon geen kant uit!'

Ze letten niet op het geschreeuw en renden naar de motorrijder. Omotoso wrong zich tussen de mensen door en ging op zijn hurken zitten.

'Hij is bewusteloos,' zei de vrouw.

Het getinte vizier van de helm van het slachtoffer was nog gesloten. De agent wist dat hij hem zo min mogelijk moest aanraken. Uiterst voorzichtig deed hij het vizier omhoog en opende de mond van de man om de tong te zoeken.

'Kunt u me horen, meneer? Kunt u me horen?'

Achter hem vroeg Ian Upperton: 'Van wie is de BMW?'

Een vrouw kwam aanlopen, met een mobieltje in haar hand, haar gezicht lijkbleek. Ze was in de veertig, zag er een beetje verwaand uit met haar geverfde blonde haar, en droeg een spijkerjasje met bontkraag, een spijkerbroek en suède laarzen.

Ze zei beduusd en met de diepe stem van een zware roker: 'Shit, o shit, o shit. Ik heb hem niet gezien. Hij was er opeens. Ik heb hem niet gezien. Er reed niemand voor me.' Ze trilde in shock.

De agent, die al wat langer meeliep, boog zich naar haar toe, veel dichterbij dan nodig als hij haar wilde horen spreken. Hij wilde haar ruiken, of beter gezegd: haar adem ruiken. Hij had een goed ontwikkelde reukzin en kon vaak bespeuren of iemand de avond ervoor flink had gedronken. Het was mogelijk dat er nog een vleugje hing, maar dat was moeilijk te zeggen, omdat de kauwgom en de sigarettenrook overheersten.

'Wilt u even in mijn auto gaan zitten? Op de passagiersstoel, graag. Ik kom er zo aan,' zei Upperton.

'Ze ging er gewoon voor rijden!' zei een man in een anorak tegen hem met ongeloof in zijn stem. 'Ik zat pal achter hem.'

'Wat zijn uw gegevens, meneer?' vroeg de agent.

'Ze zat er opeens voor. Hij reed trouwens wel behoorlijk hard,' gaf de man toe. 'Die Range Rover is van mij.' Hij wees ernaar met zijn duim. 'Hij haalde me als een speer in.'

Upperton zag de ambulance aankomen. 'Ik ben zo weer terug, meneer,' zei hij en hij rende naar de ziekenauto toe.

Hoe het verder werd afgehandeld, lag grotendeels aan hoe zij het beoordeelden. Als zij het als een dodelijk ongeluk zagen, zouden ze de weg moeten afsluiten totdat de Ongevalleninspecteurs hun onderzoek hadden afgerond. In de tussentijd riep hij de coördinator op via de portofoon en vroeg om versterking.

7

De feestjes waren dit jaar al vroeg begonnen. Inspecteur Roy Grace zat om kwart over negen met een zware kater in zijn kantoor. Hij had nooit last gehad van katers, nou ja, zelden dan, maar de afgelopen tijd scheen het steeds vaker voor te komen. Zou het aan de leeftijd liggen? Hij werd in augustus veertig. Of kwam het misschien door...

Tja, door wat?

Hij wist dat hij onderhand beter in zijn vel moest zitten. Het was inmiddels negen jaar geleden dat zijn vrouw Sandy spoorloos was verdwenen en hij had eindelijk weer een relatie met een vrouw op wie hij stapelgek was. Hij was niet lang geleden gepromoveerd tot hoofd Zware Criminaliteit, en het grootste obstakel in zijn carrière, adjunct-hoofdcommissaris Alison Vosper, die hem nooit had gemogen, was overgeplaatst naar de andere kant van het land.

Dus waarom, vroeg hij zich af, werd hij toch nog vaak met een ellendig gevoel wakker? En waarom dronk hij opeens zo veel?

Kwam het doordat Cleo, nu ze op het punt stond dertig te worden, wel eens liet doorschemeren – nou, wel wat meer dan doorschemeren – dat ze graag meer wilde dan een losse relatie? Hij was al praktisch bij haar en Humphrey, het vuilnisbakje uit het asiel, ingetrokken. Dat kwam deels doordat hij graag bij haar was, maar ook doordat zijn vriend en collega-rechercheur Glenn Branson, die in scheiding lag, min of meer zijn huisgenoot was geworden. Hij hield van die man, maar het samenwonen was wat minder, en het liep een stuk soepeler als hij Glenn met rust liet, hoewel Roy het wel vervelend vond dat hij er zo'n rotzooi van maakte, met name van Roys zeer geliefde platen- en cd-verzameling.

Hij dronk het tweede kopje koffie van de ochtend op en schroefde vervolgens de dop van een fles bronwater. Hij was de vorige avond aanwezig geweest bij een kerstdiner van de medewerkers van het stadsmortuarium Brighton and Hove, in een Chinees restaurant aan de jachthaven, en in plaats van daarna netjes naar huis te gaan, was hij met de meute meegegaan naar het Rendezvous Casino, waar hij een paar cognacjes had gedronken – waar hij altijd een vreselijke kater van kreeg – en in ijltempo vijftig pond aan de roulettetafel en honderd pond bij blackjack had verloren, voordat Cleo hem – en daar had hij mazzel mee – had weggesleept.

Normaalgesproken zat hij om zeven uur al achter zijn bureau, maar dit keer was hij pas tien minuten geleden aangekomen, en tot dusver had hij alleen nog maar koffie gezet en de computer opgestart. En die avond moest hij weer uit, dan was er het afscheidsfeestje van ene hoofdinspecteur Jim Wilkinson, die met pensioen ging.

Hij keek door het raam naar het parkeerterrein en de ASDA-supermarkt aan de overkant, en naar zijn geliefde stad erachter. Het was een mooie, frisse dag. Het was zo helder dat hij in de verte de witte schoorstenen van de energiecentrale aan Shoreham-Haven kon zien, met daarachter het blauwe lint van het Kanaal, voordat dat overging in de lucht erboven. Hij had dit kantoor pas een paar maanden, nadat ze hier in waren getrokken vanaf de andere kant van het gebouw. Daar had hij als uitzicht alleen maar de grijze muur van het cellenblok gehad, dus dit panorama was nog steeds behoorlijk nieuw en mooi. Maar deze dag kon hij er niet van genieten.

Hij hield zijn koffiebeker in beide handen en zag tot zijn afschuw dat ze trilden. Shit, hoeveel had hij de vorige avond wel niet gedronken? Voor zover hij zich kon herinneren had Cleo helemaal niets gedronken, en dat was maar goed ook, want zo had zij hen naar huis kunnen rijden. En – verdomd – hij kon zich zelfs niet herinneren of ze hadden gevrijd.

Hij had ook beter niet hiernaartoe kunnen rijden. Hij had waarschijnlijk nog steeds te veel alcohol in zijn bloed. Zijn maag leek net een draaiende betonmolen en hij wist nog niet of de twee gebakken eieren die Cleo hem door zijn strot had geduwd wel zo'n goed idee waren geweest. Hij had het koud. Hij pakte zijn jasje van zijn stoel en trok het aan. Daarna keek hij op zijn computer, naar de lijst met wat er de afgelopen nacht was voorgevallen in Brighton and Hove. De lijst werd elke minuut aangevuld en oudere berichten die nog steeds van belang waren werden bijgewerkt.

Er was een aanval op homo's in Kemp Town en een ernstige geweldpleging op King's Road. Dan was er nog een verkeersongeval op Coldean Lane, een aanrijding tussen een auto en een motor. Het was om twee over halfnegen ingevoerd en net aangevuld met de informatie dat er om de H900, de politiehelikopter met een medicus aan boord, was verzocht.

Dat was niet best, dacht hij rillend. Hij was gek op motoren en had er een gehad in zijn jonge jaren, toen hij net bij de politie was gaan werken. Hij had toen verkering met Sandy gehad, maar daarna had hij er nooit meer op gereden. Een ex-collega, Dave Gaylor, die onlangs met pensioen was gegaan, had een prachtige zwarte Harley met rode wielen gekocht en Roy had eraan gedacht, nu hij dankzij zijn promotie altijd een auto ter beschikking had, zijn Alfa Romeo, die toch al total loss was, om te ruilen voor een motor, zodra die eikels van de verzekeringsmaatschappij eindelijk eens met het geld over de brug kwamen. Beter gezegd: áls. Maar toen hij dat tegen Cleo had gezegd, was ze helemaal door het lint gegaan, hoewel ze zelf ook niet erg voorzichtig reed.

Cleo, de hoofdpatholoog van het stadsmortuarium Brighton and Hove, hing elke keer dat Roy erover begon een heel verhaal op over alle dodelijke verwondingen van motorrijders die ze regelmatig in haar carrière had gezien. En hij wist dat motorrijders in bepaalde medische kringen, met name trauma-afdelingen, waar zwarte humor veel gebezigd werd, 'donors op wielen' werden genoemd.

Dat verklaarde ook de aanwezigheid van een stapel autotijdschriften waarin tests stonden en advertenties voor tweedehandsauto's – maar geen motoren – op zijn toch al belachelijk volle bureau.

Bovendien had hij behalve de dossiers die bij zijn nieuwe functie hoorden en de stapels dossiers over de komende rechtszaken van het ministerie van Justitie, ook nog eens alle oude zaken geërfd van de politie van Sussex, nadat een zekere collega plotseling de benen had genomen. Er zaten dossiers in groene kratten, die de grond in beslag namen en de kleine ronde vergadertafel en de vier stoelen, en in zijn zwartleren tas, waarin alles zat aan instrumenten en beschermende kleding wat hij nodig kon hebben op een plaats delict.

Hij vorderde maar tergend langzaam met de oude zaken, deels doordat hij, noch iemand anders op het bureau, er de tijd voor had en deels doordat er eigenlijk niets meer aan kon worden gedaan. De politie moest wachten tot de techniek weer was voortgeschreden, zoals nieuwe ontwikkelingen in de analyse van DNA, om een verdachte te ontmaskeren, of tot iemand zich niet meer genoodzaakt voelde een ander te beschermen. Bijvoorbeeld als een vrouw die had gelogen om haar man te beschermen nu kwaad op hem was en hem aangaf. Het zou allemaal wel anders worden, want er was een nieuw team aangesteld dat onder hem viel en dat alle openstaande oude zaken ging bekijken.

Grace had medelijden met hen, maar de aanblik van de kratten deed hem beseffen dat hij de laatste kans was voor de slachtoffers om gerechtigheid te krijgen. De laatste kans voor de nabestaanden om de zaak af te sluiten.

Hij wist van bijna alle dossiers wat erin zat. De zaak-Richard Ventnor ging over een homoseksuele dierenarts die twaalf jaar eerder in zijn praktijk was doodgeslagen. De zaak-Tommy Lytle lag hem na aan het hart, want dat was de oudste onafgesloten zaak. Op elfjarige leeftijd, inmiddels zevenentwintig jaar geleden, was Tommy in februari 's middags van school weggegaan om naar huis te lopen. Hij was spoorloos verdwenen.

Hij keek weer naar de dossiers van het ministerie van Justitie. De hoeveelheid papierwerk die daaraan vastzat was ongelooflijk. Hij nam een slok water en vroeg zich af waar hij moest beginnen. In plaats daarvan keek hij op zijn lijst met kerstcadeaus. Maar verder dan het eerste cadeau kwam hij niet. De ouders van Jaye Somers, zijn negenjarige petekind, hadden een presentje voor haar bedacht. Ze wisten dat hij graag iets gaf waardoor zij hem cool vond in plaats van een saaie ouwe vent. Dit keer een paar zwartsuède Ugg-laarzen, maat 35.

Waar kon je in hemelsnaam Ugg-laarzen kopen?

Hij kende iemand die dat wel zou weten. Hij keek naar een groen krat, het vierde van onder in de stapel rechts naast zijn bureau. De Schoenenman. Die oude zaak had hem altijd al geïntrigeerd. In de loop van een paar jaar had de Schoenenman in Sussex zes vrouwen verkracht. Een van hen had hij vermoord; waarschijnlijk per ongeluk, omdat hij in paniek was geraakt, was de conclusie geweest. Opeens was hij er op onverklaarbare wijze mee gestopt. Misschien had zijn laatste slachtoffer wel te veel tegenstand geboden: het was haar gelukt zijn masker gedeeltelijk weg te rukken, zodat de politietekenaar een schets van de man kon maken, en dat had hem misschien afgeschrikt. Of misschien was hij wel dood. Of verhuisd.

Drie jaar geleden was een negenveertigjarige zakenman in Yorkshire opgepakt. Hij had halverwege de jaren tachtig een hele reeks vrouwen verkracht, en had altijd hun schoenen meegenomen. Een tijdlang had de politie van Sussex gehoopt dat dat de dader was, maar DNA-tests wezen uit dat dat niet het geval was. Bovendien was de manier van verkrachten wel vergelijkbaar, maar niet identiek. James Lloyd, de man uit Yorkshire, nam allebei de schoenen van zijn slachtoffers mee, en de Schoenenman uit Sussex maar één, en altijd de linkerschoen, samen met het slipje van het slachtoffer. Het konden er natuurlijk meer dan zes zijn geweest. Het probleem met verkrachting was dat veel slachtoffers zich te zeer schaamden om het te vertellen.

Grace had van alle misdadigers de grootste hekel aan pedofielen en verkrachters. Deze mannen verwoestten het leven van hun slachtoffers. Je kwam nooit meer over een kinderlokker of verkrachter heen. De slachtoffers deden hun best de draad weer op te pakken, maar het zou hun altijd bijblijven.

Hij was niet alleen politieman geworden omdat zijn vader dat ook was geweest, maar omdat hij echt een beroep wilde waarin hij iets – hoe klein zijn bijdrage ook mocht zijn – voor mensen kon doen. In de afgelopen jaren,

dankzij alle nieuwe ontwikkelingen, was er een ambitie boven komen drijven. Dat de daders van de slachtoffers van wie de dossiers in al die kratten
zaten, ooit voor de rechter zouden verschijnen. Stuk voor stuk. En boven aan
zijn huidige lijst stond die enge Schoenenman.

Ooit zou het gebeuren.

Ooit zou de Schoenenman wensen dat hij nooit geboren was.

8

Lynn verliet de dokterspraktijk als in een waas. Ze liep over de stoep naar haar aftandse kleine oranje Peugeot, die een afwijkend wiel had zonder wieldop, trok het portier open en stapte in. Ze sloot de auto bijna nooit af, in de hoop dat iemand hem zou stelen en ze het verzekeringsgeld kon opstrijken. Maar dat was tot nu toe nog niet gebeurd.

Bij de garage hadden ze haar vorig jaar gezegd dat hij nooit door de jaarlijkse keuring zou komen zonder grote reparaties, en dat het zonde van het geld zou zijn. De keuring was al de week erop, en ze zag er vreselijk tegen op.

Mal had de auto kunnen repareren, die kon alles maken. Dat miste ze wel. En iemand om mee te praten. Iemand die haar kon steunen tijdens het hartverscheurende gesprek met haar dochter dat haar stond te wachten.

Ze haalde haar mobieltje uit haar tas en toetste het nummer in van haar hartsvriendin Sue Shackleton. Ze knipperde driftig met haar ogen om de tranen terug te dringen. Sue was ook gescheiden, en alleenstaande moeder van vier kinderen. Ze leek altijd vrolijk.

Terwijl Lynn haar hart uitstortte, zag ze een parkeerwacht over de stoep aan komen slenteren. Maar ze had nog een uur parkeren te goed, dus ze maakte zich geen zorgen. Sue leefde zoals altijd mee, maar bleef realistisch.

'Zulke dingen gebeuren nu eenmaal, meid. Ik ken iemand die, nou... zo'n zeven jaar geleden alweer, een niertransplantatie heeft gehad, en het gaat prima met hem.'

Lynn knikte toen Sue het over die vriend had, want zij kende hem ook. 'Ja, maar dit is toch anders. Je kunt het jarenlang volhouden met dialyse zonder een niertransplantatie, maar niet als je lever het opgeeft. Er is geen andere mogelijkheid. Ik ben zo bang, Sue. Dit is een buitengewoon ingrijpende operatie. Er kan zo veel verkeerd gaan. En dokter Hunter zei dat hij niet kon garanderen dat hij zou slagen. Ze is verdorie pas vijftien!'

'En wat is het alternatief?'

'Dat is het nu juist, er is geen alternatief.'

'Dan heb je geen keus. Je wilt toch dat ze blijft leven?'

'Ja, natuurlijk.'

'Dan moet je onder ogen zien wat er moet gebeuren. Je moet je voor haar sterk en vol vertrouwen opstellen. Ze kan het nu niet gebruiken als je in paniek raakt.'

Vijf minuten later, toen ze het gesprek beëindigde en afsprak met Sue om koffie te gaan drinken, als ze Caitlin even alleen kon laten, hoorde ze die woorden nog nagalmen.

Je moet je voor haar sterk en vol vertrouwen opstellen.

Gemakkelijk gezegd.

Ze belde Mal op zijn mobieltje, niet zeker waar hij op dat moment was. Zijn schip ging overal naartoe, en de afgelopen tijd had hij in het Bristol Channel in Wales gelegen. Hun relatie was vriendschappelijk, maar wel wat stijfjes en formeel.

Hij nam na drie keer overgaan op en de verbinding was behoorlijk slecht.

'Hoi,' zei ze. 'Waar zit je?'

'Shoreham. We liggen zo'n vijftien kilometer buiten de haven en zijn op weg naar het baggergebied. Over een paar minuten is er geen bereik meer. Wat is er aan de hand?'

'Ik moet je spreken. Het gaat niet goed met Caitlin, ze is ernstig ziek. Heel ernstig ziek.'

'Verdomme,' zei hij, al beduidend slechter te verstaan. 'Vertel.'

Ze vertelde snel wat de diagnose was, want ze wist hoe snel de verbinding verbroken kon worden. Ze kon nog maar net verstaan wat hij antwoordde: dat het schip over zeven uur weer in Shoreham zou zijn en dat hij haar dan zou bellen.

Vervolgens belde ze haar moeder, die met haar bridgeclub koffie zat te drinken. Haar moeder was een sterke vrouw en leek in de vier jaar sinds Lynns vader was overleden nog sterker te zijn geworden. Ze had Lynn opgebiecht dat haar vader en zij elkaar nooit erg graag hadden gemogen. Ze was een praktische vrouw en niets scheen haar van de wijs te brengen.

'Je moet een second opinion aanvragen,' zei ze meteen. 'Zeg dat maar tegen dokter Hunter.'

'Volgens mij is er niets aan te doen,' zei Lynn. 'Niet alleen dokter Hunter zegt dat, maar ook de specialist. We zijn hier altijd al bang voor geweest.'

'Je moet echt een second opinion aanvragen. Dokters vergissen zich ook wel eens. Ze zijn niet onfeilbaar.'

Lynn beloofde met enige tegenzin dat ze om een second opinion zou vragen. Vervolgens reed ze naar huis en zat er onderweg de hele tijd over te piekeren. Hoeveel second opinions waren er nodig? In de afgelopen jaren had ze alles al geprobeerd. Ze had internet afgezocht om de grootste Amerikaanse universitaire ziekenhuizen te bekijken. Evenals de Duitse en de Zwitserse. Ze had alle alternatieve geneeswijzen onderzocht: gebedsgenezers, handoplegging, genezing door middel van trillingen en op afstand. Geestelijken. Bolletjes colloïdaal zilver. Homeopaten, kruidengenezers, acupuncturisten.

Tuurlijk, haar moeder had wel gelijk. De diagnose kon fout zijn. Een andere specialist wist misschien meer dan dokter Granger en had misschien een minder ingrijpende aanpak. Er konden ook nieuwe medicijnen zijn om het te behandelen. Maar hoelang zocht je naar een alternatief terwijl je dochter steeds meer achteruitging? Hoelang duurde het voordat je accepteerde dat de conventionele aanpak de enige manier was?

Ze sloeg op de kleine rotonde op London Road rechts af Carden Avenue in; de auto helde naar rechts en veroorzaakte een afschuwelijk schrapend geluid. Ze schakelde naar een andere versnelling en hoorde het gebruikelijke metaalachtige gebonk van de uitlaatpijp, die niet goed meer vastzat. Caitlin vond dat het net de man met de zeis was die aanklopte omdat de auto op sterven na dood was.

Haar dochter had een griezelig gevoel voor humor.

Ze reed de heuvel op Patcham in, terwijl de tranen haar in de ogen sprongen toen de situatie haar naar de keel greep. O, shit. Ze schudde verbijsterd het hoofd. Niets, maar dan ook helemaal niets had haar hierop kunnen voorbereiden. Hoe kon je je dochter nu vertellen dat ze een andere lever zou krijgen? En dat ze er een van een dode zouden gebruiken?

Boven op de heuvel draaide ze hun straat in, ging links hun oprit op, trok de handrem aan en schakelde de motor uit. Zoals gebruikelijk pruttelde de auto nog even na, schudde heen en weer en de uitlaat bonkte nog eens, voordat het stil werd.

Het halfvrijstaande huis stond aan een rustige laan en, zoals de meeste huizen in deze stad, boven op een steile heuvel. Het keek uit op bomen die London Road en de spoorweg aan het zicht onttrokken en op de chique droomhuizen en enorme tuinen aan Whitdean Road aan de andere kant van de vallei. De huizen aan haar laan stamden allemaal uit de jaren dertig en zagen er identiek uit: drie slaapkamers en ronde art-decovormen die ze erg mooi vond. Er was een kleine voortuin bij met een opritje voor de garage en een mooie grote tuin achter.

De vorige bewoners waren een ouder echtpaar geweest en toen Lynn erin was getrokken, had ze een heleboel plannen gehad om het te verbouwen. Maar na zeven jaar kon ze het zich niet eens veroorloven om de oude vuile vloerbedekking eruit te halen en te vervangen, om over de grootse plannen om muren uit te breken en de tuin opnieuw in te richten maar niet te spreken. Een likje verf en wat nieuw behang waren het enige wat ze tot nu toe voor elkaar had gekregen. In de sombere keuken rook het nog steeds muf, ondanks het feit dat ze overal potpourri en luchtverfrissers had neergezet.

Ooit, beloofde ze zichzelf altijd. Ooit.

Zoals ze ook ooit een klein atelier in de tuin zou laten bouwen. Ze aquarelleerde graag, met name stadsgezichten van Brighton, en ze had al het een en ander verkocht.

Ze ging door de voordeur naar binnen en stapte de smalle gang in. Ze keek naar boven en vroeg zich af of Caitlin al op was, maar ze hoorde niets.

Met een zwaar gemoed liep ze de trap op. Op Caitlins deur hing een groot wit bord waarop in rood geschreven stond: EERST KLOPPEN! Dat hing er al zolang ze zich kon herinneren. Ze klopte op de deur.

Er werd, zoals gewoonlijk, niet gereageerd. Caitlin lag te slapen of ze was haar trommelvlies aan het beschadigen met harde muziek. Ze stapte de slaapkamer in. Die zag eruit alsof er met een bulldozer lukraak dingen door het raam naar binnen waren gegooid.

Tussen de lading kleren, knuffels, cd's, dvd's, schoenen, make-upspulletjes, een overvolle roze prullenmand, een op zijn kant liggende roze kruk, poppen, een mobile met blauwe perspex vlinders, tasjes van TopShop, River Island, Monsoon, Abercrombie & Fitch, Gap and Zara, en een dartbord waar een paarse boa aan hing, was nog net het bed te onderscheiden. Caitlin lag op haar zij, in een van de vele eigenaardige houdingen waarin ze sliep: haar armen en benen over elkaar geslagen, een kussen over haar hoofd, haar blote billen en bovenbenen onder het dekbed uitstekend, een iPod in haar oren en de televisie aan.

Ze leek wel dood.

En heel even was Lynn bang dat ze dat inderdaad was. Ze vloog naar voren, raakte met haar benen verward in het snoer van de oplader van haar dochters mobieltje, en raakte haar lange, slanke arm aan.

'Ik slaap, hoor,' zei Caitlin chagrijnig.

Lynn was opgelucht. Door de ziekte sliep haar dochter op vreemde tijden. Ze glimlachte, ging op de rand van het bed zitten en streelde haar rug. Caitlin zag er met haar kortgeknipte zwarte haar soms uit als een lappenpop, vond ze. Ze was lang, mager, bijna té mager en slungelig, en het leek soms wel of haar botten van rubber waren.

'Hoe gaat het?'

'Ik heb jeuk.'

'Wil je wat eten?' vroeg ze hoopvol.

Caitlin had niet echt anorexia, maar ze zat ertegenaan. Ze was geobsedeerd door haar gewicht, vond dingen als kaas of pasta, die ze onverzadigd vet noemde, walgelijk, en stond voortdurend op de weegschaal.

Caitlin schudde haar hoofd.

'Ik moet even met je praten, lieverd.' Ze keek op haar horloge. Het was vijf over tien. Ze had de vorige dag op haar werk verteld dat ze wat later zou komen, en ze zou zo moeten bellen dat ze helemaal niet kwam. De dokter kon Caitlin alleen maar halverwege de middag ontvangen.

'Ik heb het druk,' gromde haar dochter.

Lynn had het opeens gehad en trok de iPod-dopjes uit haar dochters oren. 'Het is belangrijk.'

'Rustig, mens!' zei Caitlin.

Lynn beet op haar lip en bleef even stil. Toen zei ze: 'We hebben vanmiddag om halfdrie een afspraak met dokter Hunter.'

'Nee, hè? Ik heb met Luke afgesproken.'

Luke was haar vriendje. Hij studeerde iets in de IT aan de universiteit van Brighton, maar wat precies had ze nooit echt begrepen. Lynn had in haar leven heel wat klaplopers gekend, maar Luke stak daar met kop en schouders bovenuit. Caitlin ging al ruim een jaar met hem. En in dat jaar had Lynn zo'n vijf woorden uit hem kunnen krijgen, en dat was nog trekken geweest. 'Ja, hmm, weet je wel' leek zo'n beetje z'n hele vocabulaire te zijn. Ze had zo langzamerhand het vermoeden dat ze elkaar zo leuk vonden omdat ze van dezelfde planeet afkomstig waren, heel ver bij de aardbol vandaan. Een of ander doodlopend stuk in het heelal.

Ze gaf haar dochter een zoen op haar wang en streek teder over haar haar, dat stijf stond van de gel. 'Hoe gaat het met je, mijn engeltje? Behalve de jeuk dan.'

'Gaat wel. Ik ben moe.'

'Ik ben net bij dokter Hunter geweest. We moeten even praten.'

'Nu niet. Ik lig net zo lekker. Oké?'

Lynn bleef heel stil zitten en ademde diep in terwijl ze tot tien telde. 'Lieverd, die afspraak met dokter Hunter is erg belangrijk. Hij wil je beter maken. En de enige manier waarop dat kan is door een levertransplantatie. Daar wil hij het met je over hebben.'

Caitlin knikte. 'Mag ik mijn oordopjes terug? Dit is een van mijn lievelingsnummers.'

'Waar luister je naar?'

'Rihanna.'

'Heb je me gehoord, lieverd? Over die levertransplantatie?'

Caitlin haalde haar schouders op en gromde. 'Het zal wel.'

9

Het kostte de Arco Dee bijna anderhalf uur, met een snelheid van twaalf knopen per uur, om het baggergebied te bereiken. Malcolm Beckett was de hele tijd bezig met zijn dagelijkse ronde om de tweeënveertig sirenes en knipperlichten van het schip te controleren. Hij had er net drie gehad: het alarm van de machinekamer, het alarm voor wanneer er water werd gemaakt, en het alarm voor wanneer de boegmotor niet meer werkte, en stond nu op de brug om alle lampjes op het paneel die daarbij hoorden na te kijken.

Er stond een koude, maar frisse wind, en het was stralend weer. Het schip deinde genoeglijk heen en weer. Normaal gesproken genoot hij van dit soort dagen op zee. Maar vandaag hing er een donkere schaduw boven hem: Caitlin.

Eenmaal klaar met de lampjes keek hij naar het weerrapport of er nieuws was, en gelukkig zou het de rest van de dag goed weer blijven. De volgende dag, las hij, zou er een wind uit het zuidwesten staan van vijf tot zeven knopen, draaiend naar west vijf of zes, zodat de zee redelijk ruig zou worden en het af en toe zou regenen. Wat minder aangenaam, maar geen punt verder. De Arco Dee kon zelfs in windkracht zeven nog baggeren, maar als de wind toenam werd het te gevaarlijk aan boord en liepen ze het risico om hun baggerapparatuur te beschadigen, met name de snijkop die over de zeebodem schraapte.

Ze was oorspronkelijk gebouwd om in een afgesloten riviermond te werken, en door haar platte bodem kon ze wel vier meter lager in het water liggen als ze volgeladen was. Dat was handig als ze in havens met zandbanken werkten, zoals in Shoreham, waar de haveningang bij eb te ondiep was om schepen door te laten. De Arco Dee kon er nog een uur langer door, maar het nadeel was dat ze daardoor bij zwaar weer behoorlijk schommelde.

Op de gezellige warme, ruime, uiterst moderne brug hing een aandachtige stilte. Ze bevonden zich ruim achttien kilometer van Brighton en waren bijna bij de plek waar ze gingen baggeren. Op een zwart scherm vormden gele, groene en blauwe strepen een overhellende driehoek, een stukje uit de honderdzestig vierkante meter zeebodem die de Hanson Group, het bedrijf dat eigenaar was van deze baggervloot, door de regering was toegewezen. Dat stuk was net zo nauwgezet aangegeven als grond bij een boerderij aan het vasteland, en als ze er ook maar een centimeter van afweken, konden ze hoge boetes krijgen en zelfs hun vergunning kwijtraken.

Commercieel baggeren leek een beetje op steenhouwen onder water. Zand en grind dat door het schip werd opgezogen, werd vermalen en verkocht aan de huizenbouw- en tuinaanlegindustrie. Het mooiste grind werd gebruikt voor chique oprijlanen, het zand was voor de cementindustrie en de rest zou of worden vermalen voor beton of asfalt, of worden gebruikt in de fundering van gebouwen, voor wegen en tunnels.

Kapitein Danny Marshall was een magere, gespierde, vriendelijke man van vijfenveertig, die aan het roer stond en de twee hendels van de schroeven bestuurde. Hierdoor kon het schip beter manoeuvreren dan met een ouderwets stuurwiel en roer. Hij had zich al een paar dagen niet geschoren, droeg een zwarte gebreide muts, een blauw shirt onder een wijde blauwe trui, een spijkerbroek en zware zeelaarzen. De eerste stuurman, die hetzelfde droeg, hield een computerscherm in de gaten waarop het baggergebied stond afgebeeld.

Marshall zette de radio aan en boog zich voorover naar de microfoon. 'Hier de Arco Dee, Mike Mike Whisky Echo,' zei hij. Toen de kustwacht antwoordde, gaf hij hun positie door. Ze bevonden zich op een van de drukste vaarwegen ter wereld, waar het zicht door mist en nevel die opkwamen vanuit het Kanaal van het ene op het andere moment kon wegvallen, dus was het belangrijk dat hun positie regelmatig werd doorgegeven.

Net als zijn zeven scheepsmaten, van wie de meesten de afgelopen tien jaar hadden samengewerkt, zat de zee Malcolm Beckett in het bloed. Als kind was hij opstandig en zodra hij kon, was hij bij de Koninklijke Marine gegaan als monteur in opleiding. Een paar jaar lang had hij over de hele wereld gevaren. Maar, net als ieder ander op zijn schip die zijn carrière op een oceaanstomer was begonnen, was hij toen zijn eerste kind, Caitlin, geboren was op zoek gegaan naar werk waardoor hij wel naar zee kon, maar ook een gezinsleven kon hebben.

Baggeren was de beste oplossing. Ze waren nooit langer dan drie weken achter elkaar op zee, en kwamen twee keer per dag terug in de haven. Als het schip hier in Shoreham of in Newhaven lag, kon hij af en toe een uurtje naar huis.

De kapitein minderde snelheid. Malcolm controleerde de machinehendels en de temperatuurmeters, en keek toen op zijn horloge. Ze zouden over een uur of vijf weer dicht genoeg bij de kust zijn om ontvangst op zijn mobieltje te hebben. Hij was erg ongerust door Lynns telefoontje. Hoewel hij Caitlin altijd een moeilijk kind had gevonden, hield hij zielsveel van haar en hij herkende veel van zichzelf in haar. Op de dagen dat hij met haar op stap ging, vond hij haar gemopper op haar moeder altijd erg grappig. Het ging om dezelfde dingen waarover hij problemen met Lynn had gehad. Haar eeuwige gepieker was wel het ergste, hoewel Caitlin hun natuurlijk wel genoeg te piekeren had gegeven.

Maar dit keer was het nog erger dan anders, en het zat hem dwars dat het gesprek was afgebroken. En hij maakte zich zorgen.

Hij zette zijn veiligheidshelm op, trok het felgekleurde jasje aan, ging de brug af en daalde het steile metalen trapje af naar de kajuitstrap en vervolgens naar het dek. De felle ijzige wind trok aan zijn kleren, terwijl hij naar een punt liep waar hij kon toekijken terwijl ze de baggerpijp in de zee lieten zakken.

Een paar van zijn vroegere marinematen, met wie hij af en toe een borrel ging drinken, maakten altijd geintjes dat baggerschepen net drijvende stofzuigers waren. Ze hadden ergens wel gelijk. De Arco Dee was een twee ton zware stofzuiger. En drieënhalve ton als de stofzuigerzak vol zat.

Langs stuurboord was de baggerpijp bevestigd, een dertig meter lange stalen buis. Malcolm vond het elke keer weer een hoogtepunt als hij de pijp de modderige diepte in zag zakken. Op dat soort momenten leek het schip tot leven te komen. De herrie van de pomp en de stortkoker die werden aangezet, de kolkende zee, en dan een paar tellen later donderden water, zand en grind het ruim midden in het schip in, waardoor het één grote modderpoel werd.

Heel af en toe kwam er iets anders mee, bijvoorbeeld een kanonskogel of een stuk van een vliegtuig uit de Tweede Wereldoorlog, of wat ze ook een keer tot hun grote schrik hadden meegemaakt, een bom, die opgezogen werd en vast kwam te zitten in de snijkop aan het uiteinde van de pijp. In de loop der jaren waren er al zo veel historische vondsten van de zeebodem opgedregd dat er officieel regels waren opgesteld om dat soort dingen af te handelen. Maar er bestonden geen regels voor wat de Arco Dee dit keer zou ophalen.

Als het ruim vol was en het water door de overlaten was weggelopen, bleef er in wezen een groot zand- en kiezelstrand over. Malcolm liep daar graag langs als ze terugvoeren naar de haven, knarsend over de honderden schelpen die meekwamen, en ook wel eens een onfortuinlijke vis of krab. Een paar jaar geleden had hij een bot ontdekt. Na onderzoek was gebleken dat het een menselijk scheenbeen was, een tibia. Hoewel hij al heel wat jaartjes meeliep, vond hij de mysteries van de zee, en al helemaal wat onder water lag, erg spannend.

Het zou nog een minuut of twintig duren voordat de pijp weer werd opgehaald. Malcolm nam even snel pauze en zat in de verlaten messroom op een oude bank met een mok thee in zijn hand een scone te eten. De televisie stond aan, maar het beeld was te wazig om iets te kunnen onderscheiden. Zijn gedachten dwaalden af naar het menu voor die avond, dat met rode stift op een wit bord stond geschreven: *romige preisoep, broodjes, Schotse eieren, patat, salade, gestoomde pudding met vla*. Eenmaal terug in de haven moesten ze de lading lossen, dus voor het eten stond hun nog een paar uur hard werk te wachten, en tegen die tijd had hij altijd een razende honger. Maar doordat hij steeds aan Caitlin moest denken, smaakte de scone hem niet meer, en hij gooide hem in de prullenmand. Op dat moment zei iemand iets tegen hem.

'Mal...'

Hij draaide zich om en zag de tweede stuurman, een grote man uit Liverpool in een overall, met een veiligheidshelm op en dikke beschermende handschoenen aan.

'De pijp is verstopt, chef. Volgens mij moeten we hem naar boven halen.'

Mal pakte zijn helm en liep achter de tweede stuurman aan het dek op. Het viel hem meteen op dat er alleen maar een klein stroompje water uit de stortkoker sijpelde. Het kwam niet vaak voor dat de pijp verstopt raakte, omdat de zware stalen tangen van de snijkop grote stukken wegschoven, maar zo nu en dan kwam er een visnet mee.

Hij gaf de twee mannen instructies en Mal wachtte tot de pompen en de stortkoker waren uitgezet. Daarna zette hij de lift in werking om de pijp omhoog te halen. Hij keek over de reling toe terwijl die uit het kolkende water opdook. En toen hij het ding zag dat stevig tussen de enorme stalen klauwen zat geklemd, sloeg zijn hart een slag over.

'Wat is dat, verdomme?' vroeg de man uit Liverpool.

Heel even vielen ze allemaal stil.

IO

Roy Grace had steeds meer het gevoel dat hij overal achteraan rende. Alsof hij meedeed aan een spelshow waar je niet echt een prijs bij kon winnen, omdat er geen einde aan kwam. Voor elke e-mail die het hem lukte te beantwoorden, kreeg hij er vijftig terug. Voor elk dossier op zijn bureau dat hij wegwerkte, werden er tien nieuwe naar binnen gebracht door zijn secretaresse Eleanor Hodgson, of door iemand anders. De laatste tijd vaak door Emily Gaylor van het ministerie van Justitie, die hem assisteerde bij de voorbereiding van zijn zaken voor de rechtbank, maar die er een satanisch genoegen in schepte om steeds meer stapels documenten op zijn bureau te dumpen.

Deze week was hij de dienstdoende leidinggevende van het onderzoeksteam, wat inhield dat hij de leiding had als er een ernstig misdrijf in Sussex plaatsvond. Hij had stilletjes tot de god van de politieambtenaren dat het een rustige week zou blijven.

Maar de bewuste god had zeker een dagje vrij.

Zijn telefoon rinkelde. Het was Ron King, een coördinator die hij nog kende van het Force Control Department. 'Roy,' zei hij, 'ik ben net door de kustwacht gebeld. Een baggerschip heeft in het Kanaal even buiten Shoreham een lijk opgevist.'

Heel fijn, dacht Grace. Dat kan er ook nog wel bij. Aangezien Brighton een kustplaats was, werd er elk jaar wel een aantal lijken uit de zee gehaald. Er zaten mensen bij die waren verdronken, over het algemeen zelfmoordgevallen, maar ook wel bemanningsleden van jachten die de pech hadden overboord te zijn geslagen. Er zaten mensen bij die een zeemansgraf hadden gekregen en in een net vast waren komen te zitten van vissers die hun kaarten niet goed hadden gelezen en naar een van de gebieden waren gevaren die speciaal voor zeebegrafenissen waren bestemd. Over het algemeen handelde een gewone agent dat soort dingen af, maar het feit dat hij zelf werd gebeld, betekende niet veel goeds.

'Wat kun je me erover vertellen?' vroeg hij plichtsgetrouw en hij herinnerde zichzelf eraan vooral niet naar Kings katten te vragen. De vorige keer was de man er tien minuten over doorgegaan.

'Een man, zo te zien nog jong, ergens tussen de tien en vijftien jaar. Heeft er niet lang in gelegen. Zat in plastic verpakt en was verzwaard.'

'Geen begrafenis op zee?'

'Dat lijkt me niet. En ook geen verdrinkingsslachtoffer. De kustwacht zegt dat de kapitein vermoedt dat het een rituele slachting is geweest. Het lijk heeft een eigenaardige wond. Zal ik de kustwacht vragen een boot te sturen om het op te halen?'

Grace dacht even na, zijn hersens kraakten en hij schakelde over op de onderzoeksstand. De dingen op zijn bureau en zijn computer moesten maar wachten tot hij het lijk had gezien.

'Ligt het aan dek, of in het ruim?' vroeg hij.

'Het zit vast in de snijkop. Ze hebben alleen het plastic een stuk opengesneden om te zien wat het was, maar ze zijn er verder niet aan geweest.'

'En ze liggen even buiten Shoreham?'

'Ja.'

Grace was een paar jaar eerder op een baggerschip geweest dat een ernstig vergaan lijk had opgehaald en kon zich nog iets van de installatie herinneren.

'Ik wil niet dat het lijk wordt verplaatst, Ron,' zei hij. Er kon zeer belangrijk bewijsmateriaal om het lijk of in de snijkop zitten. 'Zeg maar dat ze het zoveel mogelijk zo moeten laten, en laat ze precies aangeven waar ze het lijk hebben opgepikt.'

Nadat hij het gesprek met Ron had beëindigd, pleegde hij nog een paar telefoontjes om een team samen te stellen. Hij belde de patholoog-anatoom, vertelde wat er aan de hand was en vroeg of er iemand kon worden gestuurd. Naar de meeste lijken die uit zee werden gehaald of die aanspoelden, werden een politieagent in uniform plus wat mensen van het mortuarium gestuurd. Vervolgens onderzocht een politiearts of een medicus ter plekke het lijk om de dood vast te stellen, ook al was het meer dan duidelijk dat de persoon dood was, en werd het stoffelijk overschot naar het mortuarium gebracht, of het nu een natuurlijke dood was of dat er verdachte omstandigheden waren.

Een halfuur later zat hij aan het stuur van de Hyundai, de dienstauto van zijn afdeling, en reed naar de haven, samen met brigadier Lizzie Mantle, met wie hij al vaker had gewerkt. Ze was zeer goed in haar werk en zag er ook nog eens erg leuk uit. Ze had donkerblond haar tot op haar schouders, een knap gezichtje, en ze droeg, zoals altijd, een kostuum, dit keer een blauwe krijtstreep en een helderwit overhemd. Sommige vrouwen hadden er mannelijk in uitgezien, maar zij zag er zakelijk en toch nog vrouwelijk uit.

Ze reden om de bocht van de haven, langs de privéoprit naar de doodlopende straat waar het huis van Heather Mills stond.

Lizzie zag Grace zijn hoofd omdraaien alsof hij een glimp van de ex-vrouw van de Beatle wilde opvangen en vroeg: 'Heb je Paul McCartney ooit ontmoet?'

'Nee.'

'Je bent gek op muziek, hè?'

Hij knikte. 'Bepaalde muziek.'

'Had je graag een rockster willen zijn? Je weet wel, zoals de Beatles?'

Grace dacht er even over na. Daar had hij nooit bij stilgestaan. 'Ik geloof het niet,' zei hij. 'Nee.'

'Waarom niet?'

'Omdat...' zei hij. Toen aarzelde hij even, remde af en keek naar de rechterkant van de kade. 'Omdat ik voor geen meter kan zingen.'

Ze grinnikte.

'Maar ook al had ik kunnen zingen, dan had ik toch iets willen doen wat iets bijdraagt.' Hij haalde zijn schouders op. 'Snap je wat ik bedoel? Wat iets bijdraagt aan de wereld. Daarom ben ik bij de politie gegaan. Het lijkt misschien afgezaagd, maar daarom doe ik dit werk.'

'Vind je dat een politieman meer voor de mensen doet dan een rockster?'

Hij glimlachte. 'Volgens mij storten wij minder mensen in het verderf.'

'Maar dóén we echt iets voor ze?'

Ze kwamen langs een houtzagerij. Toen zag Grace de donkergroene auto met het goudkleurige embleem van het mortuarium van Brighton and Hove. Hij parkeerde vlak bij de kade. De rest van het team was er nog niet.

'Ik dacht dat het schip er al zou zijn,' zei hij lichtelijk geïrriteerd. Het was al laat en hij moest naar dat feestje van de politieman die met pensioen ging. Er zouden een paar van de hotemetoten van de politie van Sussex bij aanwezig zijn, en dat betekende een prima kans om eens flink hielen te likken, dus hij wilde er graag op tijd zijn. Maar dat kon hij nu wel vergeten.

'Zeker opgehouden in de sluis.'

Grace knikte, stapte uit de auto en hinkte naar de kadekant toe. Hij was nog steeds stram en gevoelig door het ongeluk een paar weken eerder met zijn geliefde Alfa Romeo. Hij ging naast een ijzeren meerpaal staan terwijl de ijskoude wind hem in het gezicht blies. De avond viel en als de lucht niet zo wolkeloos was, zou het al bijna donker zijn geweest. Een kilometer of wat verderop kon hij de gesloten sluisdeuren zien en een oranje groot ding erachter, dat waarschijnlijk het baggerschip was. Hij trok zijn jas dicht om zich heen en rilde. Hij stak zijn handen in zijn zakken, trok zijn leren handschoenen aan en keek even op zijn horloge.

Tien voor vijf. Het feestje voor Jim Wilkinson begon om zeven uur, en het was helemaal aan de andere kant van Worthing. Hij had naar huis willen

43

gaan, zich verkleden, en vervolgens Cleo ophalen. Maar tegen de tijd dat hij hier klaar zou zijn, wat afhing van wat hij zou ontdekken, en hoeveel onderzoek de patholoog ter plaatse wilde uitvoeren, mocht hij van geluk spreken als hij er überhaupt nog zou komen. Het enige wat meezat was dat ze Nadiuska de Sancha, de snelste – en leukste – van de twee pathologen met wie ze regelmatig werkten, toegewezen hadden gekregen.

Aan de andere kant van de haven zag hij een grote vissersboot, met lichten aan, die van haar meerplaats vandaan ronkte. Het water was bijna inktzwart.

Hij hoorde portieren opengaan en dichtslaan en toen iemand die vrolijk zei: 'Godsamme, jij krijgt straks van je vrouwtje op je lazer als je te laat bent. Ik zou niet graag in jouw schoenen willen staan, Roy!'

Hij draaide zich om en zag Walter Hordern, een lange, stevige man, die altijd goed en onopvallend was gekleed in een donker pak, een wit overhemd en een zwarte stropdas. Hij was officieel het hoofd van het mortuarium, maar zijn functie hield ook in dat hij meehielp om lijken op te halen van waar ze waren ontdekt en bij het afhandelen van de grote hoeveelheid papierwerk die daarmee gepaard ging. Hoewel zijn baan zwaar was, had Walter een ondeugend gevoel voor humor en hij vond het heerlijk om Roy op de kast te jagen.

'Hoe dat zo, Walter?'

'Ze heeft een vermogen aan de kapper uitgegeven, voor het feestje straks. Ze zal behoorlijk de pest in hebben als je haar laat zitten.'

'Ik laat haar niet zitten.'

Walter keek met veel vertoon op zijn horloge. Toen keek hij Roy veelbetekenend aan.

'Anders mag jij de verantwoording van het onderzoek wel op je nemen, Walter.'

De man schudde zijn hoofd. 'Nee, ik werk alleen met lijken. Die zeggen niks terug. Prima mensen.'

Grace grinnikte. 'Is Darren er al?'

Darren was Cleo's assistent in het mortuarium.

Walter wees met zijn duim naar het busje. 'Hij zit daar, is met zijn vriendin aan het bellen, ze hebben ruzie.' Hij haalde zijn schouders op en sloeg toen zijn ogen ten hemel. 'Vrouwen, hè?'

Grace knikte en verstuurde een sms'je: *Schip is er nog niet. Wordt wat later. Zie je daar wel. XXX.*

Hij stond op het punt zijn mobieltje weer in zijn zak te steken, toen dat twee keer hard piepte. Hij haalde het weer tevoorschijn en keek op het schermpje. Cleo had al geantwoord: *Kom niet te laat. Ik moet je wat vertellen.*

Hij fronste zijn wenkbrauwen door de toon van het bericht en omdat er geen kruisjes bij stonden. Hij ging buiten gehoorsafstand staan van Walter en brigadier Mantle, die net was uitgestapt, en belde Cleo's nummer. Ze nam meteen op.

'Kan nu niet praten,' zei ze kortaf. 'Er komt zo een familie langs voor een identificatie.'

'Wat moet je me vertellen?' vroeg hij bezorgd.

'Dat wil ik persoonlijk doen, en niet over de telefoon. Tot straks, oké?' Ze verbrak de verbinding.

Shit. Hij keek naar de telefoon, nog bezorgder dan eerst, en stopte hem toen in zijn zak.

Hij had er helemaal geen goed gevoel over.

II

Simona leerde hoe ze Aurolac moest inhaleren vanuit een plastic zakje. Een klein flesje van de metaallak, dat ze gemakkelijk uit een verfwinkel kon stelen, ging een paar dagen mee. Romeo had haar geleerd hoe ze moest stelen, en hoe ze in de zak moest blazen om de lak met lucht te vermengen en het dan in te ademen, weer in het zakje te blazen en vervolgens weer te inhaleren.

Als ze inhaleerde, had ze geen honger meer.

Als ze inhaleerde, was haar leven in haar huis weer draaglijk. Haar huis, waarin ze al woonde zolang ze zich kon herinneren, of althans wilde herinneren. Het huis dat ze bereikte door een gat in de betonnen stoep, en een ijzeren ladder onder de drukke straat naar een ondergrondse ruimte die was gemaakt voor controle en onderhoud van een verwarmingsbuis. De buis van vier meter doorsnee maakte deel uit van de stadsverwarming. Daardoor was het warm en droog in de winter, maar ondraaglijk heet in de lente totdat de verwarming werd uitgezet.

En in een heel klein gedeelte van deze ruimte, een krap hoekje tussen de buis en de muur, had zij haar huis gecreëerd. Ze had het geclaimd met een oud dekbed dat ze had gevonden op de vuilnisbelt en met Gogu, die ze al heel lang had. Gogu was een beige lange reep nepbont die ze tijdens haar slaap tegen haar wang gedrukt hield. Behalve de kleren die ze droeg en Gogu had ze geen bezittingen.

Ze waren met z'n vijven, met z'n zessen als je de baby meerekende, en woonden daar permanent. Af en toe kwam er iemand een tijdje bij, maar die ging na verloop van tijd weer weg. De ruimte werd met kaarsen verlicht en als er batterijen waren, stond de radio dag en nacht aan. Westerse popmuziek die Simona soms heerlijk vond, maar waar ze soms ook gek van werd, omdat het altijd zo hard was en maar door bleef gaan. Ze maakten er voortdurend ruzie over, maar de muziek bleef aanstaan. Beyoncé was momenteel aan het zingen en daar hield ze wel van. Ze vond haar er leuk uitzien. Ooit hoopte ze er net zo uit te zien als Beyoncé, en net zo te kunnen zingen als Beyoncé. Ooit zou ze in een huis wonen.

Romeo had haar verteld dat ze mooi was en dat ze ooit rijk en beroemd zou zijn.

De baby, Valeria's acht maanden oude zoontje Antonio, huilde weer en het rook een beetje naar poep. Ze hadden Valeria met z'n allen geholpen om hem verborgen te houden voor de autoriteiten, die hem anders van haar hadden afgenomen.

Valeria was veel ouder dan de rest van hen. Ze was ooit mooi geweest, maar nu, op haar achtentwintigste, was haar gezicht afgetobd en scherp getekend en zag ze er veel ouder uit. Ze had lang, steil bruin haar en haar ogen, die ooit sensueel waren geweest, waren nu dood. Ze droeg kleurige kleren: een groen jack, een versleten turquoise, geel en roze trainingspak en rode sandalen, die ze net als bijna al haar kleren uit vuilnisvaten uit de betere buurten had gehaald, of van een liefdadigheidsorganisatie had gekregen.

Ze wiegde haar baby, die in een oude met bont afgezette suède jas was gewikkeld, in haar armen. Het gehuil van het kind was erger dan die eeuwige muziek. Simona wist dat de baby huilde omdat hij honger had. Ze hadden allemaal bijna voortdurend honger. Ze aten als ze iets konden stelen, of als ze met bedelen wat geld hadden opgehaald, of als ze wat oude kranten hadden verkocht, of van de portemonnees die ze van toeristen stalen, of als ze de mobieltjes en camera's verkochten die ze van hen hadden gejat.

Romeo, met zijn grote blauwe ogen, zijn leuke, onschuldige gezicht, zijn korte zwarte haar dat naar voren was gekamd en zijn verschrompelde hand, kon heel hard rennen. Als een hazewind! Hij wist niet hoe oud hij was. Veertien misschien, dacht hij. Of dertien. Simona had ook geen idee hoe oud zij was. Ze had 'het' nog niet gekregen, waar Valeria het over had gehad. Dus dacht Simona dat ze een jaar of twaalf of dertien was.

Het kon haar ook niet echt schelen. Ze wilde alleen maar dat deze mensen, haar familie, blij met haar waren. En ze waren blij als zij en Romeo met eten of geld of, nog beter, allebei aan kwamen zetten. En soms met batterijen. Weer terug in de stank van zwavel en droog stof en ongewassen lijven en babypoep, de geuren die ze het beste kende.

In het verwarde waas van haar verleden kon ze zich belletjes herinneren. Die belletjes hingen aan een jas, of een jack, van een lange man met een grote stok. Zij moest naar die man toe lopen en zijn portemonnee pakken zonder dat de belletjes lawaai maakten. Als er maar één belletje rinkelde, sloeg hij haar met de stok op haar rug. Niet één klap, maar vijf, af en toe zelfs tien, en soms raakte ze de tel kwijt. Vaak was ze al flauwgevallen voordat hij klaar was met slaan.

Maar nu ging het goed. Romeo en zij vormden een perfect team. Romeo, zij en de hond. De bruine hond die hun vriend was geworden en die onder een omgevallen hek aan de straat boven hen woonde. Zij droeg altijd een blauwe bodywarmer over een versleten veelkleurig trainingspak, een wollen muts en gympen, Romeo zijn jasje met capuchon, spijkerbroek en ook gympen, en ze hadden de hond, die ze Artur noemden.

Romeo had haar verteld welke toeristen het beste waren: oudere stellen. Ze liepen er met z'n drieën naartoe: Romeo, zij en de hond aan een stuk touw. Romeo stak zijn verschrompelde hand uit. De toeristen deinsden achteruit van afschuw en wuifden hem weg, en tegen de tijd dat ze weg waren, had zij de portemonnee van de man in de zak van haar bodywarmer. Als de man in zijn zakken zocht naar kleingeld om Romeo te geven, had zij de portemonnee van de vrouw al uit haar handtas gepikt en in haar zak gestoken in de tijd dat Romeo het geld aannam. En als de mensen in een café zaten, gristen ze hun mobieltje of camera van de tafel en renden er als een speer vandoor.

Er klonk andere muziek. Inmiddels was Rihanna aan het zingen.

Ze vond Rihanna wel goed.

De baby hield op met huilen.

Het was een slechte dag geweest. Geen toeristen. Geen geld. Alleen maar wat brood, waar iedereen het mee moest doen.

Simona zette haar mond aan het plastic zakje, ademde uit, en ademde toen diep in.

Opluchting. Ze voelde altijd opluchting.

Maar nooit hoop.

12

Het was kwart voor zes, en voor de derde keer die dag zat Lynn in de wacht-kamer van een dokter, dit keer de behandelend maag-, darm- en leverarts. Een erker keek uit op de rustige Hove Street. Het was donker buiten, de straatlantaarns waren al aan. Ze had vanbinnen ook een donker gevoel. Don-ker en koud en bang. De slecht verlichte wachtkamer met zijn oude versleten meubels, net als bij dokter Hunter, pepte haar ook niet bepaald op. Blikke-rige muziek sijpelde door de koptelefoon van Caitlin heen.

Opeens stond Caitlin op en wankelde rond, alsof ze dronken was, en krab-de als een bezetene over haar handen. Lynn was de hele middag bij haar ge-weest en wist dat ze niets gedronken had. Het hoorde gewoon bij de ziekte.

'Ga zitten, lieverd,' zei ze bezorgd.

'Ik ben een beetje moe,' zei Caitlin. 'Moeten we blijven wachten?'

'Het is belangrijk dat we de specialist vandaag spreken.'

'Nou, ja, kijk, goed, maar ik ben ook belangrijk, toch?' Ze glimlachte wrang.

Lynn glimlachte. 'Jij bent het belangrijkste in de hele wereld,' zei ze. 'Hoe voel je je, behalve moe natuurlijk?'

Caitlin bleef staan en keek naar een van de tijdschriften op de tafel. Ze haalde diep adem, was even stil en zei toen: 'Ik ben bang, mama.'

Lynn stond op en sloeg een arm om haar heen. Normaal gesproken deins-de Caitlin dan achteruit, maar dit keer drukte ze zich tegen haar moeder aan, pakte haar hand en hield die stevig vast.

Caitlin was het afgelopen jaar ettelijke centimeters gegroeid en Lynn was er nog steeds niet aan gewend dat ze naar haar op moest kijken. Ze had dui-delijk de lengte van haar vader, en haar magere, slungelige lijf leek meer dan ooit op een lappenpop, maar dan wel een heel mooie.

Ze was zoals altijd nonchalant gekleed: een T-shirt met daaroverheen een armoedig grijs met roestbruin truitje, een leren veter om haar hals met kleine steentjes, een spijkerbroek met een gerafelde zoom en oude gympen zonder veters. Vanwege de kou en waarschijnlijk, dacht Lynn, om haar opgezwollen, zwanger uitziende buik te verbergen, droeg ze een camelkleurige houtje-touwtjejas die zo uit een liefdadigheidswinkel kon komen.

Caitlins kortgeknipte, stekelige inktzwarte haar stak uit boven de haarband met Azteekse figuren, die haar hoofd grotendeels bedekte. Door haar piercings zag ze er een tikje *gothic* uit. Ze had een stud in haar kin, een in haar tong en een ringetje door haar linkerwenkbrauw. Niet zichtbaar, maar wel te zien als de specialist haar ging onderzoeken, waren de ringetjes in haar rechtertepel, door haar navel en boven haar vagina. In een van haar schaarse mededeelzame buien had ze haar moeder opgebiecht dat het 'best gênant' was geweest om die te laten zetten.

De dag was een regelrechte nachtmerrie geworden, dacht Lynn. Alles vanaf het moment dat ze de praktijk van dokter Hunter uit was gelopen tot nu, terwijl ze met Caitlin in deze wachtkamer zat, was één doffe ellende geweest; ze had het gevoel dat haar hele leven ondersteboven was gekeerd.

En nu ging haar mobieltje ook nog. Ze haalde het uit haar handtas en keek op het schermpje. Het was Mal.

'Hoi,' zei ze. 'Waar ben je?'

'We gaan net door de sluis in Shoreham. Het was echt een rotdag: we hebben een lijk opgedregd. Maar wat is er met Caitlin?'

Ze bracht hem op de hoogte van het gesprek met dokter Hunter, en hield de hele tijd Caitlin in de gaten, die nog steeds door de wachtkamer ijsbeerde, die ongeveer drie keer zo klein was als die van dokter Hunter. Ze pakte het ene na het andere tijdschrift op en legde het meteen weer neer, alsof ze ze allemaal moest lezen, maar niet wist met welke ze moest beginnen.

'Over een uur weten we meer. Ik ben rechtstreeks van dokter Hunter naar de specialist gegaan. Blijf je nog een tijd bereikbaar?'

'Op z'n minst nog zo'n vier uur,' zei hij. 'Misschien zelfs langer.'

'Mooi.'

De assistente van dokter Granger kwam de wachtkamer in. Ze was een gezette vrouw van in de vijftig, droeg haar haar in een strakke knot en glimlachte afstandelijk. 'Dokter Granger kan u nu ontvangen.'

'Ik bel je zo terug,' zei Lynn.

In tegenstelling tot de ruime spreekkamer van Ross Hunter was die van dokter Granger erg klein. Hij bevond zich op de eerste etage en er was nauwelijks genoeg ruimte voor de twee stoelen die bij het kleine bureau stonden. Daarop stonden, schuin neergezet zodat de patiënten ze konden zien, ingelijste foto's van de perfecte, glimlachende vrouw en de drie even perfecte, glimlachende kinderen van de dokter.

Dokter Granger was lang, in de veertig en had een grote neus. Hij was kalend en droeg een streepjespak, een gestreken overhemd en een keurig nette das. Hij was wat gereserveerd en kwam op Lynn eerder over als een advocaat dan als een arts.

'Ga zitten,' zei hij. Hij sloeg een bruine map open, waarin Lynn een brief van Ross Hunter zag liggen. Toen ging hij zitten om de brief te lezen.

Lynn pakte Caitlins hand, drukte hem even, en haar dochter deed geen poging om haar hand terug te trekken. Ze werd zenuwachtig van dokter Granger. Ze vond zijn kille houding en al die foto's van zijn gezin maar niets. Het leek wel of hij daarmee wilde uitdragen: 'Ja, met mij gaat het prima, maar met jullie niet. Wat ik ook tegen jullie zeg, het maakt mij geen bal uit. Ik ga vanavond lekker naar huis, nuttig een maaltijd, kijk tv, en misschien zeg ik dan wel tegen mijn vrouw dat ik met haar naar bed wil, en jullie... Nou ja, jammer dan... Jullie worden morgen wakker en voelen je ellendig, terwijl ik morgen net als elke ochtend gelukkig wakker word en geniet van de lente en mijn kinderen.'

Nadat hij de brief had gelezen, boog hij zich naar voren en ontdooide enigszins. 'Hoe gaat het, Caitlin?'

Ze haalde haar schouders op en zei niets. Lynn wachtte tot ze wat zou zeggen. Caitlin trok haar hand uit die van haar moeder en krabbelde over de rug van haar handen.

'Ik heb jeuk,' zei ze. 'Overal. Zelfs mijn lippen jeuken.'

'En verder?'

'Ik ben moe.' Ze keek opeens chagrijnig. Zoals ze altijd keek. 'Ik wil beter zijn,' zei ze.

'Sta je een beetje onvast op je benen?'

Ze beet op haar lip en knikte.

'Dokter Hunter heeft je de resultaten van de tests doorgegeven, neem ik aan?'

Caitlin knikte weer, zonder hem aan te kijken, en zocht toen in haar zwart-wit gestreepte handtas naar haar mobieltje.

De specialist zette grote ogen op toen Caitlin een nummer intoetste en op het schermpje keek. 'Ja, hoor,' zei ze afstandelijk, alsof ze het tegen zichzelf had. 'Die heeft hij doorgegeven.'

'Ja,' kwam Lynn snel tussenbeide. 'Dat klopt, hij... hij heeft ons verteld hoe het ervoor stond... weet u wel... wat u hem hebt verteld. Fijn dat u ons zo snel kon ontvangen.'

Buiten op straat loeide opeens een autoalarm.

De specialist keek Caitlin weer even aan, keek toe terwijl ze een sms'je verzond en vervolgens het mobieltje in haar tas stak.

'We moeten snel ingrijpen,' zei hij.

'Ik snap eigenlijk niet goed wat er nu is veranderd,' zei Caitlin. 'Kunt u me dat uitleggen? In heel eenvoudige bewoordingen, bedoel ik?'

Hij glimlachte. 'Ik zal mijn best doen. Zoals je weet, lijd je nu zes jaar aan primaire scleroserende cholangitis, Caitlin. Aanvankelijk leed je aan de mildere vorm – als je het zo kunt noemen – namelijk de jeugdvariant. Maar onlangs en erg snel heeft het zich in de volwassen vorm ontwikkeld. We hebben dat de afgelopen zes jaar met allerlei medicijnen en operaties proberen te onderdrukken, in de hoop dat je lever zich zou herstellen, hoewel dat maar zelden gebeurt, en helaas is dat bij jou dus ook niet het geval. Je lever is er nu zo slecht aan toe dat je zult sterven als we niet snel ingrijpen.'

Met een klein stemmetje vroeg Caitlin: 'Dus ik ga dood?'

Lynn pakte haar hand en kneep er hard in. 'Nee, lieverd, je gaat niet dood. Absoluut niet. Je wordt weer helemaal beter.' Ze zocht naar geruststelling in het gezicht van de arts.

De dokter zei onbewogen: 'Ik heb contact opgenomen met het Royal South London ziekenhuis, zodat je daar vanavond naartoe kunt voor een transplantatie.'

'Ik heb zo'n hekel aan dat kutziekenhuis,' zei Caitlin.

'Het is het beste in de omgeving,' zei hij. 'Er zijn nog andere ziekenhuizen, maar met deze werken we altijd.'

Caitlin rommelde weer in haar handtas. 'Het punt is dat ik het druk heb vanavond. Luke en ik gaan naar een club. Digital. Er treedt een band op die ik wil zien.'

Het was even stil. Toen zei de specialist met veel meer gevoel dan Lynn voor mogelijk had gehouden: 'Caitlin, het gaat niet goed met je. Het zou verre van verstandig zijn als je uitging. Je moet linea recta naar het ziekenhuis. Ik wil zo snel mogelijk een andere lever voor je zien te regelen.'

Caitlin keek hem met haar door de geelzucht verkleurde ogen aan. 'Wat verstaat u onder "goed"?' vroeg ze.

De specialist zei met een glimlach: 'Wil je dat echt weten?'

'Ja. Wat verstaat u onder "goed"?

'Als je nog leeft en je niet meer ziek voelt, bijvoorbeeld,' zei hij. 'Wat zou je daarvan vinden?'

Caitlin haalde haar schouders op. 'Ja, dat lijkt me wel wat.' Ze knikte, nam de woorden in zich op en dacht er duidelijk over na.

'Als je een levertransplantatie hebt gehad, Caitlin,' zei hij, 'is de kans groot dat je je beter zult voelen en alles weer normaal wordt.'

'En zo niet? Als ik dus geen transplantatie onderga?'

Lynn wilde zich ermee bemoeien en iets zeggen, haar dochter precies uitleggen wat er dan zou gebeuren. Maar ze wist dat ze haar mond moest houden en alleen maar moest toekijken.

'Dan,' zei hij botweg, 'ga je dood. Volgens mij heb je nog maar heel kort te leven. Hooguit een paar maanden. En misschien zelfs veel korter.'

Het bleef lang stil. Caitlin kneep opeens in haar moeders hand en Lynn kneep zo hard mogelijk terug.

'Dood?' vroeg Caitlin.

Het was een trillerig gefluister. Caitlin wendde zich geschokt naar haar moeder om en keek haar aan. Lynn glimlachte naar haar en kon even niets bedenken om haar kind gerust te stellen.

Caitlin vroeg nerveus: 'Is dat waar, mam? Wist je dit al?'

'Je bent heel ernstig ziek, lieverd. Maar als je de transplantatie krijgt, gaat het weer goed. Dan word je beter. Dan kun je weer een normaal leven leiden.'

Caitlin zei niets. Ze stak haar vinger in haar mond, iets wat ze al in geen jaren meer had gedaan. De faxmachine op een plank vlak naast de dokter piepte en printte een vel papier.

'Ik heb op internet gezocht,' zei Caitlin opeens. 'Ik heb levertransplantaties gegoogeld. Die komen van dode mensen, toch?'

'Over het algemeen wel, ja.'

'Dus ik krijg dan de lever van een dode?'

'Het is nog helemaal niet zeker dat we wel een lever voor je kunnen regelen.'

Lynn keek hem stomverbaasd aan. 'Hoe bedoelt u dat het nog niet zeker is?'

'Jullie moeten goed begrijpen,' zei hij zo zakelijk dat Lynn hem het liefst wilde slaan, 'dat er een tekort is aan levers en dat je een zeldzame bloedgroep hebt, waardoor het nog moeilijker wordt. Het hangt ervan af of ik een spoedgeval van je kan maken, en ik hoop van harte dat me dat lukt. Maar jouw conditie staat technisch gesproken bekend als "chronisch" en patiënten met acuut leverfalen krijgen voorrang. Ik zal echt voor je moeten vechten. Gelukkig heb je een hoop mee: je leeftijd en dat je verder gezond bent.'

'Dus áls ik er al een krijg, loop ik de rest van mijn leven rond met de lever van een dode vrouw in me?'

'Of man,' zei hij.

'Echt fantastisch, hoor.'

'Maar beter dan het alternatief, toch, lieverd?' vroeg Lynn, die haar hand weer wilde pakken, maar weggeduwd werd.

'Dus hij moet van een orgaandonor komen?'

'Ja,' zei Neil Granger.

'Dan moet ik dus leven met het feit dat iemand is overleden en ik een stukje van hem of haar meedraag?'

'Ik kan je wel wat leesmateriaal erover meegeven, Caitlin,' zei hij. 'En als je naar het Royal gaat, zul je een hoop mensen ontmoeten, onder wie maatschappelijk werkers en psychologen, die je zullen vertellen wat het allemaal inhoudt. Maar je moet één ding niet vergeten. De nabestaanden van de donor vinden vaak troost in de wetenschap dat zijn of haar dood niet helemaal zinloos was. Dat door diens overlijden iemand anders verder kan leven.'

Caitlin dacht even na en zei toen: 'Heel fijn, u wilt mij een levertransplantatie geven zodat iemand anders zich goed kan voelen over de dood van hun dochter, man of zoon?'

'Nee, natuurlijk niet. Ik wil dat je een levertransplantatie ondergaat zodat je in leven blijft.'

'Het leven is niet eerlijk, hè?' vroeg Caitlin. 'Helemaal niet eerlijk.'

'De dood is nog oneerlijker,' merkte de specialist op.

13

Susan Cooper had ontdekt dat dit bepaalde raam, even voorbij de liften op de zevende verdieping van het Royal Sussex County ziekenhuis, een prachtig uitzicht op de daken van Kemp Town en het Kanaal erachter bood. De hele dag al was de zee schitterend blauw geweest, maar nu, om zes uur op deze novemberavond, had het vallende duister hem in een inktzwarte poel omgetoverd, die zich achter de lichtjes van de stad tot in de oneindigheid uitstrekte.

Ze keek naar het diepe duister. Haar handen lagen op de verwarming, niet voor de warmte, maar om haar uitgeputte lijf overeind te houden. Ze keek stil en zwaarmoedig door de weerspiegeling van haar eigen gezicht in het glas en voelde de koude tocht door het dunne glas heen. Maar verder voelde ze weinig.

Ze was verdoofd door de shock. Ze kon niet geloven dat het echt waar was.

In haar hoofd stelde ze een lijstje op van de mensen die ze moest bellen, en ze zag torenhoog op tegen het feit dat ze het nieuws aan Nats broer, zijn zus in Australië en zijn vrienden moest vertellen. Zijn ouders waren overleden toen ze in de vijftig waren, zijn vader aan een hartaanval, zijn moeder aan kanker, en Nat grapte altijd dat hij vast niet oud zou worden. Erg grappig.

Ze draaide zich om, liep terug naar de intensive care en drukte op de bel. Een verpleegkundige liet haar erin. Het was daarbinnen warmer dan op de gang. De temperatuur werd zo rond de vierendertig, vijfendertig graden Celsius gehouden, zodat de patiënten, die een ziekenhuispyjama droegen of helemaal niets, geen verkoudheid zouden oplopen. Het was wel wrang, dacht ze, hoewel ze er verder niet te lang bij stilstond, dat ze er ooit als verpleegkundige had gewerkt, op deze zelfde afdeling. In dit ziekenhuis hadden Nat en zij elkaar leren kennen, niet lang nadat hij daar als aankomend specialist was begonnen.

Ze voelde iets bewegen in haar buik. De baby schopte. Hún baby. Zes maanden oud. Een jongetje.

Ze liep naar rechts, langs de verpleegstersbalie, waar een beenprothese eenzaam op een stoel lag, en hoorde dat er een gordijn werd dichtgeschoven. Ze keek naar de hoek van de zaal en haar hart sloeg een slag over. Een verpleegster trok het blauwe gordijn om bed 14 dicht. Nats bed. Zodat er geen nieuwsgierige blikken op konden worden geworpen. Ze wilden nog meer tests doen en ze wist niet zeker of ze de moed had om bij hem te blijven terwijl ze die uitvoerden. Maar ze had bijna de hele dag al bij zijn bed gezeten en ze wist dat ze dat zou blijven doen. Ze moest tegen hem praten. Moest blijven hopen.

Hij had diverse schedelfracturen en een scheur in zijn wervelkolom, waardoor hij volledig verlamd zou zijn als hij het zou overleven. En bovendien, hoewel dat er in dit stadium bijna niet toe deed, een gebroken sleutelbeen en bekken.

Ze had al in geen jaren gebeden, maar deze dag prevelde ze steeds weer dezelfde woorden: 'Alstublieft, God, laat Nat niet sterven. Alstublieft, God, hij mag niet dood.'

Ze voelde zich zo verdomde nutteloos. Ondanks al haar verpleegkundige kennis kon ze niets doen. Alleen tegen hem praten. Praten en praten en praten, en wachten op een reactie, die uitbleef. Maar misschien, dit keer...

Ze liep over de glimmende vloer, langs de enorm dikke vrouw in een bed rechts van haar, van wie de vetrollen op haar gezicht en lijf eruitzagen als de reliëfs op een 3D-plattegrond. Een van de zusters had haar verteld dat de vrouw tweehonderdvijftig kilo woog. Aan haar bed hing een bordje waarop stond GEEN ETEN GEVEN.

Links van haar lag een man van in de veertig, zijn gezicht lijkbleek, met een hele bos slangetjes en buisjes die aan zijn borst en hoofd waren bevestigd. Door haar verpleegsterservaring wist ze dat hij net een bypass had ondergaan. Er stond een grote, vrolijke beterschapskaart op een apparaat naast zijn bed. Hij was in elk geval aan de beterende hand, dacht ze, en had grote kans op zijn eigen benen het ziekenhuis te verlaten in plaats van eruit te worden gedragen.

Zoals Nat.

Nat was de hele dag gestaag achteruitgegaan en hoewel ze nog steeds hoopte met heel haar hart, wist ze dat die hoop niet reëel was. Het onvermijdelijke kreeg haar in zijn greep.

Om de paar minuten trilde haar mobieltje door het zoveelste sms'je. Ze was de gang op gegaan om er een paar te beantwoorden. Haar moeder. Nats broer, die die ochtend langs was geweest om te zien hoe het ging. Zijn zus in Sydney. Haar hartsvriendin Jane, die ze die ochtend in tranen had gebeld, een uur nadat ze hier was aangekomen, en die ze had verteld dat de dokters niet wisten of hij het zou overleven. De andere liet ze voor wat ze waren. Ze wilde niet afgeleid worden, ze wilde er alleen voor Nat zijn, hem met haar wilskracht erdoorheen slepen.

Om de haverklap piepte het alarm van de monitor. Ze rook de sterilisatie-chemicaliën, af en toe een vleugje eau de toilette en ver weg de geur van warme elektrische apparaten.

Binnen de gordijnen, in het schuin gezette bed, leek Nat wel een buiten-aards wezen, met al dat verband en die slangetjes in zijn mond en neus. Er zat een sonde in zijn hoofd om de druk binnen de schedel te meten, en eentje in zijn vinger, en een heel oerwoud aan buisjes en drains die vanuit zakjes hangend aan infuusstandaarden naar zijn armen en onderlichaam gingen. Zijn ogen waren gesloten en hij lag roerloos te midden van een batterij monitors en apparaten die hem in leven hielden. Twee computerschermen stonden rechts van hem en op een karretje aan het voeteneind van zijn bed stond een laptop waarop alle gegevens stonden vermeld.

'Hallo lieve schat,' zei ze. 'Daar ben ik weer.' Ze keek naar het EEG-scherm terwijl ze sprak.

Hij reageerde niet.

Het slangetje in zijn mond kwam uit in een klein zakje waar een kraantje onderin zat, en dat halfvol zat met een donkere vloeistof. Susan keek naar de etiketten op de slangetjes: Mannitol, Pentaspan, morfine, Midazolam, Nor-adrenaline. Daardoor bleef hij stabiel. Werd hij in leven gehouden. Alleen maar zodat hij er niet tussenuit zou knijpen.

Alleen aan het rustige stijgen en dalen van zijn borst en de piepjes op het scherm van de monitors was te zien dat hij leefde.

Ze keek naar de drains in de rug van Nats handen, en naar het blauwe plastic kaartje met zijn naam erop, toen weer naar de apparaten, en ze zag er een paar die haar niet bekend voorkwamen. In de vijf jaar sinds ze uit de ver-pleging was gestapt en een baan in de farmaceutische industrie had aange-nomen, was er een hoop nieuwe techniek bij gekomen.

Nats gezicht, een en al blauwe plekken en schrammen, was lijkbleek. Ze had hem nog nooit zo bleek gezien. Hij was een sportieve vent die regelma-tig squashte, en normaal gesproken altijd kleur op zijn wangen had, on-danks zijn lange – belachelijk lange – werktijden. Hij was sterk, lang, had lang blond haar, voor een dokter bijna opstandig lang, was net dertig gewor-den en knap. Erg knap.

Ze deed even haar ogen dicht om de tranen tegen te houden. Zo verdom-de knap. Kom op, liefste. Kom op, Nat, het komt allemaal weer in orde. Je overleeft dit wel. Ik hou van je. Ik hou zoveel van je. Ik heb je nodig. Ze voelde beweging in haar buik en voegde eraan toe: we hebben je allebei nodig.

Ze deed haar ogen open en keek naar de monitors, de digitale schermen, de grafieken, of er ook maar het kleinste lichtpuntje was, maar ze zag niets.

Zijn hartslag was zwak en onregelmatig, het zuurstofgehalte in zijn bloed veel te laag, en er waren hoegenaamd geen hersengolven te bespeuren. Maar hij lag vast alleen maar te slapen en kon elk moment wakker worden.

Ze was al sinds tien uur die ochtend in het ziekenhuis; ze was meteen gegaan toen de politie haar had gebeld. Het was wrang dat ze die dag in ditzelfde ziekenhuis had moeten zijn voor een echo. Daarom was ze nog steeds thuis geweest toen het telefoontje kwam en niet bij Harcourt Pharmaceuticals, waar ze in een team werkte dat klinische proeven met nieuwe medicijnen volgde.

Het was wel fijn dat ze de weg wist in het ziekenhuis en dat een hoop mensen die daar werkten haar en Nat kenden, zodat ze niet de gebruikelijke clichés over zich heen kreeg en uit de weg werd gehouden, maar in plaats daarvan direct met het medische team kon praten, hoe onaangenaam dat ook was.

Tegen de tijd dat ze was aangekomen, een halfuur na Nat, was hij al op de CT-afdeling geweest voor een hersenscan. Als daarop een bloedprop te zien was geweest, was hij naar de neurologische afdeling in Hurstwood Park overgebracht voor een operatie. Maar de scan toonde geen inwendige bloeding, dus was een operatie overbodig. Het was nog afwachten, maar zoals het zich liet aanzien had hij onherstelbaar hersenletsel.

Het verpleegteam van de Eerste Hulp had hem vier uur lang stabiel gehouden en in die tijd was zijn conditie niet verbeterd, en had hij ook geen enkel teken van leven gegeven.

Bij een comatest scoorde Nat 3 van de 15. Hij reageerde niet met zijn ogen op vragen, of op pijn, en ook niet op druk uitgeoefend op beide ogen, waardoor hij hierbij de minimumscore van 1 had. Hij reageerde niet op vragen of op opmerkingen of opdrachten, zodat hij ook een 1 scoorde op dat onderdeel. En hij reageerde niet op pijn, wat weer een 1 opleverde. De hoogste score die je kon behalen was een 15, de laagste een 3.

Susan wist wat die uitslag betekende. De 3 gaf aan dat het voor honderd procent zeker was dat Nat hersendood was.

Maar er kon altijd nog een wonder gebeuren. Toen zij nog als verpleegkundige op die afdeling werkte had ze patiënten gezien met een score van 3 en die waren ook volledig hersteld. Oké, dat was maar heel zelden gebeurd, maar Nat was sterk. Hij kon het redden.

Hij moest het redden!

De kleine, vriendelijke Maleisische verpleegster Saleha, die die middag de hele tijd bij Nat was gebleven, glimlachte naar Susan. 'U kunt maar beter naar huis gaan en wat slapen.'

Susan schudde haar hoofd. 'Ik wil tegen hem blijven praten. Soms reageren mensen daarop. Ik heb dat wel zien gebeuren.'

'Houdt hij van bepaalde muziek?' vroeg de verpleegkundige.

'Snow Patrol,' zei ze en ze dacht even na. 'En van de Eagles. Hij is gek op die twee bands.'

'Misschien kunt u een paar van hun cd's halen en voor hem afspelen. Hebt u een iPod?'

'Die ligt thuis.'

'Als u hem gaat halen, kunt u meteen even wat spullen voor hem meenemen: zeep, een washandje, zijn tandenborstel, zijn scheerspullen, deodorant.'

'Ik laat hem liever niet alleen,' zei Susan. 'Voor het geval dat...' Ze haalde haar schouders op.

'Hij is stabiel,' zei Saleha. 'Als ik merk dat u snel moet komen, bel ik u direct.'

'Zolang de apparaten aanstaan, blijft hij wel stabiel, toch? Maar stel dat u ze uitzet?'

Het bleef even stil, want ze wisten allebei wat er dan zou gebeuren. De verpleegster verbrak de stilte. Ze zei vrolijk: 'We hopen maar dat er in de loop van de avond een verbetering zal optreden.'

'Ja,' zei Susan met een brok in haar keel, terwijl ze verwoede pogingen deed niet in huilen uit te barsten.

Ze keek naar Nat, naar zijn roerloze oogleden, en wilde dat hij zijn ogen opendeed en naar haar glimlachte.

Maar dat gebeurde niet.

14

David Browne, de hoofdverantwoordelijke op de plaats delict, en James Gartrell, een van de fotografen van de Technische Recherche, waren even geleden in hun eigen auto aangekomen. Browne was mager maar gespierd, begin veertig, had kortgeknipt rood haar en een vrolijk gezicht vol sproeten en droeg een dik gewatteerde anorak, een spijkerbroek en gympen. Gartrell was lang en krachtig, met kort donker haar. Ze waren beiden op het dek van de Arco Dee aan het fotograferen en filmen.

Browne was het met Roy Grace eens geweest dat het geen nut had om het schip als een plaats delict te beschouwen, en geen van de drie mannen, evenmin als Lizzie Mantle, had de moeite gedaan een overall aan te trekken om de plek niet te besmetten. Grace had de plek om de snijkop afgezet met politielint, maar meer ook niet.

De inspecteur stond bij de afzetting en hield voldaan een kop hete koffie vast, terwijl hij informeel het hoofd van de machinekamer ondervroeg, wiens opmerkingen genoteerd werden door brigadier Mantle, die naast hem stond. Hij keek op zijn horloge: het was tien over zes.

Danny Marshall, de kapitein, had zich niet geschoren. Hij droeg een dikke trui, een felgekleurd jack, een spijkerbroek en zeelaarzen en zag er bezorgd uit. Ook hij keek even op zijn horloge. Malcolm Beckett, het hoofd van de machinekamer, droeg een smerige witte overall en een helm, en hij was minder prikkelbaar, maar Grace kon merken dat beide mannen gespannen waren. Ze waren natuurlijk geschrokken van het lijk, maar het was duidelijk dat ze zich ook zorgen maakten over de onderbreking van hun werkzaamheden en de financiële gevolgen daarvan.

Een bemanningslid kwam aanlopen met een vel papier in zijn hand waarop de coördinaten stonden van de plek waar het lijk was opgedregd.

Lizzie Mantle schreef het over in haar notitieboekje, stopte het vel papier in een plastic bewijszakje en stak dat in haar zak. Het lijk was flink verzwaard, maar Grace had door ervaring geleerd dat door de sterke stromingen in het Kanaal lijken behoorlijk ver konden afdrijven. Er zou een duikteam bij moeten komen om te berekenen waar het lijk ongeveer in het water was gegooid.

In de verte kwam een motor aanrijden, en opeens hoorde Grace dat de jonge agente die bij de loopplank oplette dat er geen onbevoegde personen aan boord kwamen, hem door de portofoon opriep.

'De arts is er, meneer,' zei ze.

'Ik kom eraan.'

Roy liep over het dek en hoorde de motor dichterbij komen. Eén enkele koplamp scheen over de kade. Even later, in de gloed van de lampen van het schip, zag hij de BMW. De berijder ervan, in de uitmonstering van een arts, remde, stapte af en zette de motor op de standaard. Graham Lewis zette zijn helm af, trok de leren handschoenen uit en haalde zijn koffertje uit de motortas.

Hoewel een agent duidelijk kon zien dat het slachtoffer was overleden, moest volgens de reglementen een arts de dood toch officieel vaststellen, tenzij er alleen nog maar een paar botten over waren, of het hoofd eraf was of ontbrak. Vroeger werd hiervoor een politiearts geroepen, maar inmiddels was dat veranderd en deed een gewone arts het.

Grace klauterde de enge touwladder af om hem te begroeten, kwam onderaan langs de agente en zag tot zijn opluchting dat er nog geen plaatselijke journalisten te bekennen waren; die kwamen meestal sneller dan paardenvliegen op een moord af.

De arts, een kleine, pezige man met grijze krullen, had het soort gezicht dat iedere gewonde die hij verzorgde gerust zou stellen. En hij was ook altijd vrolijk, ondanks de dingen die hij elke dag weer meemaakte.

'Hoe gaat het, Roy?' begroette hij de inspecteur opgewekt.

'Het gaat met mij een stuk beter dan met die arme vent op het schip,' antwoordde Grace. Hoewel het niet zo'n stuk beter zou gaan als hij niet op dat feestje verscheen voordat het afgelopen was. 'Volgens mij heb je die tas niet echt nodig. Hij is zo dood als een pier.'

Hij ging Graham Lewis in het licht van de scheepslampen voor de touwladder op naar het dek, langs de haspels en de oranje omheining van de transportband, die normaal gesproken luidruchtig de lading naar het ruim vervoerde, waarna deze op de kade werd gelost. Maar nu lag hij stil. De arts liep achter Roy Grace aan naar de andere kant van het schip.

De stalen snijkop, die een meter boven het dek hing, leek op een gigantisch stel kreeftenscharen. Ertussenin zat een pak zwart plastic zeildoek geklemd waar een paar stukken touw om waren gewonden. Nog meer touw was door de ogen in het zeil getrokken en daaraan was een aantal B2-blokken bevestigd, die nu op het vieze, oranje geverfde metalen dek lagen.

'Hij zit in het zeil,' zei Grace. 'Ze hebben het opengesneden, maar ze hebben hem niet aangeraakt.'

Graham Lewis liep ernaartoe en tuurde door de lange opening die ze hadden gemaakt. Roy Grace keek mee; hij vond het griezelig, maar was toch nieuwsgierig.

De arts trok een paar latex handschoenen aan en hield het gat open, waardoor het bijna doorschijnende grijzig witte lijk zichtbaar werd. Het was een jonge vent, tegen de twintig, schatte Grace, en zo te zien had hij nog niet lang in het water gelegen.

Het rook sterk naar plastic, en een vleugje rotting, maar niet de afschuwelijke zoete stank van rottend vlees die Grace kende van een lijk dat al een tijdje lag. Deze man was pas een paar dagen dood, dacht hij, maar de sectie zou hem hopelijk meer informatie geven.

De jongeman was mager, maar eerder door te weinig eten dan van het sporten, schatte Grace, die zag dat de man niet gespierd was. Hij was ongeveer één meter vijfenzeventig, had een hoekig, nogal eigenaardig gezicht en kort zwart haar, waarvan een lok over zijn voorhoofd viel.

De arts draaide het hoofd een beetje. 'Zo te zien geen hoofdletsel,' zei hij.

Grace knikte, maar zijn ogen – en zijn gedachten – waren op een ander lichaamsdeel gericht. Hij keek naar de romp. En dan in het bijzonder naar een keurige verticale snee vanaf het kuiltje van de hals tot onder de navel, precies tot aan de driehoek van het schaamhaar, en de grote hechtingen waarmee deze gedicht was.

Hij keek de arts aan en toen weer naar het lijk. Hij keek naar de snee. Naar de penis, die bijna zwart verkleurd was en slap en rimpelig boven op de haren lag als de afgelegde huid van een slang. Hij bleef er onwillekeurig even naar kijken. De penis van een dode was altijd weer zielig, alsof het symbool van de mannelijkheid door zijn onbeweeglijkheid het symbool van de dood was geworden. Toen ging zijn blik weer naar de snee.

'Wat is dat, verdomme?' vroeg Graham Lewis. 'Er is geen littekenweefsel, dus het is of na de dood gedaan, of er net voor.'

'Het ziet er wel erg netjes uit,' zei Grace. 'Chirurgisch?'

Danny Marshall, die even verderop naast brigadier Mantle stond, vroeg haar bezorgd hoe lang het nog ging duren voordat het lijk van boord kon en zij konden uitvaren. Ze hadden al meer dan een uur waardevolle lostijd gemist. De Arco Dee had de eigenaars negentien miljoen pond gekost en moest continu in bedrijf zijn om het geld terug te verdienen. Dat hield in dat ze geen getijde mochten missen. Nog een uur oponthoud en ze zouden niet op tijd gelost zijn om weer uit te kunnen varen.

Ze liet hem weten dat dat Roy Grace' beslissing was.

Marshall begreep nu waarom sommige vissers hem hadden bekend dat als ze een lijk in hun net ophaalden, ze het weer teruggooiden, omdat ze zich het oponthoud en de hele rompslomp eromheen niet konden veroorloven.

'Zeker weten, dat is geen wond,' zei Lewis. 'Deze arme ziel is geopereerd. Maar...' Hij aarzelde.

'Maar wat?' vroeg Grace.

'Volgens mij is dat na de dood gedaan.'

'Hebt u enig idee hoelang het nog gaat duren, inspecteur?' vroeg de kapitein.

'Dat hangt van de patholoog af,' zei Grace verontschuldigend.

'Moeten we daarop wachten?'

Net op dat moment ging Grace' mobieltje. 'Als je het over de duivel hebt...' zei hij. Hij had patholoog Nadiuska de Sancha aan de lijn.

'Roy,' zei ze, 'het spijt me. Ik moest naar een spoedgeval toe. Ik weet niet hoe laat ik bij jou kan zijn. Maar waarschijnlijk pas over vier, vijf uur, en misschien nog wel later.'

'Oké, ik bel je nog wel,' zei hij.

De arts voelde naar de hartslag van de man. Hij volgde de regels, het was puur een formaliteit.

Grace nam een besluit. Die was deels beïnvloed door zijn wens naar het feestje te gaan, maar ook door de situatie. Er werkten acht man op het baggerschip en hij had ze allemaal gesproken. Ze hadden stuk voor stuk verklaard dat het lijk uit de zee was opgehaald. James Gartrell, de fotograaf, had alle foto's en video-opnamen gemaakt die hij nodig had. Het lijk was verpakt in zeildoek, was van de zeebodem naar boven gehaald, waardoor het hoogst onwaarschijnlijk was dat er op het schip zelf bewijsmateriaal aanwezig zou zijn, want alles zou er onderweg door het water af gespoeld zijn.

Hij had alle recht om het schip als een plaats delict te bestempelen, maar hij zag daar het nut niet van in. Het enige wat de Arco Dee had gedaan, was het lijk naar boven halen. De boot was net zo min een plaats delict als een helikopter die een drenkeling uit zee haalt. De doodsoorzaak kon in het mortuarium worden vastgesteld.

'Ik heb goed nieuws,' zei Grace tegen Danny Marshall. 'Als je me de adresgegevens van al je bemanningsleden geeft, mogen jullie gaan.' Hij wendde zich tot de arts. 'Het lijk mag van boord, maar hou hem wel in het zeildoek gewikkeld.'

'Kan ik je straks mijn verklaring geven?' vroeg Graham Lewis. 'Ik ben trainer van een jeugdrugbyteam, en we hebben een wedstrijd vanavond.'

'Trainer?'

'Jawel!'

'Van een rugbyteam?'

'Ja.'

'Dat wist ik niet. Ik leid het rugbyteam van de politie hier. We hebben een nieuwe trainer nodig.'

'Bel maar.'

'Dat zal ik zeker doen. En als ik morgen de verklaring krijg, is dat prima,' zei Grace.

Hij keek weer naar het magere, verminkte lijk. Wie ben je, vroeg hij zich af. Waar kom je vandaan? Wie heeft die incisie gemaakt? En waarom?

Het draaide altijd om het waarom.

Dat was de vraag die Roy Grace, bij elke moord waar hij bij werd gehaald, altijd meteen stelde. En voor iemand van negenendertig, jong nog voor een politieman, had hij er veel te veel gezien.

Te veel om er nog geschokt door te worden.

Maar nog niet te veel om zich er niets meer van aan te trekken.

15

Lynn vond de langzame rit over de A23 door de buitenwijken van Zuid-Londen maar niets. Ze reden naar het Royal South London ziekenhuis in Denmark Hill, waar Caitlin vier dagen lang door het transplantatieteam zou worden onderzocht.

Ze was hier voor het laatst in april geweest, toen ze met Caitlin naar Ikea was gegaan om wat meubels voor haar slaapkamer te kopen. Dat was tenminste leuk geweest, voor zover je het leuk kon vinden om je op zondagmiddag een weg te banen door een mensenmassa in Ikea.

Maar daarna hadden ze zichzelf getrakteerd, het was zelfs wat Lynn betrof een dubbele traktatie, omdat Caitlin zoiets maar heel zelden deed. Ze had niet alleen iets gegeten waar ze normaal gesproken haar neus voor had opgetrokken omdat het 'ongezond' was, maar ze had zich er zelfs helemaal te goed aan gedaan.

Ze waren met een nachtkastje, een slaapkamerlampje, een dekbedovertrek, behang en gordijnen na lang wachten eindelijk bij de kassa beland en hadden betaald. Daarna waren ze naar het restaurant gegaan en hadden gehaktballetjes met nieuwe aardappelen en daarna ijs gegeten. Ze hadden zelfs, en dat was heel erg, ook nog twee hotdogs gekocht voor later, dik besmeerd met mosterd en ketchup, maar die hadden ze al voordat ze thuis waren in de auto naar binnen gewerkt. Lynn had eigenlijk verwacht dat Caitlin haar zou vragen even te stoppen zodat ze kon overgeven, maar in plaats daarvan had haar dochter met een grote grijns op haar gezicht haar lippen af en toe afgelikt en verklaard dat het waanzinnig lekker was geweest.

Dit was een van de weinige keren in haar leven dat Lynn Caitlin van eten had zien genieten, en ze had gehoopt – en die hoop was vervolgens de bodem ingeslagen – dat dat het begin was van een ommekeer ten goede in het leven van haar dochter.

Ze reden nu langs Ikea, de hoge blauw-gele schoorsteen stond links van hen en werd verlicht door schijnwerpers. Ze keek even opzij naar Caitlin naast haar, die over haar mobieltje gebogen zat en druk aan het sms'en was. Ze was al sinds ze een uur geleden Brighton uit waren gereden aan één stuk door aan het sms'en. Door het licht van de tegemoetkomende koplampen kreeg haar gezicht een spookachtige, geelwitte tint.

'Heb je zin in gehaktballetjes, lieverd?'

'Ja hoor, natuurlijk,' zei Caitlin slaperig en zonder op te kijken, alsof haar moeder haar vergif aanbood.

'Daar is Ikea, we kunnen even naar binnen gaan.'

Ze tikte een paar toetsjes in en zei toen: 'Die zijn nu toch niet open.'

'Het is pas kwart voor acht. Volgens mij gaan ze om tien uur dicht.'

'Gehaktballetjes? Getver. Wil je me soms dood hebben of zo?'

'Weet je nog dat we hier in april zijn geweest, voor die dingen voor je kamer? Toen hebben we ze ook gegeten en je vond het erg lekker.'

'Ik heb iets over gehaktballen op internet gelezen,' zei Caitlin opeens levendig. 'Ze zitten vol vet en troep. In sommige gehaktballen zitten zelfs stukjes bot en hoeven. Net als in bepaalde hamburgers, ze stoppen gewoon de hele koe in een pletmachine. Echt alles, hoor. De kop, de huid, de ingewanden. Dan kunnen ze zeggen dat het honderd procent rundvlees is.'

'Niet bij Ikea, hoor.'

'O ja, dat is ook zo. Ikea is heilig voor jou. Alsof een of andere Scandinavische god hun spullen heeft gezegend.'

Lynn glimlachte en legde haar hand op haar dochters pols. 'Alles is beter dan ziekenhuiseten.'

'Ja, nou, je hoeft je geen zorgen te maken. Ik eet helemaal niets zolang ik daar ben.' Ze toetste weer wat in op haar mobieltje. 'Bovendien hebben we net gegeten.'

'Ik heb gegeten, lieverd. Jij hebt je eten niet aangeraakt.'

'Wat maakt het uit?' Ze verstuurde weer een sms'je. Toen zei ze: 'Dat is trouwens helemaal niet waar. Ik heb wat yoghurt gegeten.' Ze gaapte.

Lynn stopte voor een rood licht, zette de Peugeot in zijn vrij en legde haar hand weer op Caitlins pols. 'Je moet vanavond echt iets eten.'

'Wat heeft het voor nut?'

'Zodat je sterk blijft.'

'Ik ben sterk.'

Ze gaf de pols een kneepje, maar haar dochter reageerde niet. Toen trok ze de plattegrond uit het portiervak en keek er even op. De uitlaatpijp ratelde tegen het chassis aan terwijl de motor draaide. Het licht werd groen. Ze stopte de plattegrond weer in het vak, schakelde de onwillige versnelling in zijn één en liet het koppelingspedaal langzaam omhoogkomen.

'Hoe voel je je?'

'Ik ben bang. En ik ben zo moe.'

Ze reed mee met het verkeer, schakelde naar zijn drie en kneep weer even in Caitlins pols.

'Het komt allemaal goed, lieverd. Het zijn allemaal vakmensen.'

'Luke heeft op internet gekeken. Hij sms'te me net. In de Verenigde Staten gaan volgens hem negen van de tien mensen die op een levertransplantatie wachten dood voordat ze aan de beurt zijn. En in Engeland sterven elke dag drie mensen die een transplantatie nodig hebben. En in de Verenigde Staten en Europa wachten er honderdveertigduizend mensen op een transplantatie.'

Lynn was zo kwaad dat ze niet zag dat de remlichten van de auto's voor haar oplichtten en ze moest boven op de rem staan om niet op het busje voor haar te knallen. Internet, dacht ze. Dat verdomde internet. Wat een lul, die Luke. Heeft die achterlijke idioot niets beters te doen dan mijn dochter bang maken?

'Dat klopt niet,' zei ze. 'Ik heb het er met dokter Hunter over gehad. Het is echt niet waar. Sommige mensen zijn heel erg ziek en die komen dan te laat op de wachtlijst te staan. Maar dat gaat voor jou niet op.'

Ze probeerde iets te verzinnen wat beter overkwam, maar ze kon niets bedenken. Dokter Granger had gezegd dat ze hun best zouden doen om Caitlin boven aan de lijst te krijgen. Maar, had hij er eerlijk bij gezegd, of het lukte, was nog de vraag. En dan was er nog het probleem van Caitlins bloedgroep.

Ze reed zwijgend door, met het gestage geklik van de toetsjes van Caitlins mobieltje en af en toe het gepiep van een binnenkomend sms'je.

'Zal ik wat muziek opzetten, lieverd?' vroeg ze uiteindelijk.

'Niet die ellende die je altijd opzet,' reageerde Caitlin, maar ze zei het wel vriendelijk.

'Waarom zoek je niet iets op de radio?'

'Ook goed.' Caitlin boog zich naar voren en zette de radio aan. Een oude plaat van de Scissor Sisters speelde: 'No Dancing Today'.

Lynn glimlachte wrang naar haar. Doordat het licht van een straatlantaarn opeens op haar dochter viel, glimlachte een magere, bange geest in de passagiersstoel weemoedig naar haar terug.

16

'Kijk eens aan, wie hebben we daar! En je hebt zelfs de vliegen dit keer ver-slagen!' zei Roy Grace toen hij met brigadier Mantle op zijn hielen langs de agente bij de loopplank liep en met tegenzin de verslaggever begroette van de *Argus*, de plaatselijke krant van Brighton.

Het maakte niet uit hoe laat het was, Kevin Spinella was er altijd eerder dan alle andere persmensen, en al helemaal als er maar een vermoeden van een verdachte dood was.

Of misschien was het de lucht van de dood wel. Misschien kon de jonge verslaggever met zijn scherpe neus net als vliegen de dood op een afstand van zeven kilometer ruiken.

En anders had hij op een of andere manier het beveiligde radioverkeer van de politie weten te kraken. Grace had altijd gedacht dat hij werd ingelicht door iemand bij de politie en was vast van plan om er ooit achter te komen wie dat was, maar voorlopig had hij wel iets anders aan zijn hoofd. Hij moest zo snel mogelijk naar het feestje van hoofdinspecteur Wilkinson, omdat hij wilde weten wat Cleo nu precies bedoelde met haar 'dat wil ik persoonlijk doen, en niet over de telefoon'.

Wat wilde deze vrouw, van wie hij zielsveel hield, hem vertellen? En waar-om was ze zo kortaf geweest? Wilde ze hem de bons geven? Hem vertellen dat ze iemand anders had? Of dat ze weer terugging naar haar ex-vriendje, dat vrome, christelijke advocatenlulletje?

Oké, haar ex had op Eton gezeten, en Grace wist dat hij daar niet tegenop kon. Cleo had een heel andere achtergrond dan hij, kwam uit een heel ander milieu. Haar familie was rijk, ze had op een dure kostschool gezeten en ze was waanzinnig intelligent.

Terwijl hij maar een domme, gewone agent was, en de zoon van een ge-wone agent. En hij had verder ook geen ambities: dat wilde hij nu eenmaal zijn. Hij hield van zijn werk en van zijn collega's. Hij zou grif toegeven dat hij voor altijd die baan wilde houden, als hij de tijd kon laten stilstaan.

Had Cleo zich dat net gerealiseerd?

Ondanks zijn pogingen om gelijke tred met haar thuisstudie filosofie te houden, lukte het hem niet. Was hij gewoonweg niet slim genoeg voor haar?

'Leuk u ook weer eens te zien, inspecteur Grace, brigadier Mantle.'

De verslaggever glimlachte breed en ging pal voor hen staan. Heel even waren hun gezichten zo dicht bij elkaar dat hij Spinella's kauwgom kon ruiken.

'En wat doen twee politiemensen zoals u op een koude avond in de haven?'

De verslaggever had een mager, fel gezicht en een kort, modern kapsel. Hij droeg een beige regenjas met de kraag omhooggeslagen, een dun zomers pak en een keurig geknoopte stropdas. Zijn zwarte schoenen met kwastjes zagen er goedkoop en ordinair uit.

'Zo te zien ben jij ook niet echt gekleed voor een hengeltochtje,' zei Lizzie Mantle gevat.

'Wel om te hengelen naar feiten,' pareerde hij, terwijl hij zijn wenkbrauwen onderzoekend optrok. 'Of beter nog: om feiten boven water te halen.'

Achter hen reed de wagen van het mortuarium weg. Spinella draaide zich om, keek er even naar, en keek toen de twee politiemensen weer aan.

'Kunt u commentaar leveren?'

'Niet op dit moment,' zei Grace. 'De persconferentie is morgen, na de sectie.'

Spinella trok een notitieboekje tevoorschijn en sloeg het open. 'Het zou dus gewoon een drenkeling kunnen zijn. Kan ik u citeren, inspecteur?'

'Sorry, geen commentaar,' zei Grace.

'Een begrafenis op zee, misschien?'

Grace liep door naar zijn auto. Spinella stapte naast hem mee.

'Wel vreemd dat hij was verzwaard met betonblokken, nietwaar?'

'Je hebt mijn mobiele nummer. Bel me morgen maar rond de middag,' zei Grace. 'Dan weet ik misschien meer.'

'Zoals wat die snee op het lijk te betekenen heeft?'

Grace bleef stokstijf staan. Het kostte hem heel veel moeite, maar hij zei niets. Hoe wist die man dat, verdomme? Het moest wel een van de bemanningsleden zijn geweest. Spinella was een ware meester in het ontfutselen van informatie aan vreemden.

Spinella grijnsde, want hij wist dat hij de inspecteur te pakken had. 'Was het misschien een rituele moord? Zwarte magie?'

Grace dacht snel na, omdat hij geen woeste krantenkoppen wilde zien waardoor mensen schrik werd aangejaagd. Maar het punt was dat Spinella wel eens gelijk kon hebben. Die snee was zeer eigenaardig. Zoals Graham Lewis had gezegd, leek het er erg op dat die na de dood was gemaakt. Zou dat tijdens een of andere ceremonie zijn geweest?

'Oké, weet je wat? Als jij alleen maar de feiten vermeldt, dat een baggerschip een ongeïdentificeerd lijk heeft opgedregd, krijg jij morgen na de sectie meteen boter bij de vis. Is dat goed?'

'Boter bij de vis!' Spinella knikte goedkeurend. 'Zeer toepasselijk, als je nagaat waar we nu zijn. Mooi hoor! Goed gevonden, inspecteur. Heel goed gevonden!'

17

Simona had honger en ze was nat. Ze had urenlang in de stromende regen door de donkere straten gelopen. Dit was altijd een slechte periode: door het koude weer bleef iedereen binnen en waren er geen toeristen. Hopelijk zou het de komende week beter zijn, het was bijna Kerstmis en het winkel-publiek nam dan toe.

Ze sjokte langs een bank die gesloten was, de ramen waren donker, en ze vroeg zich af wat mensen in een bank deden. Belangrijke mensen. Rijke mensen. Daarna een hotel: de portier hield haar in de gaten alsof hij wilde aangeven dat hij de belangrijke mensen binnen tegen haar beschermde. Ver-volgens kwam ze langs een gesloten supermarkt en ze keek hongerig door de ruit naar binnen, naar de blikken met eten en potten met augurken.

Ze had zelfs geen Aurolac meer om de honger te verdrijven. Ze had aan het begin van de avond ruzie met Romeo gehad en ze hadden om het laatste flesje gevochten en dat was op de grond gevallen, waarna de lak in de goot was weg-gelopen. Hij was kwaad weg gestampt met de hond en wat er nog over was van het flesje en had gezegd dat hij naar huis ging om te schuilen tegen de regen. Maar zij had honger en wilde pas weer terug naar het ondergrondse hol als ze wat had gegeten. Bovendien huilde de baby nog meer dan anders.

Ze had sinds de dag ervoor alleen maar een paar flinterdunne frietjes ge-geten, die ze had gevonden in hun kartonnen verpakking op de stoep vlak bij McDonald's. Ze had een tijdje staan bedelen voor een chic restaurant, aan-getrokken door de geur van gefruite knoflook en geroosterd vlees, maar de droge, voldane mensen die naar buiten kwamen en in hun auto stapten keur-den haar geen blik waardig, alsof ze onzichtbaar was.

Auto's, taxi's en busjes stroomden langs haar. Ze liep door, haar gympen doorweekt, spetterend door de ene na de andere plas zonder zich er iets van aan te trekken. Voor haar lag station Gara de Nord, daar was het in elk geval droog. Er zouden misschien wel wat vrienden van haar zijn, totdat de politie hen er rond middernacht uit gooide, en hopelijk hadden ze wat te eten bij zich. Of misschien kon ze een reep in de stationswinkel stelen, die zou nog open zijn.

Ze liep de trap op en ging het grote, slecht verlichte hoofdstation van Boekarest binnen. Er lagen plassen op de grond, waarin de witte natrium-

71

lampen die paarsgewijs aan het plafond hingen spookachtig werden gereflecteerd. Voor haar hing een groot elektronisch bord waarop stond: VERTREK PLECARI. De ronde klok die in het bord zat gaf aan dat het zes minuten over halftwaalf was.

De bestemmingen stonden aangegeven, samen met de vertrektijden voor die nacht en de volgende morgen. Sommige steden en dorpen kende ze van naam, maar er waren er genoeg bij waar ze nog nooit van had gehoord. Mensen hadden het soms wel over andere plaatsen. Baantjes die je in andere landen kon krijgen, waar je goed kon verdienen en in een mooi huis kon wonen, en het was er altijd warm. Ze hoorde het geratel van de locomotief. Misschien kon ze in een trein stappen en gewoon meerijden. En als ze dan aankwam was het er warm, met heel veel eten en zonder jankende baby's.

Ze liep langs een gesloten café rechts van haar met een blauw bord waar met witte letters METROPOL op stond. Op de grond ervoor zat een oude, bebaarde man met een wollen muts op, in versleten kleren en rubberlaarzen, die een slok uit een fles sterke drank nam. Naast hem lag een smerige slaapzak, en al zijn andere bezittingen waren in een geruite boodschappentas gepropt. Hij knikte toen hij Simona herkende en zij knikte terug. Net als iedere zwerver kende ze mensen wel van gezicht, maar niet van naam.

Ze liep door. Links van haar stonden twee agenten in felgele jacks. Ze waren jong, zagen er gemeen uit en stonden met een verveeld gezicht een sigaret te roken. Ze wachtten tot middernacht, waarna ze hun wapenstok tevoorschijn konden trekken en alle daklozen het station uit konden meppen.

Rechts van haar bevond zich de felverlichte kiosk. Er stond een koffieapparaat voor met de naam NESCAFÉ erboven. De blauwe balie werd geflankeerd door twee koelkasten met limonade en bier erin. Een goed uitziende man van een jaar of vijftig leek de hele winkel leeg te kopen. Hij had een bruin colbertje aan, een blauwe broek en gepoetste zwarte schoenen, en stopte tas na tas vol met koekjes, snoep, chocolaatjes, noten en blikjes limonade.

Ze bleef even staan kijken om in te schatten of dit een goed moment was om iets te jatten, maar de eigenaar had haar al gezien en hield haar goed in de gaten. Als hij haar niet kon pakken, dan lukte het de twee agenten wel en ze had geen zin in een aframmeling. Hoewel ze in de gevangenis wel droog zou zitten en wat te eten zou krijgen. Maar dan zou ze weer naar het tehuis worden teruggestuurd.

Ze moest in die instelling naar school en dat had ze mooi gevonden. Ze hield van leren, wist dat ze moest leren als ze een ander leven wilde. Maar ze had een afkeer van het tehuis, de andere rotmeiden, de walgelijke hoofdmeester van de school, die wilde dat ze hem aanraakte en die haar sloeg als ze zijn ding niet in haar mond wilde nemen en haar dagenlang in een kamer opsloot, in het donker, waar ratten zaten.

Nee, daar wilde ze niet meer naartoe.

Ze kwam langs een perron en bleef even staan, keek naar de achterlichten van een trein die vertrok en steeds sneller ging rijden. Een eenzame schoonmaker, gekleed in een reflecterend geel jack, net als de agenten, haalde een bezem over het glimmend natte oppervlak van het perron.

Toen zag ze hen: in elkaar gedoken in een hoek, bijna aan het oog onttrokken door een betonnen pilaar, en ze was opeens blij. Zes bekenden, zeven zelfs als je de baby meetelde. Ze ging naar hen toe.

Tavian, die lang en mager was, met een tikje zigeunerbloed in zich, aan zijn huidskleur te zien, zag haar aankomen en glimlachte naar haar. Hij glimlachte altijd. Er waren in haar beleving maar weinig mensen die altijd glimlachten, en Simona vond het prachtig dat hij dat wel deed. Ze hield van zijn magere, knappe gezicht, zijn lieve bruine ogen, zijn zware, mannelijke wenkbrauwen. Hij droeg een blauwe muts met oorkleppen, een camouflagejasje en een grijze nylon bodywarmer met nog het een en ander eronder. Hij hield de slapende baby, die een corduroy jumpertje aanhad en in een deken was gewikkeld, tegen zich aan. Hij was negentien en dit was zijn derde kind. De andere twee waren hem afgenomen door de Kinderbescherming.

Naast hem stond Cici, de moeder van de baby. Cici, die volgens Simona een jaar of zeventien was, glimlachte ook altijd, alsof het hele leven één grote grap was, waardoor je wel móést lachen. Ze was klein en nog wat mollig door de zwangerschap, en droeg een te grote groene trainingsbroek en witte gympen die zo te zien nieuw waren en vast deze dag nog waren gestolen. Ze had de blauw-witte capuchon van haar jasje over haar hoofd geslagen en eronder was haar bolle toet te zien en haar mond, waarin een paar voortanden ontbraken. Ze deed Simona denken aan foto's van eskimo's die ze bij aardrijkskunde had gezien.

Ze wist niet hoe de anderen in de groep heetten. Er was een jongen van een jaar of dertien bij met een chagrijnige kop, die een gebreide bivakmuts, een gevoerde zwarte jas, een spijkerbroek en gympen droeg en altijd zijn handen in zijn zakken had gestoken, net als deze keer, en die nooit iets zei. Naast hem stond nog een jongen, die heel goed zijn oudere broer kon zijn, met een wezelachtig gezicht, een dun snorretje en blonde stekels die door de regen op zijn hoofd zaten geplakt. Hij stond een shagje te roken.

Dan waren er nog twee meisjes. De oudste van de groep was halverwege de twintig en ze had ook iets zigeunerachtigs. Ze had lang, steil donker haar en haar huid was verweerd door het buitenleven. De andere was twintig, maar zag er twee keer zo oud uit en was dik ingepakt in een gevoerd jack en een dikke broek; ze had een aangestoken sigaret in haar hand. In haar andere hand had ze een plastic tasje waarin een flesje lak zat, waarvan ze net met gesloten ogen een snuif nam.

'Hé, Simona!' Tavian stak ter begroeting zijn hand op.

Simona gaf hem een high five.

'Hoe gaat het? Waar is Romeo?' vroeg Tavian haar.

Ze haalde haar schouders op. 'Ik heb hem daarstraks nog gezien. Hoe gaat het met jullie? En met de baby?'

Cici keek haar stralend aan, maar zei niets. Ze zei zelden iets. Tavian gaf antwoord.

'Ze wilden twee avonden geleden ons kind van ons afnemen, maar we zijn ervandoor gegaan!'

Simona knikte. Zo deed de Kinderbescherming dat: ze namen je je kind af, maar lieten jou verder aanmodderen. En het kind werd dan in een inrichting gestopt. Zoals de tehuizen waar zij meer dan eens uit was ontsnapt. Vanaf haar achtste, tot zo'n drie of vier jaar geleden, toen het haar lukte niet meer opgepakt te worden.

Het was even stil. Ze keken haar allemaal aan. Tavian en Cici glimlachend, de rest met een lege blik, alsof ze verwachtten dat ze iets bij zich zou hebben – eten, of misschien nieuws – maar ze had uit de donkere, natte nacht niets meegenomen.

'Hebben jullie al een plekje gevonden om te slapen?' vroeg ze.

Tavians glimlach verdween even en hij schudde hopeloos zijn hoofd. 'Nee, en de politie is tegenwoordig erg fel. Ze zitten ons voortdurend op de huid, we moeten steeds vluchten. En als ze niets anders te doen hebben, zitten ze ons de hele nacht achterna.'

'Zijn dat de mensen die je baby van je af willen pakken?'

Hij schudde weer zijn hoofd, pakte een geknakte sigarettenpeuk uit een doosje, stak hem aan en wiegde voorzichtig de baby met zijn andere arm. 'Nee, die niet. Ze hebben er een speciale afdeling bij gehaald.'

'Ik weet wel een goede plek, waar nog ruimte is, bij de stadsverwarmingsbuis,' zei Simona.

Hij haalde onverschillig zijn schouders op. 'Het gaat wel, hoor. We redden het wel.'

Ze begreep deze groep niet. Ze waren net als zij, en ze hadden ook niet meer dan zij. Op een bepaalde manier had zij het zelfs nog beter, omdat ze een plek had waar ze zich thuis voelde. Maar deze mensen waren echte nomaden. Ze sliepen waar het maar mogelijk was: in steegjes, in de portiek van een winkel, of buiten in de openlucht, tegen elkaar aan voor warmte. Ze wisten van de verwarmingsbuizen, maar ze zochten ze nooit op. Dat begreep ze niet, maar ze begreep de meeste mensen die ze leerde kennen niet.

Net als de man die met een paar volle boodschappentassen op hen af kwam. Het was de man die ze in de stationswinkel had gezien. Hij was van middelbare leeftijd en glimlachte een tikje zelfvoldaan, waardoor Simona meteen op haar hoede was.

'Jullie zagen er zo hongerig uit dat ik wat te eten voor jullie heb gekocht,' zei hij, en hij stak hen stralend de boodschappentassen toe.

Voor ze het wist schoven ze haar opzij om bij de tassen te komen. De man liet ze tevreden los. Hij was gedrongen, had een aangenaam, intelligent gezicht en zijn haar was keurig gekapt. Zijn witte overhemd stond bij de boord open en zijn bruine colbert, de donkerblauwe broek en zijn glimmende schoenen zagen er duur uit, maar ze vroeg zich af waarom hij op zo'n koude avond geen overjas droeg; hij kon er zich duidelijk een veroorloven.

Hij hield een tas achter en nadat de anderen zich met de buit hadden teruggetrokken en hun plotselinge meevallertje eens goed bekeken, gaf hij die aan Simona. Ze wierp een blik in de tas en zag een schat aan snoep en koekjes.

'Tast toe,' zei hij. 'Het is allemaal voor jou!' Hij keek haar aandachtig aan.

Ze stak haar hand in de tas, pakte een Mars, scheurde de wikkel eraf en nam gretig een hap. Het smaakte zo lekker. Ongelooflijk! Ze nam nog een hap, en nog een, alsof ze bang was dat iemand hem van haar af zou pakken, en stopte toen alles in haar mond zodat ze nauwelijks nog kon kauwen. Toen stak ze weer haar hand in de tas, pakte een chocoladekoekje en haalde daar het papiertje vanaf.

Opeens ontstond er commotie. Ze kreeg een pijnlijke klap op haar schouder, gaf een gilletje van schrik en draaide zich om terwijl ze de tas liet vallen. Een agent stond achter haar, met de zwarte wapenstok in de aanslag, een verbeten blik op zijn gezicht, en hij stond op het punt haar weer een mep te geven. Ze stak haar armen omhoog en kreeg zo'n harde klap op haar pols dat ze ervan overtuigd was dat hij hem had gebroken. Hij hief opnieuw zijn arm om toe te slaan.

Overal om hen heen stonden agenten. Wel een stuk of acht, misschien nog wel meer.

Ze hoorde een harde klap en zag Tavian op de grond vallen.

Cici gilde: 'Mijn baby, mijn baby!'

Simona zag dat een wapenstok Cici vol op de mond raakte, waardoor haar tandvlees openbarstte en haar tanden afbraken.

De stokslagen hagelden op hen neer.

Opeens werd haar hand gegrepen en werd ze naar achteren getrokken, bij de agenten vandaan. Ze draaide zich om en zag dat het de man was die het snoep voor hen had gekocht. Een lange, stakerige agent met een kleine, ratachtige mond, die zijn wapenstok hief alsof hij van plan was hun allebei er een klap mee te verkopen, schreeuwde iets. De man stak zijn hand in zijn zak en haalde een handvol bankbiljetten tevoorschijn.

De agent nam het geld aan en gebaarde dat ze weg moesten gaan. Daarna draaide hij zich om en liet met een misselijkmakende klap de wapenstok op iemands rug neerkomen, maar Simona kon niet zien wie het slachtoffer was.

Verbijsterd keek ze de man aan, die weer aan haar hand trok.

'Snel! Kom mee.'

Ze keek hem aan, er niet van overtuigd of ze hem wel kon vertrouwen, en toen keek ze om naar het strijdtoneel. Cici lag op haar knieën hysterisch te gillen, terwijl het bloed uit haar mond stroomde. De anderen lagen inmiddels op de grond, een vormloze, steeds bloederiger hoop mensen, die alsmaar dieper onder de regen van stokslagen ineenkromp. De agenten lachten. Ze vonden het prachtig.

Dit was sport voor hen.

Even later, terwijl haar redder haar nog steeds in een ijzeren greep vasthield, liep ze de trap van de stationsingang af, de stromende regen in, en naar het geopende achterportier van een grote zwarte Mercedes.

18

Het probleem met een buffet, vond Roy Grace, was dat je de neiging had je hele bord vol te stouwen voordat je alles wat op tafel stond had gezien. En net op het moment dat je al als een vreetzak overkwam, zag je pas de reuzengarnalen, of de aspergepunten of iets anders wat je echt lekker vond.

Maar op het feestje van Jim Wilkinson liep hij dat gevaar niet. Hoewel hij die dag nauwelijks had gegeten, had hij maar weinig trek. Hij wilde het liefst Cleo ergens spreken waar het rustig was en haar vragen wat ze nu bedoelde met het sms'je dat ze hem had gestuurd toen hij op de kade stond.

Maar toen hij in de afgeladen bungalow van Wilkinson was aangekomen, was Cleo in gesprek geweest met een aantal rechercheurs van de Divisional Intelligence Unit en ze had hem alleen maar even een kort glimlachje geschonken om te laten weten dat ze hem had gezien.

Wat was er verdorie met haar aan de hand, vroeg hij zich vertwijfeld af. Ze zag er schitterend uit en had zich voor de gelegenheid perfect gekleed in een ingetogen blauw satijnen japon.

'Hoe gaat het, Roy?' vroeg Julie Coll, de vrouw van een inspecteur bij het ministerie van Justitie, terwijl ze naast hem kwam staan bij het buffet.

'Ja, goed, dank je,' zei hij. 'En met jou?' Het viel hem opeens in dat ze op middelbare leeftijd van beroep was veranderd en pasgeleden stewardess was geworden. 'Hoe bevalt het vliegen?'

'Prima!' zei ze. 'Het is helemaal te gek.'

'En gaat het ook goed met Virgin?'

'Ja hoor.' Ze wees naar een schaal met ingelegde uitjes. 'Die moet je nemen. Josie maakt ze zelf, en ze zijn verrukkelijk.'

'Ik ga weer zitten. Als jij er nu wat op een bordje doet en ze naar me toe brengt?'

Ze grinnikte. 'Brutale aap! Ik ben nu niet aan het werk, hoor!' Ze prikte een paar uitjes aan haar vork en legde ze op haar bord. 'Nog steeds geen nieuws?'

Hij fronste zijn wenkbrauwen, omdat hij even niet wist wat ze bedoelde. Toen daagde het hem. Hoe hij ook zijn best deed, het ging nooit echt weg. Hij werd elke keer weer aan Sandy herinnerd.

'Nee,' zei hij.

'Is dat je nieuwe vriendin? Die lange blonde?'

Hij knikte en vroeg zich af hoelang ze nog zijn vriendin zou zijn.

'Ze is erg knap.'

'Bedankt.' Hij glimlachte moeizaam.

'Weet je nog dat we een paar jaar geleden op het feestje van Dave Gaylor met elkaar gesproken hebben... over mediums?'

Hij piekerde zich suf. Hij wist nog dat een familielid van Julie was gestorven en dat ze hem had gevraagd of hij een goed medium wist waar ze naartoe kon gaan. Hij kon zich vaag herinneren dat ze het erover hadden gehad, maar meer ook niet.

'Ja.'

'Ik heb weer een nieuwe, en ze is echt fantastisch, Roy. Waanzinnig accuraat.'

'Hoe heet ze?'

'Janet Porter.'

Janet Porter? De naam kwam hem niet bekend voor.

'Ik heb haar nummer niet bij me, maar ze staat in de gids. Ze zit aan de kust, vlak bij het Grand. Bel me morgen maar, dan geef ik het je door. Je zult versteld staan.'

Sandy was negenenhalfjaar geleden spoorloos verdwenen en in die tijd had Grace een ontelbaar aantal mediums geraadpleegd. De meesten waren hem hoog aangeprezen, net als deze nu. Geen van hen had iets positiefs kunnen melden. Eentje had gezegd dat Sandy overleden was en dat ze als gids een genezer begeleidde, en dat ze blij was dat ze herenigd was met haar moeder. Dat was even een lastig puntje, vond Grace, aangezien haar moeder nog steeds leefde.

Een handjevol mediums, de enige die hij geloofwaardig had gevonden, was ervan overtuigd geweest dat Sandy niet in de geestenwereld vertoefde. Wat betekende, hadden ze hem uitgelegd, dat ze nog leefde. Hij was nu nog steeds zo verbijsterd als de avond dat ze verdween.

'Ik zal erover nadenken, Julie,' zei hij. 'Bedankt, maar ik wil eigenlijk verder met mijn leven.'

'Dat snap ik, Roy. Dat snap ik helemaal.'

Ze liep door en heel even had Grace het hele buffet voor zichzelf. Hij keek naar de nieuwe hoofdcommissaris Tom Martinson, die pas een paar weken in Sussex was, in de hoop dat hij een gesprekje met hem zou kunnen aanknopen. Martinson was negenenveertig, iets kleiner dan hijzelf, een sterke, fit uitziende man met kort, donker haar die een vriendelijke, kordate indruk maakte. Hij was aan het eten terwijl hij enthousiast stond te praten met een paar hielenlikkende politiemensen.

Grace legde een plak ham en wat aardappelsalade op zijn bord, at het staand op, en zette het bord neer zodat hij er niet mee hoefde rond te lopen.

Toen hij zich omdraaide stond Cleo opeens voor zijn neus met zo te zien een glas water in haar hand. Hoewel ze over de telefoon heel afstandelijk was geweest, keek ze hem nu met een lieve glimlach aan. Ze straalde.

'Hoi, schatje,' zei ze. 'Wat goed van je dat je er al bent! Hoe ging het?'

'Goed. Nadiuska had er geen problemen mee om de sectie pas morgen te verrichten. Hoe gaat het met jou?'

Ze glimlachte nog steeds en gaf met haar hoofd aan dat hij met haar mee moest gaan. Net op dat moment zag hij de hoofdcommissaris bij het groepje weglopen en naar het buffet toe gaan. Dit was het perfecte moment om zich aan hem voor te stellen.

Maar hij zag Cleo wenken en wilde het risico niet lopen om in gesprek te raken met iemand anders. Hij wilde erg graag weten wat er aan de hand was.

Hij liep met haar mee door de volle serre en begroette diverse collega's met een knikje. Even later stapten ze beiden de achtertuin in. Hier was het zelfs nog kouder dan in de haven en het rook naar sigaretten, die een groepje mannen en vrouwen wat verderop dicht op elkaar gepakt stond te roken. Het rook lekker en als hij een pakje sigaretten bij zich had gehad, had hij er een opgestoken. Hij snakte er echt naar.

Cleo maakte een hek open en liep langs het huis en de vuilnisbakken naar de carport aan de voorkant. Ze bleef bij de Ford Focus van Wilkinson staan. Hier waren ze alleen.

'Zo,' zei ze. 'Ik wil je wat vertellen.' Ze haalde haar schouders op, kneep haar handen samen en hij besefte dat het niet was omdat ze het koud had, maar omdat ze zenuwachtig was.

'Wat dan?'

Ze kneep nog een paar keer haar handen samen en glimlachte scheef. 'Roy, ik heb geen idee hoe je dit gaat opvatten.' Ze glimlachte bijna kinderlijk verwonderd naar hem en haalde toen hoopvol haar schouders op. 'Ik ben zwanger.'

19

De lange man liep de wenteltrap op, bleef boven even staan, en verzekerde zich ervan dat zijn parkeerkaartje en zijn garderobebon in zijn portefeuille van krokodillenleer zaten. Toen keek hij rustig en grondig rond op de etage van het Rendezvous Casino waar de hoogste inzetten konden worden gedaan, op dezelfde manier waarop een politieman dat zou doen.

Hij was eind veertig, lang, en had de slanke bouw van een sportman. Hij had rimpels en zijn dunner wordende inktzwarte haar was glad naar achteren gekamd. Onder het gedimde licht zag hij er goed uit, maar in het daglicht viel dat tegen. Hij droeg een geruit overhemd met de boord open zodat een zware gouden ketting om zijn nek te zien was, een zwart kasjmieren jack, een dure spijkerbroek, Cubaanse laarzen van slangenleer en met een hak, en hoewel hij binnen was en het tien uur 's avonds was, had hij een zonnebril op. Om zijn ene pols droeg hij een grove gouden armband en om de andere een groot Panerai Luminor-horloge. Hoewel hij er zoals gewoonlijk uitzag alsof hij in een veel chiquere omgeving hoorde, was hij een van de vaste gasten van het casino.

Kauwend op een stuk kauwgom hield hij de vier roulettetafels, de blackjacktafels, de pokertafels en de fruitautomaten in het oog. Hij bekeek elke gast en vervolgens iedereen in het restaurant achter in de zaal tot hij tevreden was. Uiteindelijk liep hij rustig naar zijn lievelingstafel, zijn vaste tafel, zijn gelukstafel.

Er zaten al vier mensen aan en zo te zien zaten ze er al een tijdje. Een ervan was een Chinese vrouw van middelbare leeftijd die ook een vaste gast was; bij haar zat een jong stel dat gekleed was voor een feestje waar ze waren geweest of nog naartoe moesten, en een magere man met baard in een dikke gebreide trui die meer op zijn plaats leek in een aardrijkskundelokaal.

Het roulettewiel draaide langzaam, het balletje rolde mee in de rand. De lange man legde tienduizend pond in stapeltjes van vijftigpondbiljetten op het groene vilt van de roulettetafel. Hij keek de mannelijke croupier aan, die hem gedag knikte en *rien ne va plus* zei.

Het balletje dook de rand uit, stuiterde ratelend over de vakjes, en viel toen stil. Iedereen, uitgezonderd de lange man, keek reikhalzend toe terwijl het wiel steeds langzamer draaide. Uitdrukkingloos zei de croupier: 'Nummer zeventien. Zwart.'

Het nummer werd ook op een display achter het wiel getoond. De Chinese vrouw, die bijna overal fiches had neergezet, behalve op de zeventien en de nummers eromheen, vloekte. Het jonge aangeschoten meisje, wier borsten bijna uit haar zwarte jurk vielen, slaakte blij een gilletje. De croupier veegde alle fiches van de verliezers van tafel en legde bij de winnaars hun winst erbovenop, eerst degene met de meeste winst, terwijl de lange man zijn stapeltje bankbiljetten in de gaten hield.

De croupier pakte het stapeltje op en telde geroutineerd het aantal biljetten. Dat was bijna overbodig, aangezien hij het al vele keren eerder had gedaan en precies wist hoeveel het zou zijn. 'Tienduizend pond,' zei hij luid en duidelijk ten behoeve van de klant en voor de opnameapparatuur. De Chinese vrouw, die in de vijftig was, wierp de lange man een blik vol respect toe. Het was voor dit casino groot geld. De croupier stapelde zijn fiches op elkaar.

Hij pakte ze aan en ging meteen spelen. Eerst fiches op de twaalf rijen met getallen, vervolgens een paar op oneven, maar de meeste legde hij op de vorige zes winnende cijfers die op de display bij het wiel werden getoond. Hij splitste zijn inzet in tweeën en in vieren zodat zijn fiches het hele speelveld bedekten, als een generaal die speldjes plaatst in de plattegrond van een veldslag. De croupier draaide aan het wiel – het was regel dat hij elke negentig seconden draaide – en de anderen plaatsten, rekkend over de tafel, ook hun fiches, boven op die van andere spelers.

De croupier gaf het wiel nog een tikje en gooide het balletje erin.

Op de etage eronder kreeg Campbell Macaulay, die in de kamer met de monitors van de beveiligingscamera's zat, via zijn telefoontje te horen: 'Clint is binnen.'

'Zijn vaste plek?' vroeg de directeur van het casino binnensmonds, waarbij hij zijn lippen bijna niet bewoog.

'Tafel vier.'

Campbell Macaulay had zijn hele leven al in casino's gewerkt. Hij was onderaan begonnen en had zich van croupier tot zaalchef tot manager opgewerkt en uiteindelijk tot baas. Hij hield van de werktijden, de sfeer, de rust en de energie die in elk casino heersten, en hij hield ook van de zakelijke kant ervan. Klanten mochten dan af en toe een klapper maken, net als dat ze soms gigantisch verloren, maar over het algemeen verliepen de zaken rustig.

Er waren maar twee dingen die hij niet leuk vond aan zijn werk. Ten eerste dat hij te maken kreeg met gokverslaafden die zichzelf in zijn – en andere – casino's financieel ten gronde richtten. Dat deed de zaken geen goed. En ten tweede dat hij midden in de nacht op zijn vrije dagen wakker werd gebeld omdat een vaste kleine speler of een volslagen vreemde net een grote inleg op een tafel had gedaan – van bijvoorbeeld zestigduizend pond – want als dat gebeurde, kon je er bijna altijd van uitgaan dat je met een oplichter te maken had. Daarom werd iedereen die verdacht overkwam nauwlettend in de gaten gehouden.

Als je een goede gokker was en je het spel dat je speelde tot in de puntjes beheerste, kon je de hoeveelheid geld die je verloor redelijk in de hand houden. Bij blackjack en dobbelen wisten de spelers wat ze moesten doen om zichzelf en het casino tevreden te houden. Maar de meeste mensen wisten dat niet, of ze hadden het geduld er niet voor, zodat de winstmarge van het casino net iets onder het gemiddelde kwam te liggen van de twintig procent van het geld dat de speler inzette.

Keurig gekapt en gekleed zoals altijd in een rustig, donker pak met een keurig gestreken overhemd, elegante zijden das en glimmende zwarte instappers, schreed Macaulay bijna onopgemerkt door de pokerzaal beneden in het Rendezvous Casino. Het was daar druk die avond, vanwege een wedstrijd die er regelmatig werd gehouden. Pal naast de grote ruimte zaten de vijftig spelers over vijf tafels verspreid. De spelers waren sjofel en slordig gekleed in truien en spijkerbroeken en honkbalpetjes en gympen. Maar ze kwamen allemaal uit de buurt, hadden stuk voor stuk een goede baan en betaalden grif het wedstrijdgeld.

Toen hij zevenentwintig jaar geleden was gaan werken, moest je in bijna alle casino's netjes gekleed zijn, en hij vond het jammer dat die regel tegenwoordig niet meer gehanteerd werd. Maar hij wist dat je om klanten te trekken met de tijd mee moest gaan. Als het Rendezvous deze geldsmijters niet toeliet, gingen ze wel naar een ander casino in de stad.

Hij liep even door de drukke, glimmende keuken, knikte naar de chef-kok en wat medewerkers, bekeek een blad vol garnalencocktails en gerookte zalm dat richting eetzaal ging, en wandelde door naar de grote zaal van de benedenverdieping.

Het was er al aardig vol. Hij wierp een blik op de gokmachines en zo te zien was twee derde ervan in gebruik. De tafels voor blackjack, poker, roulette en dobbelen waren ook goed bezet. Mooi. In deze periode voor Kerstmis wilde het nog wel eens rustig zijn, maar momenteel liep het lekker, en de winst van de avond ervoor bedroeg bijna tien procent meer dan de afgelopen week.

Hij wandelde door de zaal langs alle tafels en verzekerde zich ervan dat iedere croupier en zaalchef hem zag. Vervolgens nam hij de roltrap naar de zaal met de hoge inzetten. Zodra hij boven aankwam zag hij Clint al als een schildwacht bij zijn vaste tafel staan.

Clint was hier minstens drie avonden per week. Hij kwam rond tien uur aan en ging zo tussen twee en vier uur 's nachts weer weg. Ze hadden hem die naam gegeven omdat Jacqueline, Macaulays secretaresse, had gezegd dat hij haar deed denken aan Clint Eastwood.

Vóór het rookverbod had Clint, net als de acteur in zijn vroegere western-films, altijd een dun sigaartje in zijn mond gehad. Nu was dat vervangen door kauwgom. Hij kwam soms alleen en soms vergezeld van een vrouw, heel zelden twee keer dezelfde vrouw, maar ze leken wel allemaal op elkaar. Dit keer was hij alleen. Twee avonden ervoor was er een dame bij geweest, een lange, jonge schoonheid met ravenzwart haar en een minirokje en leren laarzen tot op haar bovenbeen, die volgehangen was met blingbling. Zo te zien, en dat gold voor al zijn dames, werd ze per uur betaald.

Clint kwam altijd in een zwarte sportauto, een Mercedes SL55 AMG, gaf de parkeerjongen tien pond fooi als hij aankwam en ook weer als hij weg-ging, of hij nu gewonnen of verloren had. En hij gaf net zo'n grote fooi aan de garderobejuffrouw bij aankomst en vertrek.

Niemand had hem ooit meer horen uiten dan een grom of een enkel woord, en hij had altijd dezelfde hoeveelheid contant geld bij zich. Hij kocht de fiches aan de tafel en aan het einde van de avond wisselde hij ze in bij de kassier op de benedenverdieping.

Hoewel hij voor tienduizend pond aan fiches kocht, speelde hij maar met tweeduizend pond, maar dat was nog steeds tien keer meer dan de gemid-delde speler in dit casino. Hij snapte het spel en gokte groot, maar wel voor-zichtig, zodat hij bij verlies maar weinig geld kwijt was en bij winst maar weinig won. De ene keer verliet hij het casino met winst en de andere keer met verlies. Volgens de computer van het casino verloor hij elke maand on-geveer tien procent van zijn inzet. Dat was dus zeshonderd pond per week en dertigduizend pond per jaar.

Hij was met andere woorden een erg goede klant.

Campbell Macaulay was echter nieuwsgierig. Als het even kon, keek hij vanuit de monitorruimte naar Clint. De man was iets van plan, en hij wist maar niet wat. Zo te zien wilde hij niet het casino oplichten, dacht Campbell, want dat had hij dan al lang geleden gedaan. En bovendien gebeurde dat meestal bij blackjack, omdat – en dat had hij in al die jaren wel geleerd – bij dat spel de croupiers het eerst omgekocht konden worden en de kaarten het makkelijkst geteld. Campbell schatte in dat Clint zijn geld aan het witwassen was. En als dat het geval was, zou het hem worst zijn. Hij wilde deze goede klant liever niet kwijt.

In casino's ging er altijd veel cash om. En eigenaren van casino's hadden er geen belang bij om hun klanten te vragen waar dat geld vandaan kwam.

Maar toch had hij, keurig netjes, zijn naam doorgegeven aan de plaatselijke politieman die over gokvergunningen ging: brigadier Wauchope. Eigenlijk meer om zichzelf in te dekken in het geval Clint iets illegaals van plan was wat hij niet had ontdekt, dan als goed burger. Hij voelde zich alleen verplicht aan Harrah's, het grote bedrijf uit Las Vegas waar het casino deel van uitmaakte en dat altijd goed voor hem had gezorgd.

Clint schreef zich altijd in als Joe Baker, en het was dus een verrassing dat de brigadier hem in vertrouwen had verteld dat de Mercedes op naam stond van ene Vlad Cosmescu.

Die naam zei Campbell Macaulay niets. Maar Interpol hield die man al een hele tijd in de gaten. Niet dat hij opgepakt moest worden. Maar in het bestand van de politie stond hij vermeld als iemand in wie ze belang stelden.

20

Voor het Gara de Nord in Boekarest deed de chauffeur het portier van de Mercedes met een zachte bonk dicht. En even, binnen in de plotselinge stilte van de auto, op de grote zachte bank, met de rijke lucht van leer in haar neus, voelde Simona zich veilig. De man die haar had gered, stapte aan de andere kant in en sloeg met dezelfde zachte bonk het portier dicht.

Haar hart bonkte ook.

De chauffeur stapte in en startte de motor. De binnenverlichting werd zwakker en ging toen uit. Terwijl de auto naar voren gleed, hoorde ze een scherp geluid naast haar, alsof het portier op slot werd gedaan, en ze vroeg zich af wat het was. Opeens was ze in paniek: wie was die man?

Hij zat met de grote armleuning tussen hen in naar haar te glimlachen en vroeg geruststellend met zachte stem: 'Alles goed met je?'

Ze knikte, nog steeds verbijsterd door wat er net voorgevallen was.

'Heb je honger?' vroeg hij.

Ze voelde zich niet echt op haar gemak, en hij keek zo voldaan, wat ze maar niets vond, maar toch kwam hij niet over als een slecht mens. Er kwamen wel eens vreemden op je af, rijke vreemden, om je geld of eten aan te bieden. Niet vaak, maar het gebeurde wel eens, net als nu dus. Ze knikte.

'Hoe heet je?'

'Simona,' antwoordde ze.

'Wat vind je lekker?'

Ze haalde haar schouders op. Ze had geen idee wat ze lekker vond. Dat had niemand haar ooit gevraagd.

'Hou je van vlees? Varkensvlees?'

Ze aarzelde even. 'Ja.'

'Aardappelen?'

Ze knikte.

'Gebraden worstjes?'

Ze knikte opnieuw.

De man boog zich naar voren, pakte een glas uit een kastje voor hem, schonk er whisky in en gaf het aan haar. Ze pakte het glas aan en nam een grote slok. Ze verstijfde van schrik toen de sterke, scherpe drank haar keelgat in ging. Even later voelde ze een aangename warmte in haar maag. Ze strekte haar benen uit, nam nog een slok en dronk vervolgens het glas leeg.

Ze had nog maar één keer eerder whisky gedronken, Romeo had toen een fles uit een slijterij gejat, maar deze was veel lekkerder, veel zachter.

Het mobieltje van de man ging. Hij nam op, schonk tegelijkertijd nog wat whisky in haar glas, en had toen een zakelijk gesprek met iemand in Amerika. Ze wist dat het Amerika was, omdat hij vroeg hoe het weer was in New York. Hij was een of andere deal aan het sluiten en het klonk erg belangrijk. Maar af en toe draaide hij zich naar haar toe en glimlachte naar haar, en met elke slok whisky die ze nam, nam het vertrouwen in hem toe.

De chauffeur, die nog niets had gezegd, reed in stilte door. Zijn haar was heel kort geknipt en ze zag opeens in het licht van het tegemoetkomende verkeer een stukje van een tatoeage. Het was een slang, met een gevorkte tong alsof hij op het punt stond toe te slaan, die uit zijn overhemd onder zijn kraag tevoorschijn kwam, om zijn nek kronkelde en naar zijn kin reikte. Buiten gleden de lichtjes van Boekarest langs en de regen tikte zachtjes op de ruiten.

Simona had nog nooit gevlogen, maar ze vroeg zich af of dat hierop zou lijken. Achter haar hoofd kwam zachte muziek uit de speaker, een Engelse of Amerikaanse zanger, dat wist ze niet, met een zachte, warme stem. 'I've got you under my skin,' zong hij, maar haar Engels was niet goed genoeg om het te kunnen verstaan.

Ze keek door het raampje om te zien waar ze was. Ze kwamen langs het grote gebouw waarvan Romeo haar had verteld dat de vorige president het had laten bouwen. Hij zei dat het het Volkspaleis werd genoemd, maar ze was er nog nooit binnen geweest. Het hoorde bij een andere wereld, een ander soort mensen, net als deze auto, de man op de achterbank en de muziek tot een andere wereld behoorden waar zij nooit bij kon komen, en die ze ook nooit zou kunnen bevatten.

Maar door de whisky deed het er allemaal niet toe. Ze mocht de man steeds meer, net als zijn auto, en de stad waar ze nog maar kortgeleden verkleumd en hongerig doorheen had gesjokt, en die nu langsgleed. Misschien, heel misschien, kon deze man haar leven wel veranderen.

Even later draaide de auto een straat in die ze niet kende en remde toen af. Voor hen ging een elektrische poort open en daar reden ze doorheen, waarna ze stopten voor een groot huis dat werd beschenen met spotlichten.

De chauffeur hield Simona's portier voor haar open en nam het lege glas van haar aan. Ze was dronken en duizelig en wankelde de wind en de regen in. De man stapte ook uit, hij sloeg zijn arm om haar heen en leidde haar voorzichtig de bordestrap naar de voordeur op. Die werd geopend door een vrouw van middelbare leeftijd in uniform, waarschijnlijk een dienstmeid.

Het rook in het huis naar boenwas, net als in een museum.

'Ze heet Simona,' zei de man. 'Ze heeft eten nodig en een warm bad.'

De vrouw glimlachte naar haar. Een vriendelijke glimlach. 'Ga maar mee,' zei ze. 'Heb je erg veel honger?'

Simona knikte.

Ze liepen over een marmeren vloer, door een gang met mooie schilderijen, beelden en grote meubels een enorme moderne keuken in. Er hing een plasma-tv aan de muur, maar die stond uit. Simona keek vol verbazing om zich heen. Ze was nog nooit in zo'n chic huis geweest. Het was net iets uit een tijdschrift of van tv.

De vrouw zei dat ze aan de tafel moest plaatsnemen en zette even later een bord heerlijk eten voor Simona's neus. Er lagen varkensvlees, worstjes, reuzel, kaas, ingemaakte watermeloen, tomaten en aardappelen op, en ernaast stonden een bord met grote knapperige witte broodjes en een glas Coca-Cola.

Simona at met haar handen en propte alles zo snel mogelijk in haar mond, in de angst dat het weer weg zou worden gehaald voordat ze klaar was. De vrouw zat tegenover haar en keek in stilte toe, af en toe een goedkeurend knikje gevend.

'Zwerf je rond op straat?' vroeg de vrouw op een gegeven moment.

Simona knikte.

'Red je het wel?'

Met volle mond zei ze: 'We slapen bij een verwarmingsbuis. Dat gaat prima.'

'Maar je krijgt niet genoeg te eten?'

Simona schudde haar hoofd.

'Wanneer ben je voor het laatst in bad geweest?'

Simona haalde haar schouders op en nam nog een kaantje. Een bad? Ze kon het zich niet herinneren. Waarschijnlijk in het laatste tehuis waaruit ze was gevlucht. Jaren geleden dus. Ze waste zich af en toe een keertje met flessen water uit ondergrondse leidingen, als het niet te koud was.

'Ik heb een heerlijk bad voor je laten vollopen,' zei de vrouw.

Toen Simona haar eten op had, gaf de vrouw haar een grote ronde donut bedolven onder een laag gesmolten vanille-ijs. Simona schrokte het naar binnen zonder op de lepel te letten die naast het bord lag. Ze scheurde met haar vingers stukken af en propte ze in een razend tempo in haar mond. Daarna veegde ze het ijs met haar vingers op en likte die af. Ze had last van haar maag omdat ze bomvol zat, en ze was nog draaierig van de whisky. Ze werd een beetje misselijk.

De vrouw stond op en wenkte haar. Simona veegde haar handen af aan haar trainingspak en liep achter haar aan een grote, gebogen marmeren trap op, een brede gang door, waar nog meer mooie schilderijen hingen, en een badkamer in die haar bijna steil achterover deed slaan. Ze keek met open mond om zich heen.

Hij was zo mooi en schitterend en enorm. En het was net zo ongelooflijk dat zij daar stond.

Het plafond was beschilderd met wolken en engelen. De muren en de vloer waren van zwart-witte marmeren tegels en in het midden van de ruimte bevond zich een gigantische verzonken badkuip waar meerdere mensen in konden, vol schuim en omringd door marmeren beelden van naakte mannen en vrouwen op een sokkel.

'Wat mooi,' fluisterde ze.

De vrouw glimlachte. 'Je boft maar,' zei ze. 'Meneer Lazarovici is een goede man. Hij helpt mensen graag. Hij is een erg goede man.'

Ze hielp Simona uit haar kleren. Toen ze bloot was, nam ze haar bij de hand zodat ze het bad in kon stappen. Het water was heet – heerlijk heet, bijna te heet – en ze ging zitten. De vrouw hield haar hoofd zachtjes naar achteren, zodat haar haar nat werd, en masseerde er toen heerlijk geurende shampoo door. Ze spoelde het uit, goot er nog wat shampoo op en spoelde ook dat er weer uit.

Simona lag te genieten, ze keek naar de engelen op het plafond en vroeg zich af of je je zo zou voelen als je een engel was. Door de whisky en het eten was ze ontspannen en slaperig geworden, ondanks het feit dat ze zich niet helemaal op haar gemak voelde. Ze stond op het punt in slaap te vallen, toen de vrouw haar hele lijf inzeepte en weer afspoelde. Toen hielp ze haar uit het bad, sloeg een grote, zachte witte handdoek om haar heen en droogde haar voorzichtig en zorgvuldig af. Daarna bracht ze haar naar een prachtige slaapkamer met een aangrenzende badkamer.

Midden in de kamer stond een reusachtig tweepersoons hemelbed. Simona keek naar de erotische naaktschilderijen in vergulde lijst die aan de muren hingen. Sommige waren van een vrouw of van een man, maar er waren ook afbeeldingen van stelletjes. Ze zag er een tussen waarop de man en de vrouw de liefde bedreven. Twee vrouwen die elkaar met de mond bevredigden. Een man die een andere man van achteren nam. De ramen waren groot en er hingen zware, gedrapeerde gordijnen voor. Er stonden prachtige meubels met onder andere een chaise longue.

'Vind je het wat?' vroeg de vrouw.

Simona glimlachte en knikte.

De vrouw haalde de handdoek van haar schouders af en hielp Simona, die steeds slaperiger werd, in het bed met de witte zijden lakens. Daarna ging ze weg.

Simona lag daar, zacht verlicht door de twee grote lampen op de nachtkastjes, en viel langzaam in slaap. Een paar minuten later, ze wist niet zeker hoeveel later, ging de deur open. Ze deed meteen haar ogen open.

De man die haar hier had gebracht, meneer Lazarovici, stapte naar binnen. Hij was naakt, op een zwart zijden ochtendjas na. Die viel open, waardoor ze onder zijn flinke buik een stijve zag oprijzen.

Terwijl hij naar het bed liep, zei hij: 'Hoe gaat het ermee, mijn mooie engel van het Gara de Nord?'

'Prima,' mompelde ze. 'Hartstikke bedankt voor alles. Ik ben zo moe.'

Toen kwam zijn stijve tegen haar linkerwang aan. 'Zuigen!' zei hij. Zijn stem was plotseling ijskoud.

Ze keek, meteen weer wakker en op haar hoede, naar hem op. Er zaten donkere wallen onder zijn ogen en de inktzwarte pupillen keken haar dreigend aan.

'Zuigen!' zei hij weer. 'Ben je me niet dankbaar? Wil je me niet laten zien hoe dankbaar je bent?'

Hij klom op het bed en ging zodanig zitten dat zijn stijve en zijn ballen boven haar gezicht waren. Bang stak ze haar hand uit en pakte zijn lid beet. Voorzichtig sloot ze haar lippen eromheen. Hij smaakte naar oud zweet.

Hij sloeg haar opeens in het gezicht. 'Zuigen, trut!'

Ze zoog hem naar binnen en bewoog haar mond langs zijn lid.

'Au! Stom wijf dat je d'r bent, moet ik soms je tanden eruit slaan of zo?'

Ze keek hem met grote ogen aan, de roes die ze had gevoeld was inmiddels wel weg.

Opeens duwde hij haar kin weg en trok zichzelf los. 'Godver, ondankbare trut!' Toen pakte hij ruw haar schouders beet, zodat ze een kreet van pijn slaakte, en draaide haar helemaal om. Haar gezicht werd in het kussen gedrukt, en heel even was ze bang dat hij haar wilde verstikken.

Toen voelde ze zijn vingers in haar vagina prikken en ze stond op het punt over te geven. Ze slikte met moeite de gal weg die in haar keel naar boven kwam. Vervolgens was haar anus aan de beurt. En even later voelde ze hoe hij zijn stijve erin wilde duwen.

Ze gilde van pijn toen hij doorduwde. Dieper. Steeds dieper.

'Nee! Gogu!' schreeuwde ze, terwijl ze bijna stikte in de gal.

Dieper.

Ze had het gevoel dat ze in tweeën spleet.

Dieper.

Ze schudde haar hoofd, en toen in wanhoop haar hele lijf, om los te komen. Hij greep haar natte haar beet en sloeg haar voorover in het kussen, zodat ze geen adem kon halen. Toen duwde hij nog verder door. Nog dieper.

Ze snikte. Huilde. Riep. 'Gogu! Gogu! Gogu!' En worstelde. Worstelde tegen de pijn. Worstelde om adem te kunnen halen.

'Je bent een ondankbaar klein kreng,' fluisterde hij in haar oor.

Ze wrong haar gezicht naar opzij en kon eindelijk weer, snikkend van de pijn, ademhalen.

'Kutwijf!' snauwde hij.

Zijn stijve werd steeds harder. Ze scheurde bijna uit.

'Kutwijf, kutwijf, kutwijf!' Hij stompte haar op haar slaap. 'Ondankbaar klein kreng uit de goot!'

Hij duwde nóg dieper door.

Ze schreeuwde het uit en hij sloeg haar hoofd in het kussen, en hield het daar zodat ze geen adem meer kon halen. Ze worstelde, wilde haar hoofd op-tillen, maar hij hield haar stevig vast. Ze raakte door de pijn in paniek. Ze wilde hem van zich afschudden, maar kon geen kant uit. Hij hield haar zo stevig vast dat het leek alsof hij haar had vastgepind. Ze trilde omdat ze stik-te, haar borst deed zo'n pijn dat ze dacht dat hij zou ontploffen. Toen trok hij haar hoofd omhoog en kuste haar op de mond terwijl zij lucht naar binnen zoog, zijn lucht, uit zijn longen.

Hij trok zijn mond terug. 'Zeg dat je het lekker vindt. Zeg dat je dankbaar bent.' Hij drukte zijn gezicht hard tegen haar wang aan. 'Zeg dat je dankbaar bent dat ik je gered heb. Zeg dat je dankbaar bent! Zeg dank je wel!'

'Ik haat je!' bracht ze naar adem happend uit.

Hij gaf haar met de muis van zijn hand een klap op haar wang. Toen stompte hij haar op haar oog. Hij wachtte even en pakte vervolgens haar haar met beide handen vast, zo stevig dat ze dacht dat hij het eruit zou rukken. Hij hield haar nog steeds vast toen ze hem in zich voelde klaarkomen. Toen gaf ze over.

Enige tijd later, Simona wist niet hoeveel later – ze had geen enkel tijdsbesef meer – zat ze weer achter in de grote zwarte auto. Ze herkende de muziek die ze daarvoor ook al had gehoord, dezelfde volle stem die de woorden zong die geen betekenis voor haar hadden: *'I've got you under my skin.'*

Het was nog steeds dezelfde nacht. Ze had overal pijn. Verschrikkelijk veel pijn. Haar gezicht voelde opgezet aan. Haar hoofd bonkte. Toen ze bij het Gara de Nord was aangekomen, had ze zich vies gevoeld. Nu was ze schoon, maar voelde ze zich vanbinnen vies. Smerig.

Ze wilde huilen, maar ze had te veel pijn. En ze wilde niet dat die man, met zijn slangentatoeage zich door haar aangemoedigd voelde. Hij bleef maar in de binnenspiegel naar haar kijken en glimlachen, een smerige, gore, geile glimlach.

Ze wilde gewoon naar huis. Thuis. Naar Romeo, naar de hond, naar de huilende baby. Naar de mensen die om haar gaven. Haar familie.

Hij remde af. Het was donker in de straat en ze wist niet waar ze was. Hij trok het achterportier open en stapte in, kwam tegen haar aan zitten. Hij had wat bankbiljetten in zijn hand. 'Veel geld!' zei hij grijnzend. Hij stopte het in haar hand, en maakte toen zijn gulp open.

Ze keek naar hem terwijl hij zijn stijve uit zijn broek trok. Keek naar de tatoeage van de slang die boven zijn kraag uit kwam.

'Veel geld!' zei hij.

Toen pakte hij haar haar beet, net als de man had gedaan, en trok haar hoofd omlaag, naar zijn stijve toe.

Ze nam de eikel in haar mond en beet toen zo hard als ze kon, totdat ze bloed proefde, totdat haar oren tuitten van zijn gekrijs. Toen pakte ze de portiergrendel, trok hem naar beneden, duwde met al haar kracht, struikelde naar buiten en rende weg.

Ze bleef rennen, gedesoriënteerd en verdwaald, door een eindeloos doolhof van donkere straatjes en gesloten winkels, en wist dat als ze bleef rennen, rennen, rennen, ze uiteindelijk wel ergens zou komen waar ze het herkende, iets waardoor ze weer zou weten waar ze was en ze haar weg naar haar huis onder de straat terug kon vinden.

In haar blinde paniek zag ze niet dat de zwarte auto slingerend, maar op veilige afstand achter haar aan reed.

21

Nadat ze een tijdje door de doolhof rond het Royal South London ziekenhuis had gereden, zette Lynn de Peugeot gefrustreerd voor de ingang van de Spoedeisende Hulp, omdat ze niet verder kon wegens een metalen hefboom. Het was net halfelf geweest.

'Jezus!' riep ze vertwijfeld uit. 'Hoe kun je in hemelsnaam hier de weg vinden?'

Zo ging het nu altijd: elke keer weer had ze geen idee waar ze moest zijn. Ze waren voortdurend bezig met de straat opbreken, en de afdeling voor leverziekten scheen telkens weer in een ander gebouw te zitten, dat gevoel had ze althans. En sinds ze hier twee jaar eerder was geweest, was de hele rijroute omgegooid.

Ze keek gefrustreerd naar de gebouwen om zich heen. Het waren hoge gebouwen in verschillende architectonische stijlen. Vlak bij haar stond een hele batterij aan rode, gele en lichtgroene bordjes, die ze bij het zwakke licht van de straatverlichting probeerde te lezen. Op geen ervan stond de afdeling die ze nodig had: de Rosslynvleugel, waar ze via de Bannermanvleugel kon komen.

'Je zit vast verkeerd,' zei Caitlin, zonder het sms'en te onderbreken.

'Denk je?' vroeg Lynn vrolijker dan ze zich voelde.

'Ja. Want als we goed hadden gezeten, waren we er al geweest, hè?' Ze toetste geconcentreerd iets in.

Ondanks haar vermoeidheid en haar angst en frustratie moest Lynn grinniken om haar dochters vreemde logica. 'Ja,' zei ze. 'Je hebt gelijk.'

'Ik heb altijd gelijk. Je hoeft het me alleen maar te vragen. Ik ben net een orakel.'

'Kan het orakel me dan zeggen hoe ik nu moet rijden?'

'Volgens mij moet je eerst achteruit.'

Lynn reed een stukje achteruit en stopte toen naast een volgende lading bordjes. Hopgoodvleugel, las ze, Golden Jubileevleugel. Hoofdingang. Poliklinische Jeugdpatiënten Variety Club. 'Waar is die Bannermanvleugel nou toch?'

Caitlin keek op van haar mobieltje. 'Rustig, mens. Het is net een tv-spelletje, weet je wel?'

'Wil je dat niet zeggen!'

'Wat niet, "tv-spelletje"?' plaagde Caitlin haar.

'Dat "rustig, mens". Oké? Ik vind het heel erg als je zoiets zegt.'

'Nou, je doet ook zo gestrest. Daardoor raak ik ook gestrest.'

Lynn keek achterom en reed nog een stukje achteruit.

'Het leven is net een spel,' zei Caitlin.

'Een spel? Hoe bedoel je?'

'Een spel. Als je wint blijf je leven, als je verliest sterf je.'

Lynn stond boven op de rem en keek Caitlin recht aan. 'Zie je het zo, lieverd?'

'Ja! Mijn nieuwe lever is ergens in dit gebouw verstopt. We moeten hem zien te vinden! Hebben we hem op tijd opgespoord, dan blijf ik in leven. Zo niet: dikke pech!'

Lynn giechelde. Ze sloeg haar arm om Caitlin heen en trok haar naar zich toe, kuste haar op haar hoofd, en rook de shampoo en gel. 'Ik hou toch zoveel van je, lieverd.'

Caitlin haalde haar schouders op en zei toen met een uitgestreken gezicht: 'Ja, nou, dat kan toch ook niet anders?'

'Ach, er zijn momenten...!' kaatste Lynn terug.

Caitlin knikte, ze keek berustend en ging weer door met sms'en.

Lynn reed achteruit Denmark Hill op, ging een stukje naar voren en zag eindelijk de hoofdingang voor auto's. Ze reed erin, langs een aantal gele ambulances die voor de glazen gebogen entree van een wel heel erg futuristisch uitziend gebouw stonden, zag eindelijk het bordje voor de Bannermanvleugel en draaide het parkeerterrein voor een victoriaans gebouw op dat zo te zien nog niet zo lang geleden was opgeknapt.

Een paar minuten later, met Caitlins tas in haar hand, passeerde ze een man die een jas over zijn ziekenhuispyjama droeg en op een bankje naast een verlicht standbeeld een sigaret zat te roken, en liep de met zuilen versierde entree van de Bannermanvleugel in. Caitlin, die een limoengroen jack met capuchon droeg, een gescheurde spijkerbroek met gerafelde zomen en gympen zonder veters, liep achter haar aan.

Voor hen stonden twee grote borden van perspex, waarop de woorden ROYAL SOUTH LONDON stonden. Een rij witte pilaren strekte zich uit in de hal. Rechts was de balie, waar een grote zwarte vrouw stond te telefoneren. Lynn wachtte tot ze klaar was met het gesprek en keek om zich heen.

Een grijsharige man met een rode toilettas onder zijn arm en een zwarte handtas in zijn andere hand kwam verwilderd op zijn pantoffels haar kant op schuifelen. Links van haar zat een groepje mensen in de wachtruimte. Een van hen, een oude man, zat in een elektrische rolstoel. Een andere oude man, in een joggingpak en met een pet op, zat in elkaar gezakt op een groene kruk, met een houten wandelstok in zijn handen. Een tiener in een grijs jack met capuchon en een spijkerbroek zat naar zijn iPod te luisteren. Een jonge knul, met een wanhopige blik in zijn ogen, gekleed in een blauw T-shirt, een spijkerbroek en gympen, zat voorovergebogen, met zijn handen tussen zijn bovenbenen alsof hij op iemand of iets zat te wachten.

Er hing een vermoeide, stille, wanhopige sfeer, zoals zo vaak laat op de avond. Iets verderop was een winkeltje, net een kleine supermarkt, waar snoep en bloemen werden verkocht. Een oudere vrouw in een trainingspak en met een blauw permanentje liep de winkel uit met een reep in haar hand.

De vrouw aan de balie beëindigde het gesprek en keek haar vriendelijk aan. 'Wat kan ik voor u doen?'

'Ik heb een afspraak met Shirley Linsell in de Rosslynvleugel.'

'En u bent?'

'Caitlin Beckett,' zei Lynn, 'en haar moeder.'

'Ik geef het aan haar door. Als u de lift neemt naar de derde verdieping, staat zij daar op u te wachten.' Ze wees de gang in.

Ze liepen door, langs de winkel en langs bordjes waarop stond VERBO-DEN TE ROKEN en VRIJ VEILIG, en langs verward uitziende mensen die hun tegemoet liepen. Lynn had ziekenhuizen altijd eng gevonden. Ze kon zich nog de vele bezoekjes in het Southlands ziekenhuis in Shoreham herinneren toen haar vader een beroerte had gehad. Afgezien van de kraamafdeling kon je maar beter niet in een ziekenhuis komen. In een ziekenhuis gebeurden er vreselijke dingen met jou of met de mensen van wie je hield.

Achter in de gang was een ruimte voor de stalen deuren van de lift, die in een paars licht baadde. Zoiets zou je eerder verwachten in een disco of op de filmset van een sciencefictionfilm, vond Lynn.

Caitlin keek even op van haar mobieltje. 'Cool,' zei ze, goedkeurend knikkend. Toen, ademloos van de opwinding: 'Hé, weet je wat, mam? Dit is een aanwijzing!'

'Een aanwijzing?' vroeg Lynn.

Caitlin knikte. 'Net als "Beam me up" uit *Star Trek*, weet je wel?' Ze grinnikte raadselachtig. 'Ze hebben dit speciaal voor ons gedaan.'

Lynn keek haar dochter onderzoekend aan. 'Oké, en waarom dan wel?'

'Daar komen we op de derde verdieping wel achter. Dat is onze volgende aanwijzing!'

Terwijl ze in de langzame lift omhooggingen, was Lynn blij dat Caitlin een beetje vrolijker was. Haar leven lang had ze last gehad van enorme stemmingswisselingen en door de ziekte was het alleen maar erger geworden. Maar voorlopig had ze een positieve benadering.

Ze stapten op de derde etage uit en werden verwelkomd door een glimlachende vrouw van halverwege de dertig. Ze zag er leuk uit, een klassiek Engels gezicht met lang bruin haar, en ze droeg een witte blouse met een gebreid roze vestje en een zwarte broek. Ze glimlachte vriendelijk naar Caitlin en toen naar Lynn, en keek vervolgens Caitlin weer aan. Het viel Lynn op dat in haar linkeroog een adertje was gesprongen.

'Caitlin? Hoi, ik ben Shirley, je transplantatiecoördinator. Zolang je hier bent zal ik voor je zorgen.'

Caitlin keek haar uitdrukkingsloos aan en zei niets. Toen keek ze weer op haar mobieltje en ging door met sms'en.

'Shirley Linsell?' vroeg Lynn.

'Ja. En u bent vast Caitlins moeder.'

Lynn glimlachte. 'Aangenaam.'

'Ik laat jullie de kamer zien. Je krijgt de komende dagen een mooie eenpersoonskamer, Caitlin. En we hebben voor u een logeerkamer geregeld, mevrouw Beckett.' Tegen hen allebei zei ze: 'Als u nog vragen hebt, stel ze dan gerust, ik ben ervoor om die te beantwoorden.'

Nog steeds met haar blik op haar telefoontje gericht, zei Caitlin: 'Ga ik dood?'

'Nee, natuurlijk niet, lieverd!' zei Lynn.

'Ik vroeg het niet aan jou,' zei Caitlin. 'Ik vroeg het aan Shirley.'

Er viel een korte, ongemakkelijke stilte. Toen zei de transplantatiecoördinator: 'Waarom denk je dat, Caitlin?'

'Ik zou wel heel erg stom zijn als ik dat niet dacht, hè?'

22

Roy Grace reed achter de rode achterlichten van de zwarte Audi TT aan, die een stukje voor hem uit reed en steeds meer afstand schiep. Cleo scheen niet echt te begrijpen dat er snelheidsbeperkingen bestonden. En evenmin, nu ze het kruispunt naderde van Sackville Road en Neville Road, waar verkeerslichten voor dienden.

Shit. Er ging een steek van angst door hem heen.

Het licht sprong op oranje, maar haar remlichten gloeiden niet op.

Zijn hart sloeg een slag over. Als je aangereden werd in een auto nadat je door een rood licht was gereden, kon je de zwaarste verwondingen verwachten. En het was niet alleen maar Cleo die in die te snel rijdende auto zat. Hun baby was er ook bij.

Het licht werd rood. Een volle twee seconden later reed de Audi erdoorheen. Roy greep zijn stuur doodsbang stevig beet.

Maar ze haalde het en reed verder over de Old Shoreham Road, terwijl Hove Park naast haar opdoemde.

Hij stond met bonkend hart in zijn Ford Focus voor de verkeerslichten stil en kwam in de verleiding haar te bellen om te zeggen dat ze wat rustiger aan moest doen. Maar hij wist dat het geen nut had, zo reed ze altijd. In de vijf maanden dat ze met elkaar omgingen had hij ontdekt dat ze nog erger was dan zijn vriend en collega Glenn Branson, die onlangs geslaagd was voor de achtervolgingstest op hoge snelheid, en Roy graag bij elke gelegenheid zijn vaardigheden – of liever gezegd, het gebrek daaraan – wilde laten zien.

Waarom reed Cleo zo onbesuisd terwijl ze verder zo nauwgezet was? Je zou toch verwachten, dacht hij, dat iemand die in een mortuarium werkte en bijna elke dag zag wat een auto-ongeluk voor verwondingen kon veroorzaken, heel voorzichtig zou rijden. Maar een van de pathologen voor Brighton and Hove, dokter Nigel Churchman, die nog niet zo lang geleden naar het noorden was overgeplaatst, racete in het weekend. Misschien, dacht hij wel eens, daagden mensen die voortdurend met de dood werden geconfronteerd het lot graag uit.

Het licht werd groen. Hij keek of er niet iemand net als Cleo door rood reed, en ging toen de kruising over. Hij gaf wat gas, maar was zich bewust van de twee camera's die iets verderop stonden. Cleo gaf niet toe dat ze te snel reed, alsof ze het niet besefte. En dat vond hij nu juist zo eng. Hij hield zielsveel van haar, en nu zelfs nog veel meer. Hij moest er niet aan denken dat haar iets zou overkomen.

Het had bijna tien jaar geduurd nadat Sandy was verdwenen voordat hij iets met een andere vrouw kon beginnen. Cleo was de eerste. In al die tijd had hij naar Sandy gezocht, op nieuws gewacht, gehoopt dat ze zou bellen of op een dag door de voordeur van hun huis zou lopen. Maar dat werd nu langzaam anders. Hij hield net zoveel, en misschien nog wel meer, van Cleo als van Sandy. Als die plotseling zou opduiken, hoe goed haar verklaring ook zou zijn, dacht hij niet dat hij Cleo voor haar in de steek zou laten. In zijn hoofd en in zijn hart was hij verdergegaan.

En nu dit ongelooflijke nieuws dat Cleo zwanger was! Zes weken al. Ze had hem verteld dat het die ochtend was bevestigd. Ze droeg zijn kind. Hun kind.

Wat is het toch wrang, dacht hij. Voordat ze was verdwenen, was Sandy maar niet zwanger geraakt. Ze hadden zich er een paar jaar lang geen zorgen over gemaakt, omdat ze nog even wilden wachten voordat ze aan kinderen begonnen. Maar toen ze er eenmaal voor gingen, was het maar niet gelukt. In het jaar voordat ze was verdwenen, hadden ze allebei een vruchtbaarheidsonderzoek gedaan. Het probleem had bij Sandy gelegen, haar eierstokken waren verkleefd, had de specialist uitgebreid uitgelegd, terwijl Roy zijn best had gedaan alle medische termen te begrijpen.

De specialist had Sandy medicijnen gegeven, maar had er wel bij verteld dat er minder dan vijftig procent kans was dat ze zouden werken, en daardoor was ze depressief geworden, had ze zich ontoereikend gevoeld. Sandy had altijd graag de touwtjes in handen. Dat was waarschijnlijk een van de redenen waarom zij ook zo graag hard had gereden en de baas op de weg was geweest, dacht hij. Zij had hun huis en tuin minimalistisch ingericht. Zij regelde altijd alles als ze op vakantie gingen. Soms vroeg hij zich wel eens af of ze verdrietiger was dan hij had beseft over haar onvruchtbaarheidsprobleem. En of dat misschien de reden was waarom ze was verdwenen.

Er waren zo veel onbeantwoorde vragen.

Maar nu was het gat in zijn leven opgevuld. Door zijn omgang met Cleo was hij gelukkiger geworden dan hij ooit voor mogelijk had gehouden. En nu dit fantastische nieuws!

Hij zag haar auto voor de verkeerslichten bij het kruispunt van Shirley Drive stilstaan, waar een camera hing.

Lieve schat, rij alsjeblieft wat minder onbesuisd! Verongeluk nu niet net nadat ik je heb leren kennen. Net nu ons leven samen begint.

Nu er leven in je groeit.

Hij zag haar remlichten opgloeien voor de volgende camera en bij de verkeerslichten erna zat hij eindelijk weer pal achter haar. Hij reed achter haar aan Dyke Road in en over de Seven Dials-rotonde. Het was halftwaalf woensdagavond en het was in deze dichtbewoonde omgeving nog behoorlijk druk op straat.

Hij bekeek automatisch alle gezichten en zag iemand die hij meteen herkende: Miles Penney, een haveloze kleine dealer en politie-informant, die met gebogen hoofd en met een sigaret tussen zijn lippen voortslenterde. Doordat hij zo langzaam liep, kreeg Grace niet de indruk dat hij op pad was om drugs te kopen of te verkopen, en bovendien maakte het Grace eigenlijk ook niet uit. Zolang Penney niemand verkrachtte of vermoordde, viel hij in een aparte categorie problemen.

Hij reed achter Cleo aan langs het station, door de wirwar van smalle straatjes in de wijk North Laine, waar rijtjeshuizen, winkeltjes, cafés, restaurants en antiekwinkels elkaar afwisselden, totdat ze vlak bij haar huis een parkeerplek voor bewoners had gevonden. Grace parkeerde zijn auto bij een gele streep waarvandaan hij haar nog steeds kon zien, stapte uit en keek behoedzaam om zich heen, opeens twee keer zo beschermend tegenover Cleo.

Hij kwam naast haar staan toen ze bij de hekken van het gerenoveerde pakhuis kwam waar ze een appartement had, en sloeg zijn arm om haar heen toen ze de code op het toegangspaneel wilde intoetsen.

Ze had een lange zwarte cape aan over haar jurk en hij stak zijn hand erin en drukte zijn handpalm tegen haar buik.

'Echt waanzinnig,' zei hij.

Ze keek hem met haar grote ogen aan. 'Vind je het echt niet erg?'

Hij trok zijn hand uit haar cape en hield toen haar gezicht met beide handen vast. 'Vanuit de grond van mijn hart: nee. Ik vind het niet alleen niet erg, ik ben ongelooflijk gelukkig. Ik weet alleen niet goed hoe ik dat moet laten merken. Ik heb nog nooit zoiets moois meegemaakt. En volgens mij zul je een waanzinnig goede moeder zijn. Echt fantastisch goed.'

'Ik denk dat jij een waanzinnig goede vader zult zijn,' zei ze.

Ze kusten elkaar. Toen keek hij, omdat het al laat was en donker, behoedzaam om zich heen. 'Ik moet wel iets kwijt,' zei hij.

'Wat dan?'

'Je rijdt als een maniak. Lewis Hamilton kan daar nog een puntje aan zuigen!'

'Moet jij nodig zeggen, jij hebt nota bene je auto van Beachy Head af gereden!' zei ze.

98

'Ja, nou, dat had anders wel een goede reden. Ik zat midden in een achtervolging. Jij reed net tachtig waar je maar veertig mocht en je reed door rood!'

'Nou en? Slinger me maar op de bon!'

Ze keken elkaar aan. 'Wat ben je soms toch een kreng,' zei hij grijnzend.

'En wat ben jij soms toch een ijverig agentje!'

'Ik hou van je,' zei hij.

'Echt waar, Grace?'

'Ja, ik aanbid je en ik hou van je.'

'Hoeveel dan wel?'

Hij grinnikte, trok haar tegen zich aan en fluisterde in haar oor: 'Ga maar eens naar binnen, trek je kleren uit, dan zal ik je laten zien hoeveel dat wel is.'

'Zo'n mooi aanbod heb ik vandaag nog niet gehad,' fluisterde ze terug.

Ze toetste de cijfers in en het slot van het hek klikte open.

Ze liepen naar binnen, over het binnenplaatsje met kinderkopjes naar haar voordeur. Ze deed hem van het slot en ze gingen naar binnen en kwamen terecht in een regelrecht rampgebied.

Een kleine, zwarte tornado kwam door de troep aanstormen en wierp zichzelf boven op Cleo, waardoor ze bijna onderuitging.

'Af!' riep ze. 'Humphrey, ga af!'

Voordat Grace zich had kunnen voorbereiden, gaf het hondje hem al een kopstoot in zijn ballen.

Hij wankelde naar adem happend achteruit.

'Humphrey!' riep Cleo naar de puppy, een kruising tussen een labrador en een border collie.

Humphrey rende terug naar de puinhoop die ooit de woonkamer was geweest en kwam terug met een stuk roze touw met knopen erin in zijn bek.

Grace, die weer een beetje op adem kwam en ineenkromp door de stekende pijn in zijn kruis, keek naar de anders zo keurig nette huiskamer. Plantenpotten lagen op de grond. Van de twee rode banken waren de kussens af getrokken en omdat ze waren opengescheurd, lagen er overal op de eikenhouten vloer veren en schuimrubber. Gedeeltelijk opgegeten kaarsen lagen overal, net als de bladzijden uit een krant. Van een exemplaar van *Sussex Life* was de voorkant half afgescheurd.

'Stoute jongen!' zei Cleo afkeurend. 'Wat ben jij een stoute, stoute jongen!'

Het hondje kwispelde met zijn staart.

'Ik ben daar helemaal niet blij mee. Ik ben heel, heel erg boos. Snap je dat?'

Het hondje bleef met zijn staart kwispelen. Toen sprong hij weer op naar Cleo.

Ze pakte zijn kop met beide handen beet, ging op haar hurken zitten en schreeuwde naar hem. 'Stoute jongen!'

Grace lachte. Hij kon er niets aan doen.

'Verdomme!' zei Cleo. Ze schudde haar hoofd. 'Stoute jongen!'

De hond wurmde zichzelf los en sprong weer tegen Grace op. Dit keer was de inspecteur erop voorbereid en greep de voorpootjes beet. 'Niet blij met jou!' zei hij.

De hond kwispelde met zijn staart en zag er uiterst voldaan uit.

'O, verdomme!' zei Cleo weer. 'Ik ruim dit straks wel op. Zin in een whisky?'

'Dat lijkt me wel wat,' zei Grace, die de hond van zich af duwde. Die kwam meteen weer terug om hem plat te likken.

Cleo sleurde Humphrey bij zijn nekvel naar de achtertuin en deed de deur dicht. Vervolgens liepen ze de ultramoderne keuken in. Buiten in de tuin gaf Humphrey een jankconcert.

'Ze moeten zo'n twee uur per dag uit,' zei Cleo. 'Maar pas als ze een jaar oud zijn. Anders is het weer niet goed voor hun heupen.'

'En je meubels.'

'Leuk hoor.' Ze deed wat ijsblokjes in twee grote glazen, schonk een behoorlijke hoeveelheid Glenfiddich in het ene en tonic in het andere glas. 'Ik kan maar beter geen alcohol drinken,' zei ze. 'Nou, is dat niet hartstikke netjes van me?'

Grace had ontzettend zin in een sigaret en zocht in zijn zakken, maar opeens viel het hem in dat hij met opzet niets bij zich had gestoken. 'De kleine zal een slokje vast niet erg vinden. Hij of zij kan maar beter al op jonge leeftijd aan alcohol gewend raken!'

Cleo gaf hem het glas. 'Proost, grote oren,' zei ze.

Grace toostte met zijn glas. 'Ook proost, neus.'

'Gezondheid!' sloot ze de toost af.

Hij dronk zijn glas leeg. Toen keken ze elkaar aan. Humphrey zat nog steeds te janken. Hij *of zij*. Daar had hij nog niet bij stilgestaan. Was het een jongen of een meisje? Het maakte hem niet uit. Hij zou dol op dat kind zijn. Cleo zou een waanzinnig goede moeder zijn, dat wist hij gewoon. Maar zou hij wel een goede vader zijn? Hij zag Cleo naar de rotzooi kijken.

'Zal ik je een handje helpen met opruimen?' vroeg hij.

'Nee,' zei ze. Ze gaf hem een langzame en buitengewoon sensuele kus op zijn mond. 'Ik ben wanhopig toe aan een orgasme. Zou je me daarmee kunnen helpen?'

'Eentje maar? Dat is een fluitje van een cent.'

'Rotzak.'

23

Vlad Cosmescu kauwde op zijn kauwgom terwijl hij het ivoren balletje volgde dat in het roulettewiel rondstuiterde. Het balletje ratelde toen het wiel
langzamer ging draaien en viel toen met een klik in een vakje.

Vierentwintig. Zwart.

Hij zette de pilotenbril goed op zijn neus en keek met een tevreden glimlach naar zijn stapeltje fiches van vijf pond die op het lijntje tussen de drie-
entwintig en de vierentwintig lag, en keek hoe de croupier de fiches van de
verliezende combinaties, inclusief een paar van hemzelf, weghaalde. Hij
trok zijn manchet omhoog, keek op zijn horloge en zag dat het pas tien over
twaalf was. Het was tot nu toe niet erg goed gegaan: hij had al achttien-
honderd pond verloren en zat bijna aan zijn limiet. Maar als hij met deze
nieuwe aanpak nog een keer zou winnen, ging het misschien weer de goede
kant op.

Cosmescu zette de gewonnen fiches bij zijn andere en plaatste net als de
overige spelers aan zijn tafel – de roekeloze Chinese vrouw die al zolang hij
er was meespeelde, en nog een paar die nog maar net meededen – een paar
fiches op de speeltafel. Tegen de tijd dat het wiel al een paar seconden draaide en de croupier *rien ne va plus* had geroepen, lagen er op bijna elk cijfer wel
één of meer fiches.

Cosmescu speelde altijd volgens twee methoden. Voor de veiligheid
speelde hij met de getallen die tegenover de nul een derde van het wiel besloegen. Op die manier won je niet veel, maar normaal gesproken verloor je
ook weinig. Met die methode kon hij urenlang door blijven spelen, terwijl hij
zijn eigen methode bijschaafde, die hij in de loop der jaren met veel geduld
had ontwikkeld. Cosmescu was een uiterst geduldig mens. Hij deed alles
met buitengewoon veel zorg en daarom zou het telefoontje dat hij zo zou
krijgen hem erg van streek maken.

Zijn methode was gebaseerd op een combinatie van wiskundige bereke-
ningen en waarschijnlijkheden. Een Europese roulettetafel had zevenendertig cijfers, inclusief de nul. Cosmescu wist dat de kans dat de zevenendertig
getallen achter elkaar zouden vallen één op de miljoen was. Sommige nummers vielen twee of zelfs drie en soms zelfs vier keer achter elkaar, en soms
zelfs nog vaker, terwijl andere nooit vielen. Zijn methode bestond er dan ook

uit om alleen op getallen en combinaties van getallen te zetten die al gevallen waren, omdat sommige gegarandeerd weer zouden vallen.

Hij keek weer naar de zesentwintig, drukte met zijn grote teen twee keer op de *pad* in zijn rechterlaars en vervolgens zes keer op die in zijn linkerlaars. Als hij thuis was zou hij de gegevens van de geheugenchip in zijn jaszak meteen in zijn computer zetten.

De methode was nog lang niet perfect en hij verloor nog vaak genoeg, maar de verliezen werden over het algemeen steeds kleiner en minder veelvuldig.

Hij was ervan overtuigd dat hij het bijna had geperfectioneerd. En als dat eenmaal zo was, zou hij toeslaan. En dan... Nou ja, dan zou hij nooit meer iemand hoeven te gehoorzamen. Ach, en als het niet lukte, was hij in elk geval een tijdje van de straat geweest. Hij had per slot van rekening tijd genoeg. Meer dan genoeg.

Hij was eenzaam in deze stad. Hij werkte thuis in zijn appartement, in een gebouw van glas en staal, centraal gelegen en hoog, en zonderde zich af, ging expres niet met andere mensen om. Hij wachtte tot hij van de hoge baas een opdracht kreeg en als hij die had uitgevoerd, waste hij wat van het geld in het casino wit, zoals hem was bevolen. Het was een prima deal. Zijn *sef*, of baas, had iemand nodig die hij kon vertrouwen, iemand die hard genoeg was om het werk te doen maar hem niet zou belazeren. En ze spraken dezelfde taal.

Twee talen zelfs: Roemeens en Geld.

Vlad Cosmescu had behalve geld verder niet veel hobby's. Hij las geen boeken en geen tijdschriften. Af en toe keek hij eens naar een actiefilm op tv. Hij vond de Bourne-films wel aardig en The Transporter-serie vond hij ook wel wat, omdat hij zich met de eenzame figuur van Jason Statham identificeerde. Af en toe keek hij naar een seksfilm, als een van de meisjes bij hem was. En hij sportte, twee uur per dag, in een groot fitnesscentrum. Maar verder vond hij alles even saai, zelfs eten. Je moest eten om te overleven, dus at hij als dat nodig was, en precies genoeg en nooit meer. Hoe eten smaakte interesseerde hem niet en hij vond de Britse obsessie met kookshows op tv dan ook onbegrijpelijk.

Hij ging graag naar het casino vanwege het geld. Je kon het in een casino zien, ademen, ruiken, horen en zelfs in de lucht proeven. Die smaak was heerlijker dan welke maaltijd ook die hij ooit had gegeten. Met geld had je ook vrijheid, macht. De mogelijkheid om iets met je leven en dat van je familie te doen.

Cosmescu had daardoor zijn gehandicapte zus Lenuta uit het *camin spital*, een staatsziekenhuis in het dorpje Plataresti, veertig kilometer verwijderd van Boekarest, kunnen halen en in een prachtig tehuis in de heuvels rond Montreux in Zwitserland met uitzicht op het Meer van Genève kunnen plaatsen. Toen hij haar tien jaar geleden eindelijk had opgespoord, na een hoop gezoek en smeergeld, stond ze te boek als ongeneeslijk ziek. Ze was elf jaar en lag in een oud bed met tralies en kreeg alleen melk met geplet graan te eten. Ze zag er met haar uitgemergelde lijf en dikke buik van de honger en een dunne lap als luier uit als een overlevende van een concentratiekamp.

Er stonden dertig bedjes in die volle kamer naast elkaar, allemaal met verticale spijlen, als dierenkooien in een laboratorium. De stank van braaksel en diarree was overweldigend. Er waren daar sterkere kinderen, allemaal in meer of mindere mate geestelijk gestoord, die ondanks het feit dat ze de tienerleeftijd hadden bereikt en soms zelfs nog ouder waren, net als zijn zusje melk met granen uit een fles naar binnen werkten en vervolgens hun arm tussen de spijlen van hun bed staken en de fles van de jongere, zwakkere kinderen afpakten. De zuster in haar kantoortje, die duidelijk ondergekwalificeerd was en het niet aankon, liet het gewoon gebeuren.

Terwijl het balletje nogmaals in het wiel rondratelde, trilde Cosmescu's mobieltje ineens. Hij pakte het uit zijn zak en keek tegelijkertijd naar het winnende getal: zeventien. Shit. Dat was geen goed nummer, daar won hij niets mee. Hij deed een paar stappen bij de tafel vandaan, tikte met zijn tenen het getal in en keek op het schermpje. Het was een sms'je van de sef: Bel me.

Cosmescu liep het casino uit, stak het parkeerterrein over en ging naar de Wetherspoon pub, omdat daar een openbare telefoon was. Toen hij daarbij stond, sms'te hij het telefoonnummer ervan en wachtte. Nog geen minuut later ging hij over. Het was lawaaiig in de drukke pub en hij moest de hoorn strak tegen zijn oor houden.

'Ja?' zei hij.

'Je hebt het verknald,' zei de beller. 'En niet zo'n beetje ook.'

Cosmescu praatte een paar minuten voordat hij terugging naar zijn tafel in het casino. Maar hij kon zich niet meer concentreren. Hij verloor steeds meer, ging over zijn limiet heen, tot drieëntwintighonderd pond en vervolgens vijfentwintighonderd. Maar in plaats van ermee op te houden, ging hij uit woede door. Uit woede en omdat hij gewoon móést gokken.

Om tien voor halfvier 's nachts, toen hij het eindelijk genoeg vond, had hij vijfduizend pond verloren. Zo veel had hij in één enkele nacht nog nooit vergokt.

Desondanks gaf hij de garderobejuffrouw en de parkeerjongen zoals altijd ieder een nieuw briefje van tien pond fooi.

24

Roy Grace, in trainingspak, met honkbalpet op en hardloopschoenen aan, liep even voor halfzes Cleo's voordeur uit. Door de gloed van de straatlantaarns leek de schemering een gele mist en de koude wind blies een zoute miezerregen in zijn gezicht.

Hij was nog steeds in alle staten en had nauwelijks geslapen omdat hij steeds aan Cleo en aan de baby die in haar buik groeide moest denken. Het was een ongelooflijk gevoel. Als hij het onder woorden had moeten brengen, was hem dat niet gelukt. Hij ervoer een vreemde sensatie van kracht, of verantwoordelijkheid, en voor de eerste keer in zijn carrière een verschuiving in de dingen die belangrijk waren.

Hij liep naar het hek, maakte dat open en keek om zich heen om te zien of alles in orde was. Alle politiemensen die hij kende deden dat. Als je een paar jaar bij de politie had gewerkt, keek je automatisch voortdurend om je heen, of je nu op straat was, in een winkel stond of in een restaurant zat. Grace noemde dat gekscherend een 'gezonde vorm van achterdocht', en hij had er in zijn loopbaan al vaak profijt van gehad.

Op deze donderdagochtend, laat in november, begon hij te rennen en hij voelde zich nog meer dan anders verantwoordelijk voor Cleo. De verlaten straten van Brighton wekten geen achterdocht bij hem. Hij negeerde de pijn in zijn rug en ribben die hij had overgehouden van het auto-ongeluk terwijl hij langs de cafés, boetiekjes, een tweedehands meubelzaak en een antiekmarkt rende, vervolgens over Gardner Street en langs Luigi's, een van de winkels waar Glenn Branson, die zich ongevraagd had opgeworpen als zijn stylist, hem af en toe mee naartoe nam om zijn garderobe aan te vullen.

Toen hij aankwam bij de verlaten North Street, zag hij koplampen op zich af komen, begeleid door het gebrul van een krachtige motor. Even later spoot een zwarte Mercedes SL, waarvan de bestuurder door de getinte ramen amper te zien was, langs hem heen. Het enige wat Grace zag was dat het een lange, slanke man was. Hij vroeg zich af waarom de man zo vroeg op was. Was hij naar een feestje geweest? Moest hij een veerboot of een vliegtuig halen? Zo vroeg op de ochtend was het een zeldzaamheid om zo'n dure auto te zien. Over het algemeen waren het alleen de goedkopere auto's en busjes van de arbeiders. Natuurlijk konden er allerlei goede redenen zijn waarom de Mercedes zo vroeg al op pad was, maar voor alle zekerheid sloeg hij het kenteken in zijn geheugen op: GX57 CKL.

Hij stak over, rende door de smalle straatjes en stegen van de Lanes en kwam uiteindelijk uit op de promenade. Die was verlaten, op één man na die een oude, dikke teckel uitliet. Nu hij warmgelopen was, hinkte hij minder, en hij rende vlot de helling op, langs de Honey Club, een grote nachtclub, die er onverlicht en stil bij lag. Hij bleef staan en raakte een paar keer zijn tenen aan. Vervolgens haalde hij diep adem en rook strand, zout, olie, rotte vis, botenlak en zeewier terwijl hij luisterde naar de beukende en terugtrekkende golven. De miezerregen verkoelde zijn gezicht.

Dit was een van zijn lievelingsplekken in de stad, hier bij de zee. En al helemaal zo vroeg, als er nog niemand was. De zee had hem in zijn macht, als een verslaving. Hij hield van het geluid dat hij maakte, hoe hij rook, zijn kleuren en zijn buien, en ook van de geheimen die hij bevatte en soms onthulde, zoals het lijk dat de avond ervoor was opgedregd. Hij kon zich gewoon niet voorstellen dat hij kilometers ver van de zee zou wonen.

De Palace Pier, een van de grootste bezienswaardigheden van de stad, was nog steeds verlicht. Een paar jaar geleden was hij door andere eigenaars omgedoopt in de Brighton Pier, maar wat hem en duizenden andere inwoners betrof zou het altijd de Palace Pier blijven. Over de gehele lengte en over de daken van de gebouwtjes brandden een stuk of tienduizend lampjes, zodat het eruitzag als een baken in de lucht, en hij vroeg zich opeens af hoelang het nog zou duren voordat de pier alle lampjes 's avonds vanwege het milieu moest doven.

Hij draaide naar links en rende ernaartoe, in de schaduwen eronder, een donkere, afgesloten ruimte, waar hij en Sandy, inmiddels bijna twintig jaar geleden, elkaar voor het eerst hadden gekust. Zou zijn kind ooit zijn – of haar – eerste liefje hier kussen, vroeg hij zich af terwijl hij onder de pier vandaan kwam. Hij rende nog een kleine kilometer door en zette toen weer koers naar Cleo's huis. Het was maar een korte route dit keer, iets langer dan twintig minuten, maar het had hem verfrist en hem energie gegeven.

Cleo en Humphrey lagen nog te slapen. Hij nam snel een douche, warmde het bord pap dat Cleo voor hem had klaargezet op in de magnetron en schrokte het naar binnen terwijl hij de Argus van de dag ervoor doorbladerde. Hij ging vervolgens naar zijn werk en parkeerde om kwart voor zeven zijn auto op zijn eigen plaats voor Sussex House, waar de politie was gevestigd.

Als hij niet gestoord werd, had hij anderhalf uur de tijd om e-mails en wat papierwerk af te handelen voordat hij naar het mortuarium moest voor de sectie op de 'Onbekende Man', zoals het lijk dat door het baggerschip was opgedregd voorlopig werd genoemd.

Hij logde in op zijn computer en keek naar wat er de afgelopen nacht was voorgevallen. Het was rustig geweest, op een paar voorvallen na: twee homoseksuele mannen die op Eastern Road in elkaar geslagen waren, er was ingebroken in een kantoor, een wake in een achterbuurt was uitgelopen op een dronkenmansgevecht, een caravan was op de A27 over de kop gegaan en in Tidy Street was er in zes auto's ingebroken. Hij nam de tijd om dat bericht goed te lezen, omdat het om de hoek was van Cleo's appartement, maar er stond verder weinig in. Hij ging door met een gevecht bij een bushalte aan de London Road 's ochtends vroeg, en daarna de diefstal van een brommer.

Allemaal onbelangrijke dingen, zag hij, terwijl hij de hele lijst doornam. Even later ging zijn deur open en zei een maar al te bekende stem: 'Hé, ouwe! Ben je zo vroeg of ga je net weg?'

'Goh, wat grappig.' Grace keek zijn vriend – en inmiddels vaste logé – Glenn Branson aan, die er zoals altijd uitzag alsof hij was gekleed voor een feestje. Hij was lang, zwart en zijn geschoren hoofd glom als een biljartbal; hij kleedde zich altijd keurig. Dit keer had hij een glanzend driedelig grijs pak aan, een grijs-wit gestreept overhemd, zwarte instappers en een rode zijden das. Hij had een beker koffie bij zich.

'Ik heb gehoord dat je het gisteren erg goed met de nieuwe hoofdcommissaris kon vinden,' zei Branson. 'Of was het meer hielen likken?'

Grace glimlachte. Hij was zo blij geweest met Cleo's nieuwtje dat hij moeite had gehad om een zinnig gesprek met de hoofdcommissaris te voeren toen hij hem eindelijk een paar minuten voor zichzelf had op het feestje, en hij wist dat hij niet zo'n goede indruk had achtergelaten als waar hij op had gehoopt. Maar dat maakte niet uit. Cleo was zwanger! Van hún kind. Dan deed de rest er toch niet meer toe? Hij had Glenn dolgraag het goede nieuws verteld, maar Cleo en hij hadden de afgelopen nacht afgesproken om het nog even stil te houden. Ze was pas zes weken en er kon nog een hoop gebeuren. Dus zei hij in plaats daarvan: 'Klopt, en hij maakt zich grote zorgen over jou.'

'Over mij?' vroeg Glenn onthutst. 'Hoezo? Wat zei hij dan?'

'Het ging over je muzieksmaak. Hij zei dat iemand die van dat soort muziek hield vast geen goede agent was.'

De rechercheur fronste zijn wenkbrauwen. Toen priemde hij met zijn vinger naar Grace. 'Klootzak!' zei hij. 'Je zit me te fucken, hè?'

Grace grinnikte. 'Dat moet je toch zo langzamerhand gewend zijn. En wanneer krijg ik mijn huis weer terug?'

Bransons gezicht betrok. 'Zet je me eruit?'

'Ik snak naar een kop koffie. Als jij nu koffie voor me zet, hoef je de volgende maand geen huur te betalen. Is dat goed?'

'Dat is een koopje. Ik zou je deze wel willen geven, maar er zit suiker in.'
Grace trok afkeurend zijn neus op. 'Daar ga je aan dood, hoor.'

'Nou, hoe eerder hoe beter,' zei Branson somber en hij liep weg.

Vijf minuten later zat hij in een van de stoelen voor het bureau van de inspecteur en hield zijn beker koffie met beide handen vast. Grace keek hem
argwanend aan. 'Zit hier suiker in?'

'O, shit! Ik haal wel een andere.'

'Nee, laat maar. Dan roer ik wel niet.' Grace keek naar zijn vriend, die er
vreselijk slecht uitzag. 'Heb je Marlon nog gevoerd?'

'Ja,' zei hij met een bedachtzame knik. 'Marlon en ik zijn vriendjes geworden. Zielsverwanten, eigenlijk.'

'Echt waar? Nou ja, zolang je maar wat afstand houdt.'

Marlon was een goudvis die Grace negen jaar geleden op de kermis had
gewonnen en de vis floreerde nog steeds. Het was een chagrijnig, asociaal
beest dat elke andere vis die Grace als gezelschap voor hem had gekocht,
had opgevreten. Hoewel, de één meter negentig lange rechercheur was
waarschijnlijk zelfs voor de vraatzucht van dat beest iets te veel van het
goede, bedacht hij. Hij keek op zijn computer en zag dat er nieuws was over
de auto-inbraken in Tidy Street. Twee jongens waren opgepakt toen ze in
Trafalgar Street, pal onder een beveiligingscamera, in een auto op de hoek
van de straat inbraken.

Mooi, dacht hij, opgelucht. Hoewel ze waarschijnlijk op borgtocht weer
vrijkwamen en nog deze zelfde avond weer op straat zouden rondlopen.

'Nog nieuws aan het Branson-front?'

Een paar maanden geleden had Branson, in een poging om zijn huwelijk
te redden, met het geld dat hij na een ongeval uitgekeerd had gekregen voor
zijn vrouw Ari een duur paard gekocht waar ze wedstrijden mee kon rijden.
Maar dat had uiteindelijk alleen maar een tijdelijke wapenstilstand in een
verder vijandelijke relatie teweeggebracht.

'Wil ze nog meer paarden?'

'Ik ben er gisteravond naartoe geweest om de kinderen te zien. Ze zei dat
ik binnenkort een brief van haar advocaat kan verwachten.' Branson haalde
zijn schouders op.

'Over een scheiding?'

Hij knikte somber.

Grace voelde mee met zijn vriend, maar was zich er wel van bewust dat dat
inhield dat Branson voorlopig nog wel in zijn huis zou blijven, en hij kon het
niet over zijn hart verkrijgen hem eruit te gooien.

'Zullen we vanavond even wat gaan drinken?' vroeg Branson.

Grace was gek op de man, maar reageerde weinig enthousiast met: 'O ja, dat is goed.' Aan de gesprekken met Glenn over Ari kwam maar geen eind, het ging maar door en altijd over hetzelfde. De waarheid was dat Glenns vrouw niet alleen niet meer van hem hield, maar hem zelfs niet eens meer aardig vond. Grace vond persoonlijk dat ze het soort vrouw was dat nooit ofte nimmer ergens tevreden mee was, maar elke keer dat hij dat zijn vriend vertelde, ging Glenn in de verdediging, alsof hij geloofde dat de kans bestond, hoe klein ook, dat het ooit nog goed zou komen.

'Weet je wat,' zei Grace, 'heb je vanochtend wat te doen?'

'Ja, maar dat kan ook wel vanmiddag. Hoezo?'

'Een baggerschip heeft gisteren een lijk opgedregd. Brigadier Mantle handelt de zaak af, maar die is vandaag en morgen naar een cursus bij het Bramshill Police College. Misschien wil jij mee naar de sectie?'

Branson keek hem geschokt en met grote ogen aan. 'Godsamme, jij weet iemand echt wel op te beuren, zeg! Mag ik fijn mee naar een sectie van een verdrinkingsslachtoffer, terwijl het giet van de regen. Nou, dat zal me een fijn uitje zijn.'

'Nou ja, het is misschien wel goed om iemand te zien die slechter af is dan jij.'

'Je wordt bedankt.'

'En bovendien voert Nadiuska de sectie uit.'

Nadiuska de Sancha, de achtenveertigjarige patholoog, was niet alleen zeer goed in haar werk en heel vrolijk, ze was ook nog eens een buitengewoon mooie vrouw. Ze was lang, had rood haar en er stroomde Russisch adellijk bloed door haar aderen. Ze zag er minstens tien jaar jonger uit dan ze was, en hoewel ze gelukkig getrouwd was met een vooraanstaand plastisch chirurg, vond ze het leuk om te flirten en had ze een duivels gevoel voor humor. Grace kende geen enkele agent in Sussex die haar niet leuk vond.

'Ah!' zei Branson, meteen een stuk enthousiaster. 'Zeg dat dan meteen!'

'Niet dat jij zo oppervlakkig bent dat het iets uitmaakt, natuurlijk.'

'Jij bent de baas. Ik volg jouw orders op.'

'Is dat zo? Daar heb ik anders nooit veel van gemerkt.'

25

Brigadier Tania Whitlock rilde van de koude tocht die door het raam naast haar bureau blies. Haar rechterwang was ijskoud. Ze nam een slok hete koffie en keek op haar horloge. Tien over elf. De dag was al bijna half voorbij en de stapel rapporten en formulieren die ze moest invullen op haar bureau was nog steeds schrikbarend hoog. Buiten was de lucht betrokken en het miezerde.

Door het raam had ze uitzicht op het stuk gras en het parkeerterrein van Shoreham Airport, het oudste privévliegveld ter wereld. Het lag even ten westen van Brighton and Hove, was in 1910 gebouwd en werd nu over het algemeen gebruikt voor privévliegtuigjes en vliegscholen. Een paar jaar geleden was er naast het vliegveld een industrieterrein ontstaan, en in een van deze gebouwen, dat vroeger een pakhuis was geweest, was nu het Gespecialiseerde Zoekteam van de politie van Sussex gestationeerd.

Tania had de hele ochtend amper een vliegtuigmotor gehoord. Er waren bijna geen vliegtuigen of helikopters vertrokken of binnengekomen. Het weer leek niemand te verlokken eropuit te trekken en de laaghangende bewolking verjoeg piloten met weinig ervaring en die alleen maar op zicht mochten vliegen.

Laat het alsjeblieft vandaag rustig blijven, dacht ze terwijl ze zich weer op haar taak richtte. Het was een standaardformulier van de lijkschouwer, met ruimte om grafieken in te vullen, waarop ze kon aangeven hoeveel leden van haar team de afgelopen vrijdag in de jachthaven van Brighton hadden gedoken op zoek naar iemand van een jacht, die volgens getuigen dronken was geweest, was gestruikeld en met een buitenboordmotor op zijn rug gebonden van de loopplank was gevallen.

De brigadier was negenentwintig, klein en slank, met een intelligent, knap gezicht en lang donker haar. Omdat ze het koud had, had ze een blauw fleece jasje aan, het blauwe T-shirt van haar uniform, een wijde blauwe broek en werklaarzen, en daarin zag ze er fragiel en teer uit. Als je haar voor het eerst zag, zou je niet vermoeden dat ze de vijf jaar voordat ze hier terechtkwam, bij het Plaatselijke Ondersteuningsteam van het politiekorps Brighton and Hove had gewerkt, de agenten die invallen en arrestaties uitvoerden, relletjes susten en in andere situaties werden ingezet waar geweld werd verwacht.

Het Gespecialiseerde Zoekteam bestond uit negen agenten. Een ervan, Steve Hargrave, was professioneel duiker geweest voordat hij bij de politie was gegaan. De anderen hadden een opleiding gevolgd aan de Politie Duikschool in Newcastle. Een teamlid had bij de marine gezeten, een ander bij de verkeerspolitie, en die was een legende geworden bij het korps nadat hij ooit zijn eigen vader een bekeuring had gegeven omdat die geen gordel droeg. Tania was de enige vrouw in het team en zij was tevens het hoofd; de zwaarste taak, zoals iedereen zou beamen, in het hele politiekorps van Sussex.

Hun werk bestond uit het ophalen van lijken en stoffelijke resten en het speuren naar bewijsmateriaal op locaties die te gevaarlijk of te erg waren voor gewone politieagenten. Vaak moesten ze onder water naar slachtoffers zoeken – in kanalen, meren, putten, de zee – maar ook op land werden ze ingezet. Het afgelopen jaar waren de hoogtepunten – of dieptepunten, dat hing ervan af hoe je het bekeek – geweest dat haar team zevenenveertig lichaamsdelen had verzameld na een afschuwelijke aanrijding waarbij zes mensen waren omgekomen, en de verbrande resten bijeen hadden gezocht van vier mensen die met een klein vliegtuig waren neergestort. Een politiecaravan waarin genoeg lijkenzakken zaten om een gigantisch vliegongeluk aan te kunnen blokkeerde deels haar zicht op de privévliegtuigjes.

Om het aan te kunnen was humor erg belangrijk en ieder teamlid had dan ook een bijnaam. Die van haar was Smurf, omdat ze klein was en blauw leek onder water. Ze had in de loop der tijd al met heel veel mensen gewerkt, maar dit team was echt geweldig. Ze mocht iedereen even graag en had veel respect voor hen, en dat was wederzijds.

Het gebouw waarin ze gevestigd waren diende ook als opslagplaats voor hun duikspullen, inclusief een grote rubberboot waarin het hele team kon plaatsnemen, een droogkamer en hun vrachtwagen, waar onder andere klimspullen en graafinstrumenten in lagen. Ze stonden vierentwintig uur per dag, zeven dagen per week paraat.

De archiefkasten namen de meeste plaats in in Tania's volle kantoortje. Op een ervan zat een grote gele sticker geplakt met STRALINGSGEVAAR. Op een whiteboard dat boven haar bureau hing stond met blauwe en turqoise markeerstift aangegeven wat er met voorrang moest gebeuren. Daarnaast hingen een kalender en een foto van haar vierjarige nichtje Maddie. Haar laptop, lunchtrommel, lamp, telefoon en stapels dossiers en formulieren besloegen bijna het hele bureau.

In de winter was het altijd ijskoud in haar kamer, en daarom droeg ze haar fleece jas. Ondanks het astmatisch gepiep van het elektrische kacheltje op de grond waren haar vingers zo koud dat ze maar met moeite haar pen kon vasthouden. Op de bodem van het Kanaal zou het zelfs nog warmer zijn, dacht ze.

Ze sloeg een bladzijde van het duikjournaal om en vulde wat op het formulier in. Ze werd afgeleid door de telefoon die opeens rinkelde en nam een beetje afwezig op.

'Met brigadier Whitlock.'

Ze was bijna meteen weer alert. Ze had inspecteur Roy Grace van het hoofdkwartier aan de lijn, en het was niet erg waarschijnlijk dat hij gezellig een praatje wilde maken over het weer.

'Hallo,' zei hij. 'Hoe gaat het?'

'Goed, Roy,' zei ze enthousiaster dan ze zich werkelijk voelde.

'Ik heb gehoord dat je binnenkort gaat trouwen. Klopt dat?'

'Ja, van de zomer,' zei ze.

'Die man boft maar!'

'Dank je, Roy! Als iemand dat nou maar eens tegen hem zei! Zeg, wat kan ik voor je doen?'

'Ik ben momenteel in het mortuarium van Brighton, waar we een sectie uitvoeren op een jongeman die gisteren door de Arco Dee zo'n zestien kilometer ten zuiden van Shoreham-Haven is opgedregd.'

'De Arco Dee ken ik wel, die werkt hoofdzakelijk vanuit Shoreham en Newhaven.'

'Klopt. Het lijkt me wel verstandig als jij met je team daar eens gaan rondkijken of er wellicht nog meer is.'

'Wat kun je me verder vertellen?'

'We weten redelijk goed waar het lijk is opgevist. Het was in plastic verpakt en verzwaard. Het zou een zeebegrafenis kunnen zijn, maar ik heb mijn twijfels.'

'Ik neem aan dat de Arco Dee het heeft opgediept waar ze mochten dreggen?' vroeg ze, terwijl ze aantekeningen op haar schrijfblok maakte.

'Ja.'

'Er is een speciaal gebied aangewezen voor zeebegrafenissen. Het is mogelijk dat een lijk door de stroming wordt meegevoerd, maar niet erg waarschijnlijk als het door professionelen is uitgevoerd. Wil je dat ik kom?'

'Graag.'

'Ik ben er over een halfuurtje.'

'Mooi.'

Ze hing op en trok een gezicht. Ze had die dag vroeg naar huis willen gaan om voor Rob, haar verloofde, iets lekkers te koken. Hij was dol op Thais eten en ze had onderweg naar haar werk al alles ingeslagen wat ze nodig had, waaronder verse garnalen en een mooie, dikke zeebaars. Rob, die als piloot voor British Airways werkte en vaak lang weg was, zou die avond even thuis zijn, voordat hij weer negen dagen afwezig zou zijn. Zo te horen kon ze haar plannetje wel vergeten.

Haar deur ging open en Steve Hargrave, die als bijnaam Gonzo had, keek om de hoek. 'Heb je het druk, chef, of kan ik even met je praten?'

Ze glimlachte zo zuur naar hem dat hij al wist wat haar antwoord zou zijn.

Hij stak zijn vinger in de lucht, deed een stap naar achteren en zei: 'Het komt nu zeker even niet uit?'

Ze bleef glimlachen.

26

Wie ben jij, vroeg Roy Grace zich af, terwijl hij naar de naakte Onbekende Man staarde, die in het kille licht van de lampen op zijn rug op de roestvrijstalen tafel midden in de ruimte lag. Hij was iemands kind. En misschien wel iemands broer. Wie houdt er van je? Wie zal er kapot zijn van je dood?

Vreemd toch, dacht hij. Deze plek gaf hem vroeger altijd de rillingen als hij hier was. Maar dat werd anders toen Cleo Morey er anderhalf jaar geleden als obductiehoofdassistent kwam werken. Nu kwam hij hier graag en greep hij elke kans aan. Zelfs in haar blauwe jas, groene plastic voorschoot en witte rubberlaarzen zag Cleo er ontzettend sexy uit.

Misschien was hij gewoon pervers, of misschien klopte het gezegde dat liefde blind maakt wel.

Het viel hem op dat mortuaria iets gemeen hadden met advocatenkantoren. Niet veel mensen, behalve de personeelsleden dan, gingen naar mortuaria toe omdat ze blij waren. Als je hier moest overnachten, hield dat in dat je echt wel dood was. Als je op bezoek kwam, hield dat in dat iemand die je kende en van wie je had gehouden plotseling, onverwacht en vaak op gewelddadige wijze was overleden.

Het mortuarium van Brighton and Hove bevond zich aan Lewes Road, een doorgaande weg, naast de schitterende heuvels van begraafplaats Woodvale, en had muren van grindpleister. Er was een receptieruimte, een kantoor, een gebedsruimte voor diverse geloven, een kamer met ruiten aan één kant om de overledene te kunnen zien, twee opslagruimten, waar pasgeleden twee grotere vriezers in waren geplaatst om ruimte te bieden aan de wat zwaardere stoffelijk overschotten, een isolatiekamer voor mensen die aan aids of een andere besmettelijke ziekte waren overleden, en de grote sectiekamer, waar ze zich op dit moment bevonden.

Aan de andere kant van de muur hoorde hij een zware boor aan het werk. Ze waren bezig met uitbreiding van het mortuarium om de nieuwe, bredere vriezers te plaatsen, die tegenwoordig steeds vaker nodig waren.

De grijze lucht buiten paste perfect bij de sfeer die binnen hing. Het grijze licht viel gefilterd door de ondoorzichtige ramen. De muren waren grijs betegeld. Op de grond lagen bruin met grijs gespikkelde tegels, waarvan de kleur wel erg veel leek op die van menselijke hersens. Het enige kleuraccent in de hele ruimte, buiten de blauwe operatiejassen die iedereen moest dragen, en de groene plastic voorschoten die de personeelsleden en de patholoog aanhadden, was de felroze vloeibare zeep die in een houdertje bij de wasbak hing.

De kamer rook zoals altijd onaangenaam naar balsemvloeistof en ontsmettingsmiddelen, soms aangelengd met de misselijkmakende stank die uit geopende lijken opsteeg.

Zoals altijd bij een sectie stond de hele kamer vol. Behalve hijzelf, Nadiuska en Cleo waren er nog Darren Wallace, de obductieassistent, een jongeman van tweeëntwintig die ooit leerling-slager was geweest, Michael Forman, een ernstige, felle man van halverwege de dertig, die voor het OM werkte, James Gatrell, de gezette fotograaf van de Technische Recherche, en Glenn Branson, die een eindje verderop stond en wit om de neus zag. Grace had gemerkt dat hij, hoewel de rechercheur groot en sterk was, secties maar niets vond.

De Onbekende Man zag er wasbleek uit. Die kleur associeerde Roy Grace altijd met overleden mensen die nog niet aan het vreselijke proces van ontbinden begonnen waren. Het winterse weer en het koude zeewater zouden dat hebben vertraagd, maar het was duidelijk dat de Onbekende Man nog niet zo lang geleden nog leefde.

Nadiuska de Sancha, die haar rode haar had opgestoken en haar bril met schildpadmontuur op haar delicaat gevormde neus had gezet, schatte dat de dood ongeveer vier tot vijf dagen geleden was ingetreden, maar een precieze tijd kon ze niet geven. Ze was evenmin nog in staat om de doodsoorzaak vast te stellen, wat grotendeels kwam doordat de Onbekende Man bijna geen organen meer had.

Het was een knappe jongeman, met kortgeknipt, donzig zwart haar, een Romeinse neus en bruine ogen die openstonden. Zijn lijf was pezig en benig. Zijn genitaliën werden bedekt door een lapje huid van zijn borst, dat door Nadiuska was verwijderd en daar neergelegd, alsof ze hem in de dood toch nog wat waardigheid wilde geven. Op zijn borst zat een enorme snee tot aan zijn middenrif en aan beide zijden was het vlees vastgezet zodat de verbijsterend lege borstkas te zien was, met daaronder de gekronkelde darmen, als glimmend doorzichtig touw.

Links van hen aan de muur hing een overzicht waarin het gewicht van de hersens, de longen, het hart, de lever, de nieren en de milt van elke dode werd opgetekend. Elk orgaan was doorgekruist, behalve de hersens, het enige orgaan dat het lijk nog bezat, en naar alle waarschijnlijkheid ook het enige waarmee hij begraven zou worden.

De patholoog verwijderde de blaas, legde hem op het metalen dienblad op hoge poten, dat over de bovenbenen van de dode was geschoven, en sneed hem met het scalpel open. De vloeistoffen die eruit liepen deed ze in flesjes en zakjes zodat er tests mee konden worden gedaan.

'Wat kun je ervan zeggen?' vroeg Grace haar.

'Nou,' zei ze, in haar prachtige gebroken Engels, 'de doodsoorzaak is nog niet helemaal zeker, Roy. Er zijn verwondingen die wijzen op verwurging of verdrinking, en zonder de longen kan ik niet zeggen of hij al was overleden voordat hij het water in ging. Maar ik denk dat we vanwege het feit dat de organen verwijderd zijn, rustig kunnen aannemen dat de kans groot is.'

'Er zijn niet veel chirurgen die onder water opereren,' grapte Michael Forman.

'Ik kan ook niet veel met de maaginhoud,' ging ze door. 'Door het verteringsproces is het meeste opgelost, hoewel dat na de dood langzamer gaat. Maar er zijn wel stukjes die kip, aardappelen en broccoli kunnen zijn, wat inhoudt dat hij in de paar uur voor zijn dood nog een gewone maaltijd heeft genuttigd. Wat niet strookt met het feit dat hij zijn organen kwijt is.'

'Hoezo niet?' vroeg Grace, zich bewust van de onderzoekende blik van de medewerker van het OM en van Glenn Branson.

'Nou,' zei ze, en ze wees met het scalpel naar de snee op zijn borst, 'dit soort incisies maakt een chirurg bij het verwijderen van een orgaan voor een transplantatie. Alle inwendige organen zijn er operatief uitgehaald, door iemand die er verstand van heeft. Bovendien zijn de bloedvaten afgebonden voordat de organen werden verwijderd.' Ze wees het aan. 'Het nefrotisch vet om de nier – het niervet, voor de koks onder ons – is met een scherp mes doorgesneden.'

Grace hoefde voorlopig geen niervet op zijn bord.

'Dus,' ging Nadiuska door, 'dit alles zou betekenen dat hij een donor was. En wat de mogelijkheid daarvan nog groter maakt is dat er uitwendig ook tekenen zijn van medisch ingrijpen.' Ze wees weer. 'In zijn hand heeft een naald gezeten.' Vervolgens wees ze naar zijn rechterelleboog. 'Ook hier heeft een naald gezeten. Deze zou gebruikt kunnen zijn voor een infuus en medicijnen.'

Ze pakte een kleine zaklamp, opende met haar behandschoende vingers voorzichtig de mond van de dode en scheen naar binnen. 'Als je goed kijkt zie je dat zijn luchtpijp rood is en dat er aan beide zijden, pal onder de stembanden, zweertjes zitten, wat zou kunnen zijn veroorzaakt door het ballonnetje aan de beademingsslang.'

Grace knikte. 'Maar hij heeft een maaltijd op, dat had met die beademingsslang toch niet gekund?'

'Dat klopt, Roy,' zei ze. 'Ik snap er dan ook niets van.'

'Misschien was hij een donor en werd hij aansluitend op zee begraven, waarna hij door de stroming werd weggevoerd uit het gebied dat daarvoor bestemd is?' stelde Glenn Branson voor.

De patholoog perste haar lippen op elkaar. 'Dat zou kunnen, ja,' gaf ze toe. 'Maar de meeste donoren worden nog een tijdje in leven gehouden, met een infuus en een beademingsapparaat. Ik vind het vreemd dat het eten in zijn maag niet verteerd is. Met behulp van een test kan ik kijken of hij spierontspanners en andere medicijnen heeft gebruikt die normaal gesproken bij dit soort operaties worden toegepast.'

'Kun je ongeveer zeggen hoeveel uur voor zijn dood hij heeft gegeten?'

'Aan het eten te zien, zo'n vier tot zes uur op zijn hoogst.'

'Zou het een plotselinge dood zijn geweest?' vroeg Grace. 'Een hartaanval bijvoorbeeld, of een verkeersongeluk?'

'Zijn verwondingen komen niet overeen met een ernstig ongeluk, Roy. Hij heeft geen hoofd- of hersenletsel. Een hartaanval of een astma-aanval zou kunnen, maar gezien zijn leeftijd – achttien, negentien – lijkt me dat onwaarschijnlijk. We kunnen beter op zoek gaan naar een andere doodsoorzaak.'

'Zoals?' Grace noteerde snel iets op zijn schrijfblok, er was hem iets ingevallen wat hij wilde onderzoeken.

'Dat kan ik nu nog niet zeggen. Hopelijk komen we meer te weten door de tests. Als je zijn identiteit kunt achterhalen, zouden we misschien meer weten.'

'We zijn ermee bezig,' zei hij.

'Ik weet zeker dat de tests ons een stuk verder kunnen helpen. Het lijkt me erg onwaarschijnlijk dat de tape wat zal opleveren, hij heeft te lang in het water gelegen,' zei de patholoog. Ze zweeg even en voegde er vervolgens aan toe: 'Ik moet opeens aan iets denken. Dat eten in zijn maag, hè? Hier in Engeland, omdat we geen organen mogen verwijderen zonder toestemming, kan het soms uren duren voordat we die toestemming hebben van de nabestaanden nadat hij al hersendood is verklaard. Maar in sommige landen, zoals Oostenrijk en Spanje, gaat het veel sneller. Misschien is deze man wel uit een van deze landen afkomstig.'

Grace dacht er even over na. 'Oké, maar als hij in Spanje of in Oostenrijk is overleden, wat deed hij dan zestien kilometer buiten de kust van Engeland?'

De deurbel snerpte door de ruimte. Darren, de obductieassistent, liep snel de kamer uit. Even later kwam hij terug met brigadier Tania Whitlock van het

Gespecialiseerde Zoekteam, die zich ook in operatiejas en rubberlaarzen had gehesen.

Roy Grace bracht haar vlug op de hoogte. Ze wilde het plastic zeil en de gewichten zien die bij het lijk waren aangetroffen, en Cleo ging met haar mee naar het magazijn om het haar te tonen. Daarna kwamen ze weer terug naar de sectiekamer. De patholoog van het OM was druk bezig haar bevindingen op te nemen met behulp van een dicteerapparaatje. Grace, Glenn Branson en Michael Forman stonden bij het lijk. De fotograaf liep naar het magazijn om de spullen vast te leggen.

'Zou hij door de stroming van een zeebegraafplaats kunnen zijn weggevoerd?' vroeg Grace aan Tania.

'Dat is mogelijk,' zei ze, ademend door haar mond vanwege de stank. 'Maar die gewichten zijn knap zwaar en het is de afgelopen tijd behoorlijk rustig weer geweest. Ik kan wel een tekening voor je maken waarop je kunt zien waar hij vandaan kan zijn gekomen als hij minder verzwaard was geweest. Heb je daar iets aan?'

'Misschien wel. Zou het anders een zeebegrafenis zijn geweest, maar op de verkeerde plek?'

'Dat kan ook,' zei ze. 'Maar ik heb contact opgenomen met de Arco Dee, en zij zeggen dat ze hem vijftien zeemijl ten oosten van de plek bij Brighton and Hove, waar begrafenissen op zee zijn toegestaan, hebben opgedregd. Dat zou wel een heel grove vergissing zijn.'

'Dat leek mij ook,' zei hij. 'We weten redelijk goed waar hij lag, toch?'

'Erg goed zelfs,' zei de brigadier. 'Het is een gebied van nog geen tweehonderd vierkante meter.'

'We kunnen maar beter zo snel mogelijk gaan kijken of daar nog meer ligt,' zei Grace. 'Zou je vandaag al kunnen beginnen?'

Tania keek naar de klok aan de muur en daarna, alsof ze hem niet vertrouwde, op haar eigen grote duikhorloge. Vervolgens keek ze door het raam naar buiten. 'Vandaag gaat de zon om vier uur onder,' zei ze. 'Zestien kilometer het Kanaal op is de zee behoorlijk ruig, dus moeten we een grotere boot zien te regelen dan onze rubberboot. Er is nog drie uur daglicht. We kunnen beter voor morgenvroeg een echte boot charteren. Rond die tijd zijn er een paar vissersboten die het niet zo druk hebben. Dan gaan we morgen bij zonsopkomst meteen aan de slag. In de tussentijd kunnen we wel met de rubberboot de zee op gaan en het gebied afbakenen zodat er verder geen baggerschepen meer komen.'

'Briljant!' zei hij.

'Daar ben ik hier dan ook voor!' zei ze, een stuk opgewekter dan toen ze binnenkwam. Ze zou dat allemaal kunnen regelen en nog op tijd thuis zijn om te koken.

Grace keek Glenn Branson aan en zei: 'Je ziet er een beetje pips uit.'

Hij knikte. 'Ja, dat heb ik nou elke keer dat ik hier kom.'

'Weet je wat jij nodig hebt?'

'Nou?'

'Wat frisse zeelucht! Een leuk bootreisje.'

'Ja, een bootreisje zou me goed doen.'

'Mooi!' Grace gaf hem een klopje op zijn rug. 'Jij gaat morgenochtend mee met Tania.'

Branson wees vol afschuw naar buiten. 'Shit man, het wordt hartstikke slecht weer! Ik dacht dat je een reisje naar de Cariben bedoelde of zo!'

'Ga nu maar eerst naar het Kanaal, kun je alvast wennen.'

'Ik heb zelfs geen zeemanskleding!' zeurde hij.

'Die heb je niet nodig, jij mag lekker eersteklas!'

Tania keek Glenn onderzoekend aan. 'Het weerbericht is inderdaad niet gunstig. Heb je zeebenen?'

'Nee, niet bepaald,' zei hij. 'Neem dat maar van me aan!'

27

Nats toestand was in de loop van de nacht niet verslechterd, wat een zegen was, vond Susan, die tijdens de lange wake naast zijn bed zo optimistisch mogelijk wilde blijven. Maar er was ook geen vooruitgang geweest. Hij bleef een stille vreemde, die in een hoek van dertig graden tegen de kussens aan lag met allemaal slangetjes in zijn lijf die naar de verbijsterende verzameling apparaten leidden die hem in leven hielden.

De ronde klok aan de muur gaf aan dat het tien voor één was. Bijna etenstijd, maar dat deed er voor Nat en de meeste van de andere patiënten op de afdeling niets toe. De voedingsmiddelen kreeg hij dag en nacht toegediend via een buisje. En opeens, ondanks haar vermoeidheid, moest Susan glimlachen. Ze had Nat altijd op zijn kop gegeven als hij te laat kwam voor het eten. In het ziekenhuis draaide hij lange uren, en vaak, zonder waarschuwing vooraf, moest hij tot laat in de nacht blijven. Maar zelfs als hij thuis was, moest hij altijd 'nog even de mail bekijken, liefje!' als ze hem riep dat het eten klaar was.

Nou, nu ben je tenminste nooit te laat voor je eten, dacht ze met een wrange glimlach. Toen snufte ze, pakte een zakdoek uit de zak van haar spijkerbroek en veegde de tranen weg die over haar wangen biggelden.

Verdomme. Zo kon het toch niet eindigen?

Alsof hij het ermee eens was, of om haar gerust te stellen, schopte de baby binnen in haar.

'Dank je wel, kleintje,' fluisterde ze.

De specialist, gekleed in overhemd met zijn boord los en een grijze broek, samen met een paar collega's in overall, had zijn ronde een halfuur eerder beëindigd, en daarna was het griezelig stil geweest op de intensive care. Het enige geluid was een alarm dat om de paar minuten piepte, wat Susan hoe langer hoe meer op de zenuwen ging werken. Elke monitor van iedere patiënt had een alarm.

Hoewel elke patiënt zijn eigen verpleegster had, leek de ruimte wel verlaten. Achter het dichtgetrokken blauwe gordijn om het bed aan de overkant viel enige beweging te bespeuren, en Susan zag een vrouw de vloer schoonmaken, met een geel bord waarop stond PAS OP, GLADDE VLOER naast haar. Een paar bedden verderop was een fysiotherapeut de benen van een oudere man, die aan een hele serie slangetjes lag, aan het masseren. De patiënten waren allemaal rustig, enkele sliepen, andere staarden zonder iets te zien voor zich uit. Susan had al diverse bezoekers zien komen en gaan, maar op dit moment was zij de enige bezoeker op zaal.

Ze hoorde het bijna muzikale *piep-piep-boing* van een alarm, dat veel weg had van het geluid in een vliegtuig waarmee je een stewardess bij je kon roepen. Het kwam vanaf de andere kant van de zaal.

Nat lag in bed nummer 14. De nachtzuster had haar verteld dat de bedden van 1 tot en met 17 waren genummerd. Maar in feite stonden er in deze zaal maar zestien bedden. Vanwege bijgeloof was er geen bed 13, dus bed 14 was eigenlijk bed 13.

Nat was een goede arts. Hij dacht aan alles, analyseerde alles, rationaliseerde alles. Hij had weinig op met bijgeloof. Terwijl Susan altijd erg bijgelovig was geweest. Ze zag niet graag een zwarte kat haar pad kruisen, ze gooide meteen zout over haar schouder als ze wat morste en nooit, maar dan ook nooit, liep ze onder een ladder door. Ze was dan ook niet blij dat hij in dit bed lag. Maar alle bedden waren bezet, dus ze kon hem moeilijk met iemand anders laten ruilen.

Ze kwam overeind, onderdrukte een geeuw en liep naar het voeteneind van het bed, waar de laptop van de zuster op een karretje stond. De vorige dag was een lange dag geweest. Ze was tot bijna middernacht gebleven, was toen naar huis gereden om wat te slapen, maar na een paar uur woelen had ze het opgegeven. Ze had een douche genomen, een pot sterke koffie gezet, een paar van Nats cd's gepakt van de Eagles en Snow Patrol, zijn kleren gewassen, zoals de verpleegster had voorgesteld, en was weer naar het ziekenhuis gegaan.

De oordopjes van de iPod zaten al een paar uur in zijn oren, maar hij had er nog niet op gereageerd. Normaal gesproken bewoog hij altijd mee, knikte met zijn hoofd, bewoog zijn schouders, en zwaaide langzaam met zijn armen als hij muziek op had staan. Hij kon fantastisch dansen, de weinige keren dat hij zich eens liet gaan. Ze wist nog hoe ze onder de indruk was van zijn timing toen hij met haar had gerock-'n-rold op het verjaardagsfeestje van een verpleegster waar ze elkaar hadden leren kennen.

Ze keek naar hem. Naar de geribbelde, doorzichtige slang in zijn mond. Naar de kleine katheter in zijn schedel die op zijn hoofd zat geplakt en de druk van de hersens opnam. Naar alle andere dingen die op hem zaten geplakt en de slangetjes die in hem gingen. Naar de bult die de kooi maakte die over zijn gebroken benen stond, zodat de dekens er niet op zouden rusten. Ze keek naar de monitors, naar alle pieken en dalen die aangaven hoe het met hem stond.

Nats hartslag was momenteel 77, en dat was in orde. Zijn bloeddruk, 160/90, was ook goed. De zuurstofverzadigingsniveaus waren prima. De schedeldruk lag tussen de 15 en 20, wat normaal gesproken onder de 10 moest zijn. Boven de 25 zou het een probleem worden.

'Hoi Nat, lieveling,' zei ze, en ze raakte hem op zijn rechterarm aan, net boven zijn polsbandje en de pleisters die het infuus op zijn plaats hielden. Ze verwijderde voorzichtig de dopjes van de iPod en zei recht in zijn oor: 'Ik ben bij je, mijn lieveling. Ik hou van je. Het kind schopt me als een gek. Kun je me horen? Hoe voel je je? Het gaat goed met je, hoor! Je houdt je taai. Het gaat hartstikke goed! Het komt allemaal in orde!'

Ze wachtte even, deed toen het oortje weer bij hem in en liep om het witte hijstoestel waar diverse apparaten op stonden, inclusief de pomp waar de medicijnen in zaten waardoor hij stabiel en rustig bleef, en die ook zijn bloeddruk regelden. Ze liep door over het blauwe linoleum, langs de blauwe gordijnen om het bed en naar het raam, waar blauwe jaloezieën voor hingen. Ze keek naar links, naar een lange rij auto's die het parkeerterrein op wilden. Onder haar was een moderne bestrate binnenplaats met banken en picknicktafels, en een groot, glad beeld, dat ze maar eng vond omdat het net een spook leek.

Ze huilde weer. Ze veegde haar ogen droog en hoorde opeens dat stomme alarm weer afgaan. Maar dit keer was het harder dan eerst: piep!-piep!-boing!

Ze draaide zich om. Keek naar de pieken en dalen op de monitor en de angst sloeg haar om het hart. 'Zuster!' riep ze, ontzet om zich heen kijkend. Toen rende ze naar de verpleegsterskamer. 'Zuster! Zuster!'

Het alarm piepte steeds luider, ze kon niets anders meer horen.

Toen zag ze de grote, vrolijke kale broeder die om halfacht die ochtend aan het werk was getogen met een bezorgd gezicht langs haar heen naar Nat rennen.

28

De baby was al een paar uur stil, maar nu lag Simona de hele tijd te huilen. Ze lag, met Gogu dicht tegen haar wang gedrukt, met opgetrokken benen naast de verwarmingspijp. Ze snikte, sliep even, werd wakker en huilde weer wat.

De anderen, behalve Valeria en de baby, waren weg. Op de gammele stereo-installatie zong Tracy Chapman 'Fast Car'. Marianna draaide vaak Tracy Chapman; de baby scheen de muziek leuk te vinden en hield op met huilen alsof de songs wiegenliedjes waren. Buiten, op de weg boven hen, was het koud en nat, de regen was nog net geen ijzel en de ijzige wind blies bij hen naar binnen. Door de vlammetjes van de kaarsen, die op de gesmolten stalagmieten van gesmolten was op de betonvloer stonden, bewogen de schaduwen.

Er was geen elektriciteit, dus de kaarsen waren hun enige lichtbron en ze gebruikten ze maar zelden. Soms kochten ze er een paar met het geld dat ze voor de gestolen spullen hadden gekregen. Soms met het geld dat ze met zakkenrollen of tasjesroof hadden gestolen, maar over het algemeen pikten ze ze uit supermarkten.

Heel af en toe, als ze echt wanhopig waren – hoewel Simona het vreselijk vond – stalen ze kaarsen uit de kerk. Romeo leidde dan de omstanders af en zij propten hun zakken vol met de dunne bruine kaarsen, waar de mensen voor hadden betaald en die ze hadden opgestoken voor hun dierbaren. Ze stonden in twee grote, driehoekige metalen kistjes: een voor de levenden en de andere voor de overledenen.

Maar ze was altijd bang dat God hen ervoor zou straffen. En terwijl ze lag te snikken, vroeg ze zich af of God haar de vorige avond had gestraft.

Ze was nog nooit naar de kerk geweest en niemand had haar voorgedaan hoe ze moest bidden, maar de zuster in het tehuis waar ze had gewoond, had haar over God verteld, dat hij haar de hele tijd in de gaten hield en dat hij haar voor alles wat ze fout deed zou straffen.

Buiten de gele gloed van de vlammetjes, waar de schaduwen nooit bewogen, strekte het duister zich ver uit, totdat de tunnel waarin de verwarmingsbuis zich bevond ophield en de pijp bovengronds kwam en bovenlangs door de buitenwijk van Crângaşi ging. Daar woonden hele groepen zwervers, had ze gezien, in zelfgemaakte hutjes die tegen de pijp aan waren gebouwd. Simona had daar zelf een tijdje gebivakkeerd, maar het was klein en benauwd binnen en het dak lekte.

Ze zat liever hier. Het was ruimer en het was droog. Hoewel ze hier niet echt alleen wilde zijn, want ze was bang voor het duister achter het kaarslicht, en de muizen en de ratten en de spinnen die daar zaten. En nog iets, iets wat veel en veel erger was.

Romeo was een paar keer op ontdekkingstocht in het duister gegaan, maar op wat knaagdierkarkassen en een kapot winkelmandje na, had hij nooit iets gevonden. Toen op een dag had Marianna een man mee hiernaartoe genomen. Ze nam wel vaker mannen mee, met wie ze luidruchtig en openlijk seks had, en bekommerde zich er niet om of iemand het zag. Maar deze man vonden ze allemaal eng. Hij had een staartje, een zilveren kruis om zijn hals, en hij had een bijbel bij zich. Hij wilde geen seks, had hij haar gezegd. Hij wilde met hen praten over God en de duivel. Hij vertelde hun dat de duivel in het duister achter het kaarslicht woonde, omdat hij, net als zij, behoefte had aan de warmte van de pijpen.

En hij vertelde hun dat de duivel hen allemaal in de gaten hield, en dat ze verdoemd waren omdat ze hadden gezondigd, en dat ze maar beter konden uitkijken waar ze sliepen voor het geval hij uit de duisternis tevoorschijn kroop en een van hen meenam.

Simona riep opeens hardop: 'Valeria, wil God me straffen?'

Valeria legde de baby op een bedje gemaakt van een gewatteerd jasje. Ze kwam gebukt naar Simona toe, om niet haar hoofd tegen de klinknagels te stoten die uit de dwarsbalken staken waarmee de weg erboven werd ondersteund. Ze was zoals altijd gekleed in de smaragdgroene bodywarmer, het felgekleurde joggingpak, en haar sluike bruine haar viel steil langs haar gekwelde gezicht. Ze sloeg haar arm om Simona heen.

'Nee, dat was God niet. Hij was gewoon een slecht mens, gewoon een slecht mens, meer niet.'

'Ik wil zo niet meer leven. Ik wil hier weg.'

'Waar wil je dan naartoe?'

Simona haalde hulpeloos haar schouders op en barstte in snikken uit.

'Ik wil naar Engeland toe,' zei Valeria. Ze glimlachte verlangend en opeens straalde haar gezicht. Ze knikte. 'Engeland. We horen nu bij de EU. We mogen ernaartoe.'

Simona bleef nog even doorsnikken en hield toen op. 'Wat is de EU?'

'Een... iets. Het houdt in dat Roemeense mensen naar Engeland mogen gaan.'

'Zou het dan beter zijn in Engeland?'

'Ik heb een tijdje geleden een paar meisjes gesproken die ernaartoe gingen. Ze hadden daar werk gekregen als stripteasedanseressen. Werd goed betaald. Misschien kunnen jij en ik ook wel zulke danseressen worden.'

Simona snikte wat na. 'Ik kan niet dansen.'

'Er zijn vast nog een hoop andere baantjes. In bars, restaurants en zo. Misschien zelfs in een bakkerij.'

'Ik wil wel gaan,' zei Simona. 'Ik wil wel meteen gaan.' Ze snoot haar neus. 'Ga je met me mee? Jij en ik en misschien ook Romeo, en je kind natuurlijk.'

'Er zijn mensen die er meer van weten. Ik ga wel op zoek naar mensen die ons kunnen helpen. Zou Romeo met ons mee willen gaan, denk je?'

Ze haalde haar schouders op. Opeens hoorde ze Romeo iets zeggen.

'Hallo! Daar ben ik weer, en ik heb iets meegenomen!'

Hij sprong van de ladder af en liep, druipnat en hijgend, en met zijn capuchon over zijn hoofd getrokken, naar hen toe. 'Ik heb gerend,' zei hij. 'Heel lang. Bepaalde mensen houden me in de gaten, weet je wel, ze kennen ons. Ik moest een omweg maken. Maar ik heb het!' Zijn grote ogen straalden terwijl hij zijn hand in zijn jasje stak en de roze plastic tas eruit haalde.

Hij kreeg een hoestaanval, maar toonde hun toen een vierkant plastic flesje met lak en draaide aan het dopje om de verzegeling te verbreken.

Simona keek naar hem, ze kon plotseling nergens anders meer aan denken.

Hij goot wat van het spul in de tas, hield hem schuin en gaf hem door aan haar, zich ervan verzekerend dat ze hem goed vasthad voordat hij losliet.

Ze bracht de punt naar haar mond, blies erin, alsof ze een ballon aan het opblazen was, en ademde toen krachtig door haar mond in. Ze ademde uit en ademde weer diep in. En nog een keer. Opeens ontspande ze zich. Ze glimlachte wazig. Haar ogen rolden in hun kassen en werden toen glazig.

Heel even was de pijn verdwenen.

De zwarte Mercedes reed langzaam over de straat, dwars door de plassen, met driftig heen en weer zwiependeruitenwissers. Hij kwam langs een kleine, verlopen buurtsuper, een café, een slagerij, een kerk die in de steigers stond, een autowasserette waar drie mannen een wit busje aan het natspuiten waren, en een troep honden waarvan de vacht omhoog stond door de wind.

Er zaten twee mensen achterin: een keurig uitziende man van achter in de dertig, gekleed in een grijze coltrui en een zwarte jas, en een vrouw, die iets jonger was, en die een slobberige trui, een leren jasje met een fleece kraag, een strakke spijkerbroek en zwarte suède laarzen droeg, met opzichtige sieraden. Ze zag eruit of ze ooit een onbelangrijk rocksterretje of een net zo onbelangrijke actrice was geweest.

De chauffeur parkeerde de auto voor een flatgebouw waar uit de meeste ramen wasgoed hing te drogen en op de kale muren schotelantennes waren aangebracht, en zette de motor af. Door het raampje wees hij naar een gat tussen de straat en de stoep.

'Daar,' zei hij. 'Daar woont ze.'

'Er zullen er dus misschien wel meer zitten,' zei de man achterin.

'Ja, maar kijk uit voor dat meisje over wie ik je heb verteld,' zei de chauffeur. 'Ze is erg fel.'

Doordat de ruitenwissers waren uitgezet, werd door de gestage stroom regendruppels de voorruit ondoorzichtig. Voetgangers werden vage schimmen. Dat was prima. Als je de getinte ramen meetelde, zouden ze nu helemaal niet meer naar binnen kunnen kijken. De auto's in deze buurt waren wrakken. De glimmende Mercedes zou iedereen die hier langs kwam meteen opvallen, en ze zouden zich afvragen wat er aan de hand was en wie erin zat.

'Oké,' zei de vrouw. 'Mooi. Rijden maar.'

De auto trok op.

Onder het asfalt waarop de auto reed sliep de baby. Valeria las een krant die al een paar dagen oud was. Tracy Chapman zong weer 'Fast Car'. Romeo hield in- en uitademend de punt van het plastic zakje in zijn mond.

Simona lag heel rustig op de matras te dromen van Engeland. Ze zag een grote klokkentoren die Big Ben heette. Ze deed een paar ijsblokjes in een glas en schonk er whisky over. Lichtjes gleden langs haar heen. De lichtjes van een stad. De mensen in die stad glimlachten. Ze hoorde gelach. Ze was in een grote kamer met schilderijen en beelden. Het was droog in de ruimte. Ze had geen pijn in haar lijf of in haar hart.

Toen ze heel veel later wakker werd, had ze een besluit genomen.

29

Lynn Beckett schrok wakker. Ze wist even niet waar ze was. Haar rechterbeen sliep en haar rug deed pijn. Ze keek verdwaasd naar een tekenfilm op de tv die hoog boven haar met een metalen arm aan de muur was bevestigd. Op het scherm werd een man voor een stenen muur aan een katapult vastgebonden. Even later vloog hij erdoorheen, de muur bleef overeind, maar je zag precies waar de man erdoorheen was gegaan.

Toen wist ze het weer, en ze stompte zachtjes op haar bovenbeen om het bloed weer te laten stromen. Ze was in Caitlins privékamer, op een kleine afdeling van de afdeling Leverziekten in het Royal South London ziekenhuis. Ze was even weggezakt. Er hing vaag een etenslucht. Ze rook aardappelpuree. Maar ook ontsmettingsmiddelen en boenwas. Toen zag ze Caitlin naast zich, in bed, in haar nachtjapon, haar haar door de war, zoals altijd bezig met haar mobieltje, waarop ze nu een sms las. Achter haar, door het raam van de kleine kamer, zag ze een deel van een kraan en de B2-blokken en het geraamte van een pand in aanbouw.

Ze had die nacht hier naast Caitlin geslapen. Op een gegeven moment had ze kramp gekregen van de stoel en was ze in bed gekropen en had ze lepeltjelepeltje tegen haar dochter aan geslapen.

Ze waren afgrijselijk vroeg gewekt en Caitlin was in een rolstoel weggereden voor een scan. Een tijdje later was ze weer teruggekomen. Diverse verpleegsters hadden haar bloed afgenomen. Om negen uur had Lynn, die zich versleten en ongewassen voelde, naar haar werk gebeld en haar strenge maar vriendelijke chef Liv Thomas verteld dat ze geen idee had wanneer ze weer kon komen. Liv leefde met haar mee, maar stelde voor dat Lynn het dan in de loop van de week kon inhalen zodat ze bijbleef, en Lynn had haar gezegd dat ze haar best zou doen.

Ze kon het geld goed gebruiken. Het verblijf hier kostte haar een vermogen. Per dag drie pond zodat Caitlin tv kon kijken en telefoneren. Vijftien pond om haar auto te parkeren. Het eten in het cafetaria van het ziekenhuis. En de hele tijd liep ze het risico dat haar werkgevers het welletjes vonden en haar de laan uit stuurden. Ze had het geld dat ze na de scheiding van Mal had gekregen gebruikt voor een aanbetaling voor het huis waar ze nu met Caitlin in woonde omdat ze haar een echt thuis wilde geven, zodat ze zo normaal en veilig mogelijk kon opgroeien. Maar het was en bleef financieel gezien behoorlijk moeilijk. En nu moest ze ook nog geld bij elkaar schrapen voor de auto, voor de ophanden zijnde keuring.

Ze werd goed betaald, maar het was wel op commissiebasis, net als bij een verkoopmedewerker. Ze draaide lange uren om haar quotum te bereiken en werd daarin aangemoedigd door de wekelijkse bonus voor degene die het best had gepresteerd. Over het algemeen kreeg ze veel meer per week dan een secretaresse/receptioniste of een assistente in Brighton and Hove verdiende, en omdat ze geen diploma's had, vond ze dat ze geboft had. Maar tegen de tijd dat ze de vaste lasten, benzine, Caitlins gitaarlessen en alles wat Caitlin nodig had, zoals haar mobieltje om contact te houden met haar vriendinnen, en de laptop en haar kleren, evenals een paar extraatjes had betaald, zoals hun vakantie afgelopen zomer naar Sharm el-Sheikh, ook al was het een aanbieding geweest, had ze nog maar weinig over. Ze moest bovendien ook elke keer weer de creditcardschuld van Caitlin betalen. De acht jaar die ze nu bij een deurwaarder werkte waren haar niet in de koude kleren gaan zitten, en ze had er een grote angst voor schulden aan overgehouden. Daarom gebruikte ze zelf bijna nooit een creditcard.

Mal was gelukkig redelijk geweest bij de scheiding en hij betaalde ook wat mee voor zijn dochter, maar ze was te trots om hem om meer te vragen. Haar moeder droeg ook haar steentje bij, maar die had het niet erg breed. Ze had in een jaar tijd zo'n duizend pond gespaard, waarvan ze Caitlin een leuke kerst wilde geven. Hoewel ze niet eens wist of Caitlin wel iets had met Kerstmis. Of met verjaardagen. Of met wat zij dan ook het 'normale leven' vond.

Ze twijfelde nog of ze Caitlin die dag alleen kon laten om naar Brighton terug te rijden en te gaan werken. Caitlin vond het niet leuk dat ze daar lag en had een van haar vreemde buien: ze was eerder boos dan bang. Maar als ze haar alleen liet, bestond de kans dat haar dochter het ziekenhuis zou verlaten. Ze wierp een blik op haar horloge. Het was tien voor één. Op de televisie was een man in een huis te zien die een boos gezicht trok en opzwol. Hij rende naar buiten, dwars door de buitendeur, waardoor de hele pui meekwam. Ondanks zichzelf grinnikte Lynn. Ze had tekenfilms altijd al leuk gevonden.

Caitlin was wat op haar mobieltje aan het intikken.

'Sorry, lieverd,' zei haar moeder. 'Ik zakte even weg.'

'Dat geeft niet,' zei Caitlin, die opeens giechelde zonder haar blik van de telefoon af te halen. 'Oude mensen hebben nu eenmaal veel slaap nodig.'

Ondanks alles moest Lynn toch lachen. 'Nou, je wordt bedankt!'

'Nee, echt,' zei Caitlin met een ondeugende glimlach. 'Ik heb daar een programma over gezien op tv. Ik wilde je nog wakker maken omdat ik vond dat je het moest zien. Maar ja, omdat het er nu net over ging dat oude mensen veel slaap nodig hebben, heb ik het toch maar niet gedaan!'

'Brutaal wicht!' Lynn wilde overeind komen, maar allebei haar benen waren inmiddels stram. Buiten de kamer hoorde ze een boor tekeergaan. Toen ging de deur open en kwam de transplantatiecoördinator binnen die ze de vorige avond hadden ontmoet.

Shirley Linsell zag er in het daglicht zelfs nog Britser uit, gekleed in een mouwloos blauw vest, een witte blouse en een donkerbruine broek.

'Hallo,' zei ze. 'Hoe voelen we ons?'

Caitlin deed net of ze haar niet had gehoord en ging door met sms'en.

'Prima!' zei Lynn, die resoluut ging staan en haar gevoelloze bovenbenen met haar vuisten bewerkte. 'Kramp!' legde ze uit.

De transplantatiecoördinator glimlachte even meelevend naar haar en zei toen: 'De volgende test die je moet ondergaan is een leverpunctie.' Ze liep naar Caitlin toe en ging door: 'Jij hebt het maar druk. Krijg je veel sms'jes?'

'Ik stuur iedereen instructies,' zei Caitlin. 'Wat ze moeten doen als ik eenmaal dood ben en zo.'

Lynn zag de transplantatiecoördinator geschokt kijken en de smalende blik op het gezicht van haar dochter. Ze had die uitdrukking al zo vaak gezien dat ze niet wist of ze nu een grapje maakte of niet.

'Volgens mij is de kans groot dat je beter wordt, Caitlin,' zei Shirley Linsell vriendelijk, zonder neerbuigend te zijn.

Caitlin perste haar lippen op elkaar en keek droevig op. 'Ja, dat zal wel.' Ze haalde haar schouders op. 'Maar ik kan maar beter voorbereid zijn, nietwaar?'

Shirley Linsell glimlachte. 'Het beste is om positief te zijn!'

Caitlin bewoog haar hoofd een paar keer naar links en naar rechts, alsof ze het afwoog. Toen knikte ze. 'Oké.'

'We gaan je nu een plaatselijke verdoving geven, Caitlin, en daarna halen we met een naald een piepklein stukje uit je lever. Daar voel je helemaal niets van. Dokter Suddle komt er zo aan en die vertelt je er meer over.'

Abid Suddle was Caitlins arts. Hij was jeugdig, knap, zevenendertig, van Afghaanse afkomst en, voor zover Lynn wist, de enige bij wie Caitlin zich altijd op haar gemak voelde. Maar hij was er niet altijd, omdat het medische team voortdurend werd gewisseld.

'Je haalt er toch niet al te veel uit?' vroeg Caitlin.

'Een heel klein beetje maar.'

'Want hij is al helemaal verrot. Dus ik heb alles nodig wat ik nog heb.'

De coördinator keek haar aan, niet zeker of Caitlin nu wel of niet een grapje maakte.

'We halen er alleen maar uit wat we nodig hebben. Echt, maak je geen zorgen, het stelt nauwelijks iets voor.'

'Ja, nou, als je er te veel uit haalt, word ik echt boos.'

'Als je het niet wilt, doen we het niet,' stelde de coördinator haar gerust. 'Zeg het maar.'

'Oké, cool,' zei Caitlin. 'Dan gaan we zeker over op plan B?'

'Plan B?' vroeg de transplantatiecoördinator.

Caitlin antwoordde haar terwijl ze naar haar mobieltje keek. 'Ja, als ik niet aan jullie tests wil meedoen.' Van haar gezicht was niets af te lezen. 'Dan gaan jullie over op plan B, toch?'

'Ik weet niet goed wat je bedoelt, Caitlin,' zei Shirley Linsell vriendelijk.

'Plan B houdt in dat ik dan doodga. Maar persoonlijk vind ik plan B eigenlijk helemaal niet zo'n goed plan.'

30

Na de sectie op de Onbekende Man reed Roy Grace terug naar het politiebureau. Onderweg belde hij handsfree met Christine Morgan, de donatie-
functionaris van het Royal Sussex County ziekenhuis, om zoveel mogelijk
over het transplantatieproces te weten te komen, met name hoe het er met
de aanvoer van organen aan toeging en hoe je kon doneren.

Hij beëindigde het gesprek terwijl hij het parkeerterrein voor Sussex
House op reed, manoeuvreerde om een pion heen die de parkeerplaats voor
gasten aangaf en zette zijn auto op zijn eigen parkeerplaats. Toen zette hij de
motor af en staarde voor zich uit; hij vroeg zich af wie de overleden jongeman was en wat hem was overkomen. De regen tikte op het dak en stroomde over de voorruit, waardoor die langzaamaan de witte muur voor hem in
een bewegend wazig mozaïek veranderde.

De patholoog was ervan overtuigd dat de organen operatief waren verwijderd. De jongeman had geen hart, longen, nieren en lever meer, maar nog
wel zijn maag, ingewanden en blaas. Wat hij in de loop der jaren bij lijken
van orgaandonoren had gezien, en wat Cleo hem had verteld, was dat de nabestaanden vaak toestemming gaven voor die organen, maar dat ze de ogen
en de huid intact wilden houden.

Het vreemde was dat de Onbekende Man een paar uur ervoor nog had gegeten. Hooguit zes uur, schatte de patholoog. Christine Morgan had hem
verteld dat het buitengewoon vreemd was, en eigenlijk onmogelijk, dat de
organen zo snel al werden verwijderd, zelfs als iemand geregistreerd stond
als donor. Er moesten door de nabestaanden een hoop papieren worden
ondertekend. Teams die gespecialiseerd waren in het verwijderen van organen moesten uit de verschillende ziekenhuizen waar de organen zouden
worden gebruikt voor een transplantatie opgeroepen worden. Normaal gesproken zou het slachtoffer, ook al was hij hersendood, in leven worden gehouden met apparatuur, zodat de organen nog urenlang, en soms zelfs dagenlang, genoeg bloed, zuurstof en voedingsstoffen zouden krijgen.

De timing zou eventueel nog kunnen, had ze Roy gezegd. Maar zelf had
ze het nog niet meegemaakt dat het zo snel ging, en de jongeman was beslist
niet afkomstig uit haar ziekenhuis.

Hij pakte zijn blauwe schrijfblok op van de passagiersstoel, zette het schuin tegen het stuur aan en schreef er OOSTENRIJK? SPANJE? ANDERE LANDEN? op. Zou het mogelijk zijn dat de Onbekende Man een Oostenrijkse of Spaanse orgaandonor was die op zee was begraven? Oostenrijk lag niet aan zee. En als hij vanaf Spanje aan was komen drijven, had hij in een paar dagen tijd ruim honderdzestig kilometer afgelegd.

Dat was zo onwaarschijnlijk dat hij het voorlopig wel buiten beschouwing kon laten.

Hij had opeens honger en keek op het dashboardklokje. Het was kwart over twee. Na een sectie had hij anders nooit zo'n trek, maar zijn bordje pap van die ochtend was al een behoorlijk aantal uren geleden.

Hij zette de kraag van zijn regenjas op en trok een sprintje over de weg, stapte over het lage maar onhandig geplaatste stenen muurtje, rende een klein stukje over het modderige pad en dook door de opening in de heg, net als iedereen die naar de ASDA-supermarkt ging, die dienstdeed als onofficiële kantine van Sussex House.

Tien minuten later was hij aan zijn bureau bezig een walgelijk gezond broodje zalm en komkommer uit te pakken. Een tijdje geleden had Cleo hem gevraagd wat hij at als hij niet bij haar was, omdat ze wist hoe vaak hij op het werk ongezond bezig was en dat hij de afgelopen negen jaar thuis alleen magnetronmaaltijden had gegeten.

Dus die avond kon hij haar naar waarheid zeggen dat hij een gezond broodje had gegeten. Zolang hij zijn mond maar hield over de cola, de Kit-Kat en de donut.

Hij keek even door de post die zijn secretaresse Eleanor op zijn bureau had gelegd. Bovenop lag een getikt briefje in antwoord op zijn verzoek het kenteken GX57 CKL na te gaan van de Mercedes die hij die ochtend had gezien. De auto stond op naam van ene Joseph Richard Baker en hij woonde in een flat aan de kust, achter het Metropole Hotel. De naam kwam hem vaag bekend voor, maar er schoot hem verder niets te binnen. De auto was verder schoon. Er was wel een Joe Baker die in de achterbuurten van Brighton rondhing en een paar sauna's en massagesalons bezat. Die had best nog zo laat op pad kunnen zijn in zo'n opzichtige bak.

Hij bekeek zijn mail, zag dat er een paar meteen moesten worden beantwoord en logde toen in op de rapporten. Hij ging ze snel na, en zag dat het het gebruikelijke kleine werk was: huiselijk geweld, berovingen, inbraken, scooterdiefstallen en aanrijdingen. Hij nam een hap van zijn broodje, en had spijt dat hij geen driedubbele had genomen met ei, spek en een worstje. Terwijl hij de dop van het flesje cola draaide, moest hij opeens denken aan de belofte die hij de vorige dag aan de verslaggever van de *Argus* had gedaan. Hij pakte zijn Rolodex erbij, zocht naar het kaartje van de man en draaide diens mobiele nummer.

Zo te horen zat Kevin Spinella, die meteen opnam, ook te eten.

'Ik heb niet veel voor je,' zei Grace tegen hem. 'Er komt geen persconferentie. In plaats daarvan stuur ik je een persbericht, dus dat is de toegezegde primeur, oké?'

'Heel fijn, inspecteur. Dat stel ik zeer op prijs.'

'Ach, je zult het meeste ervan wel weten. De Arco Dee, het baggerschip, heeft zo'n zestien kilometer ten zuiden van Shoreham-Haven, hun dreggebied, het lijk bovengehaald van een onbekende jongen, een tiener. Bij de sectie, die vanochtend is uitgevoerd, kon de doodsoorzaak niet worden vastgesteld.'

'Komt dat doordat de vitale organen ontbreken, inspecteur?'

Wel verdomme, hoe weet jij dat nou weer? Grace besefte dat het zo langzamerhand een groot probleem was. Hoe kwam Spinella aan die informatie? Het zou niet lang duren voordat hij erachter kwam. Lekte er iemand hier, binnen het hoofdbureau van politie, of was het iemand bij het OM, of een van de agenten, of zelfs binnen het mortuarium? Hij dacht zorgvuldig na voordat hij de vraag beantwoordde en hoorde de verslaggever onappetijtelijk kauwen.

'Ik kan bevestigen dat het lijk kortgeleden onder het mes is geweest.'

'Hij was een orgaandonor, toch?'

'Ik heb liever dat je dat voorlopig nog even voor je houdt.'

Er viel een lange stilte. 'Maar het klopt wel?'

'Het zou juister zijn als je publiceerde dat het slachtoffer onlangs nog geopereerd was.'

Weer een stilte. Toen gaf hij schoorvoetend toe. 'O, oké.' Nog wat gekauw en toen vroeg hij: 'Kunt u me nog iets meer over het lijk vertellen?'

'We denken dat het maar een paar dagen in het water heeft gelegen.'

'En de nationaliteit?'

'Onbekend. We moeten er eerst achter zien te komen wie hij was. Het zou handig zijn als je iets in je krant zette in de trant van dat de politie van Sussex graag wil spreken met iedereen met een tienerzoon die onlangs is geopereerd en die vermist wordt.'

'U denkt aan een misdaad, neem ik aan?'

'De kans bestaat dat het slachtoffer gewoon is gestorven, op zee is begraven en vervolgens met de stroming is meegevoerd.'

'Maar u sluit een misdaad niet uit?'

Grace wachtte weer even voor hij antwoord gaf. Elk gesprek dat hij met de journalist had gevoerd, leek wel een potje schaak. Als hij Spinella zover kreeg dat hij het verhaal zoals hij het wilde in de krant zette, zou dat enorm helpen om een reactie van het publiek te krijgen. Maar als hij er een sensatie-verhaal van maakte, zou het de inwoners van Brighton and Hove alleen maar afschrikken.

'Moet je horen,' zei hij. 'Als ik het je vertel, zet jij dan voorlopig niets in de krant over die organen?'

Opnieuw werd er driftig gekauwd. Vervolgens werd er een stuk papier of folie ergens vanaf gescheurd. Toen: 'Nou, oké dan.'

'De politie van Sussex ziet dit als een sterfgeval onder verdachte omstandigheden.'

'Heel mooi! Dank u wel.'

'Ik heb nog iets, maar ook dat mag niet in de krant komen. Het gebied wordt doorzocht en morgen wordt er daar door de politie gedoken.'

'Laat u het me weten als er iets wordt gevonden?'

Grace verzekerde hem dat hij dat zou doen en legde de hoorn op de haak. Daarna at hij de rest van zijn lunch op, en omdat hij bijna meteen propvol zat, had hij spijt van de donut.

Hij keek in zijn elektronische agenda en zag een aantekening dat hij een verzoek aan Cellmark Forensic Services moest sturen, het privélaboratorium dat DNA onderzocht voor de politie, om na te gaan hoe het met de DNA-profielen van zijn oude zaken stond.

Hoewel de daders tot nog toe het recht waren ontlopen, bestond er altijd de kans dat een familielid DNA aan de politie had afgestaan nadat hij een overtreding had begaan, bijvoorbeeld omdat hij was opgepakt nadat hij dronken achter het stuur had gezeten. Ouders, kinderen en broers en zussen zouden genoeg overeenkomsten vertonen, dus hoewel dit een grote hap uit het budget van de jaarlijkse toelage van de politie was, had het soms wel de-gelijk resultaat. Hij verstuurde een bericht naar zijn secretaresse en gaf aan dat zij het verzoek moest indienen.

Het werk van een inspecteur, vond hij, leek wel wat op vissen. Je moest steeds maar weer je hengel uitgooien en je had eindeloos geduld nodig. Hij keek even naar de bruine forel, met daarnaast een grote opgezette karper die hij nog niet zo lang geleden van Cleo had gekregen, en waar *carpe diem* op een bronzen plaatje onder stond gegraveerd. Als hij jonge en frisse rechercheurs inwerkte, maakte hij wel eens het steeds belegener wordende grapje over ge-duld en grote vissen vangen.

Hij richtte zich weer op de Onbekende Man en belde wat rond om een onderzoeksteam samen te stellen. De hele tijd bleef hij naar die stomme vissen kijken, van de ene naar de andere. Water. Vissen leefden in het water. In de zee en in rivieren. Toen besefte hij opeens waarom hij maar naar ze bleef staren.

Een paar jaar geleden was in de Theems de romp, zonder hoofd en lede-maten, van een ongeïdentificeerde Afrikaanse jongen ontdekt. Grace wist zeker dat hij in alle krantenberichten die waren verschenen, had gelezen dat ook bij die jongen zijn organen waren verwijderd. Dat bleek achteraf een ri-tuele moord te zijn geweest.

De adrenaline schoot door hem heen en Grace tikte snel een zoekterm in om het dossier op te halen, dat hij ergens op zijn computer had opgeslagen.

31

Roy Grace vroeg zich wel eens af of computers een ziel hadden. Of in elk geval een gevoel voor humor. De zaak van de Onbekende Man had nog geen hoge prioriteit, maar omdat het onderzoek nu officieel was gestart, moest die wel een naam toegewezen krijgen. De computer van de politie had daar een speciaal programma voor, en de naam die de inspecteur kreeg toegewezen was bizar genoeg zeer toepasselijk: operatie Neptunus.

Naast elkaar aan de kleine ronde tafel in zijn kantoor zaten de vijf mensen die hij beschouwde als zijn beste team.

Hoofdagent Nick Nicholl was achter in de twintig, zijn haar was kortgeknipt en hij was zo lang als een bonenstaak. Hij had hart voor zijn werk en was ook erg goed in rugby, zodat Grace hem had aangemoedigd mee te doen met het politieteam, waar hij inmiddels de aanvoerder van was geworden. Maar de arme man had voortdurend rode ogen van de slaap en kwam energie tekort omdat hij onlangs vader was geworden.

Emma-Jane Boutwood, een kersverse hoofdagent en een slank meisje, met een levendig gezicht en lang haar dat ze had opgestoken, was bij een recente politieoperatie zwaargewond geraakt toen ze tussen een gestolen busje en een muur beknield kwam te zitten. Ze zou eigenlijk nog een paar maanden moeten herstellen, maar ze had Grace gesmeekt om weer terug te mogen komen omdat ze verder wilde met haar carrière, en daar had hij een paar weken eerder bij een operatie de vruchten van geplukt.

Slordig gekleed, met zijn overgebleven haren over zijn kale hoofd gekamd en stinkend naar tabak, was rechercheur Norman Potting het prototype van de echte ouderwetse politieman: politiek incorrect, bot en totaal niet geïnteresseerd in promotie; niet alleen wilde hij die verantwoordelijkheid niet, maar hij wilde ook niet al op vijfenvijftigjarige leeftijd met pensioen, de leeftijd waarop een rechercheur van politie er normaal gesproken mee ophield, en daarom had hij ook bijgetekend. Hij deed het liefste wat hij als het echte politiewerk beschouwde: methodisch te werk gaan en de achtergrond van een misdaad zien te achterhalen, en wel zo intensief en zo lang tot hij iets ontdekte waar hij wat aan had. Hij had al drie mislukte huwelijken achter de rug en was bezig met zijn vierde, met een jonge, Thaise vrouw, die hij, zoals hij trots overal rondbazuinde, via internet had leren kennen.

Rechercheur Bella Moy, een aantrekkelijke vrouw van halverwege de dertig, had een wilde bos met henna geverfd haar en was eigenlijk een beetje een verloren ziel. Ze was getrouwd met haar werk, zoals zovelen bij de politie, en woonde nog bij haar oude moeder, die ze verzorgde.

De vijfde aanwezige was Glenn Branson.

Bovendien waren David Browne, de hoofdverantwoordelijke op de plaats delict, en Juliet Jones, de analist van HOLMES, aanwezig.

Opeens speelde een mobieltje 'Greensleeves'. Iedereen keek om zich heen. Schaapachtig haalde Nick Nicholl het aanstootgevende telefoontje uit zijn zak en zette het uit.

Even later ging een ander mobieltje, dit keer met de herkenningsmelodie van *Indiana Jones*. Potting trok zijn telefoon tevoorschijn, keek wie er belde en zette hem uit.

Op de tafel voor Grace lagen zijn schrijfblok, het rode dossier over de zaak, zijn onderzoeksplan en de aantekeningen die Eleanor Hodgson voor hem had uitgetikt. Hij opende de vergadering.

'Het is donderdag 27 november, halfvijf. Dit is de eerste vergadering van operatie Neptunus, waarin de dood van de Onbekende Man die gisteren, 26 november, door het baggerschip Arco Dee ongeveer tien zeemijlen ten zuiden van Shoreham-Haven uit het Kanaal is opgevist. Onze volgende vergadering is om halfnegen morgenochtend, hier in mijn kantoor, en vervolgens om halfzeven 's avonds, en dat blijft voorlopig elke dag zo.'

Vervolgens las hij de samenvatting van het sectierapport van Nadiuska de Sancha voor. Opnieuw ging er een mobieltje. Dit keer graaide David Browne in zijn zak om hem tevoorschijn te halen. Hij keek op het schermpje en zette hem toen uit.

Nadat Grace het rapport had voorgelezen, ging hij door: 'We moeten allereerst zien te achterhalen wie deze man is. Op dit moment weten we alleen dat hij een tiener is en dat zijn organen operatief zijn verwijderd. Zijn vingerafdrukken leverden in onze computer niets op. Het DNA is naar het lab gestuurd, dat duurt drie dagen, maar omdat het dan weekend is, krijgen we het rapport pas op maandag. Het lijkt me trouwens sterk dat ze iets zullen vinden.'

Hij wachtte even. Toen richtte hij zich tot rechercheur Moy.

'Bella, ik wil dat jij de gebitsgegevens nagaat. Dat is een heel karwei, maar we beginnen hier in de buurt, en zien wel wat eruit komt.'

'Er is toch een bepaald gebied dat bestemd is voor zeebegrafenissen?' vroeg Norman Potting.

'Ja, dat ligt vijftien zeemijlen ten oosten van Brighton and Hove. Iedereen uit Sussex kan daar begraven worden,' antwoordde Roy Grace.

'Over het algemeen waait de wind van het westen naar het oosten, toch?' zei de rechercheur. 'Dat kan ik me nog herinneren van aardrijkskunde op school.'

'Dat was nog voor de Eerste Wereldoorlog, neem ik aan?' vroeg Bella, die niet zo dol was op Norman Potting.

Grace wierp haar een strenge, waarschuwende blik toe.

'Het klopt wat Norman zegt,' beaamde Nick Nicholl. 'Ik heb vroeger veel gezeild.'

'Om een lijk, dat nog verzwaard was ook, binnen een paar dagen zo ver mee te voeren, moet het wel een heftige storm zijn geweest,' zei Potting. 'Ik heb net met iemand van de kustwacht gesproken. Hij wil eerst de betonblokken zien, dan kan hij een overzicht maken van hoe het lijk mogelijk is meegevoerd.'

'Tania Whitlock is daar al mee bezig,' zei Grace. 'Maar we moeten ook nog met alle transplantatiecoördinatoren hier in Engeland praten om te zien of we zo onze tiener kunnen opsporen. Norman, ik wil graag dat jij dat doet. We weten al dat het Royal Sussex County ziekenhuis afvalt.'

Potting knikte en schreef iets in zijn notitieboekje. 'Laat dat maar aan mij over, baas.'

'Het is ook nog mogelijk dat het lijk uit een ander deel van Engeland afkomstig is, toch?' vroeg Bella Moy.

'Ja, en zelfs uit een ander land,' zei Grace. 'Ik wil graag dat je met je Franse collega's in de havensteden die grenzen aan het Kanaal spreekt. En Spanje is ook een mogelijkheid.' Hij legde uit waarom.

'Ik ga er meteen mee aan de slag.'

'We weten nog niet wat de doodsoorzaak is, hè?' vroeg Nick Nicholl.

'Nee. Ik wil dat je met het Crime Intelligence Bureau uitzoekt of een soortgelijke zaak ergens in ons land al is voorgekomen. En je moet de lijst van vermiste personen in Sussex, Kent en Hampshire nagaan, misschien staat onze Onbekende Man erop.'

Hij besefte heel goed dat het een gigantische taak was. Alleen al in Sussex werden per jaar vijfduizend mensen als vermist opgegeven, hoewel de meerderheid al snel weer opdook.

Hij overhandigde Emma-Jane Boutwood een dossier. 'Hier zitten de aantekeningen in die we in september in Las Vegas, tijdens het International Homicide Investigators' Association Symposium, hebben gekregen over de romp van een jongen, vermoedelijk uit Nigeria, die in 2001 in de Theems werd aangetroffen, en van wie de organen waren verwijderd. De zaak is nog niet opgelost, maar het was waarschijnlijk een rituele moord. Kijk er eens naar, misschien zijn er overeenkomsten met onze jongeman.'

'Heeft iemand al gekeken in het gebied waar hij is bovengehaald, of er nog meer bewijsmateriaal ligt?' vroeg Potting.

'Er wordt morgenochtend vroeg meteen gedoken. Glenn gaat mee.' Hij keek naar zijn collega.

Branson grimaste terug naar hem. 'Verdorie, baas, ik heb je al verteld dat ik niet dol op schepen ben. Ik kan er gewoon niet goed tegen. De laatste keer dat ik met de veerboot het Kanaal overstak moest ik overgeven. En de zee was toen spiegelglad. Het weerbericht voor morgen ziet er niet goed uit.'

'We hebben vast wel geld binnen ons budget voor pillen tegen zeeziekte,' zei Grace joviaal.

32

Wat nou zeeziek, dacht Glenn Branson. Door de verkeersdrempels op de weg naar Shoreham-Haven zat zijn maag al in zijn keel. Dat, samen met een enorme kater en een ruzie 's ochtends vroeg met zijn vrouw, had hem een humeur bezorgd dat niet echt vrolijk was te noemen. Hij had een bui die net zo donker was als de lucht die hij door zijn voorruit kon zien.

Links van hem lag een uitgerekt, verlaten kiezelstrand en rechts grote, lelijke, industriegebouwen, opslagdepots, stellages, containers, transportbanden, hekken van ijzerdraad, een krachtcentrale, een brandstoftank en talloze opslagplaatsen die bij een handelshaven horen.

'Ik ben verdomme aan het werk, ja?' zei hij in de handsfree telefoon.

'Ik heb vanochtend om elf uur een college,' zei zijn vrouw.

'Ari, ik zit op een zaak.'

'De ene keer zit je te zeuren dat je van mij de kinderen niet mag zien, en als ik vraag of je een paar uurtjes op ze wilt passen, heb je het opeens te druk. Wat ben je nu eigenlijk, een vader of een politieman?'

'Dat is niet eerlijk.'

'Het is wel eerlijk, Glenn. Zo is ons huwelijk al vijf jaar. Elke keer dat ik je vraag of je me wilt helpen zodat ik ook een leven kan hebben, kom je met "ik kan niet, ik zit op een zaak" of "ik moet iets heel erg belangrijks voor mijn werk doen" of "ik moet nu meteen naar die klerelijer Roy Grace".'

'Ari,' zei hij. 'Toe nou, schat, wees nou redelijk. Je wilde zelf dat ik bij de politie ging. Ik snap niet waarom je daar verdomme altijd zo boos over moet zijn.'

'Omdat ik met jou getrouwd ben,' zei ze. 'Ik ben met je getrouwd omdat ik samen met jou een leven wilde opbouwen. Maar ik heb geen leven meer met jou.'

'Wat wil je dan dat ik doe? Moet ik soms weer uitsmijter worden? Wil je dat dan?'

'Toen waren we nog gelukkig.'

De afslag was pal voor hem. Hij zette de richtingaanwijzer aan, wachtte tot een betonwagen die van de andere kant aan kwam denderen voorbij was, en bedacht hoe eenvoudig het zou zijn om ervoor te duiken en er een einde aan te maken.

Hij hoorde een klik. De trut had de verbinding verbroken.

'Godver,' zei hij. 'Klerewijf!'

Hij reed over een opslagplaats, langs hoge stapels planken aan weerskanten; vóór hem lag de kade van Aldrington Basin. Hij remde af en toetste het telefoonnummer van thuis in. Hij kreeg meteen het antwoordapparaat.

'Doe me een lol, Ari!' mompelde hij tegen zichzelf en hij verbrak de verbinding.

Rechts van hem stond een bekende wagen geparkeerd: een enorme gele vrachtwagen met het logo van de politie van Sussex en GESPECIALISEERD ZOEKTEAM in grote blauwe letters op de zijkant.

Hij zette zijn auto er precies achter, belde Ari nog eens en kreeg opnieuw het antwoordapparaat. Hij bleef even zitten en drukte met zijn vingers tegen zijn slapen om de pijn die als een bankschroef zijn schedel vasthield te verminderen.

Hij was gewoon dom, dat wist hij. Hij had vroeg naar bed moeten gaan, maar sinds hij een paar weken eerder zijn huis uit had verlaten, kon hij niet slapen. Hij had tot laat in de nacht op de grond van Roy Grace' woonkamer gezeten, in zijn eentje en in tranen, terwijl hij de muziekcollectie van zijn vriend doorspitte, en een fles whisky die hij had ontdekt soldaat maakte – hij moest niet vergeten een nieuwe te regelen – en muziek draaide die hem deed denken aan toen hij nog bij Ari was. Shit, wat hadden ze het leuk gehad. Ze waren smoorverliefd geweest. Hij miste zijn kinderen Sammy en Remi. Miste ze wanhopig. Voelde zich eenzaam en ontheemd zonder hen.

Met zijn blik vertroebeld door verdriet stapte hij uit de auto in de koude, natte, zoute wind en hij wist dat hij zich moest vermannen en zich door de dag moest slaan, zoals hij dat elke dag deed. Hij ademde diep in, en kreeg de lucht van de zee, dieselolie en vers gezaagd hout binnen. Een zeemeeuw krijste in de lucht, sloeg zijn vleugels uit en bleef rustig hangen op een zeebries. Tania Whitlock, die net als de rest van haar team een zwart honkbalpetje droeg met in dikke letters POLITIE erop, een rood waterdicht jack, een zwarte broek en zwarte rubberlaarzen, was met haar mensen spullen aan het inladen in de Scoob-Eee, een ietwat verlopen vissersboot die langs de kade gemeerd lag.

Zelfs in de luwte van de haven dobberde de Scoob-Eee op en neer in de wilde golven. Aan de andere kant van de haven stonden witte opslagtanks met petroleum. Daarachter rees een steile grashelling op naar de snelweg en een rij huizen.

De rechercheur, die een crèmekleurige regenjas, een beige pak en lichtbruine schoenen met rubberen zolen droeg, liep naar het team toe. Hij kende hen allemaal. Het team had al vaker met de recherche samengewerkt en ze waren gespecialiseerd in zoektechnieken, met name in moeilijke of onbereikbare plekken zoals riolen, kelders, rivieroevers en zelfs uitgebrande auto's.

'Hé, jongens!' zei hij.

Negen hoofden keerden zich naar hem om.

'Lord Branson!' zei iemand. 'Mijn beste kerel, welkom aan boord! Hoeveel kussens wil je in je bed?'

'Hoi, Glenn!' zei Tania hartelijk, die net deed of ze haar collega niet had gehoord. Ze sleepte een grote bundel gestreepte gele kabels voor lucht en communicatie over de rand van de kade en gaf ze aan een collega aan boord.

'Wat denk je dat je gaat doen, met die kleren aan?' vroeg Jon Lelliott. 'Een cruise op de Queen Mary soms?'

Lelliott, slank, gespierd en met een kaalgeschoren hoofd, stond bekend als de Windbuil. Hij gaf een opgevouwen lijkenzak, die naar schoonmaakmiddel rook, aan Arf, een man van een jaar of vijfenveertig, die een jongensachtig gezicht had en al helemaal grijs was. Hij pakte hem aan en borg hem netjes op.

'Ja, ik heb een hut eersteklas met een eigen butler,' zei Glenn Branson grijnzend. Hij knikte naar de vissersboot. 'Ik neem aan dat ik er met die boot naartoe word gebracht?'

'Mocht je willen.'

'Kan ik wat doen?'

Arf hield een zware rode anorak op naar Glenn. 'Je kunt dit maar beter aantrekken. Het wordt zwaar weer.'

'Nee, dank je.'

Arf, het oudste lid van het team en met de meeste ervaring, keek hem verwonderd aan. 'Weet je het zeker? Je moet toch in elk geval laarzen aan.'

Glenn tilde zijn been op en liet zijn smaakvolle gele sok zien. 'Dit zijn scheepsschoenen,' zei hij. 'Glijd je niet op uit.'

'Je zult wel meer doen dan uitglijden,' zei Lelliott.

Glenn grinnikte en trok zijn mouw omhoog zodat zijn pols zichtbaar werd. 'Zie je, Arf? Zie je mijn huidskleur? Zwart, ja? Mijn voorouders zijn in slavenschepen over de Atlantische Oceaan geroeid, oké? De zee zit in mijn bloed!'

Nadat alle spullen aan boord waren gebracht, hielden ze op de kade een korte bespreking, met Tania Whitlock als leider, die de aantekeningen van haar klembord aflas.

'We gaan naar een gebied tien zeemijlen ten zuidoosten van Shoreham-Haven. De kustwacht is op de hoogte dat we daar gaan duiken,' zei ze. 'Wat gevaar betreft, we bevinden ons midden in de vaarroutes, dus iedereen moet goed uitkijken. Als er een schip te dichtbij komt, moeten we de kustwacht hiervan op de hoogte stellen. Enkele grotere tankers en containerboten die over het Kanaal varen, bevinden zich op bepaalde plaatsen maar een paar meter boven de zeebodem, dus die vormen een gevaar voor duikers.'

Ze wachtte even en iedereen knikte dat ze het hadden begrepen.

'Verder is er weinig gevaar te verwachten,' ging ze door.

Klopt, dacht Steve Hargrave. Behalve dan dat je kunt verdrinken, decompressieziekte kunt oplopen of verstrikt kunt raken.

'We zullen op zo'n twintig meter diepte duiken met slecht zicht, maar het is een baggergebied en de zeebodem is daar glooiend, zonder obstakels. De Arco Dee is vanochtend ergens anders aan het dreggen. Gisteren hebben we met behulp van sonar het gebied verkend en we hebben twee afwijkingen ontdekt en gemarkeerd. Daar gaan we straks naar duiken. Vanwege de stroming dragen we laarzen in plaats van zwemvliezen, zodat we op de zeebodem kunnen staan. Nog vragen?'

'Zouden de afwijkingen lijken kunnen zijn?' vroeg Glenn.

'Nee, het zijn vast een paar eersteklas passagiers die van het zwembad gebruikmaken,' grapte Rod Walker, wiens bijnaam Jonas was.

Tania Whitlock negeerde het gelach en zei: 'Ik ga er als eerste in, en dan komt de Windbuil. Gonzo gaat met mij en Arf met de Windbuil. Nadat we de afwijkingen hebben onderzocht en gefilmd, brengen we ze naar de oppervlakte. Daar maken we uit of verder duiken nut heeft, of dat we kijken of we nog verderop moeten zoeken. Iemand vragen?'

Even later pakte Lee Simms, een forse ex-marinier, Glenn Bransons bij de hand terwijl hij van de kade af stapte en op het glibberige natgeregende dek sprong.

Glenn voelde meteen de boot deinen. Het stonk naar rotte vis en lak. Hij zag een paar netten, wat kreeftenvallen en een emmer liggen. De motor sloeg aan en het dek trilde. Hij ademde een grote wolk uitlaatgas in.

Terwijl ze in de regen en het sombere licht uitvoeren, ving alleen Glenn een glimp op van een verrekijker die vanaf de petroleumtanks aan de andere kant van de haven op hen gericht was. Maar toen hij nog eens keek was er niets meer te zien. Had hij zich vergist?

Vlad Cosmescu droeg een donkerblauwe overall en zware werklaarzen en had een zwarte veiligheidshelm op zijn hoofd. Onder zijn kleren had hij het nieuwste, modernste thermisch ondergoed aan, zodat de ijzige kou buiten bleef. Hij wilde alleen dat zijn dunne leren handschoenen gevoerd waren, want hij had bijna geen gevoel meer in zijn vingers.

Hij was al sinds vier uur die ochtend in de haven. Vanaf een afstandje, in het donker, had hij Jim Towers, de tanige, zwaar bebaarde oude zeebonk van wie de politie de boot had gecharterd, in de gaten gehouden. Hij had gezien hoe hij haar voorbereidde: de brandstof- en de watertank vulde, en haar vanaf haar meerplaats in de Sussex Motor Yacht Club verder de haven in voer, naar het afgesproken vertrekpunt in Aldrington Basin. Towers had de boot aangemeerd, en was toen, zoals afgesproken, weggegaan. Het Gespecialiseerde Zoekteam had de vorige avond al reservesleutels van de motor en de kastjes gekregen.

Wrang toch, dacht Cosmescu, gezien het aantal vissersboten die rond deze tijd beschikbaar waren, dat de politie nu net die boot had genomen die hij ook had gebruikt. Aangenomen natuurlijk dat het inderdáád toevallig was. En hij was niet het soort man dat alles voor zoete koek aannam. Hij hield van harde feiten en waarschijnlijkheidsberekeningen.

Pas toen hij midden op zee met Jim Towers een gesprek had aangeknoopt, was hij erachter gekomen dat hij privédetective was geweest, voordat hij na zijn pensioen vistochtjes was gaan organiseren. Privédetectives waren vaak politieagent geweest, of hadden in elk geval een hoop vrienden bij de politie. Cosmescu had Towers veel geld betaald. Veel meer geld voor dat ene tochtje dan hij een jaar lang met dat werk zou verdienen. En nu, een paar dagen later, gingen tien agenten met die boot op pad!

Cosmescu vond het maar een raar zaakje.

Hij had altijd geloofd in het spreekwoord: ken je vijand alsof het je beste vriend is.

En op dit moment had hij geen innigere band dan met Jim Towers. Hij was zo strak vastgebonden met tape dat hij wel een Egyptische mummie leek, zoals hij daar achter in Cosmescu's witte busje lag. Het busje stond op naam van een bouwbedrijf dat wel bestond, maar alleen in naam, en hij zette het normaal gesproken uit het zicht, in een garage.

Voorlopig stond het in een zijstraat, net achter de hoofdweg achter hem. Nog geen tweehonderd meter bij hem vandaan.

Een zeer hechte vriendschap.

Twintig minuten later, na een trage doortocht door de sluis, verliet de boot de beschutting van de haven die door een dam beschermd werd en zette koers naar zee. De golven werden meteen woester en de kleine boot werd in de toenemende aflandige wind heen en weer geslingerd.

Glenn zat op een krukje, onder het afdakje van de open hut, die weinig voorstelde, naast Jonas, die aan het roer stond. De rechercheur hield het kompas voor zich stevig vast en keek om de haverklap op zijn mobieltje, terwijl de haven en de kust langzaamaan verdwenen, voor het geval Ari hem had ge-sms't. Maar het schermpje bleef leeg. Een halfuur later begon zijn maag op te spelen.

De bemanning zat hem voortdurend in de zeik te nemen.

'Heb je dat altijd aan aan boord, Glenn?' vroeg Chris Dicks, die als bijnaam Clyde had.

'Ja. Want normaal gesproken heb ik een eigen hut met balkon.'

'Verdient goed, jouw baan bij de recherche, neem ik aan?'

De boot trilde en deinde vreselijk op en neer. Glenn nam grote happen lucht, vol uitlaatgas en lak en rotte vis, en soms een vleug schoonmaakmiddel, de lucht die elke agent met de dood verbond. Hij was duizelig en de zee werd steeds waziger.

'Hopelijk heb je je smoking bij je,' zei de Windbuil. 'Die zul je nodig hebben, als je vanavond bij de kapitein aan tafel zit.'

'Ja, natuurlijk heb ik die bij me,' antwoordde Glenn. Hij had steeds meer moeite met praten. En hij had het stervenskoud.

'Je moet naar de horizon kijken, Glenn,' raadde Tania hem vriendelijk aan, 'als je misselijk bent.'

Glenn deed een poging, maar hij kon niet zien waar de grijze lucht ophield en de grijze deinende zee begon. Zijn maag maakte sprongetjes. Zijn hersens probeerden mee te gaan, maar dat lukte niet erg.

Tussen hem en Jonas de schipper, die op een stoel zat en een groot rond stuurwiel vasthad, stond de Hummingbird met de neerwaartse sonarbundel.

'Kijk, Glenn, dat zijn de afwijkingen die we gisteren hebben opgemerkt,' zei Tania Whitlock.

Ze toonde het hem op het kleine blauwe scherm. In het midden was met behulp van de Towfish sonar echo die achter de boot hing een lijn getrokken. Ze wees naar twee kleine, nauwelijks zichtbare, zwarte schaduwplekken.

'Het zouden lijken kunnen zijn,' zei ze.

Glenn wist niet goed waar hij naar moest kijken. De schaduwplekken kwamen op hem piepklein over, zo'n beetje ter grootte van een mier.

'Die daar?' vroeg hij.

'Ja. We zijn er over een uur. Wil je koffie?'

Glenn Branson schudde zijn hoofd. Nog een uur, dacht hij. Shit. Nog een heel uur van deze ellende. Hij wist niet of hij wel iets kon doorslikken. Hij keek weer naar de horizon, maar daar werd hij alleen maar beroerder van.

'Nee, dank je,' zei hij. 'Ik hoef niets.'

'Weet je het zeker? Je ziet een beetje pips,' zei Tania.

'Ik heb me nog nooit zo goed gevoeld!' zei Glenn.

Tien seconden later sprong hij overeind, wankelde naar de reling en gaf heftig over: de lasagne die hij de avond ervoor in de magnetron had opgewarmd en heel veel whisky. En dan ook nog het stukje toast dat hij die ochtend naar binnen had gewerkt.

Gelukkig stond hij aan de lijzijde. En daar waren de mensen die vlak bij hem stonden ook erg blij mee.

33

Een tijd later werd Glenn wakker door het geratel van de ankerketting. De motor werd uitgezet en het dek trilde niet meer. Hij voelde de boot deinen. Het dek duwde hem omhoog en zakte toen weer onder hem vandaan, zodat hij naar links en rechts rolde. Hij hoorde touw kraken. Een lier draaien. Het gesis van een blikje fris dat open werd getrokken. Gekraak van een radio. Toen Tania's stem.

'Hotel Uniform Oscar Oscar. Suspol Suspol aan boord van de Scoob-Eee roept de Solent Kustwacht op.' De politie van Sussex gebruikte de naam Suspol voor op het water.

Hij hoorde het antwoord: 'Solent Kustwacht. Solent Kustwacht. Kanaal 67. Over.'

Toen Tania weer. 'Met Suspol. We zijn met tien man. We bevinden ons tien zeemijlen ten zuidoosten van Shoreham-Haven.' Ze gaf de coördinaten door. 'We zijn bij ons duikgebied en gaan zo beginnen.'

Weer gekraak. 'Hoeveel duikers hebt u bij u, Suspol, en hoeveel zijn er in het water?'

'Negen duikers aan boord. Er gaan er twee in.'

Glenn was zich vaag bewust van een deken of een zeil dat over hem heen lag, waardoor hij het niet meer zo koud had. Zijn hoofd draaide. Hij had er alles voor over om van die boot af te zijn. Opeens zag hij Arf naar hem kijken.

'Hoe gaat het, Glenn?'

'Niet zo goed.' Zijn stem leek ver weg.

De stank van schoonmaakmiddel was opeens veel sterker.

Arf had een vriendelijk, vaderlijk gezicht, half verborgen door de klep van zijn honkbalpet. Aan weerszijden van zijn hoofd wapperden lokken grijs haar, als draadjes katoen.

'Er zijn twee verschillende soorten zeeziekte,' zei Arf. 'Wist je dat?'

Glenn schudde zwakjes met zijn hoofd.

'Bij de eerste ben je bang dat je doodgaat.'

Glenn keek hem aan.

'Bij de tweede,' zei Arf, 'ben je bang dat je níét doodgaat.'

Glenn hoorde lachen.

Er was nog een derde soort, vond Glenn, en die had hij. Dat was als je al overleden was, maar niet uit je lichaam kon loskomen.

Tania, in een droogpak, knipte de hoeken van een witte lijkenzak die ze met zich mee wilde nemen af, zodat het water eruit kon stromen mochten ze een stoffelijk overschot ontdekken. Deze zakken, zoals de meeste politiespullen, waren niet geschikt voor onderwaterwerk, dus moesten ze aangepast worden.

Ze was verbonden met het paneel aan boord, waar Gonzo voor zorgde, en ze keek haar pak en duikbril na of ze niet lekten, en vervolgens de drie slangen voor perslucht en communicatie. Toen ze allebei tevreden waren, keek ze op haar horloge.

Ervaren duikers waren zich bewust van de gevaren van decompressieziekte en waren getraind daarop te letten. De ziekte werd veroorzaakt door toename van de stikstofconcentratie in het bloed. Dat was bijzonder pijnlijk en soms zelfs dodelijk. Je kon het voorkomen door herhaaldelijk onderweg naar boven vanaf de zeebodem even een pauze in te lassen, soms zelfs redelijk lang, afhankelijk van hoe diep en hoelang er werd gedoken. Zodra de duiker het water in ging, startte de duiktijd.

Ze keek nog een keer naar de slangen, controleerde de positie van de roze boei, die een paar meter van de boot af lag, en sprong toen achterwaarts van de boot, de woelige zee in.

Terwijl ze in een wirwar van bellen onder water ging, ervoer ze heel even de prachtige stilte die eronder lag. Volslagen stilte, op de holle, weergalmende ruis van haar ademhaling na. Ze kwam weer naar boven en zodra haar hoofd boven water schoot gaf ze Gonzo het teken dat alles in orde was.

Hoewel ze al oneindig vaak had gedoken, zowel voor haar werk als zo vaak ze maar kon op vakantie, schoot er elke keer dat ze het water in ging een stoot adrenaline door haar heen. Geen enkele duik was hetzelfde. Je wist nooit wat je zou ontdekken of meemaken. En ze kneep zichzelf nog steeds in de handjes dat ze deze baan had gekregen, bij dit team, waardoor ze bijna elke week wel een keer het water in kon.

Toegegeven, het duiken naar lijken in smerige kanalen vol met oude koelkasten, tuingereedschap, rollen gaas, winkelwagentjes en gestolen auto's was wel wat anders dan de tropische vissen en zeefauna van de Maldiven.

Ze zocht naar de roze boei, die net achter een golf verstopt zat, zwom er onhandig naartoe, greep met haar rubberen handschoenen het verzwaarde touw vast en liet zich net onder het wateroppervlak zakken.

Het was meteen weer stil. Ze hield van dat moment, als ze onder de golven en de wind dook en in een volslagen andere wereld terechtkwam. Ze ging naar beneden, slikte af en toe om de druk in haar oren te laten afnemen, en had het touw om haar arm geslagen. Het zicht werd steeds slechter, totdat het volkomen donker was.

Toen ze de zeebodem bereikte zakten haar voeten weg in het zand en kon ze helemaal niets meer zien. Als het mooi weer was, kon je in het Kanaal nog wel wat zien onder water. Maar dit keer waren door de stroming het zand en het slib losgekomen zodat er een inktzwarte wolk hing. Het had geen nut om haar camera en haar zaklantaarn aan te zetten, ze moest het op de tast doen.

Ze keek op de lichtgevende dieptemeter om haar pols en kon maar met moeite de cijfers onderscheiden. Het ding gaf twintig meter aan. Ze was nu twee minuten onder water. Ze gaf in de radio door: 'Duiker staat op de bodem. Ga nu aan de slag.' Toen zocht ze naar de boeilijn op de grond.

De vorige dag, toen de scanner de twee afwijkende beelden op de zeebodem had ontdekt, hadden ze het gebied gemarkeerd met boeien en boeilijnen, touwen die met lood verzwaard waren.

Ze moest nu, met de lijkzak onder haar linkerarm, vlak over de zeebodem zwemmen met de boeilijn in haar linker- en tastend met de rechterhand. Daarvoor zwaaide ze voortdurend met haar rechterarm heen en weer totdat ze het voorwerp raakte waar ze naar op zoek was. Als ze bij het gewicht aan de andere kant kwam, moest ze een tikje naar rechts verschuiven en daar gaan zoeken. Kwam ze bij het beginpunt aan, dan kon ze weer van voren af aan beginnen, maar nu nog meer naar rechts.

De scanner kon buiten de vorm en de grootte niet precies aangeven waar de afwijkende vormen op de zeebodem lagen. Ze waren ongeveer één meter tachtig lang en zestig centimeter breed. Net als een mens dus. Maar het hoefden niet per se lijken te zijn. Het konden ook onderdelen van een apparaat zijn, of rommel van een schip, of een torpedo uit de oorlog of het wrak van een neergestort vliegtuig, of nog een heleboel andere dingen. Het ergste was als je onder water in het donker iets scherps raakte.

Er botste iets tegen haar duikbril op, en was toen weer weg. Een platvis, vermoedde ze, een tong, een schol, een bot of misschien een paling.

Heel langzaam, met de boeilijn in haar linkerhand, zwom ze door de inktzwarte duisternis. Ze zwaaide voortdurend haar rechterarm heen en weer, als een ruitenwisser.

Elke keer als ze zo naar iets zocht moest ze aan griezelfilms denken. Of aan de monsters en demonen die zich schuilhielden op de zeebodem en op haar loerden.

Maar ze had wel op ergere plaatsen dan de open zee gedoken. Ze had een keer het lijk van een tien jaar oud jongetje uit een kanaal opgedoken. Ze had in tanks, sloten en in putten gedoken. Wat haar betrof kon niets hier haar kwaad doen. Er lag alleen maar iets wat er niet hoorde.

Opeens raakte ze iets met haar hand.

Het leek op een hoofd verpakt in plastic.

En ondanks alles sloeg haar hart een slag over. En mepte ze bijna haar duikbril af door de schrik.

De rillingen liepen haar over de rug.

Shit, shit, shit.

Haar verloofde, die piloot was bij British Airways, dook niet. Ze had hem de spanning, de kick talloze malen uitgelegd. Maar hij had haar verteld dat hij dat allemaal in de cockpit van een Boeing 747 meemaakte. Daar was het droog en warm, en er was genoeg koffie en eten van de business class. Op dit moment kon ze hem geen ongelijk geven.

Ze ging met haar hand over het gezicht. Het hoofd. Ze voelde door het dikke plastic schouders, rug, billen, bovenbenen, benen en voeten.

34

'Wat een mooie hond!' zei de vrouw. 'Wat is het voor ras?' Ze had een buitenlands accent.

Het was een domme vraag. Alleen iemand die niet in Boekarest woonde zou ooit zoiets vragen. Romeo, die in het gras naast het pad geknield zat, gaf de hond zijn dagelijkse voer. Hij had geen idee wat voor ras het was. Het was, net als de duizenden andere zwerfhonden die in de buitenwijken van Boekarest ronddoolden, een vuilnisbakje. Veertig jaar voordat Romeo was geboren, was een van Ceauşescu's eerste daden als president dat hij de Roemeense bourgeoisie hun huis uit zette. De meesten moesten hun honden achterlaten, en die leefden sindsdien verwilderd op straat.

Maar de honden waren slim, en waren erachter gekomen dat mensen ze schopten en stenen naar ze gooiden als ze vals waren en dat ze eten kregen als ze lief waren. In de loop der tijd hadden de zwerfhonden en de mensen die in de stad op straat woonden een band gekregen. De honden beschermden de mensen en op hun beurt gaven de daklozen de honden te eten.

'Zo te zien heeft hij wel wat van een schnauzer,' zei de vrouw.

Ze keek naar het schattige, vieze gezicht van de jongen, zijn grote, blauwe ogen en zijn pikzwarte haar, dat slordig was geknipt, en zijn verschrompelde linkerhand. Ze zag zijn kleren, de versleten spijkerbroek, het jasje met capuchon dat in rafels was en de afgetrapte gympen en bekeek ze zorgvuldig, alsof ze hem controleerde. Hoewel ze precies wist wat hij was en hoe hij leefde. En ook hoe ze tot hem kon doordringen.

De jongen vond dat de vrouw een lief gezicht had. Ze was knap, haar blonde haar waaide door de wind alle kanten op en ze droeg vrijetijdskleding, maar wel van zo'n duur merk dat ze in deze buurt beslist niet thuishoorden: een donkere, wollen coltrui met daarover een elegant, glimmend, strak leren jasje, een spijkerbroek met sierspijkers, zwarte suède laarzen, grote sieraden en prachtige zwarte leren handschoenen. Hij had haar soort wel voor de grote hotels uit limousines zien stappen, afgeladen met winkeltasjes, of piekfijn aangekleed een chique restaurant uit zien komen. Dat soort mensen leefde in een heel andere wereld dan hij.

'Hij heet Artur,' zei hij.

'Wat een mooie naam.' Ze glimlachte en zei het hardop. 'Artur. Artur. Ja, een heel mooie naam. Het past bij hem!'

De jongen haalde wat niertjes die over de datum waren uit de plastic tas en stopte ze in Arturs bek. De hond slokte ze in één keer naar binnen. Toen stak Romeo zijn hand weer in de zak. Er zat een slager op de hoek die altijd aardig voor hem was. Hij kreeg elke dag wat reepjes vlees, afval en botten.

'Hoe heet je?' vroeg ze.

'Romeo.'

De jongen nam haar van top tot teen op. Een rijke bezoeker. Hier kon hij wat aan verdienen! Hij haalde een ranzig varkenspootje tevoorschijn en de hond hapte meteen toe.

De vrouw glimlachte. 'Woon je hier in de buurt?' vroeg ze, hoewel ze heel goed wist waar hij woonde.

Hij knikte en keek haar aan. Keek naar haar handtas. Die was van geruwd leer, met kettinkjes en sloten, en een grote koperen gesp erop. Hij was al aan het bedenken wat er allemaal in zou zitten. Een portemonnee met geld, een mobieltje. Misschien nog wel meer, zoals een iPod die hij kon verpatsen. Hij keek om zich heen, maar voor zover hij kon zien had ze niemand bij zich. Er stonden geen mooie auto's in de buurt geparkeerd waarmee ze hiernaartoe kon zijn gereden.

Hij kon de tas pakken en ervandoor gaan!

Maar de schouderriem zat om haar schouder, haar linkerarm was door de ketting gestoken en ze hield de tas met haar behandschoende hand stevig vast, alsof ze zelf ook wist hoe het er op straat aan toe ging. Hij moest haar aandacht zien af te leiden.

'Waar komt u vandaan?' vroeg hij.

'Uit Duitsland,' zei ze. 'München. Ben je wel eens in Duitsland geweest?'

'Nee.'

'Zou je er wel eens heen willen?'

Hij haalde zijn schouders op.

'Als je de keus had, naar welk land zou je dan willen gaan?'

Hij haalde weer zijn schouders op. 'Naar Engeland misschien.'

Ze zette grote ogen op. 'Waarom naar Engeland?'

De hond had bijna de grote varkenspoot op en keek hem verwachtingsvol aan.

'Daar is werk. Je kunt in Engeland rijk worden. Je kunt in een mooi flatje wonen.'

'Echt waar?' Ze deed net of ze verbaasd was.

'Dat heb ik gehoord.' Romeo keek in de plastic tas, of er misschien toch nog wat in zat, en liet hem toen vallen. De wind blies hem meteen weg. Een andere hond, een misvormd bruin en wit geval, rende er onmiddellijk achteraan, sprong erbovenop en klauwde ernaar.

De vrouw had haar leren tas nog steeds stevig beet.

'Zou je een ticket naar Engeland willen? Dat kan ik misschien wel voor je regelen, als je echt wilt gaan. Ik kan wel voor een baan voor je zorgen.'

'Wat voor baan?'

'Wat wil je doen? Wat kun je zoal?'

Een vrachtwagen dreunde vlak langs de stoep langzaam voorbij. Romeo keek naar de grote, vieze banden, het zwarte, roestende chassis, en de rokende uitlaat. Als hij het wilde doen, moest hij nu toeslaan. Geef haar een zet, pak de tas en rennen!

Maar opeens vond hij wat ze zei veel interessanter. Wat hij zoal kon? Een jongen die een tijdje bij hem had gewoond, had het erover gehad dat zijn broer in Londen in een bar werkte en cocktails maakte en meer dan vierhonderd lei per dag verdiende. Een vermogen! Niet dat hij verstand had van cocktails. Iemand had nog niet zo lang geleden gezegd dat je zo veel al kon verdienen als je in Londen hotelkamers schoonmaakte.

'Ik kan cocktails maken,' antwoordde hij. 'En ik kan goed schoonmaken.'

'Heb je vrienden in Londen, Romeo?' vroeg ze.

Artur jankte, alsof hij meer eten wilde.

De vrouw trok haar tas open en haalde er een dikke portemonnee uit. Ze viste er een bankbiljet uit. Het was er een van honderd lei. Ze gaf het aan Romeo. 'Koop er maar wat eten voor Artur van, oké?'

Hij keek haar aan en knikte ernstig.

Toen gaf ze hem nog een bankbiljet. Deze was van vijfhonderd lei. 'Hiermee mag je iets voor jezelf kopen, goed?'

Hij keek naar het geld en weer naar de vrouw. Toen, alsof hij bang was dat ze het weer uit zijn hand zou grissen, stopte hij het snel in zijn broekzak.

'Wat lief,' zei hij.

'Ik wil je graag helpen,' zei ze.

'Hoe heet u?'

'Marlene,' zei ze.

Hoewel ze glimlachte en erg gul was, was Romeo toch op zijn hoede. Hij had gehoord dat er bepaalde organisaties waren die dakloze mensen hielpen, maar hij was er nooit naar op zoek gegaan. Hij was gewaarschuwd dat ze je soms in een instituut lieten opnemen. Maar misschien kon deze vrouw hem echt een ticket naar Engeland bezorgen.

'Liefdadigheid?' vroeg hij. 'Hoort u bij een of andere liefdadigheidsinstelling?'

Ze aarzelde even. Toen zei ze met een glimlach en driftig knikkend: 'Ja, een liefdadigheidsinstelling. Klopt, een liefdadigheidsinstelling!'

35

Ondanks het feit dat er twee zwarte, degelijke plastic lijkenzakken het mortuarium van Brighton and Hove werden binnengebracht, met de twee stoffelijke overschotten die die ochtend uit het Kanaal waren gehaald, had Roy Grace in geen tijden zo'n goed humeur gehad.

Hij vond het niet erg dat het al vrijdagmiddag kwart voor drie was en dat de secties, afhankelijk van wanneer Nadiuska de Sancha aankwam, zijn plannen voor die avond in de war schopten. Hij zat op een wolk.

Hij werd vader! Hij kon nergens anders aan denken. En de vorige avond had hij bij het pokeren vijfhonderdvijftig pond gewonnen, meer dan ooit tevoren!

Wat hij zo leuk vond aan poker, behalve het gezellige samenzijn met een hoop vrienden en collega's, was de psychologie van het spel. Als je chagrijnig aan tafel ging zitten, kon je winnen wel vergeten. Maar als je vrolijk was, sloeg je enthousiasme aan en kon je, zelfs met niet zulke goede kaarten, het spel naar je hand zetten. Maar hij had niet zomaar redelijk goede kaarten gehad tijdens het spel, het was fantastisch gegaan. Hij had een keer vier tienen gehad, heel veel rijtjes van drie, de ene full house na de andere, en ook nog een groot aantal flushes.

Hij en Cleo hadden heel even een onderonsje in het mortuariumkantoortje, en terwijl de waterkoker langzaam warm werd, sloeg hij zijn armen om haar heen en gaf haar een kus.

'Ik hou van je,' zei hij.

'O ja?' vroeg ze grijnzend. 'Is dat zo?' Gekleed voor haar werk, tilde ze haar armen op. 'Ook met dit aan?'

'Met heel mijn hart en ziel.'

Hij meende het. Na het pokeren was hij naar haar huis gegaan en had het geld over het bed gestrooid. Toen had hij naast haar wakker gelegen, te opgewonden om te kunnen slapen, en dacht hij na over zijn leven. Over Sandy. Over Cleo. Hij wilde met Cleo trouwen, dat wist hij zeker. Zo zeker was hij nog nooit ergens van geweest. Die ochtend had hij besloten dat hij de procedure zou starten om Sandy officieel dood te laten verklaren.

Hij had meteen Susan Ansell gebeld, een advocaat in Brighton die hem was aangeraden, en dat inderdaad gedaan. Hij had een afspraak met haar gemaakt.

Cleo gaf hem een kus. 'Alleen maar met je hart en ziel?'

Hij glimlachte, keek of de deur dicht was en kuste haar terug. 'Ook met huid en haar dan?'

'Dat is beter,' zei ze, maar ze leek nog niet overtuigd.

'Mijn liefde voor jou beslaat het complete heelal!'

'En dat is nog beter!' zei ze en ze gaf hem weer een kus.

Opeens liep er een rilling over zijn rug, en hij wilde maar dat hij het heelal er niet bij had gehaald. Sandy was een groot fan van *Het transgalactisch liftershandboek*. Hij wist nog dat haar lievelingsboek uit de serie het tweede deel was: *Het restaurant aan het eind van het heelal*. Waarom wierp de herinnering aan haar toch altijd zulke schaduwen over zijn blijdschap? Hij had soms het gevoel dat hij door een geest werd achtervolgd.

'Gaat het wel?' vroeg Cleo.

'Jazeker!'

'Het leek net of je even wegviel.'

'Ik was helemaal hoteldebotel door jouw knappe gezichtje.'

Ze grinnikte. 'Je bent niet erg goed in liegen, hè, Grace?'

Hij grinnikte terug en zei: 'Ik lieg niet, hoor!'

'Je hebt bijna je hele leven misdadigers moeten aanhoren die overtuigend kunnen liegen. Is dat niet besmettelijk of zo?'

Hij pakte haar schouders stevig maar voorzichtig vast, en keek haar diep in de ogen. 'Ik zal nooit tegen je liegen,' zei hij. 'Ik wil nooit tegen je liegen.'

'Ik tegen jou ook niet,' antwoordde ze.

Ze stonden zonder iets te zeggen even tegen elkaar aan. Het water in de waterkoker begon te koken en het apparaat schakelde uit. Roy Grace was een moment afgeleid en keek langs haar heen, naar de rij stoelen naast haar volle bureau. Naar de tafel in de hoek waarop een kleine kerstboom stond, volgehangen met slingers en glanzende ballen. Naar de muren, die zelfs nog voller waren dan het bureau, met ingelijste diploma's, een kalender, een foto van de pier van Brighton bij zonsondergang en een hele rits klemborden die aan haakjes hingen en waarop alle bewoners van de vriesladen stonden vermeld. En naar de *Argus* die op een stoel lag.

Kevin Spinella's artikel over de Onbekende Man stond op bladzijde 5. Het was maar een klein stukje, met niet meer dan de feiten erin zoals Grace hem die had doorgegeven, en Grace' verzoek aan het publiek. Tot zijn opluchting had Spinella zich aan hun overeenkomst gehouden en niets over de organen geschreven.

Er werd aangebeld.

Cleo keek even naar de monitor van de veiligheidscamera aan de muur en zei: 'Daar is je maatje.'

Grace keek ook naar het scherm en zag Glenn Branson. Hij zag er niet erg vrolijk uit.

'Ik ga wel,' zei hij.

Hij liep door de kleine gang, langs de kleedkamer, en trok de deur open. Hij schrok van wat hij daar zag. Hij had Glenn maar zelden slordig gekleed gezien. En nu stond de rechercheur daar voor hem, in de regen, en hij zag er niet uit. Zijn lichtbruine schoenen waren doorweekt, zijn witte overhemd zat onder de donkere vlekken, zijn zijden das was vies en zat scheef, en zijn crèmekleurige regenjas was één grote massa bruine vlekken, met zo te zien wat schubben hier en daar.

'Wat heb je in hemelsnaam gedaan?' vroeg Grace. 'Heb je gekickbokst in een abattoir? Of in de modder geworsteld op een vismarkt?'

'Leuk hoor, ouwe. De volgende keer dat je me op een cruise stuurt, boek ik zelf de tickets wel.'

Grace deed een stap naar achteren om hem door te laten.

'Is Nadiuska er al?' vroeg Branson.

'Ze belde net dat ze er over tien minuten zal zijn. Ik dacht dat je je eerst thuis ging omkleden?'

'Nou, dat heb ik dus niet gedaan, oké? Toen ik bij jou thuis kwam, lagen er twee brieven voor me op de mat.'

'O, laat gerust je post naar mijn huis sturen.'

Branson keek zijn vriend aan, en wist even niet of het nu sarcastisch of serieus bedoeld was. Het leek hem beter er maar niet op in te gaan. 'De ene was van Ari's advocaat, helemaal formeel, weet je wel? Dat ze opdracht van Ari heeft gekregen om een echtscheidingsprocedure in gang te zetten, en dat ik zelf ook een advocaat moet regelen, alsof ik totaal geen verstand heb van het recht.'

Grace deed de deur achter hem dicht. 'Zo te horen kun je er maar beter een nemen, en een beetje snel ook.'

'Dat hoef je mij niet te vertellen, ik heb er al een.'

'Neemt zeker wel vaker zwervers aan, die vent?'

'Het is een vrouw.'

'Heel verstandig. Die zijn vaak veel bloeddorstiger dan mannen.'

Glenn ging bijna onderuit en hield zich vast aan de muur om overeind te blijven. Grace dacht even dat hij dronken was.

'De grond gaat nog steeds op en weer. Ik ben nu al twee uur aan land en de vloer gaat nog steeds tekeer!'

'Je voorouders zaten dus op een slavenschip? Nou, hun zeebenen heb je duidelijk niet geërfd, hè?'

'Hoe weet je dat van het slavenschip?'

'Ik heb zo mijn bronnen.'

'Heb je die film *Master and Commander* wel eens gezien?'

Grace fronste zijn wenkbrauwen.

'Met Russell Crowe.'

Hij knikte. 'Ja, heb ik gezien.'

'Zo voel ik me nu. Alsof ik een kanonskogel in mijn buik heb gekregen.'

'Hoor eens, vriend. Ari mag je dan gedumpt hebben, maar daarom heeft ze het recht nog niet om de rest van je leven te verknallen.'

'Dat heb je helemaal mis. Shit, ken je *Kramer versus Kramer* nog?'

'Met Meryl Streep?'

Glenn Branson glimlachte heel even. 'Nee maar, ik ben diep onder de indruk. Twee films achter elkaar die je hebt gezien! Ja, met Meryl Streep en Dustin Hoffman. Nou, zo zit het nu bij mij ook.'

'Alleen ben je natuurlijk niet zo knap als Dustin Hoffman.'

'Ja, geef me nog maar een trap na ook.'

'Af en toe heb je gewoon een schop onder je kont nodig.'

Branson trok zijn regenjas uit. 'Nou goed, die andere brief was van de rechtbank over de scheiding. Niet te geloven, man, wat ze verdomme allemaal beweert!'

De rechercheur drapeerde de regenjas over zijn arm, hield zijn hand omhoog en telde af op zijn vingers. 'Zij zegt dat er een onherstelbare breuk is, oké? Ze verklaart dat ik me onredelijk gedraag. Dat ik niets meer van seks wil weten. Dat ik heel veel drink. Nou ja, dat is wel waar, maar zij drijft me er verdomme toe, toch? En dan geeft ze ook nog aan dat er "te weinig liefde" is.'

Hij stak zijn hand in zijn regenjas en haalde er een paar opgevouwen vellen papier uit, die met een paperclip aan elkaar vastzaten. Hij las hardop van de bovenste voor: 'Het schijnt dat ik niets met mijn gezin wil doen. Ik schreeuw tegen haar als we samen in een auto zitten. Ik geef haar te weinig geld. Verdomme nog aan toe, ik heb nog wel een paard voor haar gekocht! En moet je deze horen: ik heb geen waardering voor Ari en hoe ze onze kinderen opvoedt.' Hij schudde zijn hoofd. 'Die is mooi, hè? Wat moet ik dan doen? Als we midden in een moordonderzoek zitten zeggen: "Sorry hoor, dit mag dan wel een moord zijn, maar ik moet even naar huis om Remi in bad te doen"?'

Er liep een koude rilling over Roy Grace' rug. Hij besefte opeens dat het hem ook zo zou vergaan als hun kind er eenmaal was. Hij was normaal ge-sproken al om zeven uur op kantoor, en soms nog vroeger. En hij kwam pas om een uur of acht, of zelfs nog later, thuis. Als zijn kind er was, zou hij dat dan veranderen?

Dat zou wel ten koste van zijn carrière gaan.

Hij zag dat Glenn hem wanhopig aankeek. En hij wist dat het antwoord op de vraag niet door Glenn zou worden gewaardeerd. Als je een goede po-litieman wilde zijn, moest je getrouwd zijn met je werk. In de dertig jaar dat je bezig was je pensioen bij elkaar te schrapen – of nog langer, als je dat wilde – kwam je werk altijd op de eerste plaats. Als je echtgenote dat accepteerde, had je mazzel. Maar de meeste vrouwen, net als Ari, konden dat helaas niet.

'Weet je wat het is?' vroeg Grace.

Branson schudde zijn hoofd.

'Het is eigenlijk wel zo. Ze kan het tactischer brengen natuurlijk, maar in wezen heeft ze gelijk. Jij moet voor jezelf uitmaken of je een glansrijke carrière wilt of een goed huwelijk. Het zou ook allebei kunnen, maar dan heb je wel een zeer tolerante en erg meelevende partner nodig.'

'Ja, het punt is natuurlijk dat ik nota bene bij de politie ben gegaan zodat mijn kinderen trots op hun vader zouden zijn.'

'En terecht.'

'Maar hoe kunnen ze nu trots op me zijn als ik ermee kap?'

'En weer uitsmijter wordt? Of een beveiligingsmedewerker op Gatwick? Het gaat er niet om wat voor werk je doet,' zei Grace. 'Het gaat om hoe je bent. Je kunt een heel goede, heel menselijke uitsmijter zijn. Je kunt een op-lettende beveiligingsmedewerker zijn. Je kunt een waardeloze politieman zijn. Het gaat erom wat je vanbinnen bent, niet wat er op je penning of je identiteitskaart staat.'

'Ja, oké. Maar je weet wel wat ik bedoel.'

'Zeg, ik heb je toch verteld wat voor zootje ik van mijn leven heb gemaakt, dus ik ben de laatste die jou huwelijksadvies zou moeten geven. Maar weet je wat ik denk? Dat als Ari van je hield, écht van je hield, ze het zou accepteren. Ik ben er nog niet zo zeker van dat ze wel van je houdt, als ik zo naar die rechtszaak en al die dingen kijk die ze je in je schoenen schuift. Volgens mij wil ze straks wat anders als je inderdaad bij de politie weggaat om haar een plezier te doen. Wat je ook doet, ze zal nooit tevreden zijn. Ik heb het idee dat ze zo'n soort mens is. Als je doet wat ze wilt, gaat het heel even goed, maar daarna is het weer mis. Als je het mij vraagt moet je gewoon politieman blijven.'

Branson knikte mismoedig.

'Weet je wat Winston Churchill ooit zei over iemand tevredenstellen?'

'Nou?'

'Iemand die mensen altijd tevreden wil stellen, geeft een krokodil te eten in de hoop dat hij het laatst aan de beurt is.'

36

De twee lijken die in zee waren gegooid, waren net als de Onbekende Man in plastic verpakt, vastgesnoerd met blauw touw en verzwaard met B2-blokken.

Toen ze in het mortuarium aankwamen zaten ze ook nog eens in een witte plastic zak van de Technische Recherche, waarin ze door de duikers naar boven waren gehaald, en bovendien in de zwarte plastic lijkenzak van zwaarder materiaal waarmee ze in de vissersboot naar het mortuarium waren vervoerd.

De eerste die werd uitgepakt, wat een langzaam en moeizaam karwei was, was een jonge tiener, die volgens Nadiuska een jaar of twee ouder leek dan het andere lijk. Onbekende Man 2 was minder knap, had een haviksneus en overal op zijn gezicht acnelittekens. Ook bij hem waren het hart, de longen, de nieren en de lever volgens dezelfde nauwgezette methode operatief verwijderd.

Nadiuska was inmiddels bezig met het lijk van een jong meisje, ook een tiener, dacht ze zo. De dood wiste de persoonlijkheid van iemands gezicht, vond Grace, waardoor het er nietszeggend uitzag en je niet goed kon zien hoe iemand er echt had uitgezien toen hij nog leefde. Maar zelfs met de bleke, wasachtige huid en haar lange, bruine haar in de war en samengeklit, was het duidelijk dat ze erg mooi was geweest, maar wel veel en veel te mager.

De patholoog was van mening dat deze twee lijken net zo lang in het water hadden gelegen als de Onbekende Man. Je hoefde niet gestudeerd te hebben om uit te vogelen dat ze alle drie tegelijk in zee waren gegooid, bedacht Grace.

Waardoor de ontdekking van dat eerste lijk veel meer betekenis kreeg. Hij had de mogelijkheid dat het om zeebegrafenissen ging en dat de lijken vervolgens met de stroom waren meegevoerd verworpen. Dus wie waren deze drie tieners dan? Waar kwamen ze vandaan? Wie waren hun ouders? Wie miste hen? Waren ze van een van de vele buitenlandse koopvaardijschepen die voortdurend in het Kanaal rondvoeren gegooid?

Op het lijk van Onbekende Man 2 waren geen tekenen aangetroffen die aangaven dat hij door een ongeluk of door een klap op zijn hoofd om het leven was gekomen. Er waren wel gaatjes in zijn huid, net als bij het andere lijk, die volgens Nadiuska afkomstig waren van een orgaantransplantatie.

Grace maakte zich zorgen. In de gang die naar de inmiddels volle postmortemkamer leidde, pleegde hij met zijn mobieltje het ene na het andere telefoontje. Eerst naar zijn secretaresse Eleanor Hodgson, om voor de komende dagen zijn agenda vrij te houden. Op twee afspraken na, die hij hoopte na te kunnen komen. Ten eerste zou hij die avond met een collega naar een voetbalwedstrijd in de Crew Club in Whitehawk gaan. Dat zou lukken als brigadier Mantle de briefing van halfzeven overnam.

Ten tweede was er de volgende avond een diner dansant, wat met meer dan vierhonderdvijftig gasten een grote gebeurtenis zou zijn. Het was een moeilijk jaar geweest en hij had zin om er samen met Cleo, nu iedereen van hun relatie af wist, naartoe te gaan en een gezellige avond met zijn collega's te hebben. En misschien kreeg hij dan ook de kans om de slechte indruk die hij woensdagavond bij de nieuwe hoofdcommissaris had achtergelaten te herstellen.

Cleo had zich wekenlang druk gemaakt over wat ze aan zou doen, en had vervolgens een vermogen uitgegeven, vergelijkbaar met het bruto binnenlands product van een net opgerichte Afrikaanse natie. Ze zou bitter teleurgesteld zijn als het nu niet doorging.

Nadat hij zijn agenda had bekeken, had hij met een paar telefoontjes zijn onderzoeksteam uitgebreid van de oorspronkelijke zes naar tweeëntwintig. Terwijl hij stond te praten met Tony Case, hoofd Huishoudelijke Dienst van Sussex House, en ruimte regelde voor zijn nieuwe team in een van de kamers voor Zware Criminaliteit die het gebouw rijk was, keek hij naar Nadiuska, die voorzichtig stevig plakband om de B2-blokken wond, om huiddeeltjes of handschoenvezels te vinden van degene die ze had vastgebonden. Zodra een stuk plakband losliet, stopte ze het in een plastic zakje om het later onder de microscoop te bekijken.

Michael Forman van het OM stond naast haar toe te kijken en maakte af en toe een notitie of keek iets na op zijn BlackBerry. David Browne, de hoofdverantwoordelijke op de plaats delict, was er ook bij, alsmede twee van zijn medewerkers. Een van hen, James Gartrell, de fotograaf van de Technische Recherche, nam foto's van elke fase van de sectie, terwijl de andere man het verpakkingsmateriaal waarin de twee lijken hadden gezeten onderzocht. Aan een andere tafel waren Cleo en Darren bezig het litteken van Onbekende Man 2 opnieuw te hechten.

Telkens als je dacht dat je het allemaal wel had gezien, peinsde Roy Grace, was er weer iets anders wat je schokte. Hij had gelezen over mannen in Turkije en Zuid-Amerika die met een mooie vrouw in een bar in gesprek raakten en een paar uur later wakker werden in een bad vol met ijs, en met een groot litteken in hun lijf en een nier minder. Hij had dat altijd afgedaan als een broodjeaapverhaal, want hij wist dat je nooit zomaar een conclusie mocht trekken.

Maar nu waren er drie jonge mensen op de zeebodem ontdekt van wie de organen operatief waren verwijderd...

De media zouden zich erop storten. De inwoners van Brighton and Hove zouden zich zorgen maken zodra het nieuws bekend werd, en hij had al twee – nog niet beantwoorde – dringende berichten in zijn mobieltje staan om Kevin Spinella, de journalist van de *Argus*, te bellen. Hij moest de pers heel voorzichtig bespelen om zoveel mogelijk reacties van het publiek te krijgen zodat de lijken zonder al te veel ophef werden geïdentificeerd. Maar hij wist ook dat je alleen maar de aandacht van het publiek kreeg door schreeuwende krantenkoppen.

Persconferenties waren niet erg populair in het weekend, dus hij kon zichzelf tot maandag wat uitstel gunnen. Maar hij moest wel Spinella al wat geven, want de *Argus* zou, vanwege de lokale verspreiding, op de korte termijn het meeste resultaat geven.

Maar wat ging hij hem vertellen? En, niet op de laatste plaats, wat moest hij voor zich houden? Hij had al lang geleden geleerd dat je bij een moordonderzoek altijd iets achter moest houden wat alleen de moordenaar wist. Daardoor kon je een hoop telefoontjes meteen al als tijdverspilling afdoen.

Voorlopig zette hij de pers even van zich af en concentreerde hij zich op de lijken en wat hij tot zover van ze wist. In zijn schrijfblok schreef hij RITUELE MOORDEN? en hij omcirkelde de woorden.

Ja, dat zou zeker kunnen.

Zouden ze orgaandonoren zijn die op zee begraven wilden worden? Dat leek momenteel veel te vergezocht.

Een seriemoordenaar dan? Maar waarom zou hij – of zij – dan de wonden nadat de organen waren verwijderd zo secuur hechten? Om de politie te misleiden? Dat kon. Deze mogelijkheid moest hij voorlopig openhouden.

Orgaanhandel?

Er viel hem iets in en hij schreef OCKHAMS SCHEERMES op. Willem van Ockham was een filosoof en monnik uit de veertiende eeuw die de analogie van een scheermes gebruikte om alles weg te snijden zodat alleen de logische oplossing overbleef. Broeder Ockham geloofde dat over het algemeen daar de waarheid in lag. Grace was het wel met hem eens.

Grace' lievelingsdetective Sherlock Holmes zei altijd: 'Als je het onmogelijke hebt geëlimineerd, blijft, hoe onwaarschijnlijk ook, de waarheid over.'

Hij keek naar Glenn Branson, die in een hoek van de kamer met een bezorgde uitdrukking op zijn gezicht stond te telefoneren. De uitdaging zou hem goed doen, vond Grace. Hij zou zich erin vast kunnen bijten en zo de nachtmerrieachtige problemen met Ari even kunnen vergeten. Grace had haar eerlijk gezegd nooit gemogen.

Hij liep naar Branson toe, wachtte tot hij het gesprek had beëindigd, en zei toen: 'Je moet wat voor me doen. Zoek eens uit wat er zoal in de handel van organen speelt.'

'Heb je een nieuwe lever nodig, ouwe? Dat verbaast me niets.'

'Ja hoor, erg grappig. Haal Norman Potting erbij. Die is heel goed in het onderzoeken van duistere zaakjes.'

'Dirty Pretty Things!' zei Branson. 'Ken je die film?'

Grace schudde zijn hoofd.

'Die ging over illegale immigranten die in een of ander verlopen hotelletje in Londen hun nier verkochten.'

De inspecteur was opeens geïnteresseerd. 'O ja? Hoe ging dat precies?'

'Roy!' riep Nadiuska plotseling. 'Kom eens kijken!'

Grace, op de hielen gevolgd door Glenn Branson, liep naar het lijk toe en keek naar de kleine tatoeage die ze aanwees. Hij fronste zijn wenkbrauwen.

'Wat staat er?'

'Geen idee,' zei ze.

Hij keek Glenn Branson aan. Die haalde zijn schouders op en trapte een open deur in toen hij zei: 'Het is in elk geval geen Engels.'

37

Romeo klauterde met een grote boodschappentas onder zijn arm de metalen ladder af. Valeria zat op haar oude matras, met haar rug tegen de betonnen muur aan, haar slapende kind te wiegen. Tracy Chapman zong voor de zoveelste keer 'Fast Car'. Hij werd knettergek van dat kutliedje.

Hij zag drie vreemden van een jaar of vijftien op de grond zitten, die tegen de muur tegenover Valeria aan hingen. Ze zaten daar maar wezenloos voor zich uit te kijken, alsof ze high waren van de Aurolac. Het bewijs lag op de grond voor hen, in de vorm van een plomp plastic flesje met een verbroken witte verzegeling en een rood met geel etiket waarop de woorden LAC BRONZE ARGINTIU stonden. De ranzige stank sloeg hem net als altijd tegemoet, en nu al helemaal nadat hij buiten in de frisse lucht was geweest, waar het waaide en regende. De bedomptheid, de lucht van ongewassen lijven, vieze kleding en de vuile luier van de baby.

'Eten!' verklaarde hij vrolijk. 'Ik heb wat geld en heb heerlijk eten gekocht!'

Alleen Valeria reageerde. Ze draaide haar grote droevige ogen naar hem toe, alsof het twee knikkers waren die geen vaart meer hadden. 'Van wie heb je geld gekregen?'

'Een of andere liefdadigheidsinstelling. Ze geven geld aan mensen op straat, zoals wij!'

Ze haalde gelaten haar schouders op. 'Mensen die je geld geven willen er altijd iets voor terug.'

Hij schudde heftig zijn hoofd. 'Nee hoor, deze mevrouw niet. Ze was heel mooi, hoor. Mooi vanbinnen!' Hij liep naar haar toe en trok de tas open zodat ze erin kon kijken. 'Kijk, ik heb spulletjes voor de baby gekocht!'

Valeria haalde er een blikje gecondenseerde melk uit. 'Ik maak me zo'n zorgen over Simona,' zei ze, terwijl ze het blikje omdraaide en het etiket las. 'Ze heeft vandaag bijna niets gedaan, alleen maar gehuild.'

Romeo ging naar Simona toe en hurkte naast haar neer. Hij sloeg zijn arm om haar heen. 'Ik heb chocola voor je gekocht,' zei hij. 'Die je zo lekker vond: puur!'

Ze was even stil en vroeg toen met een snik: 'Waarom?'

'Waarom niet?'

Ze zei niets.

Hij haalde de reep tevoorschijn en hield hem onder haar neus. 'Ik wilde gewoon iets aardigs voor je doen, oké?'

'Ik wil dood. Dat zou ik pas aardig vinden.'

'Gisteren zei je nog dat je naar Engeland wilde. Dat zou toch veel aardiger zijn?'

'Dat is een droom, meer niet,' zei ze, voor zich uit starend. 'Dromen komen nooit uit, in elk geval niet voor ons soort mensen.'

'Ik heb vandaag iemand leren kennen. Zij kan ons in Engeland krijgen. Wil je haar ontmoeten?'

'Waarom? Waarom zou ze ons naar Engeland brengen?'

'Liefdadigheid!' zei hij opgewekt. 'Ze werkt voor een instelling die daklozen helpt. Ik heb haar over ons verteld. Zij kan voor ons een baantje in Engeland regelen!'

'Ja hoor, als stripdanseres zeker?'

'Wat we maar willen. In een bar. Als schoonmaakster in een hotel. Wat dan ook.'

'Is ze net zoals de man die ik op het station heb ontmoet?'

'Nee, zij is een lieve dame. Ze is aardig.'

Simona zei niets. De tranen stroomden weer over haar wangen.

'Zo kunnen we niet blijven leven. Of wil jij dat soms wel?'

'Ik wil niet dat iemand me weer pijn doet.'

'Kun je me dan niet vertrouwen, Simona? Echt niet?'

'Vertrouwen? Wat is dat?'

'We hebben Engeland op tv gezien. In de krant. Het is een prima land. We kunnen daar een flatje krijgen! We kunnen daar een nieuw leven beginnen!'

Ze barstte in snikken uit. 'Ik wil helemaal geen nieuw leven meer. Ik wil dood. Afgelopen. Dat zou veel beter zijn.'

'Ze komt morgen langs. Wil je dan in elk geval even met haar praten?'

'Waarom zou iemand ons willen helpen, Romeo?' vroeg ze. 'We stellen niets voor.'

'Omdat er toch nog goede mensen bestaan.'

'Geloof je dat echt?' vroeg ze somber.

'Ja.'

Hij haalde de wikkel van de reep af, brak er een stukje af en hield dat voor haar neus. 'Kijk maar. Ze heeft me geld gegeven om eten en lekkers te kopen. Ze is een goed mens.'

'Ik dacht dat die man op het station ook een goed mens was.'

'Kun je je voorstellen dat we in Engeland zitten? In Londen? We kunnen in een flatje in Londen wonen. Goed geld verdienen! Weg van dit alles! Misschien zien we wel een paar rocksterren. Ik heb gehoord dat het wemelt van dat soort mensen daar!'

'De hele wereld is waardeloos,' antwoordde ze.

'Toe nou, Simona, ga nou mee, morgen,'

Ze stak haar hand uit en pakte het stuk chocola.

'Wil je hier weer een winter zitten?' vroeg hij.

'Het is hier tenminste warm.'

'Je wilt dus niet naar Londen omdat het hier warm is? Is dat zo? Mooi is dat. Misschien is het in Londen ook wel warm.'

'Lazer op!'

Hij grinnikte. Ze werd weer wat levendiger. 'Valeria wil ook mee.'

'Met de baby?'

'Ja, waarom niet?'

'En die vrouw komt morgen langs?'

'Ja.'

Simona nam een hapje van de reep. Het smaakte lekker. Zo lekker dat ze de reep achter elkaar opat.

38

Roy Grace stond onder de lampen op het voetbalveld, met zijn blote handen diep in de zakken van zijn regenjas gestoken, te rillen in de ijzige wind in Whitehawk. Gelukkig regende het niet meer en was de lucht helder en bezaaid met sterren. Het was zo koud dat het wel leek te vriezen.

Het was vrijdagavond, en zoals altijd werd er een wedstrijd gespeeld, deze keer de tieners van de Crew Club tegen een team van de politie. Hij kon nog net de laatste tien minuten zien, waarin de politie verpletterend met 3-0 werd verslagen.

Brighton and Hove lag verspreid op een paar lage heuvels en Whitehawk lag op een van de hoogste daarvan. Het was een wijk met gemeentewoningen – rijtjeshuizen en halfvrijstaande woningen, en grote en kleine flats, die eind jaren dertig waren gebouwd om de sloppenwijk die daar stond te vervangen – en had sinds lange tijd, en niet helemaal onterecht, de reputatie gewelddadig en crimineel te zijn. De wirwar van straatjes, met vaak een fantastisch uitzicht over de stad en op de zee, werd geregeerd en bewoond door enkele van de hardste misdaadfamilies in de stad, en door hun reputatie werd de hele buurt bezoedeld.

Maar in de afgelopen paar jaar was dat dankzij een door de politie gesteund buurtinitiatief drastisch veranderd. De bron ervan was de Crew Club, gesponsord voor een bedrag van twee miljoen pond door de plaatselijke middenstand. De club had een hypermodern en hip verenigingsgebouw, dat zo door Le Corbusier ontworpen had kunnen zijn, en waarin allerlei faciliteiten voor de plaatselijke jeugd waren gehuisvest, zoals een goed geoutilleerde computerruimte, een opnamestudio, een videostudio, een grote feestzaal, vergaderkamers en in de kelder een verscheidenheid aan sportmogelijkheden.

De club was een succes omdat hij met liefde en niet door pennenlikkers was opgericht. Hier ging de jeugd daadwerkelijk naartoe om rond te hangen. Het was cool. En het kloppende hart bestond uit Darren en Lorraine Snow, buurtbewoners van Whitehawk, die het hadden opgericht en het draaiende hielden.

Deze twee, goed ingepakt in jas, das en hoed zodat hun gezicht bijna niet te zien was, stonden naast Roy Grace, net als een handvol ouders en een paar collega's van de politie. Het was de eerste keer dat Grace er was, en in zijn hoedanigheid als aanvoerder van het rugbyteam van de politie bekeek hij de mogelijkheid voor een rugbywedstrijd. De jongelui in het veld waren sterk en fit, en hij vond het maar wat leuk dat ze het politiekorps even een poepie lieten ruiken.

Er kwam een groepje spelers worstelend, grommend en vloekend langsdenderen, en de bal rolde over de lijn. De scheidsrechter blies meteen op zijn fluitje.

Maar Grace werd enigszins afgeleid door de secties die hij die dag en de dag ervoor had bijgewoond, en de taak die voor hem lag. Hij trok zijn notitieboekje uit zijn zak, en schreef met zijn bijna gevoelloze vingers wat dingen op die hem te binnen waren geschoten.

Plotseling werd er wild gejuicht en hij keek ietwat verward op. Er was een doelpunt gevallen. Maar voor welke kant?

Uit het gegil en het commentaar kon hij opmaken dat het het Crew Clubteam was geweest. De stand was nu 4-0.

Hij glimlachte. Het politieteam had Dave Gaylor als coach, de gepensioneerde hoofdinspecteur, die een vooraanstaand scheidsrechter was. En bovendien een goede vriend. Hij zou hem na de wedstrijd eens flink stangen.

Hij keek even naar de sterren en opeens moest hij aan zijn jeugd denken. Zijn vader had urenlang naar de sterren getuurd door een kleine telescoop op een driepoot, en hij had Roy vaak aangemoedigd ook te kijken. Grace vond de ringen van Saturnus het mooist, en vroeger had hij alle sterrenbeelden kunnen benoemen, maar de Grote Beer was het enige dat hij nu nog herkende. Hij moest die kennis weer wat oppoetsen, vond hij, zodat hij zijn kind er later alles over kon vertellen en hem of haar ook enthousiast kon maken. Hoewel dat, zo bedacht hij zich wrang, het zich na verloop van tijd ook vast niet meer zou kunnen herinneren.

Toen richtte hij zich weer op het onderzoek. Onbekende Man 1 en 2 en de Onbekende Vrouw.

Drie lijken. Van ieder van hen ontbraken dezelfde organen. Alle drie tieners. Maar één enkele aanwijzing wat hun identiteit betrof: een slecht uitgevoerde tatoeage op de linker bovenarm van de overleden jonge vrouw. Een naam misschien?

Die zei hem dan niets. Maar die kon wel, had hij het gevoel, de sleutel zijn tot hun identiteit.

Kwamen ze uit Brighton? Zo nee, waar dan wel vandaan? Hij schreef in zijn notitieboekje: RAPPORT KUSTWACHT. AFGEDREVEN?

Maar erg ver hadden ze met die gewichten nooit kunnen komen. Zelf dacht hij dat de drie in Engeland waren overleden, omdat ze zo vlak bij Brighton waren aangetroffen.

Wat was er aan de hand? Liep er een monster rond in Brighton dat mensen vermoordde en hun organen verwijderde?

ERVAREN CHIRURG, schreef hij op, in navolging van Nadiuska de Sancha's mening.

Hij keek weer even naar de sterren aan de nachtelijke hemel en toen weer naar het verlichte voetbalveld. Het Gespecialiseerde Zoekteam van Tania Whitlock had het gebied doorzocht en tot nog toe verder geen lijken ontdekt.

Maar het Kanaal was erg groot.

39

'Weet je, Jim,' zei Vlad Cosmescu, 'het Kanaal is behoorlijk groot, hè?'

Jim Towers, die van top tot teen, inclusief zijn mond, met tape vastgebonden was, kon alleen maar via zijn ogen met zijn overmeesteraar communiceren. Hij lag op de voorsteven van de Scoob-Eee op het harde dek van fiberglas en werd aan de ogen van iedereen die toevallig vanaf de kade een blik in de boot wierp onttrokken door een dekzeil dat vaag naar braaksel rook.

Cosmescu, gestoken in hoge rubberlaarzen, voer de boot de mond van Shoreham-Haven uit de open zee op, en maakte zich een beetje zorgen over de aanzwellende wind. De wind uit het noorden was hier sterker dan hij zich had gerealiseerd en de zee veel woeliger. Hij zat op het plastic stoeltje en had de lichten aangestoken, zodat de kustwacht hem kon zien, net als iedereen die misschien keek, en hij een gewone boot leek die een nacht ging vissen.

Hij trok zijn neus op toen door de wind de uitlaatgassen van de dieselmotor zijn kant op kwamen en keek naar het verlichte kompas dat in zijn houder heen en weer zwenkte. Hij hield een koers van honderdzestig graden aan, waardoor hij in het midden van het Kanaal zou uitkomen, ver weg bij het dreggebied vandaan, dat hij op de kaart had opgezocht en goed had onthouden.

Gedempt en vervormd klonk de ringtone van een mobieltje. Heel even dacht de Roemeen dat het onder het dek was, maar toen besefte hij dat het in een van de zakken van de gepensioneerde privédetective moest zitten. Na een paar keer hield het geluid op.

Towers keek hem met de dode ogen van een gestrande vis aan.

'Je kunt nu wel praten eigenlijk. Zo veel mensen kunnen je nu niet meer horen,' zei Cosmescu.

Hij zette de motor af, liep naar Jim toe en rukte de tape van diens mond.

Tower snakte naar adem. Hij had het gevoel alsof zijn halve gezicht eraf was gescheurd.

'Luister eens,' zei hij, 'het is morgen mijn trouwdag.'

'Dat had je me eerder moeten vertellen. Dan had ik een kaart voor je gekocht,' zei Cosmescu droog. Hij ging vlug weer naar het roer toe.

'U hebt me de kans niet gegeven. Mijn vrouw maakt zich vast zorgen. Ik had allang terug moeten zijn. Ze heeft inmiddels waarschijnlijk al de kustwacht en de politie gewaarschuwd. Dat was zij vast en zeker, die belde.'

Alsof het afgesproken was, piepte de telefoon twee keer om aan te geven dat er een sms'je was binnengekomen.

'O ja?' zei Cosmescu vrolijk, die niet wilde toegeven dat het onverwachte nieuws hem niet welkom was. Hij hield de lichtjes van een vissersboot iets verderop in de gaten en ook de lichten van een grote boot die in de verte richting het oosten voer. 'Dan zullen we snel moeten zijn! Vertel maar op, dan.'

'Het was stom van me,' zei Towers. 'Ontzettend stom, oké? Dat had ik niet moeten doen.'

'Stom?'

Cosmescu diepte een Marlboro light op uit zijn jaszak. Hij schermde zijn gouden aansteker af met zijn handen, stak de sigaret op, inhaleerde diep en blies de rook naar de man.

De zoete lucht rook heerlijk voor de ex-privédetective. 'Mag ik er ook een?'

Cosmescu schudde zijn hoofd. 'Roken is erg slecht voor je.' Hij nam nog een trekje. 'En jullie hebben in Engeland toch een nieuwe wet? Je mag niet meer roken op je werkplek. Dit is jouw werkplek.'

Hij blies nog meer rook naar de man.

'Meneer Baker, ik weet zeker dat we dit – u weet wel – het probleem, kunnen oplossen.'

'O ja, dat kunnen we zeker,' zei Cosmescu, die het roer stevig beetgreep terwijl de boot door een grote golf voer. 'Dat ben ik met je eens.'

Hij wierp een blik op de dieptemeter. Er bevond zich achttien meter water onder hen. Nog niet diep genoeg. Ze voeren in stilte even door.

'Ik heb je twintigduizend pond betaald, meneer Towers. Dat was toch gul, lijkt me zo. Ik dacht dat het een mooi begin was van een zakelijke regeling tussen ons.'

'Ja, dat was zeker erg gul.'

'Maar niet gul genoeg?'

'Toch wel, toch wel.'

'Dat lijkt me toch niet. Jij bent de ervaren zeeman, dus jij bent hier bekend. Weet je wat ik denk, meneer Towers? Dat je me met opzet naar het dreggebied hebt meegenomen. Je dacht dat de kans groot was dat de lijken daar ontdekt zouden worden.'

'Nee, dat is niet zo!'

Cosmescu lette niet op hem en ging door: 'Ik gok veel. Ik speel graag met percentages. Goed, het Kanaal is een slordige zesenveertigduizend vierkante kilometer groot. Ik heb je geld gegeven om me naar een plek te brengen waar die lijken niet zouden worden ontdekt. Je bracht me naar een dreggebied van zo'n honderdzestig vierkante kilometer. Reken het zelf maar uit, meneer Towers.'

'Geloof me, alstublieft!'

Cosmescu knikte. 'Jazeker. Ik heb het uitgerekend. Een baggerschip gaat hooguit dertig meter diep. Als ze veertig meter diep hadden gelegen, zouden ze nooit ontdekt zijn, meneer Towers. En wil je me nu vertellen dat jij als ervaren zeeman dat niet wist? Dat je in al die jaren dat je vanuit Shoreham voer, nooit dat dreggebied op de kaart hebt gezien?'

'Het was een navigatiefout, dat zweer ik u!'

Cosmescu rookte een tijdje in stilte, en zei toen: 'Weet je, ik gok graag, meneer Towers, en volgens mij jij ook. Jij hebt de gok genomen met dit dreggebied en je had geluk. Je dacht dat je me voor veel geld kon chanteren als de lijken ontdekt zouden worden.'

'Dat is niet waar,' zei Towers.

'Als je de kans had gehad om me beter te leren kennen, meneer Towers, zou je weten dat ik graag met percentages werk. Je wint dan wel niet zo veel op die manier, maar je kunt wel een stuk langer blijven spelen.'

Cosmescu gooide de opgerookte sigaret overboord en keek toe hoe het gloeiende puntje door de lucht zeilde voordat het in het zwarte water wegzonk.

'Ik weet zeker dat we iets kunnen regelen. Er is vast wel iets waar ik u een genoegen mee kan doen.'

Cosmescu keek op het kompas. De boot was behoorlijk eigenwijs en hij moest een scherpe ruk aan het roer geven om weer op koers te komen.

'Zie je, meneer Towers, ik moet nu een gok wagen. Als ik jou vermoord loop ik de kans dat ik word opgepakt. Maar als ik jou laat leven, loop ik ook de kans dat ik word opgepakt. Wat mij betreft is die kans echter minder groot, moet ik je helaas mededelen.'

Cosmescu haalde een rol tape en het mes met het benen heft dat hij altijd bij zich had uit de zak van zijn jekker. In dat mes had hij in de loop der tijd veel vertrouwen gekregen. Met een druk op de knop aan de zijkant kwam het lemmet eruit, waarna hij het met een polsbeweging op zijn plaats vast kon klikken. En zoals hij in het verleden had geleerd, was het sterk genoeg om niet te breken als het bot raakte. Hij zorgde ervoor dat het altijd vlijmscherp was en ooit had hij het zelfs een keertje als scheermes gebruikt toen hij dat was vergeten. Het had hem heel glad geschoren. 'Volgens mij hebben we alles zo'n beetje wel gezegd, toch?'

'Alstublieft… Kijk… Ik kan…'

Maar meer kon hij niet zeggen, omdat de Roemeen hem de mond snoerde.

Veertig minuten later werden de lichtjes van de kust van Brighton and Hove weer zichtbaar, maar ze verdwenen om de haverklap door de inktzwarte golven. Cosmescu, die net weer een sigaret had gerookt, zette de motor af en draaide de lichten uit. Het water was zo'n vijfenveertig meter diep onder hem. Dit was een prima plaats.

Hij baalde nog steeds van het telefoontje dat hij twee avonden ervoor in het casino had gekregen, waarin hem door zijn opdrachtgever botweg werd verteld dat hij het had verknald. Hij had de regel gebroken dat je er nooit iemand bij moest betrekken, tenzij het echt niet anders kon. Hij had gewoon een boot moeten huren en zelf de lijken moeten dumpen. Zo moeilijk was dat nu ook weer niet geweest, een kind van vier had het kunnen doen.

Maar hij had er een goede reden voor gehad. Althans, toentertijd had het een goede reden geleken. Als iemand in de koude wintermaanden steeds in zijn eentje een boot huurde, kwam dat verdacht over. De boten die de haven in en uit voeren vielen op, en die verdacht waren werden in de gaten gehouden. Maar de kustwacht zou niet letten op een plaatselijke visser die er met zijn boot op uit ging, hoe vaak dat ook gebeurde.

Nu, met alleen de sterren en de ogen van de booteigenaar als getuigen, trok hij wat planken van het dek los, en scheen met een zaklantaarn op de buitenboordkranen eronder. Hij draaide er een open en het ijskoude zeewater stroomde er meteen uit. Mooi. Towers had zijn boot tenminste goed onderhouden.

Hij liep naar de achtersteven en rolde de grijze Zodiac uit die hij de vorige dag had meegenomen. Hij tilde de brandstoftank en de Yamaha-buitenboordmotor die erin hadden gezeten eruit, samen met de peddel.

Tien minuten later had de Roemeen zwetend en wel de Zodiac te water gelaten, vastgebonden, en de motor aangezet, die nu stationair draaide. Het ding dobberde als een gek op en neer, maar als hij er eenmaal in zat, schatte hij in, zou zijn gewicht het wel wat stabieler maken.

Het dek stond inmiddels onder water en door de twee geopende buitenboordkranen kwam nog meer water boven. Het kwam al bijna tot Jim Towers' kin. Cosmescu, die blij was dat hij rubberlaarzen had aangetrokken, scheen met zijn zaklantaarn in Jims ogen en keek toe terwijl de man wanhopig iets aan hem duidelijk wilde maken.

Het water spoelde nu over Towers' kin. Cosmescu zette de zaklamp uit en zocht de horizon af. Buiten de lichtjes van Brighton en af en toe de weerschijn op een brekende golf, was het donker. Hij hoorde de zee tegen de boot aan slaan. Hij voelde de Scoob-Eee steeds verder zinken, en minder deinen door het water dat in snel tempo over het dek spoelde.

Hij knipte de zaklantaarn weer aan en zag dat Jim Towers verwoede pogingen deed zijn hoofd boven water te houden. Het water bedekte inmiddels al zijn mond.

'Als ik je een goede raad mag geven, meneer Towers: haal flink adem voordat het water je neusgaten bereikt. Daardoor heb je zeker nog een minuut extra te leven. Er zijn zo veel dingen die je in zestig seconden kunt doen. En als je erg fit bent, haal je misschien zelfs negentig seconden.'

Maar hij wist niet of de man hem wel kon horen. Dat leek onwaarschijnlijk, aangezien zijn hoofd inmiddels helemaal onder water was.

En de rubberboot lag parallel aan de reling.

Zo stond het in de boekjes! Ga pas van een zinkend schip af als je zo op de reddingsboot kunt stappen. Negentig seconden later deed hij dat dan ook, waarna hij het touw losmaakte en in het donker wegtufte. Een eindje verderop voer hij langzaam rondjes totdat het donkere silhouet helemaal onder water was gezonken en er grote bubbels naar de oppervlakte kwamen, die hij boven de buitenboordmotor uit zelfs kon horen.

Vervolgens draaide hij aan de hendel en de boeg van de Zodiac kwam naar boven en bonkte over een golf. Water sproeide in zijn gezicht. De boeg dook naar beneden en sprong toen over de volgende golf. IJskoud zout water sloeg over hem heen. Het kleine vaartuig trok sterk naar links en toen naar rechts. Heel even raakte hij in paniek, omdat hij bang was dat hij het niet zou halen, dat hij zou omslaan. Maar toen nam hij weer een golf en werden de lichtjes van Brighton, wazig door het zout in zijn ogen, een tikje helderder dan eerst. Dus ook een tikje dichterbij.

Na een tijdje kwam hij bij de kust en werd de zee rustiger. Hij zette koers naar de lichtjes van de pier en de jachthaven ten oosten daarvan. Naast de jachthaven lag een looppad onder het klif. Op deze winderige, koude novemberavond zouden maar weinig mensen daar gebruik van maken. En hetzelfde gold trouwens voor het strand.

Dat het Jim Towers' trouwdag was, was een probleem. Nog iets wat hij misschien had verknald. Tenzij hij had gelogen. En als de vrouw de politie had gebeld? De kustwacht? Misschien zou hij dan wel in het plaatselijke krantje als vermist worden opgegeven. Hij moest goed in de gaten houden wat er gedrukt werd en daar rekening mee houden.

Twintig minuten later lag de donkere schaduw van de kliffen voor hem en de jachthaven links van hem. Hij gaf even vol gas en zette toen de motor uit.

Hij schroefde de twee vleugelmoeren van de 25pk-motor los en gooide de buitenboordmotor in de zee.

De Zodiac bleef gewoon doorvaren. In de luwte van het klif stond geen wind van betekenis om hem tegen te werken. Hij pakte de peddel en ging richting de kust, terwijl hij de golven op het kiezelstrand hoorde breken.

Opeens hoorde hij niets meer omdat een golf over de boeg en over hem heen sloeg.

Vloekend en doorweekt sprong hij uit het bootje de zee in, die veel dieper en veel kouder was dan hij had verwacht. Hij stond er tot aan zijn schouders in. Een golf trok hem mee naar achteren en heel even raakte hij weer in paniek. De kiezels rolden onder zijn voeten weg. Hij boog zich naar voren en trok vastberaden het bootje aan de lijn die vastzat aan de boeg naar voren. Toen struikelde hij over de harde kiezels van het strand.

Er kwam weer een golf over hem heen en dit keer bonkte de boeg van de Zodiac tegen zijn achterhoofd aan. Hij vloekte. Hij wankelde en viel voorover. Door de losse steentjes kwam hij moeizaam overeind. Hij zette een paar passen naar voren totdat het bootje achter hem een dood gewicht werd.

Hij sleurde het op het strand en luisterde toen goed in het donker, terwijl hij om zich heen keek. Hij hoorde niets. Zag niemand. Alleen het geluid van de brekende golven en het water dat over de kiezels stroomde.

Hij trok de rubberpluggen uit het reddingsbootje en rolde het langzaam op terwijl hij de lucht eruit liet. Met zijn mes sneed hij het bootje, dat op een enorme blaas leek, in stukken en bond ze samen.

Met het natte gewicht op zijn rug liep hij over het looppad onder het klif door naar de plek waar hij zijn busje had achtergelaten: op het parkeerterrein van de ASDA in de jachthaven. Onderweg deponeerde hij de stukken rubber in de prullenbakken langs de route.

Het was even voor middernacht. Hij kon wel een borrel gebruiken en een paar uurtjes aan de roulettetafel in het Rendezvous Casino om bij te komen. Maar zoals hij er nu uitzag was dat geen slim idee.

40

Met Roy Grace inbegrepen hadden zich tweeëntwintig rechercheurs en ondersteunend personeel op twee van de drie gemeenschappelijke werkplekken van de afdeling Zware Criminaliteit verzameld, op de bovenste etage van Sussex House.

De Coördinatieruimte kon je bereiken door een doolhof van gangen die gesausd waren in gebroken wit en twee derde van deze verdieping besloegen. Hij bestond uit twee kamers, waarvan CR1 de grootste was: twee verhoorruimten, een vergaderzaal voor briefings van de politie en de pers, het laboratorium en een paar kantoren voor rechercheurs die elders werkzaam waren en tijdens grote misdaadonderzoeken tijdelijk hier een onderkomen kregen.

CR1 was licht en zag er modern uit. Hoog in de muur zaten smalle ramen waar jaloezieën voor hingen, en er zat een ondoorzichtig glazen paneel in het dak waarop de regen nu tikte. Er was verder niets om de aandacht af te leiden, want het was de bedoeling dat iedereen zich volkomen op het oplossen van ernstige geweldsdelicten concentreerde.

Aan de muur hingen whiteboards waarop de foto's van de drie slachtoffers van operatie Neptunus waren bevestigd. Van de jongeman die het eerst ontdekt was, hing een foto waarop hij nog in plastic verpakt in de snijkop van de baggermachine van de Arco Dee zat, en foto's van de verschillende fasen van de sectie op hem. Er waren foto's van het tweede en het derde slachtoffer in een lijkenzak aan dek van de Scoob-Eee en ook tijdens de sectie. Eentje, een vergroting, bestond uit een close-up van de bovenarm van de vrouw, waarop de tatoeage te zien was met een liniaal ernaast, om de grootte aan te geven.

Voor de komische noot was er pal onder de woorden OPERATIE NEPTUNUS ook een foto van de gele duikboot van de Beatles-plaat *The Yellow Submarine* opgehangen. Het was een gewoonte geworden om de naam van alle operaties met een beeld te illustreren. Deze had een of andere grappenmaker van het onderzoeksteam – Guy Batchelor, vermoedde Grace – aangedragen.

De ochtendeditie van de *Argus* lag naast het opengeslagen onderzoeksplan van Grace en zijn aantekeningen, die door zijn assistente waren uitgetikt en voor hem op het namaakeiken bureaublad lagen. De kop luidde: NOG TWEE LIJKEN AANGETROFFEN IN HET KANAAL.

Het had veel erger kunnen zijn. Kevin Spinella had zich ingehouden, wat heel ongewoon was voor hem, en het verhaal zo ongeveer als Grace had aangegeven gepubliceerd: dat de politie dacht dat de lijken van een boot waren gegooid die door het Kanaal was gevaren. Zo kreeg de plaatselijke gemeenschap de informatie waar ze recht op had en konden ze nagaan of er een tiener bekend was die onlangs was geopereerd en van de aardbodem was verdwenen, maar niet op een manier waarop er paniek zou uitbreken.

Wat Grace betrof was dit een mogelijk zeer ernstige zaak: een driedubbele moord op het terrein van de nieuwe hoofdcommissaris, een paar weken nadat hij als zodanig was aangesteld. Ongetwijfeld had Vosper, de venijnige adjunct-hoofdcommissaris, Tom Martinson al precies verteld wat ze van Grace vond, en zijn onhandige pogingen om een gesprek met hem aan te knopen op het afscheidsfeestje van Jim Wilkinson had daar weinig goeds aan gedaan. Hij wilde vanavond tijdens het diner dansant een paar minuten met Martinson spreken en hem ervan verzekeren dat de zaak in goede handen was.

Roy Grace, in een donkerblauwe sweater, een wit T-shirt, een zwart leren jasje, een spijkerbroek en sportschoenen, opende de vergadering. 'Het is nu zaterdagochtend 29 november, halfnegen 's ochtends. Dit is de vierde vergadering van operatie Neptunus, het onderzoek naar de dood van drie onbekende mensen, vooralsnog bekendstaand als Onbekende Man 1, Onbekende Man 2 en Onbekende Vrouw. Ik leid deze operatie en brigadier Mantle vervangt mij bij mijn afwezigheid.'

Voor degenen die haar niet kenden gebaarde hij naar de brigadier die tegenover hem zat. Lizzie Mantle had, in tegenstelling tot bijna alle andere leden van het team, die nog hun weekendkloffie aan hadden, zoals altijd een herenkostuum aan, dit keer een bruin met een wit streepje. Het enige verschil met anders was dat ze er een bruine coltrui bij droeg en geen blouse.

'Ik weet dat een paar van jullie vanavond naar het diner dansant gaan,' ging Grace door, 'en omdat het weekend is, zijn er een hoop mensen die we willen spreken niet aanwezig, dus jullie krijgen een gedeelte van de zondag vrij. Degenen die het weekend moesten werken, hebben morgen nog een korte vergadering, 's middags, want tegen die tijd zullen de mensen die naar het feest zijn gegaan hun kater wel kwijt zijn.' Hij grinnikte. 'Om halfnegen maandagochtend gaan we gewoon weer verder.'

Gelukkig begreep Cleo dat hij lange uren draaide en vaak ook op ongelukkige tijdstippen op zijn werk was, en ze ondersteunde hem daarin, bedacht hij met enige opluchting. Terwijl tijdens zijn huwelijk met Sandy elk weekend dat hij moest werken een hele toestand was geweest.

Hij keek in zijn aantekeningen. 'We wachten nog op het rapport van de patholoog, waarmee we misschien de doodsoorzaak kunnen vaststellen, maar dat komt pas maandag. In de tussentijd wil ik vast beginnen met Onbekende Man 1.'

Hij keek Bella Moy aan, die zoals gewoonlijk een doos Maltesers voor zich had staan. Ze pakte er eentje, als een verslaafde, en stopte hem in haar mond.

'Bella, heb je al iets over de gebitsgegevens?'

Terwijl ze het chocoladesnoepje heen en weer schoof in haar mond, zei ze: 'Nog niet, Roy, maar er is wel iets wat van belang kan zijn. Twee van de tandartsen die ik heb bezocht, zeiden dat het gebit van de jongeman er voor zijn leeftijd erg slecht uitzag. Dat zou kunnen duiden op slechte voeding en gezondheidszorg en misschien drugsgebruik. Het is dus zeer goed mogelijk dat hij arm was.'

'Konden de tandartsen niet aan het gebit afleiden dat hij misschien uit een ander land kwam?' vroeg Lizzie Mantle.

'Nee,' zei Bella. 'Er is nooit iets aan zijn gebit gedaan, dus het is heel goed mogelijk dat hij nog nooit naar een tandarts is geweest. En dan zullen we er ook nooit verder mee komen.'

'Je moet maandag met gegevens van drie verschillende gebitten op pad,' zei Grace. 'Dat verhoogt hopelijk je kansen.'

'Het zou wel prettig zijn als ik een paar mensen mee kon krijgen, zodat ik snel alle tandartspraktijken af kan werken.'

'Dat is goed. Ik kijk na deze vergadering wel even wat er mogelijk is.' Grace maakte een aantekening en sprak toen Norman Potting aan. 'Jij zou met de transplantatiecoördinatoren praten, Norman. Heb je al iets?'

'Ik moet met iedereen praten die hier in een straal van honderdvijftig kilometer werkzaam is, Roy,' zei Potting. 'Tot nu toe heb ik nog niets wat de zaak aangaat, maar ik heb wel iets anders ontdekt wat belangrijk is!' Hij liet de woorden in de lucht hangen en keek met een zelfvoldane glimlach om zich heen.

'Mogen wij dat ook nog weten?' vroeg Grace.

De rechercheur had hetzelfde jasje aan dat hij elk weekend scheen te dragen, of het nu winter of zomer was. Het was een gekreukt tweed geval met schouderstukken en diepe zakken. Hij stak zijn hand in een ervan, expres heel langzaam, alsof hij iets zeer belangrijks tevoorschijn zou toveren, maar liet hem in plaats daarvan gewoon zitten en rammelde irritant met wat losse muntjes of sleutels terwijl hij verder sprak.

'Er is wereldwijd een tekort aan organen,' verkondigde hij. Toen kneep hij zijn lippen op elkaar en knikte ernstig. 'Met name nieren en levers. Weten jullie waarom?'

'Nee, maar dat ga jij ons vast vertellen,' zei Bella Moy met al haar stekels overeind, en ze stak nog een Malteser in haar mond.

'Autogordels!' zei Potting triomfantelijk. 'De beste donoren sterven aan hoofdletsel, want dan is de rest van hun lichaam nog gaaf. Nu mensen steeds meer gebruikmaken van een autogordel, gaan ze alleen nog maar dood als ze helemaal in de kreukels liggen of verbrand zijn. Dat is toch wel erg zuur, nietwaar? Vroeger knalden mensen met hun hoofd tegen de voorruit en stierven daaraan. Tegenwoordig zijn het bijna alleen motorrijders.'

'Dank je wel, Norman,' zei Grace.

'En nog iets,' zei Potting. 'De hoofdstad van de Filipijnen heeft tegenwoordig de bijnaam "Het eiland van mensen met één nier".'

Bella schudde cynisch haar hoofd en zei: 'Hou toch op. Dat is gewoon een broodjeaapverhaal!'

Grace stak waarschuwend zijn hand naar haar op. 'Wat wil je daarmee zeggen, Norman?'

'Daar gaan de rijke westerlingen naartoe om een nier van de arme inwoners te kopen. De inwoners krijgen er duizend pond voor, en dat is een hele hoop geld voor hen. Tegen de tijd dat je hem hebt gekocht en verwijderd, kun je er veertig- tot zestigduizend voor krijgen.'

'Veertig- tot zestigduizend pond?' vroeg Grace ongelovig.

'Een lever kan zelfs vijf tot zes keer meer opleveren,' antwoordde Potting. 'Mensen die al heel lang op een wachtlijst staan zijn nu eenmaal wanhopig.'

'Dit waren geen Filipijnen,' zei Bella.

'Ik heb ook weer met de kustwacht gesproken,' zei Potting, die net deed of hij haar niet had gehoord. 'Ik heb hem verteld hoe zwaar de B2-blokken zijn waarmee de eerste stakker verzwaard was. Hij denkt niet dat het weer van de afgelopen week slecht genoeg is geweest om hem te verplaatsen. De meeste stroming is aan of net onder het zeeoppervlak. Het had gekund als het springtij was geweest, maar anders niet.'

'Bedankt, daar hebben we wat aan,' zei Grace, die het snel opschreef. 'Nick?'

Glenn Branson, die er nog steeds verwilderd uitzag, stak zijn hand op. 'Ik wil niet storen, maar ik wil nog wel iets zeggen, Roy. Deze drie mensen kunnen allemaal in het buitenland of zelfs op een schip zijn vermoord en vervolgens in het Kanaal gegooid, toch? Het verhaal dat je aan de Argus hebt verteld?'

'Ja. Nog een paar meter verder uit de kust en ze waren niet op ons bordje beland. Maar ze lagen nu eenmaal binnen Britse wateren, dus we moeten het er maar mee doen. Er zijn al twee van onze onderzoekers bezig een lijst op te stellen van alle schepen die in de afgelopen week door het Kanaal zijn gevaren. Ik weet nog niet hoe we daarmee verder kunnen gaan, of zelfs of het de moeite wel waard is.'

'Nou,' ging Branson verder, 'de lijken lagen zo'n twintig meter onder water, dus als ze er niet met de stroom naartoe zijn gedreven, moeten ze uit een vliegtuig of een helikopter zijn gegooid. De grotere containerschepen en supertankers die over het Kanaal varen hebben een veel grotere diepgang, dus die kunnen we uitsluiten. Bovendien ga ik ervan uit dat de kapiteins hier wel weten dat het een dreggebied is, want het staat aangegeven op de kaarten, en die zullen daar dus niet iets dumpen wat niet gevonden mag worden. Een piloot van een helikopter of een privévliegtuigje heeft misschien niet op de kaarten gekeken, of het is hem niet opgevallen. Het lijkt me dus een goed plan om de plaatselijke vliegveldjes, en met name die in Shoreham, na te gaan om uit te zoeken wat het luchtverkeer de afgelopen week zoal heeft gedaan en dat controleren.'

'Mee eens,' zei brigadier Mantle. 'Glenn heeft gelijk. Het punt is alleen dat kleine vliegtuigjes geen vluchtplan hoeven in te vullen, en we dus niet weten wat die hebben gedaan. Als er een vliegtuigje is gebruikt om de lijken te dumpen, hebben ze vast geen vluchtplan ingediend.'

'Het kan ook een buitenlands vliegtuig zijn geweest,' zei Nick Nicholl.

'Dat lijkt me sterk, Nick,' zei Grace. 'Buitenlandse vliegtuigen, zoals Franse, vliegen maar een paar honderd meter over het Kanaal. Ze mogen niet in het Britse luchtruim vliegen.'

Branson schudde zijn hoofd. 'Sorry baas, maar daar ben ik het niet mee eens. Ze kunnen het expres hebben gedaan.'

'Hoe bedoel je, expres?' vroeg brigadier Mantle.

'Nou, omdat ze wel wisten dat we ze zouden ontdekken en dan zouden aannemen dat ze uit Engeland afkomstig waren.'

Grace glimlachte. 'Glenn, je kijkt te veel films. Als iemand uit het buitenland lijken in zee zou gooien, zouden ze dat doen omdat ze niet wilden dat ze ontdekt werden, en dan gaan ze ook niet zo pal langs de kust van Engeland vliegen.' Hij schreef iets op. 'Maar we moeten elk vliegveld en elke vliegclub hier in de buurt controleren, en ook de verkeersleiders. En dat kan dit weekend wel, want dan zijn ze open.'

David Browne stak zijn hand op. De hoofdverantwoordelijke van de plaats delict, die veertig was, had de broer van Daniel Craig kunnen zijn, maar dan met sproeten en rood haar. Het grapje ging dat ze de verkeerde man het contract hadden gestuurd toen er een nieuwe James Bond kwam. Met zijn open overhemd, dichtgeritste fleece jack, spijkerbroek en gympen, zijn brede schouders en kortgeknipte haar was hij sprekend een vechtersbaas. Maar Browne was juist toegewijd aan zijn werk en had oog voor detail, zodat hij boven aan de carrièreladder van de Technische Recherche stond.

'De lijken waren alle drie gewikkeld in hetzelfde zware plastic, dat je in elke ijzerwinkel of doe-het-zelfzaak kunt kopen. Het touw dat eromheen zat is ook overal verkrijgbaar. Volgens mij wilde degene die hier verantwoordelijk voor was niet dat ze zouden opduiken. Dus wat de dader betreft was het daarmee af.'

'Kun je achterhalen waar die spullen zijn gekocht?' vroeg Grace.

'Het was geen grote hoeveelheid,' zei Browne. 'Niet genoeg om in iemands geheugen te blijven hangen. Dat spul wordt echt overal verkocht. Maar het is waarschijnlijk wel de moeite waard om de winkels in de buurt eens na te gaan. De meeste zijn dit weekend open.'

Grace voegde een aantekening toe op zijn lijst. Toen wendde hij zich weer tot hoofdagent Nicoll.

'Nick?'

'Ik heb de lijst van Vermiste Personen bekeken. Er staan heel wat tieners op die het zouden kunnen zijn. Ze willen graag foto's van de slachtoffers.'

'Chris Heaver heeft foto's van alle drie gekregen. Hij fatsoeneert ze een beetje, zodat ze maandag naar de pers kunnen. Die kun je dan ook naar Vermiste Personen sturen.'

Chris Heaver was het hoofd van de afdeling Identificatie.

'We sturen ze naar elk politiebureau in het zuidoosten, en misschien krijgen we ze ook wel op *Crimewatch*, als er nog niets bekend is tegen de tijd dat de volgende aflevering op tv komt. Weet iemand wanneer dat is?'

'Volgende week dinsdag,' zei Bella. 'Ik heb het nagekeken.'

Grace keek teleurgesteld. Dat duurde nog best lang. Hij keek de jonge hoofdagent Emma-Jane Boutwood aan.

'E.J.?'

'Nou,' zei ze met haar geaffecteerde kostschoolaccentje, 'ik heb de zaak van een jongetje nagekeken dat zonder hoofd en ledematen in 2002 in de Theems is aangetroffen. Adam, noemde de politie die arme gozer, die nooit is geïdentificeerd. Na onderzoek van de microscopisch kleine vezels van planten die in zijn ingewanden zaten kwamen ze er uiteindelijk achter dat hij uit Nigeria afkomstig was. De expert was dokter Hazel Wilkinson van het Jodrell Laboratorium in Kew Gardens.'

David Browne stak zijn hand op. 'Roy, we kennen Hazel wel, we hebben al vaker met haar samengewerkt.'

'Mooi,' zei Grace. 'E.J., zorg ervoor dat zij alles wat ze nodig heeft van Nadiuska krijgt.'

'Ja, en dan nog iets. Ik las dit toen ik in het ziekenhuis lag.' Ze glimlachte flauwtjes en haalde haar schouders op. 'Zo kon ik tenminste ook nog iets nuttigs doen! Cellmark Forensics, een van de buitenlandse laboratoriums die we inzetten voor het identificeren van DNA, is van Orchid Cellmark, een Amerikaans bedrijf. Ik heb een gesprek gehad met het hoofd van het lab, ene Matt Greenhalgh, die zeer behulpzaam was. Hij zei dat hun laboratoriums in Amerika al heel ver zijn in het analyseren van de isotopen in DNA. Ze hebben vastgesteld dat voedsel – met name de mineralen – zodanig in elkaar zit dat ze kunnen nagaan waar het vandaan komt. Er zijn specimens van de Onbekende Man 1 naartoe gestuurd, en hij zou daar begin volgende week contact met me over opnemen.'

'Prima. Bedankt, E.J.,' zei hij. Hij vroeg zich af of het nuttig was, omdat je tegenwoordig voedsel uit de hele wereld kon kopen. Maar je wist maar nooit. Toen kwam hij overeind en liep naar een van de whiteboards, waar hij naar de foto van de bovenarm van de vrouw wees. 'Hebben jullie dit gezien?'

Iedereen knikte. Het was een primitieve tatoeage, van tweeënhalve centimeter groot, van het woord RARES.

'Rares?' zei Norman. 'Ze zullen wel "Rare" bedoelen! Ze kunnen gewoon niet spellen!' Hij moest er zelf om lachen.

'Ik denk dat het een naam is,' zei Roy Grace, die net deed of hij hem niet had gehoord. 'Het meest voor de hand liggende dat een tienermeisje op haar arm laat tatoeëren is de naam van haar vriendje. Zo te zien heeft ze dit zelf gedaan. Kent iemand deze naam?'

Niemand had er ooit van gehoord.

'Norman en E.J., jullie moeten erachter zien te komen of dit een naam is, en zo ja, uit welk land. En als het geen naam is, wat het dan wel is.'

Toen keek hij brigadier Mantle aan. 'Ik weet dat je een paar dagen achterloopt vanwege de cursus, Lizzie. Moet ik je nog bijpraten?'

'Nee, ik ben helemaal op de hoogte, Roy,' zei ze.

'Mooi.'

Hij bleef staan en keek naar HOLMES-analyst Juliet Jones, een donkerharige vrouw in een bruingestreept overhemd.

'In het weekend moeten we nagaan of er ergens in Engeland iets dergelijks is voorgevallen. We kunnen er niet blindelings van uitgaan dat het om transplantaties gaat. Dat lijkt het meest logisch, maar er kan evengoed een of andere idioot aan het werk zijn. Ga ook bij het OM na of er de afgelopen twee jaar uit de gevangenis of uit een psychiatrische inrichting chirurgen of artsen zijn ontslagen die dit soort operaties kunnen uitvoeren.' Hij dacht even na. 'En ook alle chirurgen die uit hun ambt gezet zijn en die wrok koesteren.' Hij schreef dit op als een opdracht voor de onderzoekers.

'En internet, Roy?' vroeg David Browne. 'Ik kan me nog herinneren dat een paar jaar geleden iemand op eBay een nier te koop aanbood. Dat kon ook wel eens iets opleveren.'

'Ja, dat is heel goed van je.' Hij wendde zich tot Lizzie Mantle. 'Zet de onderzoekers daarop, oké? Ga maar na of er iemand organen te koop aanbiedt.'

'Geloof je nu echt dat iemand dat zou doen, Roy?' vroeg Bella. 'Dat ze mensen doden en dan de organen verkopen?'

Grace was allang het stadium voorbij waarin hij zich verwonderde over de wreedheid van de mensheid. Wat je ook aan afgrijselijks bedacht, je kon het rustig nog tien keer erger maken en dan kwam je nog niet in de buurt van hoe diep mensen soms konden zinken.

'Ja,' zei hij. 'Helaas wel.'

41

Het was halfvier en het werd al donker buiten. Lynn stond bij haar keuken-tafel door het raam te staren en wachtte tot de magnetron, die zo veel herrie maakte als een kettingzaag in een ouderwetse vuilnisemmer, klaar was. Het goot van de regen en de tuin zag er zwaar verwaarloosd uit, hoewel ze hem bijna het hele jaar goed onderhield.

De herfstrozen moesten nodig van hun dode kopjes worden ontdaan en het gras, onder een tapijt van dode bladeren, moest opnieuw worden gemaaid, hoewel het pas eind november was. Erg fijn, dat broeikaseffect, dacht ze. Mis-schien kon ze er volgende week de energie en de zin voor opbrengen. Als...

Inderdaad, áls.

Als ze de grote angst die haar vanwege Caitlin in zijn greep hield, en haar geest bijna lamlegde, en waardoor ze zich nergens op kon concentreren, zelfs niet op de krant, van zich af kon schudden.

Al zolang ze zich kon herinneren had ze iets tegen de zondagmiddag. Het sombere gevoel dat het weekend bijna was afgelopen en dat je de volgende dag weer het gewone leventje moest leiden. Maar ze was deze middag niet al-leen somber. Ze was misselijk van angst vanwege Caitlin en boos omdat ze er niets aan kon doen. Ze had in het ziekenhuis toe moeten kijken naar het angstige gezicht van haar dochter en niets meer kunnen doen dan wat ge-ruststellende woordjes prevelen, en tijdschriften en cd's voor haar kopen. Dat vrat aan haar.

Ze was altijd goed geweest in mensen helpen. Toen ze een jaar of vijftien was had ze twee jaar lang voor haar jongere zusje Lorraine gezorgd, die nadat ze door een vrachtwagen op haar fiets was aangereden, het bed moest houden en maar langzaam herstelde en opnieuw moest leren lopen. Vijf jaar geleden had ze Lorraine bijgestaan toen ze ging scheiden en vervolgens bij haar strijd tegen borstkanker, die ze uiteindelijk had verloren.

Na haar eigen scheiding was haar moeder haar rots in de branding ge-weest, maar die was ook zo jong niet meer, en hoewel ze nog sterk was, wist Lynn dat ze haar binnen niet al te lange tijd ook zou kwijtraken. Als ze Caitlin ook nog zou verliezen, zou ze moederziel alleen zijn en die egoïstische ge-dachte maakte haar net zo bang als de pijn die ze voelde bij het zien van Caitlins lijden.

De dagen in het Royal South London ziekenhuis waren een nachtmerrie geweest. Ze hadden voor de afgelopen drie nachten een kamer in het opleidingscentrum van het Leger des Heils voor haar geregeld, aan de overkant van de straat waar Caitlin lag, maar ze was er amper geweest, omdat ze bij elke test en ieder onderzoek wilde zijn om te kijken of Caitlin geschikt was voor een transplantatie. Ze had in plaats daarvan in de stoel naast haar dochters bed geslapen.

Ze had geen idee meer hoeveel mensen bij haar dochter langs waren geweest. Van het transplantatieteam al heel veel mensen, dan de sociaal werksters, de verpleegkundigen, de administrateur, de leverspecialist, de chirurg, de anesthesist. Ze had scans gehad, een MRI, er was bloed afgenomen, haar nulmetingen waren gecontroleerd, net als de longen, het hart en dan nog een eindeloze stroom steeds weer dezelfde medische vragen.

'Ik ben gewoon een ding,' had Caitlin op een gegeven moment wanhopig gezegd.

De enige met wie Caitlin wel contact had was dokter Abid Suddle. Hij had hun die ochtend verzekerd dat er snel een lever zou komen, ook al had Caitlin nog zo'n zeldzame bloedgroep. Het zou er zelfs binnen een paar dagen kunnen zijn, had hij gezegd.

Lynn werd altijd door hem gerustgesteld. Ze vond de man prettig in de omgang, hij was aardig en echt betrokken. Ze zag dat hij lange uren maakte en ze geloofde dat hij alles zou doen voor Caitlin, maar het was nu eenmaal een feit dat er maar weinig levers beschikbaar waren en dat Caitlin een zeldzame bloedgroep had. En dan was er nog iets. Zoals ze hun al hadden uitgelegd, leed Caitlin aan een chronische leverziekte. Mensen met een acute leverziekte kregen voorrang.

Dokter Suddle had uitgelegd dat er andere, iets minder zeldzame bloedgroepen waren waarbij een levertransplantatie mogelijk was, dus daar hoefden ze zich geen zorgen over te maken. Het kwam allemaal weer in orde met Caitlin, beloofde hij haar. En Lynn wist dat dokter Abid Suddle ook wilde dat het met haar in orde kwam.

Maar ze wist ook dat hij afhankelijk was van anderen. Hij was maar één uitgeput lid van een immens groot, overwerkt en voortdurend vermoeid maar zorgzaam team. En door Luke, die haar bang had gemaakt, was ze zelf op internet gaan zoeken. Het viel niet mee om erachter te komen hoeveel mensen er in Engeland op een levertransplantatie wachtten. Dokter Suddle had onder vier ogen toegegeven dat negentien procent in het Royal stierf voordat er een beschikbaar kwam. En ze wist zeker dat hij haar nog niet eens alles vertelde. Elke week, bij de vergadering op woensdag, werd de lijst weer aangepast. Ze had met verschillende patiënten gesproken die voortdurend naar achteren werden verplaatst, omdat iemand anders er erger aan toe was dan zij.

Het was net een loterij.

Ze kon verdomme niets doen.

De dikke *Observer* met alle bijlagen lag op de tafel en ze keek even naar de koppen op de voorpagina, die nog meer economische ellende voorspelden, dalende huizenprijzen, en meer faillissementen. En de volgende dag, op haar werk, kreeg ze met de gevolgen daarvan te maken.

Ze had medelijden met bijna iedereen die ze op haar werk aan de telefoon kreeg. Het waren fatsoenlijke, gewone mensen, die in de financiële problemen waren gekomen. Er was bijvoorbeeld een vrouw genaamd Anne Florence, die ongeveer van haar leeftijd was, en een zieke tienerdochter had. Ze was een paar jaar eerder in de problemen geraakt toen ze voor vijftienduizend pond een auto had geleased. Op een gegeven moment kon ze de verzekering niet meer betalen en toen werd de auto ook nog eens gestolen. Ze moest het bedrijf blijven afbetalen, maar had geen auto meer.

Omdat ze zich geen andere auto kon veroorloven, had ze er een met haar creditcard gekocht. En vervolgens had ze nog meer creditcards aangevraagd en elk tot aan de limiet gebruikt om de vorige af te betalen.

Lynn was inmiddels ruim een jaar bezig om de schuld van vijfduizend pond die de vrouw bij een van de creditcardbedrijven had – een cliënt van haar firma – per maand in steeds kleinere betalingen af te betalen. Maar nog erger was dat ze ook erg achterliep met haar hypotheekaflossing. Het zou niet lang meer duren voordat de arme vrouw haar huis – en de rest van haar bezittingen – kwijt was.

Had ze maar een toverstokje waarmee ze alles voor Anne Florence en de tientallen mensen zoals zij met wie ze dagelijks te maken kreeg, goed kon maken, maar het enige wat ze kon doen was vriendelijk maar kordaat optreden. En ze was een stuk beter in vriendelijk zijn dan in kordaat zijn.

Max, hun cyperse kat, gaf een kopje tegen haar been. Ze ging op haar hurken zitten en aaide hem, blij met de zachte, warme troost van zijn vacht.

'Je boft maar, Max,' zei ze. 'Je zou niet graag al die ellende willen meemaken die mensen op hun bordje krijgen, hè?'

Max hield wijselijk zijn mond. Hij spinde alleen maar.

Ze pakte de telefoon en toetste het nummer in van Sue Shackleton, haar beste vriendin, voor een beetje vrolijke ondersteuning. Maar ze kreeg in plaats van Sue haar voicemail aan de lijn. Ze kon zich nog vaag herinneren dat Sue iets had verteld over haar nieuwe vriendje, met wie ze dit weekend naar Rome zou gaan. Ze sprak een boodschap in en hing mismoedig op.

Net op dat moment piepte de magnetron. Ze wachtte nog even, trok toen het deurtje open en haalde de pizza eruit. Ze sneed hem in punten, legde hem op een dienblad en liep ermee naar de zitkamer.

Ze deed de kamerdeur open en hoorde meteen de televisie. Ze herkende twee figuren uit *Laguna Beach*, een soap waar haar dochter altijd naar keek. Caitlin lag op de bank met haar hoofd op Lukes borst, haar blote voeten en twee geopende blikjes cola op het glazen blad van de salontafel. Ze keek even naar het gezicht van haar dochter, dat helemaal in het programma opging en ergens om moest glimlachen, en werd heel even sentimenteel. Ze wilde Caitlin dolgraag tegen zich aan drukken.

Lieve hemel, het meisje kon wel wat geruststelling gebruiken, dat verdiende ze gewoon. En ze verdiende ook iemand die veel beter was dan die eikel die daar met zijn stomme, slordige kapsel op de bank zat met haar.

Ze was nog steeds woedend op hem omdat hij Caitlin – en haarzelf – de schrik op het lijf had gejaagd met die statistieken over het aantal mensen die op een transplantatie wachtten, en hoeveel van hen er stierven.

'Pizza!' zei ze, een stuk vrolijker dan ze zich voelde.

Luke, die een sweater met capuchon, een gescheurde spijkerbroek en gympen zonder veters aan had, tuurde naar haar van onder zijn scheve pony en stak toen zijn hand op alsof hij het verkeer aan het regelen was.

'Ja! Cool! Pizza is cool.'

Wrijf het dan maar in je haar, dacht Lynn, dat is pas cool. Ze had het met liefde allemaal op zijn hoofd gegooid. Maar ze bleef rustig, zette het dienblad neer, liep de kamer uit en weer naar de keuken. Ze liet de zondagskrant liggen en pakte de thriller van Val McDermid die ze aan het lezen was, in de hoop dat ze zich een uurtje in een andere wereld kon verliezen.

In het boek stopte een man net zijn slachtoffer in een nagemaakte martel-machine uit de middeleeuwen, en het leek Lynn heerlijk om Luke daar ook in te stoppen.

Toen legde ze het boek neer en barstte in snikken uit.

42

Susan Cooper was helemaal kapot. Ze wist niet meer hoeveel dagen er verstreken waren na Nats ongeluk. Ze had sinds die woensdag hier op de intensive care gewoond, op een paar tochtjes naar huis na om te douchen en zich te verkleden. Volgens de *Daily Mail* op haar schoot was het nu maandag.

De krant stond vol met advertenties versierd met hulst en vrolijke, feestelijke spullen en tips. Hoe je kerst gezellig kon houden! Hoe je niet aankwam tijdens de feestdagen! Hoe je de kerstboom met huishoudafval kon versieren! Honderd fantastische kerstcadeaus! Welk fantastisch cadeau je voor je man moest kopen!

Wat dachten ze van: 'Hoe je je man in leven kunt houden tot de kerst', dacht ze zwaarmoedig, of: 'Hoe je je man in leven kunt houden tot zijn kind geboren is.'

Er waren vijf dagen lang geen veranderingen opgetreden. Het waren de langste vijf dagen uit haar leven geweest. Vijf dagen lang op de stoel naast Nats bed in de blauwe ic-zaal. Ze kon geen blauw meer zien. De bleekblauw geverfde muren, de blauwe gordijnen die op dit moment zijn bed afschermden, de blauwe jaloezieën, de blauwe kleding van het verplegend personeel en de dokters hingen haar de keel uit. De kaarten die hij had gekregen waren de enige kleuraccenten. De bloemen had ze aan een andere zaal gegeven, daar was hier geen ruimte voor.

Ze dacht eraan om weer achter de gordijnen te stappen, maar er stonden allemaal dokters om zijn bed. Er klonk opeens een alarm. *Piep-piep-boing.* En hield meteen weer op. Ze kreeg hoe langer hoe meer een hekel aan dat alarm. Ze schrok er elke keer weer van. Toen ging aan de andere kant van de zaal ook een alarm. Ze legde de krant neer en stond op, hard toe aan even rust.

Opeens piepte er een ander alarm bij Nats bed en ze vroeg zich af of ze toch even moest gaan kijken. Maar ze had al steeds gekeken en elke dag de verpleegkundigen en de dokters ondervraagd, en ze wist dat ze daar zo langzamerhand schoon genoeg van moesten hebben. Ze zou een paar minuten van de zaal af gaan om er even uit te zijn.

Ze kwam langs diverse bedden, waar patiënten in lagen, stil en vol met slangetjes, die of sliepen of voor zich uit staarden, en bleef staan bij de deur bij de dispenser met ontsmettingsgel aan de muur. Ze spoot wat van de gel op haar handen en wreef het in haar huid, toen drukte ze op de groene knop om de deur te ontsluiten, duwde ertegen en stapte de zaal uit. Als een zombie liep ze door de gang, langs de deur van de stiltekamer links van haar en de grotere wachtkamer aan haar rechterhand, die er evenmin gezellig uitzag. Ze kwam langs een abstract schilderij dat eruitzag als een botsing tussen twee vrachtwagens die een lading bontgekleurde inktvissen vervoerden, en verder door de gang naar het raam bij de lift.

Dit was haar raam op de buitenwereld.

Door dit raam keek ze om een blik op een andere werkelijkheid te werpen: daken en vliegende zeemeeuwen en in de verte het Kanaal. Een wereld die rustig en normaal was. Een wereld waarin Nat nog niets mankeerde. Een wereld waarin grijze schepen aan de grijze horizon voeren, en waarin, de dag ervoor, in de verte de witte zeilen van de jachten uit de jachthaven om de boeien hadden geracet. Het was de winterrace geweest: de Vorstwedstrijden. Die kende ze, want Nat had een paar jaar lang, op de zondagochtenden dat hij niet hoefde te werken, op een van die jachten gewerkt, en de lier bediend. Hij had genoten van de frisse lucht en van het feit dat hij even van het ziekenhuis weg was.

Toen had hij de motor gekocht en was hij elke zondagochtend met een groep andere fanatieke motorrijders op het platteland gaan rondscheuren. De motor waar ze zo'n grondige hekel aan had.

O, verdomme, dacht ze. O, verdomme, verdomme, verdomme.

Alsof de baby haar stemming aanvoelde, bewoog hij in haar.

'Hoi kleintje,' zei ze. Toen pakte ze haar mobieltje. Ze had acht telefoontjes gemist. Het ene nieuwe bericht na het andere. Van Nats broer, zijn zeilmaten, zijn zus Jane, haar hartsvriendin en nog twee andere vriendinnen.

Er kwam iemand zachtjes aanlopen. Ze hoorde de schoenen piepen op het zeil. Toen sprak een onbekende vrouw haar aan.

'Mevrouw Cooper?'

Ze draaide zich om en zag een vriendelijke vrouw die een klembord vol met formulieren in haar hand had. Ze was achter in de dertig en de vrouw had opgestoken donkerblond haar, ze droeg een bruin-wit gestreepte blouse, een zwarte broek en zachte zwarte schoenen. Op haar borst zat een naambordje gespeld waar GESPECIALISEERD VERPLEEGKUNDIGE op stond.

'Ik ben Chris Jackson,' zei ze en ze glimlachte meelevend. 'Hoe gaat het met u?'

Susan haalde haar schouders weemoedig op. 'Niet zo goed, eerlijk gezegd.'

Het was even stil en Susan had het akelige gevoel dat ze slecht nieuws zou krijgen.

'Kan ik even met u praten, mevrouw Cooper?' vroeg ze. 'Als ik u tenminste niet stoor.'

'Ja, prima.'

'Zullen we naar de stiltekamer gaan? Misschien wilt u een kopje thee?'

'Ja, graag.'

'Wilt u er wat in?'

'Alleen melk, geen suiker.'

Een paar minuten later zat Susan in een grote groene stoel met houten armleuningen in de raamloze stiltekamer. In de hoek stond een tafel met daarop een lamp waarvan de kap van franje was voorzien. Er hing een spiegeltje aan de muur, een prent van een troosteloos landschap aan de andere muur, en er stond een kleine ventilator, maar die was uitgezet. De sfeer was beklemmend.

Chris Jackson kwam terug met twee kopjes thee en ging tegenover haar zitten. Ze glimlachte haar vriendelijk maar slecht op haar gemak toe.

'Mag ik Susan zeggen?'

Ze knikte.

'Het ziet er helaas niet goed uit, Susan.' Ze roerde in haar thee. 'We hebben alles gedaan wat mogelijk was voor je man. Omdat hij zo geliefd is, heeft iedereen zelfs nog meer zijn best gedaan dan anders. Maar hij heeft nu vijf dagen lang nergens op gereageerd, en vanochtend is er iets ingrijpends gebeurd.'

'Wat dan?'

'Bij de controle van zijn pupillen kwam naar voren dat er meer druk op zijn hersens wordt uitgeoefend.'

'Zijn de pupillen vergroot?' vroeg Susan.

Chris Jackson glimlachte triest. 'Ja, dat is ook zo. Met jouw achtergrond weet je er natuurlijk alles van.'

'En ik weet hoe ernstig het hersenletsel is dat hij heeft. Hoelang zal hij, denk je... Je weet wel.' Haar stem brak. 'Blijven leven?'

'We moeten nog meer tests doen, maar het ziet er niet goed uit. Is er iemand die je wilt bellen? Familieleden die langs moeten komen om afscheid te nemen van hem en om jou te steunen?'

Susan zette de kop thee neer, pakte een zakdoek uit haar handtas, depte haar ogen en knikte.

'Zijn broer... Die is al onderweg vanuit Londen... Hij zal hier zo zijn. Ik... Ik...' Ze schudde haar hoofd, snikte en haalde diep adem om rustig te worden en de tranen tegen te houden. 'Weet je het zeker?'

'Zijn bloeddruk was gestegen naar 220/110. Toen zakte hij opeens naar 90/140. Jij bent toch verpleegster? Dan weet je wat dat wil zeggen.'

'Ja.' Susan knikte en drukte het zakdoekje stevig tegen haar ogen. De andere vrouw wachtte geduldig. Na een paar minuten nam Susan een slokje thee.

'Luister,' zei Chris Jackson. 'Ik wil iets met je bespreken. Omdat je man hier ligt, en zijn lichaam verder grotendeels onbeschadigd is, heb je de mogelijkheid om zijn organen af te staan zodat je er iemand anders mee kunt redden.'

Ze wachtte even op een reactie.

Susan staarde stilletjes in haar kop thee.

'Veel mensen worden daardoor getroost. Op die manier heeft de dood van hun geliefde tenminste nog enig nut gehad. Nat kan zo mensen het leven redden.'

'Ik ben zwanger,' zei ze. 'Ik ben in verwachting van hem. Hij zal zijn kind nooit zien, hè?'

'Maar hij leeft in elk geval verder in dit kind.'

Susan tuurde weer in haar theekop. Ze had het gevoel dat er om haar buik een band werd strakgetrokken.

'Hoe... Ik bedoel... als hij organen zou doneren, wordt hij dan... nou ja... verminkt?'

'Hij krijgt dezelfde medische zorg als een levende patiënt. Dus hij raakt niet verminkt. Hij krijgt alleen een incisie in zijn borst.'

Na een lange stilte zei Susan: 'Nat was een voorstander van orgaandonatie.'

'Maar hij heeft geen codicil? En hij heeft zich ook niet opgegeven?'

'Dat was hij wel van plan, volgens mij.' Ze haalde haar schouders op en veegde weer haar ogen af. 'Hij had niet verwacht dat hij zo snel... zo snel...'

De verpleegkundige knikte, en bespaarde haar de moeite om de zin af te maken. 'Dat geldt voor de meeste mensen,' zei ze.

Susan lachte verbitterd. 'Die rotmotor. Ik wilde niet dat hij hem kocht. Had ik maar voet bij stuk gehouden.'

'Je kunt mensen die graag iets willen niet zomaar van iets afhouden, Susan. Je mag jezelf daar echt niet de schuld van geven.'

Het was weer een tijd stil. Toen zei ze: 'Als ik toestemming geef, krijgt hij dan narcose?'

'Als jij dat wilt, ja. Maar dat is niet nodig. Hij voelt niets meer.'

'Welke organen worden verwijderd?'

'Dat mag jij zeggen.'

'Zolang jullie maar van zijn ogen afblijven.'

'Prima, dat snap ik best.' Opeens ging haar pieper. Ze keek ernaar en stak hem weer terug in de houder. 'Wil je nog thee?'

Susan haalde haar schouders op.

'Ik zet nog een kopje en dan haal ik de papieren. Ik moet zijn medische achtergrond met jou doornemen.'

'Weet je wie zijn organen krijgen?' vroeg Susan.

'Nee, nu nog niet. We hebben een nationale database voor organen – nieren, hart, lever, longen, alvleesklier en de dunne darm – en een wachtlijst van meer dan achtduizend mensen. De organen van je man worden op basis van overeenkomst en voorrang toegewezen. We zoeken naar mensen die de meeste kans van slagen hebben. We sturen je een brief waarin staat wie zijn organen hebben gekregen.'

Susan deed haar ogen dicht om de stroom tranen tegen te houden.

'Haal de papieren maar,' zei ze. 'Haal die stomme papieren maar voordat ik van gedachten verander.'

43

Incassobureau Denarii, waar Lynn Beckett voor werkte, was gevestigd op twee etages in een van de pas opgetrokken kantoren in Brighton and Hove, vlak bij het station in de hippe wijk New England.

Het bureau, dat vernoemd was naar de oude Romeinse munt, had cliënten in het soort bedrijven dat krediet verleende aan klanten – banken, post-orderbedrijven, winkels die hun eigen creditcard uitgaven, huurkoopbedrijven – en in het economisch slechter wordende klimaat ging het hun voor de wind. Hun werk bestond uit het innen van achterstallige schulden voor bepaalde cliënten. Maar ze werkten voornamelijk met bedrijven die in grote hoeveelheden tegelijk de rechten op de schuld van hun nalatige klanten aan hen overdeden, waarmee ze het risico liepen dat ze het geld niet of slechts gedeeltelijk konden innen.

Het was kwart over vijf op maandagmiddag en Lynn zat op haar kamer, die plaats bood aan tien mensen. Haar team droeg de naam de Wrekende Wespen. Elk team had een naam toebedeeld gekregen, die op een bordje aan het plafond hing. De andere, zeer concurrerende teams in de enorme open kantoorruimte heetten Hongerige Haaien, Jagende Jaguars en Denarii Demonen. Aan de andere kant van het kantoor zat de rechtsafdeling, met het bordje Proces Panters boven hun hoofd, en daarachter zat de afdeling telefoontoezicht, die alle telefoongesprekken volgde die werden gevoerd.

Ze was er altijd graag. Ze hield van de hartelijkheid en de vriendschappelijke competitie. Die werd aangewakkerd door gigantische flatscreens aan de muur waarop voortdurend te zien was welke bonussen je kon winnen, van een doos bonbons tot uitstapjes, zoals een etentje in een chic restaurant of een avondje naar de hondenraces. Het scherm dat zij zag liet op dat moment een getekende kookpot zien die vol zat met gouden munten en waaronder de woorden DE PRIJZENPOT BEDRAAGT NU £673 stonden. Ze had vaak het gevoel dat ze in een casino zat.

Tegen het einde van de week zou er nog veel meer in zitten, en een van de medewerkers in haar team of in een ander team zou het als bonus mee naar huis mogen nemen. Zij kon dat geld goed gebruiken, dacht ze, en ze zou het nog kunnen halen. Tot zover ging het deze week erg goed, ondanks de onderbrekingen.

O, ik wil dat zo graag winnen, dacht ze. Ze zou daarmee de auto kunnen afbetalen, en iets voor Caitlin kunnen kopen, en dan ook nog wat van haar steeds hoger wordende maandelijkse creditcardschuld afbetalen.

Ze had een prachtig uitzicht op Brighton, dat nu in de winter al in het duister lag, maar als ze aan het werk was, was ze zo druk bezig dat ze er nauwelijks aandacht aan schonk. Op dit moment had ze haar headset op, een beker thee voor haar neus, en werkte ze zich door haar lijst met te bellen nummers door.

Om de paar minuten keek ze even met een bezwaard gemoed naar een foto van Caitlin die net boven haar monitor op het rode afscheidingswandje was geprikt. Ze stond tegen een witgeverfd huis aan in Sharm el-Sheikh, zag er gebruind uit in haar T-shirt en korte broek en een heel coole zonnebril, en ze trok voor de fotograaf – Lynn – een topmodellengezicht.

Ze richtte zich weer op de lijst, toetste een nummer in en een barse mannenstem met een noordelijk accent nam op.

'Ja?'

'Goedemiddag,' zei ze beleefd. 'Spreek ik met meneer Ernest Moorhouse?'

'Eh... wie is dit?' Hij was opeens ontwijkend.

'Ik heet Lynn Beckett. Bent u meneer Moorhouse?'

'Ja, dat zou best wel eens kunnen,' zei hij.

'Ik bel namens Incassobureau Denarii, naar aanleiding van een brief die we u onlangs hebben gestuurd over uw schuld van achthonderd en tweeënzeventig pond op uw HomeFisIt-card.'

Het was even stil. 'O,' zei hij, 'sorry, ik had u niet goed verstaan. Ik ben meneer Moorhouse niet. U bent vast verkeerd verbonden.'

De verbinding werd verbroken.

Lynn toetste weer het nummer in en dezelfde man nam op. 'Meneer Moorhouse? Met Lynn Beckett weer, van Denarii. Er ging even iets mis daarnet.'

'Ik heb je al verteld dat ik niet meneer Moorhouse ben. Als je nu niet ophoudt, kom ik wel even langs in dat New England van jou en ram ik je telefoon door je strot.'

'U hebt de brief dus ontvangen?' ging ze niet onder de indruk door.

Zijn stem ging een paar octaven omhoog en hij schreeuwde: 'Ben je achterlijk of zo, trut dat je d'r bent, ik ben meneer Moorhouse niet!'

'Hoe weet u dan dat ik in de wijk New England zit, meneer Moorhouse, als u mijn brief niet hebt ontvangen?' vroeg ze, nog steeds rustig en beleefd.

Ze hield de telefoon een eindje van haar oor af toen er een stroom verwensingen volgde. Opeens ging het mobieltje in haar handtas. Ze haalde het tevoorschijn en keek naar de beller, maar het nummer was niet bekend. Ze drukte op het knopje om de oproep weg te drukken.

Toen de man klaar was met schelden zei ze: 'Ik moet u wel vertellen, meneer Moorhouse, dat alle telefoongesprekken voor veiligheidsredenen en opleidingen worden opgenomen.'

'O, ja? Nou, ik zal jou eens wat vertellen, mevrouw Barnett. Bel me nooit weer rond deze tijd om te zeuren over geld. Oké?'

'Rond welke tijd hebt u dan liever dat ik bel?'

'Nooit, godverdomme! Is dat duidelijk?'

'Ik wil graag kijken of we een plan kunnen opstellen waardoor u wekelijks wat kunt afbetalen. Op een manier waarop u het zich kunt veroorloven.'

Opnieuw moest ze de telefoon een eindje van haar oor af houden.

'Ik kan me verdomme helemaal niets veroorloven. Ik ben verdomme mijn baan kwijt, ja? Ik heb helemaal geen bal in mijn portemonnee. De deurwaarders kloppen verdomme op mijn deur voor veel grotere bedragen dan dit. Lazer op en bel me verdomme nooit meer. Ben ik verdomme duidelijk genoeg?'

Lynn haalde diep adem. 'U kunt misschien beginnen met elke week tien pond af te betalen. We willen het graag gemakkelijk voor u maken. Een afbetalingsplan waarbij u zich prettig voelt.'

'Ben je verdomme doof of zo?'

De verbinding werd weer verbroken. En bijna op hetzelfde moment piepte haar mobieltje dat er een bericht op voicemail was achtergelaten.

Ze maakte een aantekening op het dossier van Ernest Moorhouse. Ze zou ervoor zorgen dat er weer een brief naar hem werd gestuurd, en dat er de volgende week weer werd gebeld. Als dat niet werkte, en ze had zo het gevoel van niet, zou ze het aan de juridische afdeling overlaten.

Heel voorzichtig, omdat privételefoontjes niet waren toegestaan, drukte ze het mobieltje tegen haar oor en luisterde het bericht af.

Het was van de transplantatiecoördinator: of ze zo snel mogelijk terug wilde bellen.

44

In het weekend was er nog iemand onder verdachte omstandigheden gestorven: een veertigjarige drugsdealer genaamd Jeffery Deaver, die van zijn flat aan de kust van zeven hoog naar beneden was gevallen. Het leek op zelfmoord maar de patholoog en de politie wilden niet te snel deze conclusie trekken. Een klein onderzoeksteam dat de zaak moest nagaan, zat aan de derde werkplek in CR1, dus om hen niet te storen hield Grace zijn tweedagelijkse briefings in de vergaderzaal aan de andere kant van de gang.

Zijn team, dat zelfs nog verder was uitgebreid, zat aan de grote, lange tafel, waarvan alle vierentwintig rode stoelen bezet waren. Aan de ene kant van de kamer, pal achter de inspecteur, stond een blauwe vitrine met erboven de woorden WWW.SUSSEX.POLICE.UK en erin hingen vijf politieschildjes, artistiek op een blauwe achtergrond met de naam en het telefoonnummer van Crimestoppers prominent eronder weergegeven. Aan de muur daartegenover hing een plasma-tv.

Grace vond dat de druk op dit onderzoek erg groot was. Tijdens het diner dansant op zaterdagavond had hij toch nog een praatje met de nieuwe hoofdcommissaris kunnen maken en het had hem verbaasd hoe goed Tom Martinson op de hoogte was van de zaak. Hij besefte dat niet alleen Alison Vosper, de adjunct-hoofdcommissaris, hem in de gaten zou houden, maar ook Martinson. Door de drie lijken was Brighton and Hove in het middelpunt van de belangstelling van de nationale media komen te staan, en dat betekende met name aandacht voor de daadkracht van de politie van Sussex. De enige reden waarom de ontdekking van de drie lijken niet meer nieuws genereerde was dat er al meer dan een week twee meisjes werden vermist in een dorpje vlak bij Hull, zodat de media zich daarop richtten.

'Het is maandagavond 1 december, halfzeven,' verkondigde Grace. 'Dit is de achtste vergadering van operatie Neptunus, het onderzoek naar de dood van drie onbekende mensen.' Hij nam een slok koffie en ging verder. 'Vanochtend heb ik een uiterst ongemakkelijke sessie met de pers gehad. Iemand heeft informatie over de ontbrekende organen gelekt.'

Hij keek zijn vertrouwde collega's een voor een aan: Lizzie Mantle, Glenn Branson, die een felblauw pak droeg alsof hij een avondje ging stappen, Bella Moy, Emma-Jane Boutwood, Norman Potting en Nick Nicholl, ervan overtuigd dat het niet een van hen was, en ook niet rechercheur Guy Batchelor. Hij wist zelfs wel zeker dat het geen van de aanwezigen was. En ook niemand bij het mortuarium. Of van de pr-afdeling. Misschien een van de coördinatoren? Ooit, als hij eens tijd had, zou hij erachter komen, hield hij zichzelf voor.

Bella toonde een exemplaar van de Londense krant de *Evening Standard* en de nieuwste *Argus*. De *Standard* kopte met: LIJKEN IN HET KANAAL SLACHT-OFFER VAN ORGANENDIEFSTAL. En de *Argus* met: LIJKEN IN HET KANAAL ZIJN ORGANEN KWIJT.

'Dan staat het morgen dus in alle kranten,' zei hij. 'Er struinen al een paar tv-ploegen Shoreham-Haven af en onze pr-medewerkers krijgen de hele middag al telefoontjes van radiozenders.' Hij knikte naar Dennis Ponds, die hij had verzocht bij de vergadering aanwezig te zijn.

De pr-medewerker was vroeger journalist geweest en leek meer op een bankmanager dan een verslaggever. Hij was begin veertig, droeg zijn zwarte haar strak naar achteren gekamd, had borstelige wenkbrauwen en een voorkeur voor glimmende pakken. Zijn taak was de altijd fragiele relatie tussen de politie en het publiek goed te houden. Het was vaak een verloren zaak, en hij had dan ook de bijnaam Ponds de Mond gekregen van de agenten die iedereen die iets met de pers van doen had wantrouwden.

'Hopelijk komen door de verhalen in de pers mensen die iets weten naar ons toe,' zei Ponds. 'Ik heb geretoucheerde foto's van alle drie naar elke krant en tv-zender gestuurd en naar diverse nieuwswebsites.'

'Staat *Absolute Brighton* TV op je lijst?' vroeg Nick Nicholl, Hij had het over het relatief nieuwe internetstation van de stad.

'Absoluut!' zei Ponds en hij keek stralend om zich heen, alsof hij opeens doorhad dat hij een grapje had gemaakt.

Grace keek in zijn aantekeningen.

'Voordat we jullie apart horen, wil ik nog iets interessants vermelden,' zei hij. 'Misschien is het niets, maar we moeten er toch even in duiken.' Hij keek Glenn Branson aan. 'Omdat jij onze zee-expert bent, lijkt me dat echt iets voor jou.'

Er werd alom gelachen.

'Eerder kotsexpert, denk ik zo,' zei Norman Potting grinnikend.

Grace deed net of hij dat niet had gehoord en zei: 'Het gaat om een vissersboot, de Scoob-Eee, die sinds vrijdagavond vanuit Shoreham wordt vermist. Ook al is het niets, we moeten toch alles wat er aan de kust gebeurt onderzoeken.'

'De Scoob-Eee, Roy?' vroeg Branson.

'Ja.'

'Dat... dat was de boot waar ik vrijdag met het Gespecialiseerde Zoekteam op heb gezeten.'

'Je had ons wel eens mogen vertellen dat je hem hebt laten zinken, Glenn!' grapte Guy Batchelor.

Glenn ging er niet op in, maar verzonk geschrokken in gepeins. Vermist of gestolen of gezonken? Hij wendde zich tot Grace en vroeg: 'Heb je daar nog meer over?'

'Nee, kijk maar wat je kunt ontdekken.'

Branson knikte en kon zich de rest van de vergadering niet goed meer concentreren.

'Lijkt me een stelletje psychoten, als je het mij vraagt,' zei Norman Potting opeens.

Grace keek hem onderzoekend aan.

Potting knikte. 'Dat had Noël Coward toch gezegd over Brighton: boten, poten en psychoten. Goed gevonden, toch?'

Bella keek hem koud aan. 'En wat ben jij dan?'

'Norman,' zei Grace, 'er zijn mensen die daardoor gekwetst worden. Oké?'

Het leek er even op of de rechercheur hier iets tegenin wilde werpen, maar hij bedacht zich toch. 'Oké, baas. Begrepen. Ik wilde er alleen maar mee zeggen dat nu er drie lijken zijn waarvan de organen ontbreken, dus we moeten zoeken naar psychoten, die in organen handelen.'

'Wil je daar nog op ingaan?'

'Ik heb Phil Taylor en Ray Packard van de afdeling Computermisdaad opdracht gegeven op internet te gaan zoeken. Ik heb zelf ook even gekeken en ja, het komt wereldwijd voor.'

'Al wat in Engeland gevonden?'

'Nog niet. Samen met Interpol – en met name Europol – heb ik de zoektocht uitgebreid. Maar ik denk niet dat we al snel iets van ze zullen horen.'

Grace dacht dat ook niet. Hij had al vaker met Interpol gewerkt en wist dat die organisatie over het algemeen gekmakend langzaam werkte en behoorlijk arrogant was.

'Maar ik heb wel iets ontdekt waar we wat aan kunnen hebben,' zei Potting. Hij hees zichzelf overeind en liep naar het whiteboard waaraan de uitvergrote foto van de tatoeage van het meisje hing. Hij wees ernaar en zei de naam hardop: 'Rares.'

Bella schudde met het doosje Maltesers en pakte er eentje uit.

'Ik heb het opgezocht, via internet,' zei Potting. 'Het is een Roemeense naam. Een mannenvoornaam.'

'Het is zeker weten Roemeens, het komt nergens anders voor?' vroeg Grace.

'Het komt alleen voor in Roemenië,' antwoordde Potting. 'Dat wil natuurlijk niet zeggen dat deze Rares, wie het ook mag zijn, Roemeens is. Maar het is tenminste iets.'

Grace maakte een aantekening. 'Mooi, dat is heel goed, Norman.'

Potting boerde en Bella wierp hem een dodelijke blik toe. 'Oeps, pardon.' Hij klopte op zijn buik. 'En er is nog iets, Roy, wat misschien van belang kan zijn,' ploegde hij door. 'De Verenigde Naties heeft een lijst van landen die in organen handelen. Ik heb die bekeken.' Hij glimlachte bars. 'Roemenië staat daarop vermeld.'

45

Het ziekenhuis had een ambulance willen sturen, maar Lynn wilde dat niet en ze was er zeker van dat Caitlin dat al helemaal niet wilde. Ze nam de gok wel met de Peugeot.

In plaats van Mal kreeg ze zijn voicemail, wat betekende dat hij op zee zat, dus stuurde ze hem een e-mail, omdat hij die wel kon ontvangen:

Er is een lever. Morgenochtend om zes uur is de operatie.
Bel me z.s.m.
Lynn

Voor deze ene keer zat Caitlin eens niet in de auto te sms'en. Ze hield de hele tijd haar moeders hand vast als die niet hoefde te schakelen. Ze was zwak, zweterig en bang en haar gezicht lichtte als een gele geest op in het licht van de straatlantaarns en de harde gloed van het tegemoetkomende verkeer.

De muziek op de radio was afgelopen en het nieuws begon. Het derde onderwerp ging over de veronderstelling dat er een orgaanhandeltje in Sussex was. Een politieman kwam aan het woord, ene inspecteur Roy Grace, die met een sterke, barse stem zei: 'Het is nu nog te vroeg om conclusies te trekken. We onderzoeken op dit moment of de lijken van een schip het Kanaal in zijn gegooid. Ik verzeker u dat het een eenmalig incident was en –'

Lynn drukte snel op de knop voor de cd-speler om verder niets meer te horen.

Caitlin gaf haar moeders hand weer een kneepje. 'Weet je waar ik nu zou willen zijn, mam?'

'Nou, lieverd?'

'Thuis.'

'Wil je dat ik de auto omdraai?' vroeg Lynn geschokt.

Caitlin schudde haar hoofd. 'Nee, niet ons huis. Ik wil thúís zijn.'

Lynn knipperde met haar ogen de tranen weg. Caitlin had het over Winter Cottage, waar Mal en zij voordat ze waren getrouwd hadden gewoond, en waar Caitlin was opgegroeid tot de scheiding.

'Dat was leuk daar, hè, engel?'

'Het was hartstikke leuk. Toen was ik nog gelukkig.'

Winter Cottage. Zelfs de naam alleen riep herinneringen op. Lynn wist nog dat ze het samen met Mal op een zomerse dag was gaan bekijken. Ze was toen zes maanden zwanger van Caitlin. Het was een heel eind rijden: over een landweggetje, langs een boerderij, naar de kleine, bouwvallige cottage, die bedekt was met klimop. Er stonden vervallen schuren naast en een kas met gebroken ruiten, maar er was een prachtig onderhouden grasveld en een bouwvallig tuinhuisje dat Mal liefdevol voor Caitlin had gerestaureerd.

Ze kon zich die dag nog goed herinneren. De muffe geur, de spinnenwebben, de houtworm, de antieke oven in de keuken. Het schitterende uitzicht op de uitgestrekte Downs. Mal had zijn sterke arm om haar heen geslagen en haar tegen zich aan gedrukt, terwijl hij alles opsomde wat hij zelf, met haar hulp, kon opknappen. Het was een enorme klus, maar wel hún klus. Hun thuis. Hun paradijs op aarde.

En ze zag toen voor zich hoe het er zou zijn in de winter: de koude, scherpe lucht, het brandende haardvuur, de rottende bladeren, het natte gras. Ze had zich daar veilig en vertrouwd gevoeld.

Ja. Ja. Ja.

Elke keer dat Caitlin erover begon raakte ze een gevoelige snaar. En het was nog erger dat ze Winter Cottage – en in het bijzonder haar tuinhuisje – thuis noemde, ook al woonden ze er al meer dan zeven jaar niet meer. Caitlin was acht geweest. In plaats van het huis waar ze nu in woonden. Dat deed pijn.

Maar ze begreep het wel. Toen ze in Winter Cottage woonde was Caitlin nog gezond. Ze was nog onbezorgd. Een jaar later werd ze ziek, en Lynn had zich vaak afgevraagd of het verdriet over de scheiding van haar ouders eraan had bijgedragen. Ze zou het zich altijd blijven afvragen.

Ze kwamen weer langs de schoorsteen van Ikea. Lynn kreeg het gevoel dat het een symbool was geworden in haar leven. Of een nieuwe mijlpaal. Het oude, normale leven bevond zich ten zuiden van die schoorsteen. Het nieuwe, vreemde, onzekere leven ten noorden ervan.

De cd speelde net 'What Goes Around Comes Around' van Justin Timberlake.

'Hé, mam,' zei Caitlin opeens wat vrolijker. 'Zou dat kunnen, wat hij net zingt, dat alles een gevolg heeft? Geloof je daarin?'

'Of ik in karma geloof, bedoel je dat?'

Caitlin dacht even na. 'Nou ja, omdat ik toch profiteer van iemands dood. Mag dat wel?'

Lynn had van iemand in het ziekenhuis gehoord dat die persoon bij een motorongeluk om het leven was gekomen, maar dat had ze nog niet aan

Caitlin verteld, en dat wilde ze ook niet, omdat ze bang was dat ze daar niet tegen zou kunnen. 'Misschien moet je het anders zien. Dat de nabestaanden van die persoon er bijvoorbeeld blij mee zijn dat er toch nog iets goeds van zijn dood komt.'

'Maar het is toch raar, vind je niet? Dat we zelfs niet weten wie het is. Denk je dat ik zijn familie ooit zal ontmoeten?'

'Zou je dat willen?'

Caitlin was even stil en zei toen: 'Ja, misschien wel. Dat weet ik eigenlijk niet.'

Ze reden een paar minuten in stilte door.

'Weet je wat Luke zei?'

Lynn moest zich inhouden om niet te zeggen: nee, en ik wil ook helemaal niet weten wat die achterlijke idioot heeft gezegd. Met haar kaken op elkaar geklemd zei ze een stuk vrolijker en geïnteresseerder dan ze zich voelde: 'Nee, wat dan?'

'Nou, dat sommige mensen dingen overnemen van de donor. Bepaalde eigenschappen, of dat ze opeens andere dingen lekker vinden. Dus als de donor bijvoorbeeld gek was op Marsrepen, dan krijg ik dat misschien ook. Of als hij van bepaalde muziek hield. Of goed was in voetbal. Dat ik dat dan door zijn genen meekrijg.'

'Hoe komt Luke daar nu weer bij?'

'Dat heeft hij op internet gelezen. Er zijn heel veel sites over. We kijken er soms naar. Je kunt er ook bepaalde afkeren door krijgen!'

'Is dat zo?' Lynn werd plotseling weer wat levendiger. Misschien kreeg ze een lever van iemand die eikels met stom haar niet leuk vond.

'Er bestaan hier waar gebeurde verhalen over, hoor,' zei Caitlin, die nog enthousiaster werd. 'Echt waar! Je weet toch dat ik hoogtevrees heb?'

'Ja.'

'Nou, er is een vrouw in Amerika die ook hoogtevrees had, en toen kreeg ze de longen van een bergbeklimmer, en nu klimt ze heel fanatiek!'

'Denk je niet dat dat gewoon komt doordat ze zich gewoon veel beter voelt nu ze goede longen heeft?'

'Nee.'

'Het lijkt me fantastisch,' zei Lynn, die geen domper op haar dochters vreugde wilde zetten.

'En er is nog een, mam. Een man in Los Angeles kreeg het hart van een vrouw, en voor de operatie had hij een hekel aan winkelen, en nu wil hij niet anders!'

Lynn grinnikte. 'En wat wil jij graag voor eigenschappen krijgen?'

'Nou, daar heb ik dus over nagedacht! Ik kan totaal niet tekenen. Misschien krijg ik wel de lever van een waanzinnig goede kunstenaar!'

Lynn lachte. 'Zo zie je maar weer wat een nieuwe lever allemaal niet kan doen! Het komt allemaal in orde, je zult het zien!'

Caitlin knikte. 'Met een dode lever in mijn lijf. Ja. Het komt weer helemaal in orde, hoor, ik zal alleen een beetje leverig zijn.'

Lynn moest weer lachen en ze was blij dat haar dochter ook glimlachte. Ze gaf een kneepje in haar hand en in kameraadschappelijke stilte reden ze een paar minuten door, luisterend naar de muziek en het gereutel van de uitlaat onder de auto.

Toen haar lach wegebde, voelde ze de strakke band, zo koud als staal, weer binnen in zich. Ze hadden allebei de risico's te horen gekregen die zo'n operatie met zich meebracht. Het kon misgaan. De mogelijkheid bestond dat Caitlin de operatie niet zou overleven.

Maar zonder de transplantatie zou Caitlin nog maar een paar maanden te leven hebben.

Lynn ging bijna nooit naar de kerk, maar al sinds ze klein was had ze elke avond een gebedje gedaan. Vijf jaar geleden, in de weken nadat haar zus was overleden, was ze ermee gestopt. Maar toen Caitlin zo ernstig ziek werd, was ze er weer mee begonnen, maar dit keer halfslachtig. Soms wilde ze dat ze God kon vertrouwen en al haar zorgen op hem kon afwentelen. Het leven zou dan een stuk eenvoudiger zijn.

Ze gaf haar dochter weer een kneepje in haar hand. Haar levende, mooie hand, die Mal en zij samen hadden gemaakt, misschien naar Gods gelijkenis en misschien ook niet. Maar in elk geval naar haar gelijkenis. God mocht zijn best dan doen, maar zij was degene die Caitlin de komende uren zou bijstaan, en als de Heer een keer Zijn goedgunstigheid wilde betonen, zou ze daar erg blij mee zijn. Maar als Hij haar en haar dochter een loer wilde draaien, kon Hij haar rug op.

Maar toch, toen ze voor de volgende verkeerslichten stond te wachten op groen, sloot ze even haar ogen en prevelde ze in stilte een gebedje.

46

Roy Grace was in paniek. Hij rende over een stuk gras naar de rand van het klif, naar een afgrond van driehonderd meter, en waar de wind hem in zijn gezicht blies en hem bijna tot stilstand dwong, zodat hij bleef rennen zonder vooruit te komen.

Ondertussen rende er een man met een baby in zijn armen naar de rand van het klif toe. Zíjn baby.

Grace wierp zichzelf naar voren, greep de man om zijn middel en gooide hem op de grond. De man trok zich los en draaide zich om naar de rand van het klif toe, met het kind stevig tegen zich aan gedrukt.

Grace greep hem bij de enkels en trok hem naar achteren. Plotseling zakte de grond onder hem weg en met een donderend gekraak brak er een groot stuk rots af, en viel hij samen met de man en zijn kind, naar beneden, naar de scherpe rotsen en de kolkende zee.

'Roy! Liefje! Roy! Liefje!'

Cleo.

Cleo's stem.

'Roy, er is niets aan de hand, liefje. Er is niets aan de hand!'

Hij deed zijn ogen open. Zag dat het licht aan was. Voelde zijn hart bonken in zijn keel. Hij was doorweekt van het zweet, alsof hij in het water had gelegen.

'Shit,' fluisterde hij. 'Het spijt me.'

'Was je weer aan het vallen?' vroeg Cleo teder, terwijl ze hem bezorgd aankeek.

'Beachy Head.'

Het was een terugkerende droom die hij al weken had. Maar hij ging niet alleen maar over een ongeluk dat hij daar had gehad. Hij ging ook over het monster dat hij een paar maanden geleden in de zomer had opgepakt.

Een ziek monster dat twee vrouwen in de stad had vermoord, en ook Cleo had willen doden. De man zat inmiddels in de gevangenis en kon vrijkomen op borgtocht wel vergeten, maar Grace kreeg toch opeens de zenuwen. Dwars door het gebonk van zijn hart en het geruis van zijn bloed in zijn oren heen hoorde hij de stilte van de stad.

De wekkerradio gaf aan dat het tien over drie was.

Het was doodstil in huis. Buiten regende het.

Cleo was hem nog dierbaarder geworden nu ze zijn kind droeg. Het was alweer even geleden dat hij navraag had gedaan naar die man, hoewel hij nog niet zo lang geleden nog wat papierwerk voor de rechtszaak had afgehandeld. Hij zou er maandag over bellen, om zeker te weten dat hij nog steeds opgesloten was en niet door een of ander warhoofd van een rechter was vrijgelaten omdat de gevangenissen overvol waren.

Cleo streelde over zijn voorhoofd. Hij voelde haar warme adem op zijn gezicht. Die rook zoet, licht naar pepermunt, alsof ze net haar tanden had gepoetst.

'Het spijt me,' zei hij zacht fluisterend, alsof hij de stilte niet wilde verbreken.

'Arme schat. Wat heb je toch veel nachtmerries, hè?'

Hij lag daar op het kletsnatte laken en had het koud door het zweet. Ze had gelijk. Hij had er elke week wel een paar.

'Waarom was je ook alweer met die therapie opgehouden?' vroeg ze, en ze kuste hem zachtjes op zijn oogleden.

'Omdat...' Hij haalde zijn schouders op. 'Ik kon er verder niets mee.' Hij kwam half overeind en keek om zich heen.

Hij vond het een fijne kamer. Cleo had hem hoofdzakelijk wit gehouden: een dik wit kleed op de eiken planken, witte linnen gordijnen, witte muren, en een paar elegante zwarte meubelstukken, waaronder een zwartgelakte kaptafel, die beschadigd was toen ze was overvallen.

'Jij bent de enige aan wie ik iets heb. Weet je dat?'

Ze glimlachte naar hem. 'De tijd heelt alles,' zei ze.

'Nee, jij heelt alles. Ik hou van je. Ik hou zielsveel van je. Ik wist niet dat ik weer zo veel van iemand kon houden.'

Ze keek hem aan en knipperde even met haar ogen.

'Ik hou ook van jou. Nog meer dan jij van mij.'

'Dat kan niet!'

Ze trok een gek gezicht. 'Wil je soms beweren dat ik lieg?'

Hij gaf haar een kus.

47

Glenn Branson lag in Roy Grace' logeerkamer. Diens huis was zijn tweede huis geworden, of beter gezegd, zijn enige huis.

Het was elke avond hetzelfde liedje. Hij dronk veel, om in slaap te komen, maar de drank noch de pillen die de dokter hem had voorgeschreven, werkten. En zijn lijf, dat hij altijd zo goed had onderhouden, thuis en in de sportschool, was aan het uitzakken.

Ik ben een wrak, dacht hij triest.

Sandy had de kamer dezelfde minimalistische zenuitstraling gegeven als de rest van het huis. Het bed was een laag, futonachtig geval, met een schuin hoofdeinde waartegen hij, omdat hij zo lang was, voortdurend zijn hoofd stootte als hij zich omhoog duwde omdat zijn voeten onder het laken uitstaken. De matras was keihard en het bed zelf was zo gammel dat het elke keer als hij zich omdraaide wiebelde en kraakte. Hij wilde steeds de moeren wat aandraaien, maar als hij van zijn werk kwam was hij zo moedeloos dat hij nergens zin in had. De helft van zijn kleren, nog steeds in plastic hoezen, lag over de stoel in het kleine kamertje. Zo lag het er al weken omdat hij er nog steeds niet toe gekomen was om ze in de bijna lege kledingkast op te hangen.

Roy had helemaal gelijk gehad toen hij zei dat hij een vuilnishoop van het huis had gemaakt.

Het was tien voor vier. Zijn mobieltje lag naast het bed en hij hoopte, zoals elke nacht, dat Ari opeens zou bellen om hem te vertellen dat ze erover had nagedacht en tot de ontdekking was gekomen dat ze nog steeds heel veel van hem hield, en dat ze het huwelijk wilde redden.

Maar het ding ging verdomme maar niet.

En ze hadden weer ruzie gehad. Ari was boos omdat hij de kinderen die middag niet van school had kunnen halen en zij in Londen naar een lezing wilde gaan. Dat vond hij maar raar. Ze was nog nooit naar een lezing in Londen gegaan. Ging ze naar een vent?

Had ze soms iemand?

Het was al erg genoeg dat hij eraan moest wennen zonder haar te leven. Maar de gedachte dat ze iemand anders had, weer een relatie was aangegaan, dat ze die man aan zijn kinderen had voorgesteld, kon hij niet verdragen.

En dan was zijn werk er nog. Daar moest hij zich op de een of andere manier op richten.

Buiten krijsten twee vechtende katten. En ergens in de verte loeide een sirene. Een politiewagen uit Brighton and Hove. Of een ambulance.

Hij draaide zich om en had opeens zin in Ari. Hij kwam in de verleiding haar te bellen. Misschien was ze wel...

Was ze wel wat?

O jezus, wat waren ze gek op elkaar geweest.

Hij deed zijn best weer aan zijn werk te denken. Aan het telefoongesprek de vorige avond met de vrouw van de vermiste kapitein van de Scoob-Eee. Janet Towers was erg overstuur geweest. Vrijdagavond was hun vijfentwintigste trouwdag geweest. Ze had een tafel in restaurant Meadows in Hove gereserveerd. Maar haar man was niet thuisgekomen. Ze had niets meer van hem gehoord.

Ze was ervan overtuigd dat hij een ongeluk had gehad

Het enige wat ze Glenn kon vertellen, was dat ze de kustwacht zaterdagochtend op de hoogte had gesteld, en dat die had haar medegedeeld dat de Scoob-Eee om negen uur vrijdagavond, samen met een vrachtboot uit Algerije, door de sluis in Shoreham-Haven was gegaan. Het was heel normaal dat een plaatselijke vissersboot achter een vrachtboot de sluis in ging, omdat hij dan niets hoefde te betalen. Niemand had op het bootje gelet.

Sindsdien was Jim Towers of de boot niet meer gezien.

De kustwacht had hem doorgegeven dat er geen ongelukken op zee waren gemeld. De boot en Jim Towers waren van de aardbodem verdwenen.

Terwijl hij daar wakker lag, schoot hem ineens iets te binnen. Het stelde misschien niets voor. Maar Roy Grace had hem veel geleerd over hoe hij een goede rechercheur moest worden en een van de lessen spookte nu door zijn hoofd: ga alles na.

Hij dacht weer aan vrijdagochtend, toen hij op de kade in Aldrington Basin had staan wachten om aan boord te gaan van de Scoob-Eee. Aan de lichtflits die hij aan de andere kant van de haven had gezien, achter een paar petroleumtanks.

Om halfzeven die ochtend zette Glenn zijn Hyundai Getz voor een rij huizen met twee wielen op de stoep van Kingsway. Hij stapte uit in een miezerregen en het licht van de dageraad, klom over het lage muurtje en gleed met zijn zaklantaarn stevig in zijn hand geklemd de met gras begroeide oever achter de petroleumtanks af. Aan de andere kant van het donkergrijze water kon hij nog net de houtopslagplaats, de rijbrug en heel in de verte de lichtjes van de

Arco Dee onderscheiden, die zijn vracht kiezels en zand aan het uitladen was. Hij hoorde de transportband en het vallende grind rammelen.

Hij zocht de plek op waar hij met het duikteam aan boord van de Scoob-Eee was gegaan, recht voor die houtopslagplaats, en waar hij vanaf het water een lichtflits tussen de vierde en de vijfde tank had gezien, en liep daar naartoe.

Een vissersboot met zijn verlichting aan kwam in de stilte van de ochtend aanpuffen. Zeemeeuwen vlogen er krijsend boven.

De geuren van de haven bereikten zijn neus: rottend zeewier gecombineerd met dieselolie en roest en houtafval en brandend asfalt. Hij scheen met de zaklantaarn op de grond pal voor zich. Toen keek hij even op naar de witte ronde buitenkant van de petroleumtanks. Er stonden zes tanks bij elkaar, veel groter zo van dichtbij dan hij op vrijdag had vermoed.

Hij keek hoe laat het was. Hij had nog anderhalf uur voordat hij weg moest voor de vergadering die ochtend. Hij richtte de lichtbundel weer op het natte gras. Misschien was er nog een voetafdruk, overgebleven van die vrijdagochtend. Of iets anders.

Opeens zag hij een sigarettenpeuk liggen. Het was waarschijnlijk niets, dacht hij. Maar de woorden van Roy Grace spookten in zijn hoofd rond als een mantra: ga alles na.

Hij bukte zich en pakte hem met zijn hand in een bewijszakje gestoken op, voor het geval dat. Op de peuk stonden in paars de woorden SILK CUT.

Even later zag hij er nog een. Van hetzelfde merk.

Als je hier een sigarettenpeuk liet vallen kon dat zijn omdat je toevallig langsliep. Maar twee, dan had hier iemand staan wachten.

Waarop?

Met een beetje geluk kwam hij na een DNA-analyse meer te weten.

Hij bleef nog een uur lang zoeken. Er lag verder niets, maar hij ging naar de vergadering toe met natte schoenen en een voldaan gevoel.

48

'Dat meen je toch niet?' smeekte Lynn.

Ze was volkomen kapot na de slapeloze nacht die ze in de stoel naast Caitlins bed had doorgebracht, in die kleine claustrofobische kamer op de afdeling Leverziekten. Op de kleine tv, boven het bed aan de muur, die slecht stond afgesteld en waarvan het geluid uit stond, speelde een tekenfilm. Een kraan druppelde in de gootsteen. Het rook in de kamer naar slappe koffie, ontsmettingsmiddel en gekookte eieren van de ontbijtbladen die in de hoofdzaal stonden.

Zo bracht een gevangene die bij het ochtendgloren geëxecuteerd zal worden vast en zeker ook die wanhopige laatste avond door, dacht ze, in de hoop dat hij op het laatste moment nog uitstel zou krijgen.

De lampen gingen aan en uit. Ze werden voortdurend gestoord. De ene test na de andere, Caitlin kreeg injecties en pillen en er werd bloed en andere lichaamsvloeistoffen van haar afgenomen. Het belletje voor de verpleegster hing aan een koord boven haar. Naast haar stonden een leeg infuus en een zuurstofapparaat die ze nu nog niet nodig had.

Caitlin had niet kunnen slapen en had steeds weer gezegd dat ze jeuk had en bang was en dat ze naar huis wilde, en Lynn had haar elke keer weer getroost. Haar gerustgesteld dat het de volgende ochtend weer goed zou zijn. Dat ze over drie weken het ziekenhuis uit mocht met een gloednieuwe lever. Dat ze, als alles goed ging, met de kerst weer thuis zou zijn. Oké, niet in Winter Cottage, maar in haar huidige huis.

Dit zou de beste kerst worden die ze ooit had gehad!

En nu stond die vrouw hier in de kamer. Die transplantatiecoördinator. Shirley Linsell, met haar typisch Engelse gezicht en haar lange haar, en het kleine gesprongen adertje in haar linkeroog. Ze had dezelfde witte blouse en gebreide roze trui en zwarte broek aan als toen ze haar een week eerder – het leek wel een miljoen jaar – hadden leren kennen.

Alleen haar houding was anders. Toen was ze positief en aardig geweest. Maar nu, om zeven uur 's ochtends, leek ze koud en afstandelijk, hoewel ze zich verontschuldigde. Lynn stond woedend voor haar.

'Het spijt me heel erg,' zei ze. 'Maar zo gaan die dingen nu eenmaal.'

'Het spijt u? U belde me gisteravond om me te laten weten dat er een lever was die perfect overeenkwam, en nu zegt u dat u het mis had?'

'We hebben u verteld dat er een lever beschikbaar zou komen die goed overeenkwam.'

'En wat is er dan gebeurd?'

De coördinator sprak Lynn en toen Caitlin toe. 'Voor zover we hadden begrepen, kon de lever in tweeën worden gesplitst. Een volwassene zou de rechterkwab krijgen en jij, Caitlin, de linker. Onze specialist en zijn team zijn de lever in het ziekenhuis gaan ophalen, en naar hun mening was het orgaan gezond en geschikt. We gaan naar aanleiding van het gewicht na hoe groot de lever moet zijn. Maar vanochtend zag de hoofdspecialist, die de transplantatie zou uitvoeren en die de lever nog een keer zorgvuldig onderzocht, dat hij uit meer dan dertig procent vet bestond. Hij vond dat de lever niet geschikt was voor jou.'

'Ik snap het nog steeds niet,' zei Lynn. 'Gooien jullie hem nu weg?'

'Nee,' zei Shirley Linsell. 'Een man van in de zestig met leverkanker krijgt hem nu. Hopelijk kan hij zo nog een paar jaar leven.'

'Nou, fantastisch toch!' zei Lynn. 'Mijn dochter krijgt hem niet, maar een oude alcoholist wel?'

'Ik kan de patiënt niet met u bespreken.'

'Nou en of u dat kan.' Lynn ging harder praten. 'Dat kunt u wel degelijk. U stuurt Caitlin naar huis om te sterven en een of andere kutalcoholist, zoals die voetballer George Best, die krijgt nog een paar maanden te leven?'

'Toe, mevrouw Beckett, Lynn, zo zit het niet helemaal.'

'O, nee? Hoe zit het dan wel?'

'Mam!' zei Caitlin. 'Luister nou maar naar haar.'

'Ik luister, schatje. Ik luister heel erg goed. Ik ben alleen niet blij met wat ik hoor.'

'Iedereen hier geeft heel veel om Caitlin. Dit is niet alleen maar werk voor ons, we zijn er persoonlijk bij betrokken. We willen Caitlin graag een gezonde lever geven, mevrouw Beckett, zodat ze weer een normaal leven kan leiden. Het heeft weinig nut om haar een lever te geven die maar een paar jaar meegaat zodat ze dit nog een keer moet meemaken. Gelooft u me alstublieft, het hele team wil Caitlin graag helpen. We zijn dol op haar.'

'Oké,' zei Lynn. 'Dus wanneer komt er een gezonde lever beschikbaar?'

'Dat weet ik niet, dat hangt ervan af of er een geschikte donor is.'

'We zijn dus weer terug bij af?'

'Nou... ja.'

Er viel een lange stilte. 'Staat mijn dochter dan boven aan de lijst?' wilde Lynn weten.

'Dat ligt nogal gecompliceerd. Er zijn veel factoren die meespelen.'

Lynn schudde heftig haar hoofd. 'Nee, Shirley... zuster Linsell. Er zijn helemaal niet veel factoren, er is er maar één wat mij betreft: mijn dochter. Ze heeft dringend een nieuwe lever nodig, toch?'

'Ja, dat is zo, en we zijn er druk mee bezig. Maar u moet wel begrijpen dat zij een van de velen is.'

'Voor mij niet.'

De vrouw knikte. 'Dat snap ik best, Lynn.'

'O, ja?' zei Lynn. 'En hoe groot is het percentage patiënten op je lijst dat overlijdt voordat ze een lever krijgen?'

'Mam, doe toch niet zo agressief!'

Lynn zat op de rand van het bed en hield Caitlin in haar armen. 'Lieverd, laat mij dit nu maar afhandelen.'

'Je doet net of ik achterlijk ben of zo. Ik ben hartstikke kwaad! Zie je dat dan niet? Ik ben net zo kwaad als jij – nog meer zelfs – maar je schiet er niets mee op als je zo boos bent.'

'Snap je dan niet wat deze trut hier zegt!' barstte Lynn los. 'Ze laat je gewoon thuis sterven!'

'God, wat doe je toch weer theatraal!'

'Ik doe níét theatraal!' Lynn wendde zich tot de coördinator. 'Zeg maar wanneer er weer een lever beschikbaar komt.'

'Dat kan ik helaas niet zeggen, Lynn.'

'Over vierentwintig uur? Over een week? Of over een maand anders?'

Shirley Linsell haalde haar schouders op en glimlachte triest. 'Echt, dat weet ik niet. We knepen al in onze handjes dat we zo snel een lever voor haar hadden. Al na een week, en geen andere patiënt die erop zat te wachten en hoger op de lijst stond dan Caitlin. De donor was een ogenschijnlijk gezonde, dertigjarige man, maar zoals bleek had hij toch een drank- of een eetprobleem.'

'Dus dit soort gelul kan de volgende keer weer gebeuren?'

De coördinator glimlachte om Lynn te sussen en Caitlin gerust te stellen. 'We hebben een heel goede reputatie. Ik weet zeker dat het allemaal in orde komt.'

'Een goede reputatie? Wat wil dat zeggen?' vroeg Lynn.

'Mam!' zei Caitlin dringend.

Lynn lette niet op haar en ging door: 'Bedoelt u soms dat u een goede reputatie hebt vergeleken met de rest van het land? Dat maar negentien procent van uw patiënten overlijdt voordat ze een lever krijgen, vergeleken met de twintig procent elders? U hoeft mij niets te vertellen over de statistieken in de gezondheidszorg!' De tranen stroomden over Lynns wangen. 'U stelt het leven van mijn dochter in de waagschaal zodat een of andere oude alcoholist nog een paar maandjes kan leven, omdat u zo uw reputatie hoog kunt houden. Dat klopt toch, hè?'

'We zijn God niet, mevrouw Beckett. We kunnen niet zeggen dat de ene mens meer recht heeft op leven dan iemand anders vanwege zijn leeftijd of omdat hij nu wel of niet ongezond heeft geleefd. Wij zijn neutraal. We willen iedereen helpen. En soms moeten we heel moeilijke beslissingen nemen.'

Lynn keek haar woedend aan. In haar hele leven had ze nooit iemand zo fel gehaat als deze vrouw. Ze wist zelfs niet of haar de waarheid werd verteld of dat haar maar wat op de mouw werd gespeld. Had een of andere rijke stinkerd met een ziek kind geld aan het ziekenhuis gegeven, zodat zijn kind in plaats van Caitlin kon leven? Of was er soms een fout gemaakt, die ze nu onder het tapijt wilden vegen?

'Is dat zo?' vroeg ze hatelijk. 'Moeilijke beslissingen? Vertel me eens, Shirley, heb je ooit wel eens wakker gelegen van een "moeilijke beslissing"?'

De verpleegkundige bleef rustig en zei vriendelijk: 'Ik geef erg veel om onze patiënten, mevrouw Beckett. Elke dag weer neem ik hun problemen mee naar huis.'

Lynn zag dat ze het meende.

'Goed, vertel me dan eens, jij zei net dat Caitlin deze lever had gekregen als die in orde was geweest, omdat zij boven aan de lijst stond. Maar dat kan dus veranderen, nietwaar? Van het ene op het andere moment?'

'We vergaderen elke week over de volgorde van de wachtlijst,' antwoordde Shirley Linsell.

'Dus de volgende vergadering kan het weer helemaal anders zijn, toch? Als er – naar jullie mening – iemand is die er dringender een nodig heeft dan Caitlin.'

'Ja, zo gaat dat helaas inderdaad.'

'Mooi is dat,' zei Lynn, weer kokend van woede. 'Jullie zijn net een vuurpeloton, weet je dat? Met jullie wekelijkse vergadering over wie wel en niet mag leven. Alsof jullie allemaal schieten, maar een van jullie heeft in plaats van een kogel in het geweer een losse flodder. Jullie patiënten sterven, maar geen van jullie neemt daar de verantwoordelijkheid voor.'

49

Simona lag op de onderzoekstafel met alleen een wijde ochtendjas aan. Dokter Nicolai, een ernstige, vriendelijk uitziende man van een jaar of veertig, maakte de bloeddrukmeter met klittenband om haar arm vast, stak zijn stethoscoop in zijn oren en kneep in het rubberen balletje totdat de band strak om haar arm zat. Toen keek hij op het metertje dat eraan vastzat.

Even later maakte hij de band los en knikte, alsof alles in orde was.

De Duitse vrouw, die haar had verteld dat ze Marlene heette, stond naast haar. Ze was mooi, vond Simona. Ze droeg een chique zwarte suède jas, afgezet met bont, een lichtroze truitje, een dure spijkerbroek en zwarte leren laarzen. Haar blonde, modieus in de war gebrachte haar hing tot op haar schouders, en ze rook heerlijk naar parfum.

Simona mocht haar en vertrouwde haar. Romeo had gelijk gehad wat de vrouw betrof, dacht ze. Ze was zo'n zelfverzekerde, aardige en lieve vrouw. Simona had haar moeder nooit gekend, maar als ze er een mocht uitkiezen, zou ze iemand als Marlene nemen.

'Ik ga nu een beetje bloed afnemen,' zei de dokter, die de band verwijderde en een injectienaald pakte.

Simona keek er angstig naar.

'Er is niets aan de hand, Simona,' zei Marlene.

'Wat gaat hij doen?' vroeg ze met verstikte stem.

'We willen je alleen maar helemaal onderzoeken, zodat we zeker weten dat je gezond bent. Het kost ons veel geld om je naar Engeland te sturen. We moeten paspoorten voor jullie zien te regelen, en dat valt nog niet mee zonder papieren. En jullie mogen daar niet werken als jullie niet gezond zijn.'

Simona deinsde achteruit toen de naald dichterbij kwam. 'Nee,' zei ze. 'Nee!'

'Er is echt niets aan de hand, schatje!'

'Waar is Romeo?'

'Buiten. Hij heeft dezelfde tests gehad als jij. Wil je hem er soms bij hebben?'

Simona knikte.

De vrouw maakte de deur open. Romeo kwam naar binnen en zijn grote ogen werden zelfs nog groter toen hij Simona in haar ochtendjas zag zitten.

'Wat zijn ze aan het doen?' vroeg Simona hem.

'Geen paniek,' zei Romeo. 'Ze doen je geen pijn, hoor. We moeten alleen even onderzocht worden.'

Simona gilde toen de naald in haar arm werd gestoken. Toen keek ze doodsbang toe terwijl het plastic buisje langzaam maar zeker volliep met donkerrood bloed.

'We hebben gezondheidsverklaringen nodig om het land in te komen,' zei Romeo.

'Het doet pijn.'

Even later was het buisje vol. De dokter trok de naald eruit, legde de spuit op een tafel en drukte toen een watje met een desinfecterend middel op het wondje. Na een paar tellen deed hij er een pleister op.

'Klaar!' zei hij.

'Mag ik nu weg?' vroeg ze.

'Ja, ga maar,' zei de vrouw. 'Gaan jullie naar je eigen plek toe?'

'Ja,' antwoordde Romeo voor hen allebei.

'Ik kom naar jullie toe, als alles in orde is. Ga je maar aankleden. En wil je echt naar Engeland, Simona? Weet je het zeker, mijn kleine *Liebling*?'

'U kunt daar toch een baan voor me regelen? En voor Romeo? En we krijgen daar dan toch een flatje, in Londen?'

'Een baan en een mooie flat. Je zult er wég van zijn.'

Simona keek ter geruststelling Romeo aan. Hij haalde zijn schouders op en knikte.

'Ja,' zei ze. 'Ik weet het zeker.'

'Mooi,' zei Marlene. Ze gaf Simona een kus op haar voorhoofd.

'Wanneer kunnen we weg, denkt u?' vroeg Romeo.

'Als de tests allemaal in orde zijn, al snel.'

'Hoe snel?'

'Wanneer wil je gaan?'

Hij haalde weer zijn schouders op. 'Mag Valeria met ons mee?'

'Dat meisje met de baby?'

'Ja,' zei hij.

'Dat komt nu niet uit. Misschien als jullie daar al zitten, dat we dan iets kunnen regelen.'

'Ze wil graag met ons mee,' zei Simona.

'Dat gaat niet,' zei de Duitse. 'Niet nu. Als jullie liever hier in Boekarest bij haar blijven, moet je dat nu zeggen.'

Simona schudde driftig met haar hoofd. 'Nee.'

Romeo schudde net zo driftig met zijn hoofd, alsof hij bang was dat Marlene opeens over Simona en hem van gedachten zou veranderen. 'Nee.'

De volgende ochtend kreeg Marlene Hartmann in Berlijn een telefoontje van dokter Nicolai in Boekarest. Simona's bloedgroep was AB negatief. Ze glimlachte en schreef alles op, altijd handig om een zeldzame bloedgroep erbij te hebben. Ze was ervan overtuigd dat ze binnen de kortste keren al Simona's organen kwijt zou zijn.

50

Dinsdagochtend, na de vergadering van operatie Neptunus, reed Roy Grace naar het hoofdkwartier van politie in Sussex, een ritje van twintig minuten, om Alison Vosper op de hoogte te stellen.

Hoewel ze aan het eind van het jaar zou opstappen en vervangen zou worden door een hoofdinspecteur met de naam Peter Riggs – over wie hij nog maar heel weinig wist – zat ze er nu nog een paar weken middenin en wilde ze de gebruikelijke gesprekjes onder vier ogen met Roy over alle grote onderzoeken waar hij mee bezig was. Tot zijn verbazing en opluchting was ze dit keer zeldzaam rustig. Hij wachtte tot ze zou beginnen, maar dat gebeurde niet. Ze luisterde zonder iets te zeggen naar zijn verhaal en wees hem al na een paar minuten de deur.

Eenmaal terug in zijn kantoor was hij net bezig de eindeloze stroom e-mails te bekijken op zijn computer, toen Norman Potting aanklopte en binnenliep. Hij rook sterk naar tabak en had ongetwijfeld buiten snel een paar trekjes van zijn pijp genomen.

'Heb je even, Roy?' vroeg hij, met zijn plattelandsaccent.

Grace gebaarde dat hij kon gaan zitten.

Hij nam plaats in de stoel voor het bureau en slaakte al doende een knoflookzucht. 'Ik wilde het even met je over Roemenië hebben,' zei Potting. 'Ik heb iets wat ik beter niet tijdens de vergadering te berde kan brengen.'

'Ga je gang.' Grace keek hem nieuwsgierig aan.

'Nou, volgens mij heb ik een kortere route ontdekt. We hebben natuurlijk gebitsgegevens, vingerafdrukken en DNA-materiaal van deze drie mensen naar Interpol gestuurd, maar we weten allebei dat dat soort dingen eindeloos lang duurt.'

Grace glimlachte. Interpol was een prima organisatie, maar het kantoor zat inderdaad vol met pennenlikkers die afhankelijk waren van de medewerking van de politiekorpsen overal ter wereld en maar zelden in staat om snel resultaat te behalen.

'Het gaat zeker nog drie weken duren,' zei Norman Potting. 'Ik heb nog eens op internet gekeken. In Boekarest leven duizenden kinderen op straat. Als – en dit is alleen maar een veronderstelling – deze drie slachtoffers straatkinderen zijn, lijkt het me onwaarschijnlijk dat ze ooit naar een tandarts zijn geweest, en tenzij ze ooit opgepakt zijn, zullen er ook geen vinger-afdrukken of DNA-kenmerken bekend zijn.'

Grace knikte dat hij het ermee eens was.

'Ik ken een vent met wie ik ooit in Hendon een rechercheopleiding heb gevolgd: Ian Tilling. We raakten bevriend en hebben nog steeds contact. Hij ging bij de Londense politie en na een paar jaar is hij naar Kent overge-plaatst. Werd inspecteur. Om kort te gaan, zijn zoon is ongeveer zeventien jaar geleden bij een motorongeluk omgekomen. Zijn leven stortte in, zijn huwelijk ging kapot, en hij ging met vervroegd pensioen. Toen wilde hij iets heel anders gaan doen – je kent het wel – om zo nog iets goeds uit het voor-val voort te laten komen. Dus hij ging naar Roemenië om daar met straat-kinderen te werken. Ik heb hem ongeveer vijf jaar geleden voor het laatst gesproken, toen mijn vorige huwelijk net op de klippen liep.' Potting glim-lachte weemoedig. 'Je weet hoe het gaat als je in zak en as zit, je bladert je adresbockje dooi en gaat je ouwe vrienden opbellen.'

Dat had Roy Grace nooit gedaan, maar hij knikte evengoed.

'Hij had net een medaille van de koningin gekregen voor zijn werk met die straatkinderen, en hij was er apetrots op. Als jij het goed vindt, wil ik hem bellen. Het wordt misschien niets, maar wie weet kan hij ons helpen.'

Grace dacht er even over na. De afgelopen jaren was het er in de politie steeds bureaucratischer aan toe gegaan, met regeltjes voor van alles en nog wat. De procedures met Interpol waren net zo. Het was riskant als je je bui-ten de gebaande paden begaf en de nieuwe hoofdcommissaris zou er zeker niet blij mee zijn. Maar aan de andere kant had Norman Potting er gelijk in dat het weken zou duren voordat Interpol weer contact met hen opnam, en dan waarschijnlijk alleen om te vertellen dat ze niets hadden gevonden. Hoe-veel lijken zouden er in de tussentijd nog opduiken?

En hij vond het een geruststellende gedachte dat die Ian Tilling politic-man was geweest, wat inhield dat hij vast niet gek was.

'Ik zal dit niet in mijn verslag schrijven, Norman, maar van mij mag je dat zeker gaan doen. Fijn dat je ermee komt.'

Potting zag er voldaan uit. 'Ik ga meteen bellen, baas. Die oude gabber zal wel verrast zijn wat van me te horen.' Hij stond op, maar ging opeens toch weer zitten. 'Roy, zou ik jou iets mogen vragen? Je weet wel, van man tot man?'

Grace wierp even een blik op de grote hoeveelheid e-mails die intussen alweer binnengekomen waren. 'Tuurlijk, vraag maar.'

'Het gaat om mijn vrouw.'

'Om Li? Zo heet ze toch?'

Potting knikte.

'Uit Thailand?'

'Ja, uit Thailand.'

'Je hebt haar via internet leren kennen, hè?'

'Nou ja, min of meer. Het datingbureau staat op internet.' Potting krabde over zijn achterhoofd en voelde toen met zijn korte, vieze vingers of zijn haar nog over de kale plek gekamd zat. 'Heb jij daar wel eens over nagedacht? Om dat te doen, bedoel ik?'

'Nee.' Grace keek bezorgd naar zijn monitor en was zich ervan bewust dat de klok verder tikte. 'Wat wilde je nou vragen?'

Potting keek ineens somber. 'Een beetje raad.' Hij stak zijn handen in zijn jaszakken en wroette daarin rond alsof hij iets zocht. 'Stel je even voor dat je mij bent, Roy. De afgelopen maanden met Li waren heerlijk, maar plotseling wil ze meer van me.' Hij viel stil.

'Hoe bedoel je, meer?' vroeg Grace, die met angst en beven zat te wachten tot Norman Potting over zijn seksleven ging uitweiden.

'Geld voor haar familie. Ik moet elke week geld sturen, om ze te helpen. Geld dat ik voor mijn pensioen opzij heb gezet.'

'Waarom moet je dat doen dan?'

Potting keek even verbaasd, alsof hij zich dat nog niet had afgevraagd. 'Waarom?' vroeg hij. 'Omdat Li zegt dat ik haar ouders moet helpen als ik echt van haar hou.'

Grace keek hem aan en was stomverbaasd om zijn naïviteit. 'Geloof je dat?'

'Ze gaat pas met me naar bed als ik het geld heb overgemaakt. Dat doe ik via internet, weet je wel,' zei hij, alsof hij trots was op zijn technische bekwaamheid. 'Natuurlijk snap ik best dat haar land behoorlijk arm is en dat ze denken dat ik rijk ben. Maar...' Hij haalde zijn schouders op.

'Zal ik jou eens wat vertellen, Norman?'

'Ik hecht veel waarde aan jouw mening, Roy.'

Grace keek de man aan. Potting zag er verloren en terneergeslagen uit. Hij snapte het echt niet.

'Je bent verdorie politieman, Norman. Je bent nota bene een rechercheur, en een goede ook! Snap je het dan niet? Ze neemt je in de maling. Je laat je leiden door je pik en niet door je hersens. Ze zal je elke cent afpakken en dan gaat ze ervandoor. Ik heb over dat soort meisjes gehoord.'

'Zo is Li niet.'

'O nee? Leg dat dan maar eens uit.'

Potting haalde zijn schouders op en keek de inspecteur hulpeloos aan. 'Ik hou van haar. Daar kan ik niets aan doen, Roy. Ik hou van haar.'

Roys mobieltje ging. Hij nam op en was stiekem blij met de onderbreking.

Het was een slimme collega die hij graag mocht: Rob Leet, een inspecteur werkzaam in Oost-Brighton.

'Roy,' zei hij, 'dit is misschien niets, maar ik dacht dat het jou wel zou interesseren, vanwege dat onderzoek naar die drie lijken in het Kanaal. Iemand van mijn team is onderweg naar de jachthaven. Een vent die daar bij eb zijn hond uitliet heeft iets gevonden wat zo te zien een gloednieuwe buitenboordmotor is.'

Grace dacht snel na en zei: 'Ja, dat zou wel eens iets kunnen zijn. Zorg ervoor dat niemand hem aanraakt. Kun je hem veilig inpakken en naar ons toe brengen?'

'Doen we.'

Grace bedankte hem en beëindigde het gesprek. Hij stak verontschuldigend zijn vinger op naar Norman Potting en toetste een intern nummer in van de afdeling Dactyloscopie, op de etage onder hem. Er werd na twee keer overgaan opgenomen.

'Mike Bloomfield.'

'Mike, met Roy Grace. Kunnen jullie vingerafdrukken van een buitenboordmotor halen die in zee gelegen heeft?'

'Dat is nou ook toevallig, Roy. We hebben net een nieuw apparaat binnengekregen. Kostte maar liefst honderdtwaalfduizend pond. Daarmee kun je vingerafdrukken van plastic halen dat in het water heeft gelegen, maakt niet uit wat voor water.'

'Heel mooi. Dan heb ik waarschijnlijk de eerste opdracht voor dat ding.'

Norman Potting stond op, gebaarde dat hij een andere keer wel terugkwam, en liep toen langzaam, met gebogen schouders de deur uit. Roy had opeens medelijden met hem.

51

Vlad Cosmescu stond in de aankomsthal van Gatwick Airport, samen met de gebruikelijke verzameling familieleden, chauffeurs en reisorganisatoren voorzien van een naambordje. Het vliegtuig uit Boekarest was een uur geleden geland en de meisjes waren nog niet de hal in gekomen.

Mooi.

Aan de labels te zien van de koffers van de gestage stroom reizigers die door de douane kwamen, was iedereen die in het vliegtuig had gezeten inmiddels vertrokken. Hij zag labels van Alitalia, volgens hem van een vliegtuig dat uit Turijn kwam, dat ruim een halfuur later was geland. En labels van easyJet, waarschijnlijk van het vliegtuig uit Nice. Vervolgens SAS-labels en zelfs een paar van de KLM.

Zijn horloge gaf aan dat het vijf over halftwaalf was. Hij stak een stuk Nicorette-kauwgom in zijn mond en kauwde. De twee meisjes die hij ophaalde hadden strikte instructies gekregen voor wat ze moesten doen nadat ze waren uitgestapt en bij de douane kwamen, en blijkbaar hadden ze goed geluisterd.

Ze moesten een uur blijven rondhangen, totdat er nog meer vliegtuigen waren geland en die passagiers door de douane gingen, voordat zij in de rij gingen staan. Hoewel Roemenië inmiddels tot de EU was toegetreden, wist Cosmescu maar al te goed dat het land bekendstond wegens mensenhandel. Roemeense paspoorten werden bij de grens en de immigratiedienst altijd met argwaan bekeken.

Daarom moest iedereen die hij afhaalde, soms wekelijks en soms zelfs nog vaker, zijn Roemeense paspoort verscheuren en door het toilet van het vliegtuig spoelen, een uur na landing wachten en vervolgens met een vals Italiaans paspoort door de douane gaan. Als de immigratiedienst dan Roemeense vluchten in de gaten hield, hadden ze dat tegen de tijd dat de meisjes verder gingen wel opgegeven.

Er kwamen twee meisjes aanlopen. Knappe, jonge dingen van een jaar of achttien, in goedkope jurken en met goedkope koffers. Ze zouden het kunnen zijn. Hij hield het bordje met de onschuldige woorden FAM. JACKSON omhoog.

Een van de meisjes – ontzettend sexy, slank, met lang donker haar – stak haar hand op en zwaaide naar hem.

'Alles goed gegaan onderweg?' vroeg hij in het Roemeens bij wijze van begroeting.

'Ja,' zei ze. 'Fantastisch!'

'Welkom in Engeland.'

'Ja,' zei ze weer. 'Fantastisch!'

'Fantastisch!' zei het andere meisje.

Ze waren zichtbaar opgelucht.

Twintig minuten later zat Cosmescu voor in de aftandse bruine E-klasse Mercedes op de passagiersstoel. Grigore, vies, klein en met konijnentanden, zat aan het stuur. Hij had niet echt een bochel, maar het leek er wel op. Hij zat over het stuur gebogen, gekleed in een van zijn goedkope beige pakken, met zijn vette haar, kromme neus en zijn blik meer op de binnenspiegel gericht dan op het verkeer, waarbij hij wanneer het maar kon snel een geile blik op de meisjes wierp die op de achterbank zaten.

Cosmescu werkte nu al vijf jaar met Grigore en hij wist nog steeds maar weinig van dat vreemde, kleine wezen af. De man kwam altijd op tijd opdagen, haalde mensen op en bracht ze weg, maar hij zei bijna nooit wat, en dat vond Cosmescu eigenlijk wel best. Als je in gesprek raakte met iemand moest je het op een gegeven moment over jezelf hebben. Hij wilde het met niemand over zichzelf hebben. Dat was niet slim. Hoe minder men van je af wist, hoe meer je in de massa opging. En hoe meer je in de massa opging, des te veiliger je was. De sef had dat er bij hem in gehamerd.

Grigore was een prima manusje-van-alles. Hij kon bijna alles, van loodgieterswerk en elektra tot isoleren, zodat hij alle problemen kon oplossen, zoals lekkende buizen, verstopte toiletten, losse planken en kapotte jaloezieën, en wat er verder nog stuk kon gaan in de vier bordelen in de stad waar Cosmescu de leiding over had. Cosmescu hoefde zich dus geen zorgen te maken over roddelende werklui. Eens per week stond hij Grigore toe om een van de meisjes een uur mee naar achteren te nemen. Dat en het gulle salaris waren meer dan genoeg om zich van Grigores eeuwige trouw te verzekeren.

Dat was dus iets waar hij zich geen zorgen over hoefde te maken. Hij zat nog steeds in zijn maag met die lijken. En dat hij het had verknald. En dan Jim Towers nog. Het was stom geweest dat hij hem vermoord had. Maar het was nog stommer geweest als hij hem in leven had gelaten, terwijl hij zo dik was met de politie, en zo veel wist. Towers was iets van plan geweest, misschien had hij gewoon last gehad van een slecht geweten, maar voor hetzelfde geld had hij hem willen chanteren. Net als bij het gokken moest je de risico's tegen elkaar afwegen. Een kleine tegen een grotere.

Hij draaide zich om en keek naar de meisjes. Anca, aan de linkerkant, was leuk. Haar lotgenote Nusha had een harder gezicht, en haar neus was een tikje te groot. Maar ze waren allebei jong: zeventien, op zijn hoogst achttien. Ze waren prima, ze zouden het goed doen. Hij zou ze geen van beiden uit zijn bed schoppen.

En dat was hij dan ook niet van plan.

Cosmescu draaide zijn sleutel om en de lift ging rechtstreeks vanaf de ondergrondse parkeergarage naar zijn flat, achter het Metropole Hotel. De twee meisjes stonden naast hem, met hun goedkope bagage, en zeiden niets.

Toen vroeg Anca opeens: 'Wanneer moeten we gaan werken?'

'Nu meteen,' zei hij.

Ze wees met haar vinger omhoog. 'Gaan we naar de bar?'

Hij keek naar haar glinsterende ketting. Rook haar zoete parfum, en dat van haar vriendin, dat nog zoeter was. Hij keek in haar decolleté. Mooie tieten. Die van haar lotgenote waren zelfs nog mooier, wat haar gezicht weer goedmaakte. Hij haalde een pakje sigaretten tevoorschijn, omdat hij verwachtte dat ze wel zouden roken. Dat klopte. Ze namen er ieder een.

Voordat hij zijn aansteker kon openmaken – zijn timing was zoals altijd perfect – kwam de lift tot stilstand en gleden de deuren open.

Ze waren nu meer gericht op hun sigaret dan op wat er om hen heen gebeurde. Om hun verwachtingen hoog te houden, zette hij een stap in zijn flat en hield de deur voor hen open totdat ze hun koffers met al hun bezittingen erin de lift uit hadden gesleept.

Terwijl ze over het tapijt de gang in liepen, liet hij hun ieder hun eigen kamer zien. Eenpersoonskamers. Je moest ze nooit bij elkaar zetten zodat ze een band kregen. Dat had hij wel geleerd. Hij liep Anca's kamer in en pakte haar plastic handtas van de grond.

'Hé!' zei ze.

Hij negeerde haar en haalde haar paspoort en al haar geld uit haar tas.

'Wat doe jij nou?' vroeg ze kwaad.

Hij pakte zijn aansteker en stak eindelijk haar sigaret aan. 'Weet je wel hoeveel geld je me schuldig bent? Duizenden ponden voor je vlucht en je paspoort. Als je mijn baas hebt terugbetaald, krijg je misschien je paspoort terug.'

Hij liep naar buiten en deed hetzelfde bij Nusha.

Even later liepen de beide meisjes bedrukt de grote, moderne zitkamer in. De kamer bood uitzicht op de Palace Pier en de zwarte overblijfselen van de West Pier, en in het oosten de jachthaven en verder weg het Kanaal.

Cosmescu was ervan overtuigd dat ze zoiets nog nooit hadden gezien. Hij wist waar ze vandaan kwamen. En dat Marlene ze, ter voorbereiding op hun nieuwe leven, een beetje had opgeknapt.

De meisjes die hier kwamen hadden allemaal een grote schuld, wat inhield dat ze in Roemenië getekend hadden voor een gigantische lening – hoewel ze nooit echt geld te zien kregen – en dat ze in Engeland voor hun ticket naar de vrijheid, zoals ze hadden verwacht, moesten werken. Ze begonnen in Brighton. Als ze eraan konden wennen, prima. Maar de ijverige politiemensen in Brighton and Hove, en ook een paar goed bedoelende zielen, kwamen soms langs in de bordelen en praatten met de meisjes om erachter te komen of ze daar tegen hun wil zaten.

Als ze het idee kregen dat een van hen hulp wilde van de politie, haalde hij ze uit Brighton en zette ze in een van de bordelen in Londen, waar niemand op hen zou letten.

'Gaan we vanavond naar de bar?' vroeg Anca.

'Kleed je uit,' zei hij. 'Jullie allebei.'

De twee meisjes keken elkaar verbaasd aan. 'Moeten we ons uitkleden?'

'Ik wil jullie bloot zien.'

'We... We zijn geen strippers,' zei Nusha.

'Julie zijn inderdaad geen strippers,' zei hij. 'Jullie gaan mannen met jullie lijf verwennen.'

'Nee! Dat was niet de afspraak!' wierp Anca tegen.

'Weet je wel hoe duur het is om je hier te krijgen?' zei hij bars. 'Wil je terug naar huis? Ik breng je morgen wel naar het vliegveld. Maar meneer Bojin zal daar niet blij mee zijn. Hij wil zijn geld terug. Of wil je soms dat ik de politie bel? In dit land is het een misdaad als je een vals paspoort hebt.'

De meisjes zeiden niets.

'Nou, zeg het maar, wat willen jullie? Zal ik meneer Bojin bellen?'

Anca schudde doodsbang haar hoofd. Nusha hoog dat van haar en haar gezicht was spierwit.

'Goed.' Hij haalde zijn mobieltje uit zijn zak en drukte op een knopje. 'Ik bel de politie wel.'

'Nee!' riep Anca. 'Niet de politie!'

Hij stak de telefoon weer in zijn zak. 'Nou, kleed je dan uit. Ik zal jullie leren hoe je in dit land een man verwent.'

Met hun blik stuurs op het tapijt gericht, dat zo donker was als hun nieuwe leven, kleedden de beide meisjes zich uit.

52

Op de flatscreen hoog aan de muur, niet al te ver bij haar bureau vandaan, las Lynn de in grote gouden letters geschreven woorden: DE TIEN TOPMEDE-WERKERS.

Daaronder stonden namen. De bovenste was van Andy O'Connor, van de Hongerige Haaien, een van de andere teams. Ze las op het scherm dat Andy tot dusver deze week in totaal 9987 pond in contanten had geïnd. Als hij bovenaan bleef staan, zou hij 871 pond bonus krijgen.

Dat kon ze goed gebruiken!

Ze keek jaloers naar de negen namen onder de zijne. De onderste was die van haar vriendin en teamlid Katie Beale, met 3337 pond.

Lynn kwam zelfs niet in de buurt. Er had maar één grote cliënt mee willen werken. Hij zou vijfhonderd pond in één keer betalen en de rest van de MasterCard-schuld voor 4769 pond in maandelijkse afbetalingen van vijftig pond. Maar die vijfhonderd pond – als hij het al ophoestte – zou haar week-totaal nog maar op zestienhonderdvijftig brengen. Een onoverkoombaar groot verschil.

Misschien kon ze wat uren inhalen als ze die avond tot laat doorwerkte. Luke zou bij Caitlin langsgaan, dus die had tenminste bezoek. Maar ze wilde niet al te lang bij haar wegblijven.

Ze kreeg opeens een e-mail binnen. Hij was van Liv Thomas, haar team-manager, die haar verzocht een van haar minst populaire cliënten nog eens te bellen.

Lynn kreunde inwendig. Het bedrijf had als stelregel dat je nooit de cliën-ten, zoals ze werden genoemd, echt mocht ontmoeten. Je mocht ze ook nooit iets over jezelf vertellen. Maar zij had altijd een beeld voor ogen gehad als ze iemand aan de lijn had. En het beeld dat ze bij het hoofd van Reg Okuma had, was een kruising van Robert Mugabe en Hannibal Lecter.

Hij had een schuld van 37.870 pond op een persoonlijke lening bij de Bradford Credit Bank, zodat hij een van de grootste schuldenaars bij hen was; de grootste had maar liefst 48.906 pond schuld.

Een paar weken geleden had ze het opgegeven om ooit nog een cent van Okuma te verwachten en had ze zijn schuld aan de rechtsafdeling overge-dragen. Aan de andere kant, dacht ze, mocht het haar dit keer wel lukken, zou dat werkelijk fantastisch zijn en zou ze in één keer in de running zijn voor de bonus van deze week.

Ze toetste zijn nummer in.

Hij nam meteen al bij de eerste keer overgaan op.

'Meneer Okuma?' zei ze.

'Als dat niet mijn goede vriendin Lynn Beckett van Denarii is!' zei hij met zijn donkere, vibrerende stem.

'Dat klopt, meneer Okuma,' zei ze.

'En wat kan ik op deze mooie dag voor jou betekenen?'

Het mag voor jou mooi zijn, dacht Lynn, maar voor mij regent het van-binnen, en buiten trouwens ook. Afgaande op het telefoonscript dat ze altijd moesten gebruiken, zei ze: 'Het leek me een goed idee om eens met u te pra-ten over een andere manier om uw schuld te vereffenen, zodat we dat gedoe van een rechtszaak kunnen vermijden.'

Zijn stem straalde zelfvertrouwen en gladde charme uit. 'Je hebt daarbij alleen maar mijn welzijn in gedachten, toch, Lynn?'

'Ik denk aan uw toekomst,' zei ze.

'Ik denk aan je blote lichaam,' kaatste hij terug.

'Daar zou ik maar niet te hard aan denken.'

'Van de gedachte alleen al word hij hard.'

Lynn was even stil en vervloekte zichzelf dat ze hem een opening had ge-boden. 'Ik heb een afbetalingsplan voor u opgesteld. Hoeveel denkt u elke week of elke maand af te kunnen betalen?'

'Kunnen we niet een keertje afspreken? Alleen wij tweeën?'

'Als u iemand van het bedrijf persoonlijk wilt spreken, kan ik dat voor u regelen.'

'Ik heb een heel grote pik, weet je dat? Die zou ik je graag willen laten zien.'

'Ik zal mijn collega's ervan op de hoogte stellen.'

'Zijn die net zo knap als jij?'

De rillingen liepen haar over de rug.

'Hebben jouw collega's ook lang, bruin haar? Hebben die ook een dochter die op een levertransplantatie zit te wachten?'

Lynn gooide doodsbang de hoorn op de haak. Hoe wist hij dat allemaal?

Even later ging haar mobieltje. Ze nam meteen op en riep woedend 'Ja!', ervan overtuigd dat het Reg Okuma zou zijn, die op de een of andere manier achter haar telefoonnummer was gekomen.

Maar het was Caitlin. Ze klonk ellendig.

53

Ian Tilling miste het soms wel dat hij niet meer voor de Britse politie werkte. Soms miste hij Engeland ook, hoewel hij er niet zulke goede herinneringen aan had. De heimwee sloeg het meest toe op de ijskoude winterse dagen in Boekarest, wanneer elk bot in zijn achtenvijftigjarige lijf bevroor. Op die dagen werden de chaotische kilte van zijn omgeving hier in het veertiende district en de bureaucratie en corruptie en onverschilligheid van zijn nieuwe vaderland hem te veel.

Elke keer als hij zich down voelde, moest hij weer denken aan die vreselijke avond, zeventien jaar geleden, toen twee van zijn collega's bij hem thuis in Kent langskwamen om te vertellen dat zijn zoon Kevin bij een motorongeluk was omgekomen.

Maar hij wist hoe hij die pijn meteen kon verzachten. Hij verliet dan zijn bureau in het armzalige kantoortje, dat was gemeubileerd met geschonken spullen en dat ook plaats bood aan drie jonge maatschappelijk werksters, en ging naar het pension dat hij als een veilige haven had opgericht en dat in deze wrede stad onderdak bood aan vijftig daklozen, om de glimlach op het gezicht van de bewoners te zien.

Hij ging dat nu ook doen.

Toen Ceauşescu in 1954 aan de macht kwam had hij het idiote plan om Roemenië een van de grootste industriële landen in de westerse wereld te maken. Om dat te bereiken moest hij de bevolking drastisch laten toenemen om arbeiders te creëren. Een van de eerste maatregelen was dat alle meisjes vanaf de leeftijd van veertien jaar elke maand een zwangerschapstest moesten doen. Als ze zwanger bleken te zijn, mochten ze geen abortus plegen.

Een paar jaar later waren de gezinnen dan ook stukken groter geworden en de kinderen werden Kinderen van het Decreet genoemd. Veel van deze kinderen werden in tehuizen geplaatst en daar in kolossale slaapzalen, waar velen werden mishandeld en misbruikt, opgevoed. De kinderen die ontsnapten kwamen op straat terecht. De meesten van hen zwierven nog steeds rond, sliepen in de hutjes die naast de warmwaterpijpen waren gebouwd die kriskras door het district liepen, of in de gaten onder de grond, onder de pijpen. Deze pijpen leidden naar de flats in de stad en verwarmden ze in de winter.

Na Kevins overlijden liep Tillings huwelijk op de klippen en kon hij zich niet meer op zijn werk bij de politie concentreren. Hij nam ontslag, ging in een flat wonen en dronk zich elke dag bewusteloos terwijl hij tv zat te kijken. Op een avond zag hij een documentaire over hoe moeilijk de Roemeense straatkinderen het hadden en dat raakte hem diep. Hij besefte opeens dat hij misschien toch nog iets nuttigs kon doen met zijn leven. Kevin kreeg hij er niet mee terug, maar misschien kon hij die kinderen, die het nooit mee had gezeten in hun leven, wel helpen. De volgende ochtend belde hij de Roemeense ambassade.

Hij kon zich nog het eerste kinderhuis herinneren dat hij had bezocht toen hij in dit land aankwam. Hij kwam op een slaapzaal waar vijftig gehandicapte kinderen in de leeftijd van negen tot en met twaalf jaar in bedjes met spijlen voor zich uit of naar het plafond hadden liggen staren. Ze hadden geen speelgoed. Geen boeken. Niets om hen bezig te houden.

Hij was meteen weggegaan en had zakken vol speelgoed gekocht en elk kind een speeltje gegeven. Tot zijn verbazing reageerde geen enkel kind erop, ze keken er alleen maar wezenloos naar. Op dat moment daagde het hem dat ze geen idee hadden wat ze ermee moesten doen. Niet alleen omdat ze geestelijk gehandicapt waren, maar ook omdat ze nog nooit speelgoed hadden gezien en niet wisten wat ze ermee aan moesten. Niemand had deze kinderen ooit iets geleerd. Zelfs niet hoe ze met een pop moesten spelen.

En op datzelfde ogenblik wist hij dat hij wat voor die kinderen wilde doen.

Hij was eigenlijk van plan geweest maar een paar maanden in Roemenië te blijven. Hij had nooit verwacht dat hij er zeventien jaar later nog zou zijn, gelukkig getrouwd met Cristina, een Roemeense, en tevredener dan hij ooit was geweest.

Tilling zag er taai en fit uit, hoewel hij een bierbuik had, en hij had nog steeds het loopje van een agent, waarin hij zijn opgekropte energie kwijt kon. Zijn gezicht was gerimpeld en doorleefd, hij had een klein snorretje en kortgeknipt grijs haar. Ondanks het weer had hij een blauw poloshirt aan, een te wijde geelbruine broek en oude bruine instappers.

Hij liep de gang in en glimlachte naar een groep nieuwkomers die op de versleten stoelen en banken hadden plaatsgenomen en door een liefdadigheidsorganisatie naar hen toe waren gestuurd. Er waren vier Roma-kinderen bij met donkere huid: een achtjarige jongen in een joggingbroek en een T-shirt met glitters, een jongen van veertien in een wijd shirt en een zwarte joggingbroek die te klein voor hem was, en twee meisjes, eentje van twaalf met lang haar en een trainingspak aan en een van vijftien in een spijkerbroek en een vest vol gaten. Ieder van hen had een ballon gevuld met helium vast, die ze blij in de lucht staken.

Ze hoorden allemaal bij een gezin dat het niet had gered en waren in een instelling geplaatst, waar ze twee jaar geleden uit waren weggelopen. Sindsdien hadden ze op straat geleefd, en nu glimlachten ze hem toe, zoals hij al zo vaak had gezien, en wat elke keer weer zijn hart brak. Het was de glimlach van wanhopige mensen die niet konden geloven dat het ze een keer meezat.

'Hoe gaat het? Alles goed?' vroeg hij in het Roemeens.

Ze straalden en zwaaiden met de kleurige ballonnen. Tilling wist niet hoe ze aan de ballonnen waren gekomen, maar wat hij wel wist was dat dat, behalve de kleren die ze droegen, hun enige bezit was.

De bewoners van Casa Iona verschilden in leeftijd van zeven weken – een baby die er samen met haar veertienjarige moeder verbleef – tot tweeëntachtig – een vrouw die door een van de vele slecht opgezette Roemeense wetten van haar huis en zuurverdiende centjes was beroofd. De daklozen kregen in dit land geen bijstand en er waren maar weinig plaatsen waar ze af en toe de nacht konden doorbrengen. De oude vrouw bofte dat ze hier was. Ze deelde met drie andere oudere bewoners die hetzelfde lot hadden ondergaan een slaapzaal.

'Meneer Ian?'

Hij draaide zich om naar Andreea, een van de sociaal werksters, die zijn kantoor uit was gekomen. Ze was slank, knap, achtentwintig, en zou dat voorjaar gaan trouwen. Andreea was hartelijk en meelevend en had energie voor tien. Hij mocht haar erg graag.

'Telefoon voor je, uit Engeland.'

'Engeland?' vroeg hij ietwat verbaasd. Tegenwoordig hoorde hij zelden meer iets vanuit Engeland, behalve dan van zijn moeder, die in Brighton woonde en met wie hij elke week telefonisch contact had.

'Het is een politieman. Zegt dat hij oude vriend is.' Zoals zij het zei klonk het als een vraag. 'Nommun Patting.'

'Nommun Patting?' Hij fronste zijn wenkbrauwen. Plotseling viel het kwartje. 'Norman Pótting?'

Ze knikte.

Hij liep snel zijn kantoor in.

54

Lynn zag de snelheidscamera in haar achteruitkijkspiegel flitsen en vloekte. Ze kwam altijd langs dat rotding dat tegenover Preston Park stond, maar dit keer was ze hem finaal vergeten. Ze wilde zo snel mogelijk naar Caitlin toe en de rest deed er niet toe. Nu kreeg ze ook nog eens een boete terwijl ze het financieel al zo moeilijk had, en werden er weer drie punten van haar rijbewijs afgetrokken, maar ze ging door zonder af te remmen, vijfentachtig kilometer per uur, terwijl ze maar vijftig mocht, in haar wanhoop om snel bij haar kind te zijn.

Vijf minuten later reed ze de inrit op, sprong uit de auto, stak de sleutel in het slot van de voordeur en duwde die open. Luke stond in de hal, zijn sluike haar hing voor zijn ene oog, en hij had een wijd shirt en een wijde broek aan die zo uit de kostuumwinkel hadden kunnen komen. Zijn mond stond open en de uitdrukking op zijn gezicht was zelfs nog onnozeler dan anders, alsof hij op het perron stond en de laatste trein van die avond in de verte zag verdwijnen en niet wist wat hij nu moest doen. Hij stak zijn armen in de lucht als begroeting en liet ze toen weer zakken.

'Waar is ze?' vroeg ze.

'O, eh... Caitlin?' zei hij.

Wie denk je dan verdomme dat ik bedoel? Boadicea? Cleopatra? Hillary Clinton? Toen zag ze haar dochter in haar nachtpon met ochtendjas boven aan de trap staan. Ze stond te zwabberen alsof ze dronken was.

Lynn liet haar handtas op de grond vallen en rende de trap op, net op het moment dat Caitlin een stap naar voren deed, de bovenste trede volkomen oversloeg en voorover viel. Op de een of andere manier kreeg Lynn haar te pakken, haar dunne lijfje in haar ene en de trapleuning in de andere arm, en met de grootst mogelijke moeite lukte het haar om hen beiden voor een val te behoeden.

Ze keek Caitlin aan, en zag haar ogen draaien. 'Lieverd? Lieverd? Gaat het wel met je?'

Caitlin mompelde iets onverstaanbaars.

Met al haar kracht wist Lynn haar op de overloop te duwen. Caitlin wankelde tegen de muur aan. Luke kwam de trap op maar bleef halverwege staan.

'Hebben jullie soms drugs genomen?' schreeuwde Lynn tegen hem.

'Nee, nee, echt niet, Lynn,' wierp Luke geschokt tegen.

Caitlin mompelde moeizaam: 'Ik ben net... Ik ben... Ik ben net...'

Lynn dirigeerde haar naar haar kamer. Caitlin liet zich ruggelings op haar bed vallen. Lynn ging bij haar zitten en sloeg haar arm om haar heen. 'Wat is er, lieverd? Zeg het maar.'

Caitlins ogen draaiden weer weg.

Lynn schrok ervan en dacht heel even dat ze stierf.

'Als jij haar iets gegeven hebt, Luke, dan vermoord ik je. Ik meen het. Ik steek verdomme je ogen uit je kop!'

'Echt, dat heb ik niet gedaan. Niets. Echt niets. Ik heb niets met drugs. Ik zou het haar never nooit niet geven.'

Ze rook aan haar dochters adem of ze alcohol had gedronken, maar die was alleen maar warm en een beetje zurig. 'Wat is er aan de hand, lieverd?'

'Ik ben zo duizelig. Alles draait. Waar ben ik?'

'Thuis, lieverd. Alles is in orde. Je bent thuis.'

Caitlin keek wezenloos om zich heen en scheen niets te herkennen, alsof ze nog nooit in die kamer was geweest. Lynn volgde haar blik terwijl ze van het dartbord met de paarse boa die erover hing, naar de foto van de sexy rockster keek, wiens naam Lynn even kwijt was, alsof ze alles nog nooit had gezien.

'Ik... Ik weet niet waar ik ben,' zei ze.

Lynn raakte in paniek en stond op. 'Luke, blijf bij haar.' Ze rende naar beneden, pakte haar handtas en ging door naar de keuken. Ze haalde haar adresboekje uit haar tas en toetste het mobiele nummer van de transplantatiecoördinator in.

Neem alsjeblieft op.

Tot haar opluchting nam Shirley Linsell al na drie keer overgaan op. Lynn vertelde haar wat Caitlins symptomen waren.

'Zo te horen is het een encefalopathie. Ik raadpleeg even een dokter en dan belt hij of ik je meteen weer terug.'

'Het gaat heel erg slecht met haar,' zei Lynn. 'Encefalopathie? Hoe spel je dat?'

De coördinator spelde het voor haar. Toen beloofde ze binnen een paar minuten terug te bellen en hing op.

Lynn rende de trap op met de telefoon in haar hand. 'Luke, kun jij op internet zoeken naar encefalopathie?' Ze spelde het voor hem.

Luke ging aan Caitlins kaptafel zitten, klapte haar laptop open en tikte meteen iets in op het toetsenbord.

Shirley Linsell belde vijf minuten later terug. 'Caitlin moet onmiddellijk haar darmen legen. Kunt u haar hiernaartoe brengen?'

'Hebt u een lever voor haar?'

Er viel een stilte die Lynn niet beviel.

'Nee, maar het lijkt me beter als ze hiernaartoe komt.'

'Hoelang moet ze blijven?'

'Totdat haar toestand weer stabiel is.'

'En wanneer komt er een lever beschikbaar?'

'Nou, zoals ik gisteren al heb gezegd, weet ik dat niet. U kunt haar ook thuis behandelen.'

'Wat moet ik doen?'

'Geef haar een klysma. Normaal gesproken komt het weer in orde als ze eenmaal haar darmen geleegd heeft.'

'Wat voor soort klysma? En hoe kom ik eraan?'

'Bij de drogist.'

'Fantastisch,' zei Lynn.

'Waarom probeert u dat niet? Dan wacht u een paar uur en dan belt u me. Er is hier altijd iemand aanwezig en ze kan altijd opgenomen worden.'

'Ja,' zei Lynn. 'Oké, dat zal ik doen.'

Ze verbrak de verbinding.

Caitlin lag op haar rug in bed terwijl ze haar ogen open- en dichtdeed.

'Ik heb het!' verkondigde Luke.

Lynn keek over zijn schouder. Zijn haar rook ongewassen.

Hij las hardop van een webpagina en zei: '"Encefalopathie is een neuropsychiatrisch syndroom dat voorkomt in geval van ernstige leverziekte. De symptomen zijn een lichte verwardheid en loomheid, maar ook een verandering in persoonlijkheid en zelfs coma."'

'Nou, mooi is dat!' zei Lynn. Ze wendde zich tot Caitlin, die nu haar ogen gesloten had. Plotseling bang dat ze in een coma zou raken, schudde ze haar heen en weer. 'Lieverd? Je moet wakker blijven, lieverd.'

Caitlin sloeg haar ogen op. 'Weet je?' zei ze onduidelijk. 'Leverziekten zijn cool.'

'Cool?' vroeg Lynn verbijsterd.

'Ja, waarom niet?' zei Luke.

'Waarom zou het cool zijn?' Lynn keek Luke aan, alsof ze verwachtte dat hij het antwoord wist.

'Je hebt toch een wachtlijst voor de transplantatie?'

'Ja, en?'

'Daar kun je onderuit.'

'Hoe dan?'

'Nou, ik heb eens op internet gekeken. Je kunt een lever kopen.'

'Een lever kopen?'

'Ja, maf, hè?'

'Maf? Volgens mij leef jij op een andere planeet. Maar hoezo kun je een lever kopen?'

'Via een handelaar.'

'Wat voor handelaar?'

'Een orgaanhandelaar.'

Lynn keek hem aan en dacht even dat hij een grapje maakte. Maar hij zag eruit alsof hij het meende. Dit was de eerste keer dat ze hem een beetje levendig had meegemaakt.

'En wat doet een orgaanhandelaar?'

'Hij regelt het zo dat jij het orgaan krijgt dat je nodig hebt. Op internet. Ze verkopen alles wat je maar wilt: harten, longen, hoornvliezen, huid, delen van het oor, nieren... en levers.'

Lynn staarde hem even in stilte aan. 'Meen je dat nou? Ik kan een lever op internet kopen?'

'Er zijn talloze sites,' ging Luke door. 'En dit zul je interessant vinden, ik heb ook een forum ontdekt over wachtlijsten voor organen. Er staat op dat die voor een levertransplantatie in sommige landen zelfs langer is dan hier. In Amerika sterft zo'n negentig procent van de mensen op de lijst voordat zij in aanmerking komen een transplantatie. Daar kan onze twintig procent nog een puntje aan zuigen.'

Tenzij je dochter deel uitmaakt van die twintig procent, dacht Lynn, die Luke een paar tellen strak aankeek. Een van die drie mensen die per dag in Engeland sterven terwijl ze op een wachtlijst staan.

Ze was dodelijk ongerust en kookte van woede. Ze dacht na. Over Shirley Linsell. Hoe ze eerst hartelijk was geweest en toen kil. Caitlin was gewoon de zoveelste patiënt voor haar. Over een of twee jaar kon ze zich waarschijnlijk zelfs haar naam niet meer herinneren, dan was ze alleen nog maar een statistiek.

Dat risico wilde ze niet nemen.

'Ik ga naar de drogist. Als ik weer terug ben, moet je mij die orgaanhandelaars maar eens laten zien,' zei ze.

Onderweg ging ze naar een kiosk en keek in de *Argus* of er nog nieuws was over de drie lijken. Op de derde bladzijde stond een groot artikel met de kop POLITIE NOG STEEDS VERBIJSTERD OVER LIJKEN IN KANAAL. Ze keek naar de bijgewerkte foto's van de drie overleden tieners. Las dat ze misschien orgaandonoren waren geweest. Las wat inspecteur Roy Grace, wie dat ook mocht zijn, erover te zeggen had.

Er roerde zich iets donkers binnen in haar. Ze legde de krant terug omdat ze niet wilde dat Caitlin het las, kocht een pakje met tien Silk Cut-sigaretten, liep terug naar de auto en rookte er een op. Ondertussen dacht ze met trillende handen diep na.

55

Een paar jaar geleden, toen hij nog rechercheur was, was Roy Grace in een kleine wijnhandel aan Queens Park Road bij een inbraak geroepen, vlak bij de renbaan en het afschuwelijk lelijke ziekenhuis van Brighton and Hove.

Henry Butler, de eigenaar, was een keurige jongeman, met een droog gevoel voor humor en een kaalgeschoren hoofd. Hij vond de inbraak niet zo erg als de wijnen die de dieven hadden meegenomen. Terwijl de Technische Recherche naar vingerafdrukken zocht, zeurde Butler over het feit dat deze individuen uit de grote trog misdadigers in Brighton totaal geen smaak hadden.

De cultuurbarbaren hadden een paar kisten goedkope slobberwijn meegenomen, en alle mooie wijnen, die wat hem betrof veel lekkerder waren, hadden ze achtergelaten. Grace had hem meteen gemogen en als hij eens een goed wijntje nodig had, ging hij altijd naar die winkel.

Op dinsdagmiddag om vier uur, terwijl hij even snel een late middagpauze nam, zette hij zijn Ford Focus op de dubbele gele strepen buiten de kleine, bescheiden Butler's Wine Cellar en rende naar binnen. Henry Butler stond in de zaak, nog steeds met een kaalgeschoren hoofd, en met een gouden oorring en een sikje, gekleed in een tuinbroek en een overhemd zonder kraag, alsof hij net druiven had geplukt.

Het belletje rinkelde terwijl de deur achter hem dichtging en Roy rook meteen de bekende zure, wijnlucht, samen met de zoetere geur van zaagsel afkomstig van de eiken vaten.

'Een goede middag, inspecteur Grace!' zei Butler en hij legde een exemplaar van *The Latest* weg. 'Fijn dat je er weer bent. Zijn alle misdaden opgelost zodat je een glaasje kunt drinken?'

'Dat mocht ik willen.' Hij glimlachte. 'Hoe gaan de zaken?'

Butler haalde zijn schouders op en keek rond in de lege winkel. 'Nou ja, nu jij er bent, een stuk beter. En waar kan ik je mee verleiden?'

'Ik wil een fles goede champagne, Henry,' zei hij. 'Hoe duur is de duurste fles die je hebt?'

'Heel mooi! Dat hoor ik nu graag!' Hij stapte een klein, volgestouwd kantoor in en vervolgens daalde hij een trap af.

Grace keek even naar een sms'je dat hij net had gekregen, maar het was niet belangrijk, alleen maar een herinnering dat hij de volgende morgen zijn maandelijkse afspraak had voor een knipbeurt in de Point, de kapsalon die Glenn Branson, in zijn zelfgekozen rol als zijn stylist, hem had aangeraden. Hij keek naar de stoffige flessen die op de planken lagen en in houten kratten op de grond stonden. Toen keek hij naar de kop van de *Argus*: BRIGHTON WEER STAD MET MEESTE DRUGSDODEN IN VK.

Een akelig gegeven, dacht hij, maar in elk geval had het zijn zaak van de voorpagina verdrongen.

Even later kwam Henry binnen met een vierkante fles in zijn armen. 'Ik heb deze zeer verleidelijke Krug voor je. Eén slokje en ze trekt meteen haar slipje uit.'

Grace grinnikte.

'Hij kost tweehonderdvijfenzeventig pond, meneer, en daar zit de tien procent korting bij in.'

Roys glimlach smolt als sneeuw voor de zon. 'Shit... Zó duur bedoelde ik nu ook weer niet. Ik ben geen Russische oligarch, hoor, ik ben maar een gewone agent.'

De wijnhandelaar wierp hem een onderzoekende en zogenaamd strenge blik toe. 'Ik heb natuurlijk ook een weelderige Spaanse cava voor negen pond. Dat drinken we thuis in de zomer. Heerlijk.'

'Te goedkoop.'

'Dat bedoel ik nu, meneer de politieagent' – hij sprak het uit als pliesie-agent – 'ik had nooit gedacht dat je krenterig was. Ik heb ook een zeer bijzondere huischampagne voor je. Die kost zeventien pond. Heeft een volle, boterachtige neus, goede nasmaak, en een veelzijdig, biscuitachtig accent. In de *Sunday Times* kreeg hij een tijdje terug nog een uitstekende recensie.'

Grace schudde zijn hoofd. 'Ook te goedkoop. Ik wil iets wat héél erg speciaal is, maar niet dat ik er meteen een lening voor hoef af te sluiten.'

'Iets van honderd pond, dan?'

'Dat lijkt me een stuk beter.'

De wijnverkoper dook weer in de krochten van zijn rijk en kwam na een tijdje weer tevoorschijn. 'Dit is het helemaal! Een Roederer Cristal uit 2000. Beste wijnjaar van deze eeuw. Dit is de laatste die ik heb en je mag hem voor een koopje hebben. Een prachtchampagne! Normaal gesproken honderdvijfenzeventig pond, maar voor jou is hij maar honderd.'

'Verkocht!'

'Briljant, man!' zei Henry Butler waarderend.

Grace trok zijn portefeuille tevoorschijn. 'Mag ik met een creditcard betalen?'

Butler keek gepijnigd. 'Je haalt graag het onderste uit de kan, hè? Maar vooruit.' Hij haalde zijn schouders op. 'Heb je iets te vieren?'

'Dat kun je wel stellen.'

'Als je haar dit geeft zal ze eeuwig van je blijven houden.'

Roy glimlachte. 'Dat was ook eigenlijk de bedoeling.'

56

Lynn zat op Caitlins bed naar het beeldscherm te kijken. Luke zat voor de volle kaptafel op een kruk en tikte iets in op het toetsenbord van Caitlins laptop, met maar één vinger en zo te zien met maar één oog.

Caitlin, die haar ochtendjas aanhad, had het afgelopen uur het ene uitstapje na het andere naar de wc gemaakt. Maar tot Lynns opluchting zag ze er al een stukje beter uit, alleen krabde ze weer voortdurend. Haar armen zagen eruit alsof ze onder de muggenbeten zaten. Op dit moment, met haar iPod in haar oren, keek ze afwisselend naar een oude aflevering van *The OC* op de tv, waarvan het geluid was uitgezet, en haar paarse mobieltje, waarop ze aandachtig zat te sms'en terwijl ze ondertussen met haar jeukende voeten over het voeteneind schuurde.

Luke was al bijna een uur bezig, eerst met Google en vervolgens met andere zoekmachines, en probeerde verschillende combinaties uit van de woorden *organen, aankoop, mensen, donoren, levers*.

Hij had een debat in de Europese Raad opgeduikeld over orgaanhandel, en op een andere site had hij het verhaal ontdekt van een dure chirurg aan Harley Street genaamd Raymond Crockett, die in 1990 geschorst was als arts nadat hij in Turkije nieren had gekocht voor vier patiënten. En nog veel meer debatten over of orgaandonorschap automatisch moest zijn na iemands dood tenzij men had aangegeven het niet te willen.

Maar nergens orgaanhandelaren.

'Weet je zeker dat het geen broodjeaapverhaal is, Luke?'

'Er is een website over een gedeelte van Manilla dat "Het eiland van mensen met één nier" wordt genoemd,' zei hij. 'Je kunt daar al voor veertigduizend pond een nier krijgen, en daar zit de operatie bij in. Op die site staat iets over orgaanhandelaren...'

Hij onderbrak zichzelf.

Op het scherm, in strakke witte letters tegen een inktzwarte achtergrond waren de woorden TRANSPLANTATION-ZENTRALE GMBH verschenen.

Je kon aangeven welke taal je wilde en Luke klikte op de Engelse vlag. Even later verscheen er een andere bladzijde:

Lynn keek strak naar de monitor en werd duizelig van opwinding. En van het gevaar.

Misschien was er inderdaad een manier om de tirannie van Shirley Linsell en haar team te ontwijken. Een andere manier om haar dochter in leven te houden.

Luke draaide zich om naar Caitlin. 'Zo te zien hebben we iets gevonden.'

'Cool!' zei ze.

Even later sloeg Caitlin haar armen om haar moeder heen en voelde Lynn haar warme adem in haar nek toen ze meekeek op het beeldscherm.

'Dat is echt vet cool!' zei Caitlin. 'Denk je dat er een... nou ja, een prijslijst is? Net als wanneer je online winkelt?'

Lynn giechelde, dolblij dat Caitlin weer bijna zichzelf was, hoewel het niet lang zou duren.

Luke bekeek de site, maar behalve wat ze net hadden gelezen, stond er verder weinig op. Geen telefoonnummer en geen adres, alleen maar een mailadres: post@transplantation-Zentrale.de.

'Goed,' zei Lynn. 'Stuur ze maar een mail.'

Ze dicteerde en Luke tikte:

Ik heb een vijftien jaar oude dochter die dringend een levertransplanta-tie nodig heeft. We wonen in het zuiden van Engeland. Kunt u ons hel-pen? Zo ja, laat ons dan weten wat u voor haar kunt doen en wat u van ons wilt weten.

Hoogachtend,
Lynn Beckett

Lynn las het na en zei tegen Caitlin: 'Oké, engeltje van me?'

Caitlin glimlachte weemoedig en haalde haar schouders op. 'Ja hoor.'

Luke verzond hem.

Vervolgens hielden ze alle drie de inbox in de gaten.

'Hadden we ons telefoonnummer moeten geven?' vroeg Caitlin. 'Of een adres of zo?'

Lynn dacht even na, in haar hoofd was het één grote chaos. 'Ja. Misschien wel. Dat weet ik eigenlijk niet.'

'Het kan toch geen kwaad?' vroeg Caitlin.

'Nee, dat is zo,' gaf haar moeder toe.

Luke stuurde nog een e-mail, met daarin Lynns mobiele nummer en het internationale nummer voor Engeland.

Tien minuten later zette ze net een kop thee en bereidde wat te eten voor hen allemaal, toen Lynns telefoon ging.

Op het schermpje stond *privénummer*.

Lynn nam onmiddellijk op.

Ze hoorde wat geruis en toen gekraak. Daarna hoorde ze een vrouw, met een echo erachter, in gebroken Engels en met veel keelklanken, vriendelijk maar toch zakelijk vragen: 'Mag ik mevrouw Lynn Beckett even spreken?'

'Daar spreekt u mee!' zei Lynn.

'Ik ben Marlene Hartmann. U hebt net een e-mail naar mijn bedrijf gestuurd?'

Lynn zei trillend: 'Naar de Transplantation-Zentrale?'

'Dat klopt. Het toeval wil dat ik morgen in Engeland ben, in Sussex. Als het u uitkomt, kunnen we elkaar misschien ergens treffen.'

'Ja,' zei Lynn, op van de zenuwen. 'Ja, graag!'

'Weet u misschien welke bloedgroep uw dochter heeft?'

'Ja, AB negatief.'

'AB negatief?'

'Ja.'

Het was even stil.

'Oké,' zei de Duitse vrouw. 'Dat is heel mooi.'

57

'Het is dinsdagavond 2 december, halfzeven,' verklaarde Roy Grace. 'Dit is de tiende vergadering van operatie Neptunus, het onderzoek naar de dood van drie onbekende mensen.'

Hij zat in zijn overhemd, met de knoop van zijn das losgetrokken, in Sussex House aan de tafel in de vergaderzaal. Het was een beroerde avond. Hij keek heel even door de stroompjes regen die over de ramen sijpelden naar het achterliggende duister. Het was binnen koud en tochtig, de meeste warmte kwam van de mensen van zijn steeds groter wordende team – inmiddels achtentwintig – die elleboog aan elleboog naast elkaar aan de tafel zaten.

Voor zich had hij een fles water, een stapel kranten, zijn schrijfblok en zijn geprinte agenda. Er moest nog heel veel werk worden verzet voordat hij hier weg mocht, en verder mocht gaan met het tweede, en ook veel prettiger gedeelte van die avond. De zeer dure fles champagne die achter in zijn auto lag zou voor het tweede gedeelte worden gebruikt.

Op de whiteboards aan de muur hingen de vingerafdrukken en een compositiefoto van de drie slachtoffers. Hij keek er even naar. Inspecteur Jason Tingley, die momenteel voor de inlichtingendienst van de afdeling werkte, had ooit gezegd dat alle compositiefoto's op mensapen leken, en Roy kon dat maar niet uit zijn hoofd zetten. Hij keek nu naar twee menselijke mensapen en een vrouwelijke.

Dood.

Vermoord.

En hij was de enige die hun moordenaars kon opsporen.

Hij was de enige die hun nabestaanden daardoor troost kon bieden.

Hij sloeg de *Independent* open, de bovenste krant op de stapel. Op pagina 3 stond in grote letters BRIGHTON OPNIEUW CRIMINEELSTE STAD IN ENGELAND. Dit sloeg op 1934, toen Brighton geterroriseerd werd door de beroemde scheermesbendes en er kort achter elkaar twee lijken werden ontdekt in een koffer op het station van Brighton.

'De nieuwe hoofdcommissaris is bepaald niet van ons onder de indruk,' zei Roy Grace. 'Hij wil dit zo snel mogelijk opgelost zien.'

Hij keek naar de aantekeningen die Eleanor voor hem had uitgetikt.

'Oké, er is inmiddels meer bewijs dat de organen van de slachtoffers operatief zijn verwijderd. Het laboratorium heeft Propofol en Ketamine in het weefsel aangetroffen. Dat zijn allebei verdovingsmiddelen.'

Hij wachtte even totdat iedereen het had verwerkt.

'Ik heb eens nagedacht over die orgaanhandel, Roy,' zei Guy Batchelor. 'De aanschaf en verkoop van organen is hier in Engeland verboden. Maar omdat er zo weinig aanbod is, staan er mensen op de wachtlijst voor een hart, long en lever, die overlijden voordat er een beschikbaar komt. En er zijn mensen die jaren op de wachtlijst staan voor een nier en een ellendig leven leiden. Zijn we al iets opgeschoten met de zoektocht naar een ontevreden transplantatiechirurg?'

'We hebben nog niets,' zei brigadier Mantle.

'Zullen we anders iedere transplantatiechirurg als verdacht aanmerken?' opperde Nick Nicholl. 'Zo veel zullen er toch niet zijn?'

'En de chirurgen die geschorst zijn?' vroeg Lizzie Mantle. 'Dat lijkt me een goed begin. Iemand die zo boos is dat hij de wet ontduikt.'

'Daar ben ik mee bezig,' zei Sarah Shenston, een van de onderzoekers 'Morgen krijg je de lijst. Het zijn er heel wat.'

'Mooi. Dank je, Sarah.' Grace maakte een aantekening. 'We moeten maar een lijst maken en alle ziekenhuizen langs gaan die organen transplanteren.' Hij wendde zich tot Batchelor. 'We moeten erachter zien te komen hoe zo'n transplantatie tot stand komt. Hoe een orgaan van de donor bij de ontvanger komt. Zijn er mogelijkheden voor een illegale handelaar?'

Batchelor knikte. 'Ik ga dat na.'

'We moeten er voorlopig maar van uitgaan,' zei Grace, 'dat de slachtoffers iets met Brighton – of Sussex – te maken hebben. Volgens mij is dat duidelijk, aangezien ze voor de kust van Brighton zijn ontdekt. Heeft iemand daar een andere mening over?'

Het hele team was het met hem eens.

'Als we eenmaal weten wie de slachtoffers zijn, schieten we al een heel eind op. En daar is enige vooruitgang in te bespeuren.' Hij keek weer in zijn aantekeningen. 'Cellmark Forensics, het laboratorium, heeft in de DNA-monsters van de slachtoffers iets interessants ontdekt. Hun laboratorium in Amerika, Orchid Cellmark, heeft een enzym- en mineralenanalyse van het DNA van de drie slachtoffers uitgevoerd. Daaruit kwam voort dat hun voeding overeenkomt met die van Zuidoost-Europeanen.'

Hij nam een slok water en ging door.

'Dit is eensluidend met wat er uit het onderzoek naar drugs door Pathologie is ontdekt. De drie slachtoffers hebben allemaal kleine hoeveelheden

Aurolac, een Roemeense metaallak, in hun bloed. Volgens de patholoog ademen Roemeense straatkinderen dat spul in en heeft het hetzelfde effect als lijm snuiven. Om dat na te gaan is Nadiuska gisteravond naar het mortuarium gegaan om verder onderzoek te doen en ze trof sporen van metaallak in de neus van de slachtoffers aan.' Hij keek Potting aan. 'Norman, wat weet jij van Roemenië?'

Potting, die vergenoegd om zich heen keek omdat hij in het middelpunt van de belangstelling stond, stak zijn borst vooruit. 'Nou, ik heb contact gehad met Interpol, maar het is met die pennenlikkers altijd hetzelfde. Hebben geen flauw benul van haast. Het zou wel eens drie weken kunnen duren voordat we wat te horen krijgen, en misschien nog langer, met kerst voor de deur.' Hij aarzelde en wendde zich tot Roy Grace. 'Mag ik het over Ian Tilling in Boekarest hebben, meneer?'

Grace knikte en zei toen: 'Norman kent iemand in Roemenië, een zeer gerespecteerde voormalig politieagent uit Engeland die daar daklozen helpt. Omdat we graag verder willen met deze zaak, heb ik rechercheur Potting toestemming verleend om buiten Interpol om te gaan. Wat heb je tot nu toe voor ons, Norman?'

'Ik heb hem gevraagd of hij iemand met de naam Rares kon ontdekken die onlangs naar Engeland is gegaan. Ik heb hem net een paar uur geleden gesproken, maar hij zou meteen aan de slag gaan, en ik hoop dat ik morgen iets van hem hoor. Meer heb ik momenteel niet.'

Grace sprak Bella Moy aan. 'Hoe ver ben jij met de tandartsen?'

'Ik ben nog geen steek opgeschoten,' zei ze en ze hield een paar vellen papier omhoog. 'Deze heb ik inmiddels gesproken. Ze zeiden allemaal hetzelfde: dat de slachtoffers ondervoed en waarschijnlijk aan drugs verslaafd waren, maar dat ze nooit iets aan hun gebit hebben gedaan. Het lijkt me niet nuttig om hiermee door te gaan, Roy. Volgens mij is geen van de slachtoffers ooit bij een tandarts geweest en al helemaal niet hier in Engeland.'

'Ja, het lijkt inderdaad zonde van de tijd. Hou er maar mee op.' Hij wendde zich tot hoofdagent Nick Nicholl. 'Heb jij nog iets van Vermiste Personen?'

'Nee, baas.'

Nicholl vertelde hoe ver hij was opgeschoten. Hij had de drie compositiefoto's in Sussex en omgeving rondgestuurd, maar tot nog toe was er geen resultaat. En het artikel in de kranten had ook niets opgeleverd. De aflevering van *Crimewatch* zou nog iets kunnen betekenen, maar die was pas over een week.

Grace keek in zijn aantekeningen.

'Ray Packard van de afdeling Informatica heeft nog iets te zeggen.'

De computeranalist, die tegenover hem zat, had totaal niets te maken met het imago dat nerds normaal gesproken hadden. Packard deed hem denken aan de oorspronkelijke Q uit de Bond-films. Hij was begin veertig, buitengewoon intelligent en altijd enthousiast, ondanks het feit dat zijn werk, dat hoofdzakelijk bestond uit het op grote computers bekijken van foto's van kinderen die gruwelijk seksueel misbruikt waren, bepaald niet vrolijk was. Hij kon in zijn grijze pak en universiteitsdas zo voor een vaderlijke, ouderwetse bankier doorgaan.

'Ja, we hebben gekeken welke landen deelnemen aan het handelen in organen, meneer, en Roemenië hoort daar ook bij,' zei Packard. 'Hiermee wordt wat rechercheur Potting ons al had verteld bevestigd. We gaan door met het onderzoek.'

Grace bedankte hem en zei toen: 'Goed, ik heb vanmiddag met een paar leden van het team achter operatie Pentameter gesproken, zij onderzoeken de mensenhandel. Jack Skerritt van het hoofdbureau van politie en rechercheur Paul Furnell en rechercheur Justin Hambloch van ons korps hebben me een lijst met namen verstrekt van degenen die banden hebben met Zuidoost-Europese landen, inclusief Roemenië. Er werkt een aantal Roemeense meisjes in de bordelen in Brighton. We moeten ze allemaal benaderen, om te zien of een van hen de tieners heeft gekend. En of ze misschien willen praten over de mensen die ze geholpen hebben, hier of in Roemenië.'

Grace wendde zich tot rechercheur Branson. 'Heb jij nog wat voor ons, Glenn?'

'Er is nog steeds geen nieuws over de vissersboot die zoek is. Ik ga vanavond, na deze vergadering, naar de vrouw van de eigenaar van de Scoob-Eee. Zoals we vanochtend al hebben afgesproken, heb ik de Technische Recherche verzocht de twee sigarettenpeuken die ik in Shoreham-Haven heb gevonden voor een DNA-analyse op te sturen.'

Grace knikte, keek weer in zijn aantekeningen en zei: 'Misschien is het niets, maar vanochtend is er een gloednieuwe Yamaha 25pk-buitenboordmotor gevonden. Hij lag bij eb op het strand bij Black Rock, tussen de jachthaven en Rottingdean. Hij wordt in het lab door een of ander ultramodern apparaat gehaald om er vingerafdrukken af te halen. Glenn, zorg jij voor een lijst van alle handelaren van Yahama-buitenboordmotoren hier in de omgeving? Ga na wie er pas nog een heeft gekocht.'

'Waar is dat ding nu, Roy?'

'Bij de andere bewijsstukken.'

'Oké.'

Roy keek onopvallend op zijn horloge en stond zichzelf een moment aangename afleiding toe. Hij had Cleo gezegd dat hij hopelijk acht uur thuis zou zijn. Toen richtte hij zich weer op de vergadering.

'Ik ga ervan uit dat we met mensenhandel te maken hebben, tot ik bewijs krijg van het tegendeel. Uitgaande van wat brigadier Furnell me heeft verteld, had tot nu toe alle mensenhandel betrekking op prostitutie. De meisjes worden om die reden naar Brighton gehaald en hier aan een of andere hoge pief in die business overhandigd. Een paar van hen worden door dit team in de gaten gehouden, maar hij denkt dat er nog meer zijn die nog niet bij hem bekend zijn. We kunnen het best met de meisjes die hier in de bordelen werken gaan praten. Eens zien of we onze lijst met hoge piefen kunnen uitbreiden.'

Omdat in elke grote of kleinere stad de prostitutie nu eenmaal big business was, had de politie in Brighton het liefst dat de meisjes, met het oog op hun eigen veiligheid, binnen werkten en niet op straat. Daardoor konden ze ook beter controleren of er meisjes tussen zaten die nog te jong waren.

'Bella en Nick, jullie krijgen volgens mij het meeste uit ze,' zei Grace.

Hij had het gevoel dat de prostituees zich meer op hun gemak zouden voelen als er een vrouw bij aanwezig was, en aangezien Nick Nicholls vrouw net een baby had gekregen en hij een toegewijde vader was, had hij minder kans om voor hun seksuele charmes te vallen dan iemand als Norman Potting.

'Ik controleerde bordelen toen ik nog een uniform droeg,' zei Bella.

Nick Nicholl bloosde. 'Zolang iemand het maar aan mijn vrouw uitlegt. Wat ik op dat soort plekken doe, bedoel ik.'

'Vrouwen hebben nu eenmaal geen zin meer in seks als ze eenmaal geworpen hebben,' bemoeide Norman Potting zich ermee. 'Geloof mij maar. Voor je het weet zit je te snakken naar wat stiekeme onderonsjes.'

'Norman!' waarschuwde Grace hem.

'Sorry, baas. Zo gaan die dingen nu eenmaal.'

Grace wierp hem een woedende blik toe en wilde dat de man eens een keer zijn kop hield en gewoon deed wat hij moest doen. 'Bella en Nick, ik wil dat jullie met zoveel mogelijk meisjes praten. We weten dat er een hoop meisjes tussen zitten die goed verdienen en tevreden zijn met hun leven. Maar er zijn er ook die moeten werken vanwege een schuld.'

'Een schuld?' vroeg Guy Batchelor.

'Smeerlappen die ze van de armoede redden en zeggen dat ze in Engeland een fantastisch leven kunnen leiden. Ze regelen een paspoort, een visum, een baantje, een woning, maar voor zo'n hoge prijs dat ze dat nooit ofte nimmer kunnen terugbetalen. Ze komen aan in Engeland, hebben tienduizenden ponden schuld, en een of andere grote baas wrijft zich in zijn handjes. Hij stopt ze in een bordeel, ook al zijn ze pas dertien, en zegt dat ze alleen op die manier de rente van de schuld kunnen betalen. Als ze niet willen, krijgen ze te horen dat hun familieleden of vrienden kwaad zal worden gedaan. Maar deze grote bazen hebben vaak meer ijzers in het vuur. Vaak ook handelen ze in drugs, en sommigen, naar het zich laat aanzien, opereren op de organenmarkt.'

Iedereen luisterde aandachtig.

'Volgens mij is dat onze hoofdverdachte: een plaatselijke grote baas.'

58

Glenn Branson moest bij de rotonde zijn zwarte Hyundai even stoppen en hij keek op naar de ronde pui van het Shoreham's Ropetackle Centre for the Arts, een modern gebouw waar hij weg van was. Vervolgens nam hij de eerste afslag en reed over een brede weg met aan weerskanten winkels, restaurants en kroegen, allemaal vol met kerstverlichting en -decoratie. Hoewel het pas halfnegen was en de regen met bakken tegelijk neerkwam, zat de tent deze dinsdagavond vol met mensen. De kantoorfeestjes waren weer begonnen. Niet dat dat hem iets kon schelen.

Hij voelde zich ellendig.

Kerstmis stond voor de deur. Ari had het zelfs niet met hem willen bespreken. Moest hij in zijn eentje in Roy Grace' huiskamer kerst zitten vieren?

Hij had tijdens de vergadering drie telefoontjes van Ari gemist, maar toen hij haar later had teruggebeld, had een man opgenomen.

Er was een man in zijn huis die hem wel even vertelde dat zijn vrouw er niet was.

Toen Glenn hem had gevraagd wie hij verdomme was, had de man op een glibberige, arrogante toon gezegd dat hij de babysitter was en dat Ari naar een cursus Engelse literatuur was.

Een mannelijke babysitter?

Als hij nou nog als een tiener had geklonken, oké. Maar zijn stem was beduidend ouder, als een man van in de dertig. Wie was hij, verdomme? Toen hij die vraag had gesteld, had die eikel hem fijntjes verteld dat hij een 'vriend' was.

Waar was Ari in vredesnaam mee bezig dat ze zijn kinderen, Sammy en Remi, in de handen van een man achterliet zonder dat hij hem kende en zonder dat hij hem had kunnen goedkeuren? Jezus, hij kon wel een pedofiel zijn. Hij kon wel van alles zijn! Na het gesprek had Glenn veel zin om er linea recta naartoe te rijden om zelf even te kijken. En om die klojo zijn huis uit te gooien.

De afslag kwam eraan, wist hij zich te herinneren. Hij remde af, zette zijn richtingaanwijzer aan en draaide links een smalle straat in. Langzaam passeerde hij een patatzaak terwijl hij naar de nummers van de woonhuizen zocht. Toen zag hij nummer 64. Zo'n vijftig meter verderop vond hij een gaatje tussen twee geparkeerde auto's. Hij manoeuvreerde de Hyundai ertussen, waarbij hij maar één keer tegen de bumper van de auto achter hem botste, en stapte uit. Snel rende hij, met de kraag van zijn crèmekleurige regenjas omhoog, door de regen naar de deur en belde aan.

De vrouw die opendeed was halverwege de vijftig, lang en mollig, met opgestoken rood haar dat zo te zien net die dag door de kapper was gedaan. Ze had een wijde grijze tuniek aan boven een blauwe spijkerbroek en klompen. De donkere wallen onder haar ogen en de mascaravlekken waren bewijs van haar ellende.

'Mevrouw Janet Towers?' vroeg hij, terwijl hij haar zijn identiteitsbewijs liet zien.

'Ja.'

'Ik ben rechercheur Branson.'

'Fijn dat u er bent.' Ze stapte naar links om hem erdoor te laten en vroeg opeens hoopvol: 'Is er nieuws?'

'Nog niet, helaas,' zei hij. 'Het spijt me.'

Hij liep naar binnen, wrong zich langs haar heen in de krappe gang, die vol hing met ingelijste antieke zeegezichten van Brighton. Het was warm en benauwd binnen en het rook er naar sigarettenrook en een natte hond. Het was hem opgevallen dat mensen die in shock waren of rouwden de gordijnen dicht hielden en de verwarming hoog zetten.

Ze begeleidde hem naar een kleine, bloedhete zitkamer. Er stond een bruin fluwelen bankstel in, een groot televisietoestel, een salontafel gefabriceerd uit een scheepsroer, waarop een asbak stond vol peuken waar lippenstift aan zat, en een paar vitrines vol scheepjes in een fles. Een ouderwetse gashaard met nepkooltjes loeide voluit. Op de schoorsteen erboven stonden een paar foto's en een enorme wenskaart.

'Wilt u iets drinken, rechercheur... eh... Branson zei u? Net als die vent van Virgin, Richard Branson?'

'Ja, alleen ben ik niet zo rijk als hij. Koffie graag.'

'Hoe wilt u de koffie?'

'Sterk met melk, geen suiker.'

'Veel melk?'

'Nee, een wolkje graag.'

Ze liep de kamer uit en hij nam de gelegenheid te baat om de foto's te bekijken. Op een ervan stond een stel voor een kerk, de All Saints in Patcham, zag hij opeens. Hij kende die omdat Ari en hij er ook waren getrouwd. De bruidegom, van wie hij aannam dat het Jim was, had een getailleerd pak aan met een overhemd dat iets te groot leek, wijd uitstaand kroeshaar en een verwonderde glimlach. De bruid, een veel slankere Janet, had pijpenkrullen tot op haar schouders en droeg een kanten japon met een lange sleep.

Ernaast stonden foto's van twee kinderen op verschillende leeftijden en een van een verlegen uitziende jongeman in universiteitskleding.

De universiteit, dacht hij somber. Zou hij erbij zijn als een van zijn eigen kinderen afstudeerde? Of zou dat kreng van een wijf hem buitensluiten?

Hij pakte zijn privémobieltje en keek op het scherm. Voor het geval dat.

Voor het geval dat? Hij stopte mismoedig het mobieltje in zijn zak en dacht weer aan de man die de telefoon had opgenomen. De man die alleen was met zijn kinderen.

Zou die gore engerd met Ari het bed in duiken als ze thuiskwam?

Hij hoorde gehijg en zag een oudere, te dikke golden retriever hem vanaf de drempel aankijken.

'Hallo!' Glenn wenkte hem.

De hond kwijlde op het tapijt en kwam toen naar hem toe waggelen. De rechercheur ging op zijn hurken zitten en aaide hem. De hond ging meteen op zijn rug liggen.

'Zo, jij bent me een goede waakhond, hè?' zei hij. 'Wat ben jij een slet, zeg, dat je me je tietjes laat zien!'

Hij aaide even over haar buik, stond toen weer op en bekeek de kaart.

Op de voorkant stond in goudkleurige letters: VOOR MIJN ALLERLIEFSTE.

Binnenin stond geschreven: 'Voor Janet, je bent mijn grote liefde. Ik hou zielsveel van jou en ik mis je als ik niet bij je ben. Bedankt voor de mooiste vijfentwintig jaar van mijn leven. Heel veel liefs, Jim. xxxxxxxx.'

'Hopelijk is het sterk genoeg voor u.'

Glenn zette de kaart neer. 'Wat een lieve kaart,' zei hij.

'Hij is een lieve man,' antwoordde ze.

'Dat leek me ook al.'

Ze zette het dienblad met twee koppen koffie en een schaal chocolade-koekjes op de salontafel en ging op de bank zitten. De hond drukte haar neus tegen de schaal aan.

'Goldie! Af!' zei Janet Towers streng.

De hond waggelde met tegenzin weg. Glenn ging in de fauteuil zitten die het verst van de kachel af stond en keek naar de koekjes. Hij had opeens trek. Maar het zou wel erg onbeleefd zijn om te gaan zitten eten op zo'n gevoelig moment voor de arme vrouw.

'Ik wil u wat vragen, in aansluiting op het telefoongesprek van gisteren,' zei hij. 'Komt het u uit?'

'Ik ben radeloos,' zei ze. 'Ik wil alles doen.'

Hij keek naar de schoorsteenmantel. 'Zijn dat uw kinderen? Hoe oud zijn ze?' Hij hield haar ogen in de gaten.

Ze gingen naar rechts en toen weer naar het midden terwijl ze hem met gefronste wenkbrauwen aankeek. 'Jamie is vierentwintig en Chloe tweeëntwintig. Ja. Hoezo?'

Zonder daar antwoord op te geven, zei hij: 'U hebt nog niets vernomen, neem ik aan?'

Roy Grace had hem al een tijd geleden geleerd dat je door naar de ogen te kijken kon zien of iemand loog of de waarheid sprak. Dat kwam uit de neurolinguïstische programmering. Het menselijk brein was verdeeld in een linker- en rechterhelft. Hoewel het wel wat ingewikkelder lag dan Grace had aangegeven, bevond de mogelijkheid om iets te verbeelden of te verzinnen zich bij rechtshandige mensen in de linkerhelft. Het langetermijngeheugen en feiten werden opgeslagen in de rechterhelft. Als je iemand iets vroeg, schoten de ogen vaak naar óf de verbeeldings- óf de geheugenkant, afhankelijk van of iemand loog of de waarheid vertelde.

Glenn had door haar gade te slaan al vastgesteld dat ze rechtshandig was. Als hij haar ogen nog meer in de gaten zou houden, zou hij kunnen zien of ze naar links gingen als ze loog en naar rechts als ze de waarheid zei.

Haar ogen schoten naar rechts. 'Helemaal niets,' zei ze. 'Geloof me nu toch, er is iets met hem gebeurd.'

Hij trok zijn schrijfblok en zijn pen tevoorschijn. 'U hebt toch sinds vrijdagavond niets meer van uw man vernomen?'

Haar ogen bewogen duidelijk naar rechts.

'Dat klopt.'

'Is Jim wel eens eerder zo lang afwezig geweest?'

'Nog nooit.'

Zo te zien vertelde ze nog steeds de waarheid. Hij schreef iets op, nam een slok koffie, maar die was nog erg heet, dus zette hij de kop weer neer.

'Ik wil niet gevoelloos overkomen, mevrouw Towers, maar hebben uw man en u soms ruzie gehad voordat hij... verdween?'

'Nee, zeer zeker niet! Het was onze trouwdag, we waren vijfentwintig jaar getrouwd. Hij vertelde me de avond ervoor nog dat hij graag de huwelijksgeloften opnieuw met me wilde afleggen. We waren... zijn ontzettend gelukkig samen.'

'Goed.' Hij keek verlangend naar de koekjes, maar bleef sterk. 'Vertelde hij u wel eens iets over zijn klanten?'

'Ja, vaak, als ze interessant waren, of vreemd.'

'Vreemd?'

'Van de zomer was er een vent die wilde zeevissen en het bleek dat hij graag in zijn blootje viste.' Ze moest even grinniken.

'Die viel dus duidelijk een beetje buiten de boot,' zei hij, eveneens grinnikend.

In de ongemakkelijke stilte die viel, besefte hij dat zijn woorden wel wat zorgvuldiger had kunnen kiezen.

'En wat gaat de politie nu doen? Om hem op te sporen?' vroeg ze.

'We gaan alles na, mevrouw Towers,' antwoordde Glenn, met rode wangen door zijn misplaatste opmerking. 'De kustwacht is samen met de RAF aan het zoeken. Vannacht kunnen ze niet zoeken, maar morgenochtend gaan ze meteen weer aan de slag. De havens hier in Engeland en aan de andere kant van het Kanaal zijn op de hoogte gesteld. Die kijken ook uit naar de Scoob-Eee. Maar tot nu is hij helaas nog niet gezien.'

'We hadden vrijdagavond om acht uur een tafeltje in een restaurant gereserveerd. Jim zei dat de boot de hele dag door de politie was geboekt en dat hij alleen maar hoefde aan te meren als ze terugkwamen en dat hij tegen zes uur thuis zou zijn.' Ze haalde haar schouders op. 'Om negen uur ging zijn boot door de sluis in Shoreham-Haven op weg naar zee. Daar snap ik niets van.'

'Misschien kreeg hij nog een klant?'

Ze schudde heftig haar hoofd. 'Jim is heel erg romantisch, hij heeft deze avond al weken van tevoren, maanden misschien wel, geregeld. Hij zou die avond absoluut geen klant meer aannemen.'

Glenn gaf er eindelijk aan toe, pakte een koekje en nam een grote hap. Met volle mond zei hij: 'Er wordt hier in de buurt heel veel gesmokkeld, spullen, maar ook mensen. Ik wil u niet beledigen, maar zou uw man bij zoiets betrokken kunnen zijn?'

Ze schudde weer heftig haar hoofd. 'Nee, Jim niet.'

Ervan overtuigd dat ze nog steeds de waarheid sprak, vroeg hij: 'Heeft Jim vijanden?'

'Nee. Niet dat ik weet, althans.'

'Hoe bedoelt u, mevrouw Towers?'

'Vindt u het erg als ik een sigaret opsteek?' vroeg ze.

'Nee hoor, ga uw gang.'

Ze haalde een pakje Marlboro light uit haar handtas, pakte er een sigaret uit en stak die aan.

'Iedereen was gek op Jim,' zei ze. 'Zo was hij nu eenmaal.'

'Dus hij heeft als privédetective ook geen kwaad bloed gezet?'

'Dat zou kunnen. Ik moet ook steeds aan zijn oude klanten denken. Ja, hij heeft misschien wel eens iemand tegen de haren in gestreken, maar hij doet dat werk al tien jaar niet meer.'

'Misschien iemand die door hem in de bajes is beland en net is vrijgekomen?'

'Door hem is niemand in de gevangenis beland. Hij deed meer... Nou ja, u weet wel... ontrouwe echtgenoten volgen, en af en toe wat bedrijfsspionage. Hij zocht dingen uit, volgde mensen, dat soort zaken.'

Glenn maakte weer een aantekening. Toen vroeg hij: 'Ik neem aan dat Jim een mobieltje had?'

'Ja.'

'Dat ligt niet hier?'

'Nee, hij had hem altijd bij zich.'

'Hebt u het nummer voor me?'

Ze ratelde de cijfers op uit haar hoofd en hij noteerde ze.

'Welke provider had hij?'

'O_2.'

'Wanneer hebt u hem voor het laatst gesproken?'

'Vrijdag, om ongeveer kwart over vijf. Hij was net met de boot onderweg naar zijn aanlegplekje. Hij zei dat hij die wat zou opruimen omdat de politie hem had gebruikt en dan naar huis zou komen.'

'Daarna hebt u hem niet meer gesproken?'

'Nee.'

Ze barstte in tranen uit.

Glenn nam een slok koffie en wachtte geduldig. Toen ze wat rustiger was, vroeg hij: 'U hebt hem wel gebeld, neem ik aan?'

'Om de vijf minuten zo'n beetje. Maar ik kreeg hem niet te pakken. Alleen maar zijn voicemail.'

Glenn schreef het op. Hij keek Janet Towers aan en werd overspoeld door medelijden.

Toen dacht hij opeens weer aan die man die bij hem thuis de telefoon had opgenomen. De man die op zijn zoon en dochter paste.

De man die hij nooit had ontmoet, maar die hij op dit moment meer haatte dan hij ooit voor mogelijk had gehouden.

Als jij met Ari naar bed gaat, dacht hij, kun je het wel schudden. Ik scheur met mijn blote handen je testikels uit je scrotum.

Hij glimlachte geforceerd naar Janet Towers en gaf haar zijn kaartje.

'Bel me als u iets hoort. We zullen uw man wel vinden,' zei hij. 'Maakt u zich geen zorgen, wij vinden hem wel.'

Door haar snikken heen zei ze opeens kwaad: 'Ja, nou, het is te hopen dat u hem eerder vindt dan ik.'

59

Roy Grace, met de duurste fles champagne die hij ooit had gekocht tegen zich aan geklemd, stak de sleutel in het slot van Cleo's appartement.

Net op dat moment ging zijn mobieltje.

Al vloekend viste hij hem uit zijn zak en nam op. 'Met inspecteur Grace.'

Het was adjunct-hoofdcommissaris Alison Vosper. Haar wilde hij op dat moment al helemaal niet spreken. En bovendien was ze zo te horen in haar gebruikelijke chagrijnige humeur.

'Waar zit je?' vroeg ze.

'Ik ben net thuis,' zei hij, in de hoop dat ze daar, omdat het na negen uur was, van onder de indruk zou zijn.

'Ik wil je morgenochtend vroeg spreken. De baas heeft het met Alan McCarthy over de slechte pers gehad die Brighton door jouw zaak krijgt.'

McCarthy was gemeenteraadslid van Brighton and Hove.

'Best,' zei hij, met moeite de tegenzin uit zijn stem werend.

'Om zeven uur.'

Inwendig kreunde hij. 'Prima!' zei hij.

'Hopelijk kun je ons dan wat meer vertellen,' voegde ze eraan toe voordat ze de verbinding verbrak.

Jij ook een fijne avond, zei hij geluidloos. Toen maakte hij de deur open.

Cleo, gekleed in een mannenoverhemd en een gescheurde spijkerbroek, zat op de grond met Humphrey met een sok te spelen. De hond grauwde, gromde, jankte en trok aan de sok alsof zijn leven ervan afhing.

'Hé, liefje!' zei hij.

Ze keek hem aan, maar bleef aan de sok trekken en de fles die hij tegen zich aan hield viel haar niet op.

'Hoi! Kijk eens, Humphrey, wie we daar hebben. Inspecteur Roy Grace!'

Hij ging op zijn hurken zitten en gaf haar een kus.

Ze gaf hem snel een kusje terug, maar ging toen weer verder met de hond. 'Champagne!' zei ze. 'Leuk, hoor!' Terwijl ze het zwarte, blaffende, pluizige balletje goed in de gaten hield, zei ze: 'Wat vind je daar nu van, Humphrey? Inspecteur Roy Grace heeft champagne voor ons gekocht! Zou het een zoen-offer zijn, denk je?'

'Sorry dat ik zo laat ben, ik werd na de vergadering nog even opgehouden.'

Ze trok hard aan de sok. Humphrey gleed naar haar toe omdat zijn pootjes geen houvast hadden op de eiken vloer. Hij liet even de sok los, maar beet toen weer toe. Cleo keek Roy aan. 'Ik heb de lekkerste martini gemaakt die je ooit hebt geproefd! Ik heb een waanzinnig nieuw wodkamerk ontdekt: Kalashnikov. Het staat in de koelkast.' Toen voegde ze eraan toe: 'Je boft maar, dat je nu voor ons tweeën moet drinken!'

Ze keek naar de hond. 'Hij boft maar, hè, Humphrey? Hij komt een uur later dan beloofd aankakken, en krijgt nog een lekker drankje ook. En jij en ik moeten het maar doen met water. Wat vind je daarvan?'

Grace voelde zich opeens opgelaten. Ze deed zo afstandelijk.

'Dat drink ik lekker op terwijl de champagne koud staat te worden!' zei hij om haar gunstig te stemmen.

Hij liet haar de fles zien.

Ze tuurde naar het etiket terwijl ze nog steeds Humphrey aan het plagen was en zei: 'Inspecteur, u hebt toch geen zondige plannen met mij?'

'Heel zondig!' zei hij.

'Je weet best dat ik eigenlijk niet mag drinken.'

'Ik heb het op internet opgezocht. Ze denken tegenwoordig dat af en toe een glaasje geen kwaad kan bij zwangere vrouwen.'

'En twee glaasjes?'

'Twee zijn zelfs nog beter. Een voor jou, een voor de kleine.'

Ze grijnsde, en klopte toen op haar buik. 'Wat ben jij een zorgzame vader!' zei ze spottend.

Grace gooide zijn jasje en stropdas op de bank, zette de fles in de vriezer en trok de deur van de koelkast open. Daar stond een glas martini, tot aan de rand toe gevuld, met een olijf op een stokje erin. Hij pakte het en liep ermee naar de zitkamer, nam een slokje, en ging toen op de rand van de bank zitten. De alcohol sloeg meteen toe en de energie stroomde door hem heen.

Humphrey liet de sok los en kwam naar hem toe dartelen.

'Hé, daar!' Hij bukte zich en aaide de hond, die meteen speels in zijn hand beet. 'Au!' Hij trok zijn hand terug.

Humphrey keek hem aan en sprong toen omhoog en beet hem opnieuw.

Terwijl hij zijn glas uit de weg hield, zei hij: 'Jongeman, jij hebt heel scherpe tandjes! Je doet me pijn!'

'Weet je wat mijn vader over martini's zegt?' vroeg Cleo.

Humphrey rende weer naar de sok, trok hem uit Cleo's hand en schudde er woest mee heen en weer alsof hij hem wilde doodmaken.

'Nee, wat dan?'

'Dames, pas op met droge martini's, drink er twee, maar niet meer. Want bij drie ligt u onder de tafel, en bij vier onder de gastheer!'

Grace grinnikte. 'En wat zegt hij over dure champagne?'

'Niets, hij is meestal al dronken van de martini's voordat hij aan de champagne toekomt!'

'Ik wil hem graag ontmoeten.'

'Je vindt hem vast aardig.'

'Vast wel,' zei Grace, die zich afvroeg hoe haar chique vader tegenover een eenvoudige politieman zou staan.

Hij nam weer een slok en dit keer had de alcohol zelfs nog meer effect. Toen ging zijn mobieltje weer. Hij knikte haar verontschuldigend toe en trok hem uit zijn jaszak.

'Met Roy Grace,' zei hij.

'Hé, ouwe!'

Het was Glenn Branson.

'Hallo,' zei hij. 'Wat wil je?'

'Stoor ik?'

'Ja,' zei hij. 'Wat is er aan de hand?'

'Er is niets aan de hand,' zei de rechercheur. 'Ik wil alleen maar even over Ari praten.'

'Kan het morgen ook?'

'Ja joh, goed. Morgen kan ook.'

'Weet je het zeker?'

'Morgen is prima,' zei Glenn troosteloos.

'Vertel op.'

'Nee, dat komt morgen wel. Veel plezier straks!'

'Ik kan wel even praten.'

'Nee. Nee, dat kun je niet. Morgen praten we wel even.'

'Zeg nou maar wat er is.'

De verbinding werd verbroken.

Grace belde zijn vriend terug, maar kreeg meteen de voicemail. Hij belde zijn eigen nummer thuis, voor het geval Glenn daar was, maar na acht keer overgaan nam het antwoordapparaat op. Hij stopte zijn telefoontje in zijn broekzak en ging op zijn knieën zitten.

Cleo bleef nog een paar minuten met Humphrey spelen, zonder op hem te letten. Na een tijdje, toen ze er genoeg van had, liet ze de sok los. Humphrey sleepte hem mee naar de zitzak waar hij op sliep en bleef er snauwend en keffend mee vechten alsof het een dode rat was.

'Wil je wat eten?' vroeg Cleo. 'Ik heb je lievelingsmaal bereid. Voor het geval je de moeite nam om op te dagen.'

Ze gebruikte dezelfde woorden als Sandy. Sandy werd ook vaak boos over de lange uren die hij draaide en al helemaal als hij weg moest terwijl ze net aan het eten waren.

'Hé!' zei hij. 'Wat is dit nu weer: voor het geval je de moeite nam om op te dagen!'

'Jij bent de baas,' zei Cleo. 'Jij kunt thuiskomen op het tijdstip dat je zelf wilt. Ja toch?'

'Je weet best dat dat niet kan. Toe nou, daar gaan we toch geen ruzie over maken? Er zijn drie tieners vermoord en heel veel mensen willen weten hoe dat zit. Je hebt de kinderen gezien, ik wil weten wie dat heeft gedaan en snel ook, voordat het weer gebeurt. En ik heb tig mensen op mijn nek zitten die het voor de kerst opgelost willen zien. Ikzelf ook, trouwens. Ik moet me helemaal geven.'

'Ik krijg elke dag ladingen overledenen in het mortuarium, en ik geef me helemaal voor hen en voor hun nabestaanden. Maar ik kan mijn privéleven daar nog heel goed gescheiden van houden. Dat doe jij niet, Roy. Jij leeft voor je werk.'

Grace had het gevoel dat hij zich op de rand van een afgrond bevond en zei: 'Als jij op afroep beschikbaar bent, moet je toch ook gaan – soms wel van 's ochtends vroeg tot 's avonds laat – toch?'

'Dat is heel wat anders.' Ze haalde haar schouders op en wierp hem een eigenaardige blik toe.

Grace kreeg meteen de zenuwen. Hij nam een grote slok van zijn drankje, maar de alcohol had geen effect meer. Voor het eerst sinds ze iets met elkaar hadden leek ze een vreemde, en hij was bang dat hij haar kwijt zou raken.

'Het zal altijd zo blijven, hè, Roy?'

'Hoe bedoel je?'

'Dat ik hier op je zit te wachten. Jij houdt alleen maar van je werk.'

'Ik hou van jou,' zei hij.

'En ik hou van jou. Maar ik ben niet zo stom dat ik denk dat ik je kan veranderen. Dat wil ik ook niet. Je bent een prima vent. Maar...' Ze haalde haar schouders op. 'Ik ben er trots op dat ik zwanger ben van jouw – ons – kind. Maar ik maak me zorgen over wat voor soort vader je zult zijn.'

'Mijn vader was ook politieman,' zei Grace. 'Hij was een geweldige vader. Ik was altijd hartstikke trots op hem.'

'Maar hij was brigadier, nietwaar?'

'Wat wil je daarmee zeggen?'

'Shit, ik heb zin in een borrel. Wanneer kan die fles geopend worden?'

'Over een minuut of tien?'

'Ik ga verder met koken. Neem jij Humphrey mee naar buiten? Hij moet nog een plasje en een poepje doen.'

Grace ging met de hond naar het dakterras en liep tien minuten rondjes met hem. Al die tijd deed Humphrey, behalve af en toe in zijn hand bijten, helemaal niets. Toen ze weer naar binnen gingen, kuierde de hond de trap af, deed een plasje in de zitkamer en ging vervolgens op het witte kleed zitten, waar hij trots een grote hoop deponeerde.

Tegen de tijd dat ze de rotzooi hadden opgeruimd, was de Roederer Cristal prima op temperatuur. Twee schaaltjes met garnalen, stukjes avocado en rucola stonden op de kleine keukentafel. Hij pakte twee flutes uit de keukenkast, maakte zo voorzichtig alsof hij een baby vasthield de fles open en schonk de champagne in.

Ze toostten.

Cleo zat aan de tafel en zag er adembenemend uit. Zo mooi, zo kwetsbaar. Hij vond het gewoon ongelooflijk dat ze hun kind onder haar hart droeg. Ze nam voorzichtig een slokje en deed toen even haar ogen dicht. Toen opende ze ze weer. Ze fonkelden, net als de champagne.

'Zo! Waanzinnig gewoon!'

Hij keek haar in de ogen. 'Moet je horen,' zei hij. 'Ik weet dat ik je vader nog niet heb ontmoet en dat er in jouw wereld bepaalde regels gelden die je moet volgen, maar... Cleo, wil je met me trouwen?'

Het bleef tergend lang stil. Ze keek hem alleen maar aan met een ondefinieerbare uitdrukking op haar gezicht. Toen nam ze nog een slok en zei: 'Roy, liefste, je moet dit niet...' – ze aarzelde even – 'verkeerd opvatten of zo, oké?'

Hij haalde zijn schouders op en had geen idee wat ze ging zeggen.

Ze draaide het glas rond in haar hand. 'Ik bedacht net dat ik nooit met je zou trouwen als je me zou vragen omdat ik zwanger ben.' Ze wierp hem een hulpeloze, kinderlijk verloren blik toe. 'Want zo'n leven wil ik niet, voor allebei niet.'

Het bleef weer een tijd stil. Toen zei hij: 'Dat je in verwachting bent heeft er niets mee te maken. Dat is alleen een zeer prettige bijkomstigheid. Ik hou van je, Cleo. Ik heb nog nooit iemand gekend die zo mooi is, vanbinnen en vanbuiten. Ik hou met heel mijn hart van je. Ik zal altijd van je houden. Meer dan je ooit voor mogelijk zou houden. Ik wil altijd bij je zijn.'

Cleo glimlachte en knikte nadenkend. 'Dat kan ermee door,' zei ze. Toen gebaarde ze met haar hand. 'Komt er nog meer?'

'Ik hou van je neus. Van je ogen. Ik hou van je karakter. Van hoe je de wereld bekijkt. Ik hou van je geest. Ik hou van hoe aardig je bent tegen iedereen.'

'Dus het gaat niet alleen om de seks?' vroeg ze zogenaamd teleurgesteld.

'Nou, dat ook wel, natuurlijk.'

Ze nam nog een slok en zette toen haar ellebogen op tafel. Ze had haar glas met beide handen vast en keek hem aan. 'Weet je, jij kunt er eigenlijk ook wel wat van.'

'Sletje!'

Ze keek hem vernietigend aan. 'Geile beer.'

'Je lust er wel pap van!'

Hooghartig zei ze: 'Nee hoor. Ik doe het alleen om jou een plezier te doen.'

Hij grinsde. 'Daar geloof ik helemaal niets van.'

Humphrey zat terwijl ze de liefde bedreven in de slaapkamer te blaffen en te janken, totdat hij er genoeg van had en ging slapen.

Ze lagen in elkaars armen en Cleo kuste Roy op zijn neus, toen op zijn oogleden en vervolgens op zijn mond. 'Weet je, je bent een waanzinnig goede minnaar. Je bent zo onzelfzuchtig.'

'Zijn de meeste mannen zelfzuchtig dan?'

Ze knikte. Toen grinsde ze. 'Naar mijn ervaring wel, en ik heb zo'n honderd mannen gehad, maar niet heus!'

'Nou, ik ben vereerd, ervaren mannenverslindster.'

Ze gaf hem een stomp. Toen kuste ze hem weer. 'En er is nog iets, inspecteur, bij jou voel ik me veilig.'

'Bij jou voel ik me geil.'

Ze ging met haar hand over zijn harde, gespierde lijf. En bleef toen liggen. 'Lieve help, wil je nog meer?'

'Hebben we het dan al gedaan?'

'Een minuut of vijf geleden, ja.'

'Dan heb ik vast de ziekte van Alzheimer. Ik dacht dat we alleen nog maar het voorspel hadden gehad!'

Ze grinsde. 'Je bent de geilste man die ik ken!'

'Dat komt door jou,' zei hij en hij gaf haar een tedere kus op de lippen, en toen in haar nek, op haar schouders en vervolgens op elke centimeter van haar armen, benen, enkels en tenen. Toen bedreven ze de liefde opnieuw.

Een hele tijd later, in de gloed van een bijna opgebrande kaars, drukte Cleo zich tegen hem aan, en nat van het zweet zei ze: 'Oké, ik geef me over. Ik wil met je trouwen.'

'Echt waar?'

'Ja, dolgraag. Maar is er niet nog een klein detail?'

'Wat dan?'

'Je bent al getrouwd.'

'Ik ben bezig met de procedure om haar dood te laten verklaren, omdat ze al meer dan zeven jaar wordt vermist. Mijn zus is al eeuwen bezig om me daartoe over te halen.'

'Cleo Grace,' mompelde ze. 'Hmm, dat heeft wel wat.'

Ze kuste hem weer, en terwijl ze hem stevig vasthield viel ze in slaap.

60

Glenn Branson zat in zijn zwarte Hyundai en keek mismoedig naar zijn huis. Hij zat er al vijf uur.

Het kleine halfvrijstaande huis uit de jaren zestig stond aan een steile straat in Saltdean boven op een klif, en het waaide daar altijd. De auto bewoog heen en weer in de wind en de regen sloeg tegen de zijkanten.

De tranen stroomden hem over de wangen. De ijzige kou deerde hem niet, en hij lette niet op het feit dat hij honger had en moest plassen. Hij keek alleen maar naar het huisje met de gele voordeur dat zijn thuis was. Keek naar de pui, die nu net een soort Berlijnse Muur leek tussen hem en zijn leven. Het was allemaal even wazig. Zijn ogen waren wazig vanwege de tranen. De autoruiten waren wazig als gevolg van de stromende regen. Zijn hersens waren wazig door liefde, woede en pijn.

Hij had gezien dat Ari even na tien uur was thuisgekomen. Ze had hem niet in zijn auto zien zitten. Daarna wachtte hij tot de babysitter, wie die arrogante eikel ook mocht zijn, weg zou gaan. Het was inmiddels tien voor halfdrie 's nachts en hij was nog steeds niet weg. Zo'n twee uur geleden waren de lichten beneden uitgegaan, en vervolgens waren die in haar slaapkamer aangegaan. Een tijdje later waren ze ook daar uitgegaan. Wat betekende dat de babysitter bij haar bleef slapen. Dat ze in hún huis hadden geneukt.

Zouden Sammy en Remi straks zoals altijd de slaapkamer in rennen en opgewonden 'Mama! Papa!' schreeuwen en dan tot de ontdekking komen dat er een vreemde man in bed lag? Of renden ze niet meer naar binnen? Hoezeer was voor hen die afgelopen weken alles veranderd?

Als hij eraan dacht ging er een steek door zijn hart.

Hij keek op de klok in zijn auto: twaalf over halfdrie. Hij keek op zijn horloge, alsof hij hoopte dat het klokje niet goed liep. Maar zijn horloge gaf aan dat het dertien over halfdrie was.

Het deksel van een plastic vuilnisemmer rolde over de stoep. Toen zag hij een prisma van blauwe tinten in zijn achteruitkijkspiegel en even later kwam er een politieauto langs scheuren, met de lichten aan maar de sirene uit. De auto ging boven aan de weg rechtsaf en verdween. Ze gingen misschien naar een huiselijke twist of een ongeluk, of een inbraak, of wat dan ook. Omdat hij bang was dat hij misschien weggeroepen zou worden, wilde hij eigenlijk niet bellen. Maar hij had wel een auto van de politie in gebruik en daarom moest hij zich toch melden. En ondanks het feit dat er zo veel aan de hand was in zijn privéleven, was hij nog altijd dankbaar voor de kansen die de politie hem had gegeven.

Hij belde de Centrale met zijn mobieltje.

'Met Glenn Branson. Ik ben de dienstdoende rechercheur voor Zware Misdaden. Ik zag hier net in Saltdean een wagen langskomen met twee agenten. Is het iets voor ons?'

'Nee, ze zijn onderweg naar een aanrijding.'

Hij verbrak opgelucht de verbinding en keek weer naar het huis. Hij werd steeds bozer. Alles wat nu nog telde was wat er binnen in dat huis gebeurde.

Uiteindelijk kon hij zich niet meer inhouden. Hij stapte uit de auto, stak de weg over, liep naar zijn voordeur, en had het gevoel dat hij een vreemde was, die daar helemaal niet hoorde, en niets te zoeken had bij zijn eigen voordeur.

Hij stak de sleutel in het slot en wilde hem omdraaien. Maar dat lukte niet. Hij trok hem eruit en keek er verbaasd naar, zich afvragend of hij per ongeluk de sleutel van Roy Grace' huis had gebruikt. Maar het was de juiste sleutel. Hij stak hem er weer in, maar hij kreeg hem niet gedraaid.

Toen daagde het hem. Ze had het slot veranderd!

Shit! Mooi niet, mevrouwtje!

Hij moest opeens denken aan honderden filmscènes met ruziënde stelletjes. Nijdig drukte hij op de bel en hij hield hem zeker tien seconden ingedrukt. Door het rode waas van woede besefte hij dat hij nog nooit op zijn eigen deurbel had gedrukt. Daarna bonkte hij op de deur.

Even later ging het licht boven hem aan en keek hij omhoog. Ari stond voor het slaapkamerraam en hield het gordijn open. Ze maakte het raam open en keek naar beneden. Ze had een roze ochtendjas aan en haar stijl gemaakte zwarte haar zag er zoals altijd keurig uit, alsof ze net bij de kapper was geweest. Ze waren een keer wezen wildwaterraften en toen had het er nog steeds keurig uitgezien.

'Glenn? Waar ben je verdorie mee bezig? Je maakt de kinderen nog wakker!'

'Je hebt godverdomme het slot veranderd!'

'Ik was mijn sleutels kwijt,' schreeuwde ze terug.

'Laat me erin!'

'Nee.'

'Dit is ook mijn huis, hoor!'

'We wilden allebei even apart wonen.'

'Dat betekent niet dat je mannen mee hiernaartoe kunt nemen om ze te neuken.'

'Ik spreek je morgen wel, goed?'

'Nee, je laat me er nu in, en dan kunnen we nu praten!'

'Ik doe de deur niet open.'

'Ik sla verdomme een ruit in, hoor!'

'Moet je vooral doen, dan bel ik de politie.'

'Ik bén de politie, mocht je dat vergeten zijn.'

'Je gaat je gang maar,' zei ze. 'Dat heb je je hele leven al gedaan!'

Ze trok het raam met een klap dicht. Hij deed een stap naar achteren om beter te kunnen kijken en zag dat het gordijn stevig werd dichtgetrokken en dat het licht uitging.

Hij balde gefrustreerd en woedend zijn vuisten. Hij liep een eindje de straat in, en kwam weer terug. Er reed een auto voorbij, een klein geval met keiharde rapmuziek aan, waardoor de lucht nog meer in beweging kwam. Hij keek weer op naar zijn huis.

Hij kwam in de verleiding om een raam in te slaan en naar binnen te gaan, en die kutbabysitter zijn nek om te draaien.

Het probleem was alleen dat hij heel goed wist dat dat precies was wat hij zou doen als hij naar binnen ging.

Met tegenzin draaide hij zich om, stapte weer in de Hyundai en reed naar de kustweg. Hij bleef staan bij de T-splitsing en gaf richting aan naar rechts. Toen hij op het punt stond op te trekken, zag hij opeens heel ver weg een piepklein lichtje in de duisternis. Een boot of zo, op zee.

En opeens viel hem iets in waardoor zijn woede wegebde.

Hij werkte de gedachte uit terwijl hij over de winderige weg reed, door Rottingdean en Kemp Town, en vervolgens langs de kust van Brighton.

Eenmaal terug in Roys huis schonk hij zichzelf een groot glas whisky in, ging in een fauteuil zitten en dacht er nog meer over na.

Hij trilde nog steeds van woede door Ari.

Maar de inval liet hem niet los.

Hij zat er nog steeds toen hij drie uur later wakker werd.

In de meeste vakken op school was hij slecht geweest, omdat zijn vader, die of dronken of stoned was en voortdurend zijn moeder in elkaar sloeg, hem altijd weer vertelde dat hij niets voorstelde. Tegen zijn twee broers en zijn zussen zei hij hetzelfde. Glenn had hem geloofd. Hij had zijn jeugd doorgebracht in het ene tehuis na het andere. Het enige vak dat hij leuk had gevonden was meetkunde. En hij kon zich daar nog één ding van herinneren, en daar had hij nou de hele tijd aan moeten denken.

Driehoeksmetingen.

61

Ian Tilling zat om negen uur 's ochtends aan zijn bureau in zijn kantoor in Casa Iona te Boekarest, en bestudeerde vol enthousiasme de lange e-mail en de ingescande foto's die hij van zijn oude vriend Norman Potting had ontvangen. Er zaten drie setjes vingerafdrukken bij, drie compositiefoto's, twee van twee jongemannen en een van een jonge vrouw, en diverse foto's, waarvan de interessantste een close-up was van een primitieve tatoeage van de naam Rares.

Het was fijn om weer wat recherchewerk te doen. En met de vergadering in het vooruitzicht had hij het gevoel dat hij weer terug in de goeie ouwe tijd was!

Hij nam een slok van zijn thee: Twinings English Breakfast Tea, die zijn oude moedertje in Brighton hem regelmatig toestuurde, samen met potjes Marmite en Wilkin & Sons Tiptree Medium Cut Orange Marmelade. Dat waren zo'n beetje de enige dingen die hij uit Engeland miste en hier niet kon kopen.

Voor zijn bureau zaten twee maatschappelijk werksters. Dorina was drie-entwintig, ze had kort zwart haar en was samen met haar man vanuit Moldavië naar Roemenië gekomen. Andreea, die over een maand zou trouwen, was een aantrekkelijk meisje. Ze had lang bruin haar en droeg een spijkerbroek en een gestreepte blouse met daaroverheen een bruin truitje met een v-hals.

Andreea deed als eerste verslag, en vertelde dat Rares een vrij chique naam was, en zeer ongebruikelijk voor een straatkind. Ze dacht dat de tatoeage zelfgemaakt was, wat inhield dat het meisje misschien Roma – of Igani – was, een zigeunerin dus. Ze voegde eraan toe dat het niet vaak voorkwam dat een Roma-meisje een vriendje had dat geen Roma was.

'We kunnen een bericht op het mededelingenbord ophangen,' zei Dorina, 'met de foto's erbij. Misschien dat een van onze dakloze cliënten iets over ze weet.'

'Goed plan,' zei Tilling. 'Andreea, als jij contact opneemt met alle andere instellingen voor hulp aan daklozen, en ze naar de drie Fara-tehuizen stuurt?'

De Fara-tehuizen waren de twee weeshuizen in de stad en een boerderij op het platteland. Het waren liefdadigheidsinstellingen die waren opgericht door een Engels echtpaar, Michael en Jane Nicholson, die ook straatkinderen opnamen.

'Dat doe ik meteen.'

Tilling bedankte haar en keek op zijn horloge. 'Ik moet om halfnegen op het politiebureau zijn voor een overleg. Kunnen jullie de plaatsingscentra in de zes districten hier bellen?'

'Daar ben ik al mee begonnen,' zei Dorina. 'Maar het lukt nog niet erg. Ik heb er tot nu toe één gebeld, maar die wilden niet helpen. Zij zeiden dat ze dat soort informatie niet mochten geven, en dat de politie die vragen zou moeten stellen en niet een of andere directeur van een liefdadigheidsinstelling.'

Tilling sloeg gefrustreerd met zijn vuist op het bureau. 'Verdorie! We weten allemaal wel hoeveel hulp we van de politie zullen krijgen!'

Dorina knikte. Dat wist ze inderdaad. Dat wisten ze allemaal maar al te goed.

'Je moet je best blijven doen,' zei Tilling. 'Goed?'

Ze knikte.

Tilling stuurde Norman Potting een e-mail terug en verliet toen zijn kantoor voor het korte wandelingetje naar politiebureau 15. Naar de enige politieman van wie hij eventueel hulp verwachtte. Maar erg veel hoop had hij niet.

62

Glenn Branson, die ondanks de zware nacht scherp en energiek was, stond in de gang voor de vergaderkamer met een kop koffie in de ene en een sandwich met ei, bacon en worst in de andere hand. De andere leden van het team kwamen een voor een voor de woensdagochtendvergadering binnendruppelen.

Bella Moy liep langs hem heen en schonk hem een ironische glimlach. 'Goedemorgen, meneer de gezondheidsfanaat!' zei ze.

Glenn mompelde met volle mond iets terug.

Toen ging Stella's mobieltje. Ze keek op het schermpje voordat ze een eindje wegliep om op te nemen.

Even later dook Ray Packard op, de man van de afdeling Informatica, op wie Glenn aan het wachten was.

'Ray! Hoe gaat het ermee?'

'Moe,' zei hij. 'Mijn vrouw voelde zich beroerd vannacht.'

'Wat vervelend.'

'Jen heeft suikerziekte,' zei hij met een knikje. 'We hebben gisteren bij de Chinees gegeten. Vanochtend was haar suikerspiegel bijna niet te meten.'

'Suikerziekte is vreselijk.'

'Dat is het probleem met Chinese restaurants, je weet nooit wat er in dat eten zit. Alles prima bij jou thuis?'

'Mijn vrouw is ook ziek.'

'O, verdorie, dat is rot voor je.'

'Ja, ze is allergisch voor mij geworden.'

Packards ogen glinsterden achter de dikke brillenglazen. Hij stak zijn vinger op. 'Ah! Dan weet ik precies wie je moet spreken! Ik geef je zijn nummer wel. Hij is de beste allergiespecialist van het land!'

Glenn glimlachte. 'Het zou beter zijn als je me vertelde dat hij de beste advocaat was. Zeg, voordat we gaan vergaderen wil ik je even iets vragen.'

'Ga je gang. Een scheiding, hè? Vervelend, zeg.'

'Nou, als je mijn vrouw zou kennen, zou je dat niet vinden, hoor. Maar zo gaan die dingen! Ik wil je graag iets vragen over mobieltjes. Oké?'

Er kwamen nog meer mensen, die zich langs hen wurmden. Guy Batchelor begroette Glenn met een vrolijk 'goedemorgen'. De rechercheur zwaaide bij wijze van begroeting met zijn sandwich naar hem.

'Jij bent gek op films, hè, Glenn?' vroeg Packard. 'Ken je *Phone Booth*?'

'Met Colin Farrell en Kiefer Sutherland. Ja. Hoezo?'

'Wat een waardeloos einde, vond je niet?'

'Dat viel wel mee.'

Ray Packard knikte. Hij was niet alleen de grootste expert in computermisdaad, hij was ook de enige andere filmfanaat voor zover Glenn wist.

'Ik wil wat weten over zendmasten voor mobieltjes, Ray. Weet je daar iets vanaf?'

'Zendmasten? Nou en of! Daarvoor moet je bij mij zijn! Wat wil je precies weten?'

'Er wordt een man vermist, een visser. Hij had altijd zijn mobieltje bij zich. Op vrijdagavond is hij voor het laatst gezien, toen voer hij Shoreham-Haven uit. Het lijkt mij dat het mogelijk moet zijn om er met behulp van de signalen van zijn telefoontje achter te komen waar hij naartoe ging. Een soort driehoeksmeting. Ik weet dat het op land kan, maar kan het ook op zee?'

Er liepen nog meer mensen langs hen heen.

'Dat hangt af van hoe ver hij de zee op is gegaan en in wat voor boot.'

'Wat voor boot?'

Packard leefde op en legde het uit. Zo te zien kon hij niets leukers bedenken dan de kennis die hij in zijn hoofd had aan iemand door te geven.

'Ja. Als je zo'n vijftien kilometer de zee op bent, kun je nog binnen bereik zijn, maar dat hangt wel af van hoe de boot in elkaar zit en waar het mobieltje ligt. Binnen een stalen behuizing is de ontvangst beduidend minder. Lag het mobieltje aan dek, of in een hut met ramen? En de hoogte van de masten maakt ook uit.'

Glenn haalde zich de Scoob-Eee weer voor ogen. Voorin was een kleine hut die bereikbaar was door een trapje, en daarin bevonden zich het toilet, de kitchenette en de zithoek. Toen hij daar was, had hij de indruk gekregen dat hij hoofdzakelijk onder zeeniveau zat. Maar als Jim Towers aan het roer had gestaan, was hij op het dek geweest, in de gedeeltelijk afgeschutte stuurhut. En als hij de zee op ging, zou hij ongehinderd de kust achter zich hebben gezien. Hij legde dit aan Packard uit.

'Super!' zei hij. 'Weet je of hij gebeld heeft?'

'Niet met zijn vrouw. Ik weet niet of hij verder nog iemand heeft gebeld.'

'Je moet de belgegevens opvragen. Bij zo'n zware misdaad moet dat lukken. Dit heeft toch te maken met operatie Neptunus, neem ik aan?'

'Het is een van de dingen die ik onderzoek, ja.'

'Kijk, zo werkt het. Als de telefoon aanstaat, neemt die om de twintig minuten contact op met de provider, om aan te geven dat hij er nog is. Als je je mobieltje bij je autoradio hebt liggen, hoor je soms *bieperdebieperdebiep* omdat hij stoort met de radio. Ja?'

Branson knikte.

'Op dat moment maakt hij contact!' Packard keek hem stralend aan, alsof dat geluid veroorzaken een trucje was dat hij zelf aan mobieltjes had geleerd. 'Aan de gegevens moet je kunnen zien wanneer hij voor het laatst contact heeft opgenomen, binnen een gebied van een kilometer of zo.'

Hij keek om zich heen en zag dat iedereen de vergaderruimte in was gegaan.

'Het zou waarschijnlijk met twee of drie zendmasten aan de kust contact hebben opgenomen, wat een derde van een cirkel van elk ervan zou beslaan.'

Hij keek weer rond.

'In het kort, er bestaat iets wat tijdwaarneming heet. Ik ga daar niet te diep op in, maar de signalen reizen van en naar de zendmast met de snelheid van het licht: driehonderdduizend kilometer per seconde. Door die tijdwaarneming – afhankelijk van welke mast er is gebruikt – kun je de afstand van het mobieltje naar de zendmast berekenen. Kun je het nog volgen?'

Glenn knikte.

'Op die manier kun je ongeveer berekenen waar het mobieltje zich bevindt, en door de driehoeksmeting zelfs binnen een paar kilometer. Maar je moet niet vergeten dat dat wel de plek is waar de laatste keer contact is opgenomen. De boot is misschien nog wel twintig minuten door blijven varen.'

'Maar ik weet dan wel de laatst bekende positie en ongeveer de richting die hij voer?'

'Klopt als een bus!'

'Superbedankt, Ray!' zei Glenn, die snel alles op zijn schrijfblok noteerde. 'Echt superbedankt!'

63

Twee mensen, die voor de buitenwereld door konden gaan voor moeder en zoon, stonden om halfnegen 's ochtends op Gatwick Airport in de rij voor een van de tien paspoortcontroles voor immigratie.

De vrouw was een zelfverzekerde, statige blondine van in de veertig, het haar schouderlang en chic en modern geknipt. Ze had een zwarte suède jas aan, afgezet met bont, en bijpassende laarzen, en ze sleepte een Gucci-koffer op wieltjes achter zich aan. De jongen was een tiener die met grote ogen om zich heen stond te kijken. Hij was mager, zijn zwarte haar was kortgeknipt en warrig en hij had iets van een Roma in zich. Hij droeg een spijkerjasje dat wat te groot was, een schone, blauwe spijkerbroek en gloednieuwe sportschoenen, waarvan de veters niet gestrikt waren. Hij had niets bij zich, op een computerspelletje na, dat hij had gekregen om hem bezig te houden, en de hoop dat hij al snel, misschien al dezelfde ochtend, zou worden herenigd met de enige persoon van wie hij ooit had gehouden.

De vrouw voerde een reeks telefoontjes in een taal die de jongen niet begreep, Duits, veronderstelde hij, terwijl hij een computerspelletje speelde, maar het verveelde hem zo langzamerhand. Net als het reizen. Hij hoopte maar dat de reis bijna voorbij was.

Ze waren eindelijk bijna aan de beurt. Een zakenman voor hen overhandigde zijn paspoort aan de vrouwelijke, Indiaas uitziende immigratiebeambte, die hem lichtelijk verveeld bekeek, alsof haar lange dienst er bijna op zat, en hem het paspoort teruggaf.

Marlene Hartmann deed een stap naar voren en gaf de jongen een kneepje in zijn hand. Dat haar handen vochtig waren was niet te voelen door de leren handschoenen. Ze gaf de twee paspoorten af.

De beambte bekeek eerst dat van Marlene, wierp een blik op de monitor, waar niets op verscheen, en toen die van de jongen. Rares Hartmann. Ook bij hem kwam niets tevoorschijn. Ze gaf de paspoorten terug.

In de aankomsthal, tussen de chauffeurs die een geprint of met de hand geschreven bordje ophielden met een naam erop, en opgewonden familieleden die iedereen die naar buiten kwam aandachtig bekeken, zag Marlene opeens Vlad Cosmescu staan.

Ze begroetten elkaar met een formele handdruk. Toen wendde ze zich tot de jongen, die nog nooit buiten Boekarest was geweest en er inmiddels helemaal overweldigd uitzag.

'Rares, dit is oom Vlad. Hij zorgt voor je.'

Cosmescu gaf de jongen een hand en zei in zijn moedertaal, het Roemeens, dat hij het fijn vond dat de jongen in Engeland was aangekomen. De jongen mompelde dat hij blij was dat hij er was en dat hij snel zijn vriendin Ilunca hoopte te zien. Misschien vanochtend al?

Cosmescu verzekerde hem dat Ilunca op hem zat te wachten en hem graag wilde zien. Ze zouden eerst Frau Hartmann ergens afzetten en dan naar Ilunca gaan.

De ogen van de jongen lichtten voor het eerst in lange tijd op en hij glimlachte.

Vijf minuten later reed de bruine Mercedes met de smerige, kleine Grigore met de konijnentanden aan het stuur Gatwick Airport uit en de weg naar de M23 op. Even later reden ze naar het zuiden, naar Brighton and Hove. Marlene Hartmann zat voorin. Rares zat stilletjes op de achterbank. Dit was het begin van zijn nieuwe leven en hij was opgewonden. Maar het belangrijkste was dat hij Ilunca weer zou zien.

Nog maar een paar weken geleden hadden ze al zoenend en in tranen afscheid genomen, met de belofte elkaar gauw weer te zien. En het was nog maar een paar maanden geleden dat ze deze reddende engel Marlene hadden leren kennen.

Het was net een droom.

Zijn echte naam luidde Rares Petre Florescu en hij was vijftien jaar. Een tijd geleden, al wist hij niet precies meer wanneer, maar het was niet lang na zijn zevende verjaardag, had zijn moeder zijn vader, die dronk en haar voortdurend sloeg, verlaten en hem meegenomen. Toen had ze een andere man leren kennen. Die man zat niet te wachten op een kind, had ze verdrietig aan Rares uitgelegd, dus ging hij naar een tehuis, waar hij heel veel vriendjes zou krijgen, en mensen zou leren kennen die van hem hielden en voor hem zouden zorgen.

Twee weken later had een stille, oude vrouw, met een gezicht zo plat en hard als een stoomstrijkijzer, hem vier stenen trappen op geleid naar een overvolle slaapzaal, waar het wemelde van de vlooien. Zijn moeder had geen gelijk gehad. Niemand hier hield van hem of zorgde voor hem, en aanvankelijk werd hij gepest. Maar uiteindelijk raakte hij bevriend met een paar kinderen van zijn eigen leeftijd, maar nooit met oudere jongens, die hem regelmatig in elkaar sloegen.

Het leven was één doffe ellende. Elke ochtend moesten ze vaderlands-lievende liederen zingen, en als hij of de andere jongens en ook meisjes niet rechtop stonden, kregen ze met de stok. Op zijn tiende ging hij weer in bed plassen, en ook daar kreeg hij regelmatig slaag voor. Na verloop van tijd leerde hij van een paar oudere jongens, die wat extra eten konden regelen, stelen. Tot hij werd betrapt met twee gestolen repen.

Omdat hij bang was voor vergelding, liep hij weg. En hij bleef ook weg. Hij sloot zich aan bij een groep die 's nachts in de buurt van Gara de Nord, het hoofdstation van Boekarest, rondhing en bedelde en drugs gebruikte. Ze sliepen waar ze maar konden, soms in portieken, soms in piepkleine hutjes die tegen de verwarmingspijpen aan waren gebouwd, en soms in de ondergrondse ruimten.

Pas toen Rares de knappe, verloren Ilunca ontmoette, kwam hij weer tot leven. Zij was de reden dat hij wilde blijven leven.

Ze hadden de matrassen dieper in de tunnel onder de warme pijpen geslept, bij hun vrienden vandaan, en daar de liefde bedreven en gedroomd.

Gedroomd over een beter leven.

Over een land waar ze een huis zouden hebben.

En toen op een dag, nadat hij net een paar flesjes Aurolac had gestolen, had hij de engel ontmoet van wie hij altijd had geloofd – maar nooit durfde te hopen – dat ze hem op een dag zou bezoeken.

Ze heette Marlene.

En nu zat hij achter in haar Mercedes en zou hij zijn allerliefste Ilunca weer zien.

Hij voelde zich gelukzalig.

De auto stond stil in een straat met woonhuizen. Het was zo schoon. Het leek op een van de dure wijken van Boekarest waar hij wel eens had gebedeld.

Marlene draaide zich om en zei tegen hem: 'Vlad en Grigore zullen voor je zorgen.'

'Gaan we naar Ilunca toe?'

'Ja,' zei ze. Toen stapte ze uit en liep ze naar de achterkant van de auto.

Rares tuurde door de achterruit en zag de kofferbak opengaan. Even later sloeg ze hem dicht en liep ze met een koffertje in haar hand naar het pad dat naar de voordeur van het huis leidde. Hij keek naar haar en verwachtte dat ze zich zou omdraaien om naar hem te zwaaien. Maar ze bleef recht voor zich uit kijken.

De Mercedes trok op, zo snel dat hij met zijn rug tegen de bank aan werd gedrukt.

64

Roy Grace zat in zijn kantoor zijn aantekeningen van de vergadering door te lezen. Hoewel het een vochtige en grijze dag was, had hij een zonnig humeur. Hij was zelfs gelukkiger en positiever over het leven dan ooit tevoren. Hij liep op wolken. De bespreking die hij om zeven uur had gehad met adjunct-hoofdcommissaris Vosper – die zelfs nog chagrijniger dan anders was –, had daar geen verandering in kunnen brengen.

Die middag had hij een afspraak met een advocaat om de details te bespreken om Sandy officieel dood te verklaren. Hij had eindelijk het gevoel dat het verleden inderdaad achter hem lag, dat hij de deur kon sluiten en verder kon gaan. Hij ging met Cleo trouwen. Ze kregen samen een baby.

De rest leek volkomen onbelangrijk deze ochtend, en dat heerlijke gevoel kon hij niet te lang blijven houden, zoals hij heel goed wist. Hij had het vreselijk druk. Zijn baan hield in dat hij het publiek moest dienen door misdadigers op te pakken zodat Brighton and Hove een veilige stad werd. Hij beschouwde elke ernstige misdaad in zijn stad als een falen van het hele politiekorps – en dus ook gedeeltelijk zijn falen. Daar kon hij niets aan doen, zo zat hij nu eenmaal in elkaar.

Er lagen drie tieners in een vrieskist in het mortuarium omdat de politie hen niet had kunnen beschermen. Door degenen die hun dit hadden aangedaan op te pakken, konden ze in elk geval gedeeltelijk hun schuld inlossen. En dan maar hopen dat de daders voor lange tijd achter de tralies werden gezet, zodat ze het nooit meer konden doen.

Hij had een lijst met namen van dokters in Engeland die uit de medische stand waren gezet. Terwijl hij de ellenlange lijst doornam, op zoek naar iemand die organen kon transplanteren, verbaasde het hem dat ze zo veel verschillende overtredingen hadden begaan.

De gedachte dat een dokter – net als een politieman – omkoopbaar was, had hem altijd tegengestaan. Gelukkig had hij maar weinig corrupte collega's gekend. Hij vond het walgelijk dat iemand die in dienst van het publiek stond, iemand die een vertrouwenspositie bekleedde, daar misbruik van maakte door middel van corruptie of onbekwaamheid.

De bovenste naam op de lijst was van een dokter die uit de medische stand was gezet omdat hij door nalatigheid de dood van een heroïneverslaafde had veroorzaakt. Geen waarschijnlijke kandidaat, vond Grace. De volgende namen waren die van een doktersechtpaar dat een privéverzorgingshuis runde. Hij las wat er over hen stond. Ze hadden het tehuis op een schandalige manier geleid en oudere patiënten onverzorgd laten liggen. Zij leken hem ook onwaarschijnlijk.

Een arts-assistent die zijn opleiding niet had gehaald en vervolgens had gelogen om een baan als medisch specialist te krijgen mocht ook niet meer in de gezondheidszorg werken. Grace las geboeid door. Dit was precies het soort persoon – hoewel niet een echte transplantatiechirurg – dat als assistent in een privékliniek bij illegale operaties zou werken. Hij schreef de naam van de man op in zijn onderzoeksplan: Noah Olujimi.

Opeens viel hem iets in, en het verwonderde hem dat hij daar niet eerder aan had gedacht. Welke procedures werden in Engelse ziekenhuizen en bij UK Transplant – het nationale centrum waar de transplantaties werden geregeld – gevolgd om uit te sluiten dat een orgaan illegaal was? Hij was er zeker van dat die niet mals waren, maar hij maakte een aantekening om daar naar te laten kijken.

Hij nam de lijst verder door.

Een huisarts die kinderporno van internet had gedownload. Nee.

De volgende was interessanter. Een huisarts was uit de medische stand gezet omdat hij euthanasie op een kankerpatiënt had gepleegd. Grace vond euthanasie een uitstekend idee. Hij wist nog hoe hij als kind zijn geliefde grootvader had bezocht, een beer van een vent, die schreeuwend van de pijn in bed had liggen sterven, en had gesmeekt dat iemand hem zou helpen, hoe dan ook, en vervolgens in snikken uitbarstte terwijl iedereen in de kamer alleen hulpeloos kon toekijken. Zijn moeder had naast het bed gezeten en biddend zijn hand vastgehouden. Hij had dat bezoekje nooit vergeten, het was de laatste keer dat hij hem had gezien. En hij was ook nooit vergeten hoe weinig nut de gebeden van zijn moeder hadden.

Euthanasie, dacht hij weer. Er waren artsen die het niet eens waren met de wet en het toch deden. Er waren vast ook transplantatiechirurgen die het er niet mee eens waren. Maar de lijst van chirurgen die Sarah Shenston hem had gegeven, was een stuk langer dan hij had verwacht.

Zijn computer gaf een signaal dat er weer een mail, of een hele pluk mails, was binnengekomen. Dat gebeurde om de paar minuten. Hij keek naar het beeldscherm. Er waren er een paar bij van de gezondheidsdienst, die hij en alle andere politiemensen regelmatig kregen. In de afgelopen maanden was hij de gezondheidsdienst zelfs nog meer dan dat hele politiekecorrectheidgedoe gaan haten. Dit keer hadden ze weer iets over dat een politieman die zo'n twee meter een ladder op ging, en op dat moment dus 'op grotere hoogte' werkte, alleen maar hoger mocht gaan als hij aan de regels voldeed verbonden aan het werken op grotere hoogten.

Het is toch niet te geloven, dacht hij. Als je een misdadiger achtervolgde, moest hij zeker roepen: hé, niet hoger dan twee meter klimmen, hoor, anders kan ik niet meer achter je aan!

Er werd op zijn deur geklopt en Glenn Branson kwam de kamer in.

Grace knikte naar zijn glimmende das. 'Je moet de batterijen vervangen. Hij is lang zo fel niet meer.'

'Goh, grappig hoor, ouwe.' Toen keek hij eens goed naar de inspecteur. 'Heb jij soms nieuwe batterijen? Je straalt helemaal!'

'Wil je koffie?' Grace gaf aan dat hij moest gaan zitten.

'Nee, laat maar. Ik heb er net een op.' Branson nam plaats op een stoel, keek zijn vriend met een merkwaardige blik aan, boog zich naar voren en plantte zijn enorme armen op Grace' kleine bureau. 'Hoe kun je ooit iets vinden in deze bende?'

'Nou, normaal gesproken neem ik mijn dossiers mee naar huis en sorteer ze 's avonds, maar dat gaat niet meer, omdat ik mijn huis ter beschikking heb gesteld aan een gorilla van vierhonderd kilo die erin rondslingert, aan de lampen hangt en er een puinhoop van maakt.'

De rechercheur keek een beetje schaapachtig. 'Ja, nou ja, ik ben eigenlijk van plan om dit weekend een beetje op te ruimen, een soort grote schoonmaak. Je zult je huis niet meer herkennen.'

'Dat doe ik nu al niet.'

'Weet je, de helft van je cd's zitten in het verkeerde doosje, ik ben dat nu allemaal voor je aan het uitzoeken. Het punt is alleen dat je zo'n waardeloze collectie hebt.'

'En dat zeg jij, fan van Jay-Z?'

'Jay-Z is een topper! Hij is gewoon God! Jouw smaak lijkt echt helemaal nergens op.' Hij grinnikte. 'In elk geval zijn die afschuwelijke cd's die je in de auto had na dat ongeluk ook naar de filistijnen!'

Grace trok een la in zijn bureau open, haalde er een kleine, smerige bewijszak uit en gooide zes cd's op het bureau. 'Jammer, joh!'

'Die Alfa van jou was toch tweehonderdvijftig meter naar beneden gestort?'

'Klopt, maar het was eb, en toen ze het wrak hadden geborgen, kon ik deze eruit halen.'

Branson schudde teleurgesteld zijn hoofd. 'Maar goed, wanneer ga je een nieuwe auto kopen?'

'Ik zit nog op de verzekering te wachten. Cleo heeft een kleine motor waar ze niet op rijdt – een Yamaha – een SR 125, volgens mij. Misschien dat ik die voorlopig kan gebruiken. Ben ik ook eens milieuvriendelijk.'

Branson grijnsde breeduit.

'Wat is daar zo grappig aan?'

'Heb je *Electra Glide in Blue* gezien? Die film over een motoragent?' Toen ging zijn mobieltje.

Hij nam meteen op, kwam overeind en liep een eind bij het bureau vandaan. 'Met Glenn Branson.' Hij knikte verontschuldigend naar Grace en ging door: 'Hallo, Brian, ik zit toevallig tegenover je in de gang, bij Roy Grace. Ja, allebei de peuken, want ik wil weten of het dezelfde persoon was, wat zou betekenen dat hij, daar een tijdje heeft gestaan, of twee verschillende personen. Oké, prima. Bedankt!'

Hij ging weer zitten en keek Grace onderzoekend aan. 'Het valt echt wel op, hoor.'

'Hoe bedoel je?'

'Je zit helemaal te stralen. Wat is er aan de hand?'

Roy haalde zijn schouders op, maar moest toch grijnzen.

'Heeft het met Cleo en jou te maken?'

Hij haalde weer zijn schouders op en grijnsde nog meer.

'Je bent toch niet... niet... niet...' zei hij met grote ogen. 'Moet je me soms iets vertellen? Ik ben je beste vriend, per slot van rekening.'

Grace onderdrukte een glimlach. Toen knikte hij. 'We hebben ons gisteravond verloofd. Geloof ik.'

Branson sprong als een veer van zijn stoel af. Hij sloeg zijn armen om zijn vriend heen en gaf hem een stevige omhelzing.

'Dat is waanzinnig! Wat leuk! Dat is een prima dame die je daar aan de haak hebt geslagen! Ik ben echt blij voor je!' Hij liet Grace los en schudde stralend zijn hoofd. 'Echt heel erg cool.'

'Dank je.'

'Weten jullie al wanneer jullie gaan trouwen?'

Hij schudde zijn hoofd. 'Ik moet eerst nog bij haar vader langs om officieel om haar hand te vragen. Ze komt uit een nogal chique familie.'

'Je kunt dus met pensioen om het landgoed voor ze te gaan bestieren?'

Grace grinnikte. 'Zo chic zijn ze nu ook weer niet!'

'Cool!' zei Branson.

'En jij? Hoe staat het ermee?'

Glenns gezicht betrok. 'Laat maar. Ze neukt iemand anders. Ik wil het er nu niet over hebben. Maar een ander keertje wil ik er graag met je over praten, man. We gaan wat drinken om het te vieren, en misschien kunnen we dan even kletsen?'

Grace knikte. 'Wat doe je met de kerst?'

'Weet ik niet. Weet ik verdorie niet.' Hij draaide zich snel om en Roy hoorde dat zijn stem oversloeg. 'Ik... Ik kan het niet met Sammy en Remi vieren.'

Roy besefte dat Glenn zich had omgedraaid zodat hij hem niet zou zien huilen.

'Ik zie je straks wel weer,' zei Branson met verstikte stem en hij liep snel naar de deur.

'Wil je niet nog even praten?'

'Nee, dat komt wel. Dank je.'

Hij deed de deur achter zich dicht.

Grace bleef even rustig zitten. Hij wist dat Glenn het moeilijk had, en al helemaal rond deze tijd, met de donkere, sombere avonden en Kerstmis dat eraan kwam. Maar zo te horen was het huwelijk ten dode opgeschreven. Als Glenn dat eenmaal had geaccepteerd, hoe pijnlijk dat ook was, kon hij tenminste verder met zijn leven, in plaats van maar te blijven hopen.

Hij had heel even de neiging om achter zijn vriend aan te gaan, die duidelijk de behoefte voelde om te praten. Maar hij moest nu eenmaal aan de slag. Hij lette niet op de zoveelste piep van zijn computer en richtte zich weer op de aantekening die hij tijdens de vergadering had gemaakt.

Hij staarde naar de lijst waar hij mee bezig was onder het kopje 'Onderzoeken'.

Toen ging zijn vaste telefoon. Hij nam op. 'Met Roy Grace.'

Hij had Ray Packard van de afdeling Informatica aan de lijn. 'Roy,' zei die, 'ik moest toch op internet naar orgaanhandelaren zoeken?'

'Ja.'

'Nou, ik heb iets interessants ontdekt. Er is een of andere maatschappij in München, genaamd Transplantation-Zentrale GmbH. Ze beweren dat ze de grootste orgaanhandelaren ter wereld zijn. Mijn baas, brigadier Phil Taylor, heeft een paar jaar geleden voor Interpol gewerkt. Hij kent iemand die Duitsland in zijn portefeuille heeft, en zo konden we snel een en ander nagaan. Je bent hier vast heel blij mee!'

'O ja?'

'Het LKA – het Landeskriminalamt, de Duitse tegenhanger van de FBI – houdt ze al een tijdje in de gaten omdat ze ze van mensensmokkel verdenken. Hou je vast: een van de landen waar ze zaken mee doen is Roemenië!'

'Fantastisch, Ray!' zei Grace. 'Aan dat mannetje van het LKA heb je tenminste wat!'

'Ja, ik dacht dat je het wel zou willen weten.'

Grace bedankte hem en hing op. Hij pakte meteen zijn Rolodex erbij, zocht even en trok er een kaart uit. Er stond op: *Kriminalhautpkommissar Marcel Kullen.*

Kullen was een oude vriend van hem, nog uit de tijd dat hij zo'n vier jaar geleden een halfjaar uitgezonden was en in Sussex House werkte. Marcel had hem dit jaar geholpen toen iemand dacht Sandy in München te hebben gezien, en Grace er voor een dag naartoe was gegaan. Maar het was op niets uitgelopen.

Hij toetste Kullens mobiele nummer in.

Roy kreeg de voicemail en sprak een bericht in.

65

Lynn wilde, nu ze belangrijk bezoek verwachtte, meer dan ooit dat ze de benedenverdieping van haar huis had kunnen opknappen. Of dat ze tenminste in plaats van de afschuwelijke gordijnen in de zitkamer moderne jaloezieën had hangen en het smoezelige tapijt had kunnen vervangen.

Ze had die ochtend haar best gedaan om het huis zo mooi mogelijk te maken door bloemen in de hal en de zitkamer te zetten, en *Sussex Life, Absolute Brighton* en nog een paar andere dure tijdschriften op de salontafel te leggen, iets wat ze had geleerd van een of ander huizenprogramma op tv. Ze had zichzelf ook netjes aangekleed: een marineblauw pakje dat ze in een tweedehandswinkel had gekocht, een frisse witte blouse en zwarte lage schoenen, alsmede een ruime dosis van de Escada-eau de toilette die ze in april van Caitlin voor haar verjaardag had gekregen en waar ze heel zuinig mee was.

Terwijl de tijd voortschreed, werd ze steeds banger dat de Duitse vrouw niet zou komen. Het was al kwart over tien en Marlene Hartmann had haar de middag ervoor gezegd dat ze verwachtte er rond halftien te zijn. Duitsers waren toch altijd zo stipt op tijd?

Misschien had haar vlucht vertraging gehad.

Verdorie. Ze was op van de zenuwen. Ze had die nacht amper geslapen omdat ze over Caitlin had gepiekerd, en ze was elk uur opgestaan om te kijken of alles in orde was. En ze had zich ook weer kwaad gemaakt over dat mens van het Royal, Shirley Linsell, de transplantatiecoördinator.

En ze had zich afgevraagd waar Caitlin en zij aan begonnen door met deze handelaar in zee te gaan.

Maar wat kon ze anders doen?

Ze keek nog eens rond in haar zitkamer en opeens ontdekte ze, tot haar afschuw, een sigarettenpeuk in de pot van de aspidistra. Ze viste hem eruit en was kwaad op Luke. Hoewel hij natuurlijk net zo goed van Caitlin kon zijn. Ze had sigarettenrook aan Caitlin geroken en wist dat die er soms een opstak. Dat was begonnen toen ze Luke had leren kennen. Opeens zag ze een vlek op het beige tapijt en ze wilde er net snel wat Vanish op doen, toen ze een autoportier hoorde dichtslaan.

Ze vloog met overslaand hart van de spanning naar het raam. Door de vitrage zag ze een bruine Mercedes met donkere ramen voor haar huis staan.

Ze liep snel naar de keuken, waar ze de walgelijke peuk in de pedaalemmer gooide en de televisie zachter zette. Op de tv liet een echtpaar aan twee presentatoren een kleine halfvrijstaande woning zien die wel wat weg had van die van haar, aan de buitenkant te zien dan.

Ze holde naar boven en ging Caitlins kamer in. Ze had haar al vroeg wakker gemaakt, haar onder de douche gezet en ervoor gezorgd dat ze zich aankleedde, omdat ze niet wist of de Duitse vrouw haar zou gaan onderzoeken. Caitlin lag op bed te slapen, met haar iPod in haar oren. Ze zag er nog geler uit dan anders. Ze had een versleten spijkerbroek aan, een wit t-shirt met daaroverheen een groen sweatshirt met capuchon en dikke grijze wollen sokken.

Lynn tikte haar zachtjes op haar arm. 'Ze is er, lieverd!'

Caitlin keek haar met een vreemde uitdrukking op haar gezicht aan die ze niet goed kon duiden; het was een combinatie van hoop, wanhoop en verbijstering. Toch school er in het donker van haar pupillen nog iets van haar oude strijdbaarheid. Lynn hoopte maar dat ze die nooit zou kwijtraken.

'Heeft ze een lever bij zich?'

Lynn lachte en Caitlin produceerde een wrang glimlachje.

'Zal ik haar mee naar boven brengen, lieverd, of kom je liever naar beneden?'

Caitlin dacht even na en zei: 'Hoe ziek wil je dat ik overkom?'

De deurbel ging.

Lynn gaf haar een kus op haar voorhoofd. 'Wees maar gewoon jezelf, oké?'

Caitlin liet haar hoofd naar achteren zakken en stak haar tong uit. 'Grrrr,' zei ze. 'Ik snak naar een nieuwe lever en een lekker glas chianti om hem weg te spoelen!'

'Mond dicht, Hannibal!'

Lynn liep de kamer uit, holde de trap af en deed open.

De vrouw die op de stoep stond straalde zo veel elegantie uit dat Lynn erdoor verrast was. Ze had iemand verwacht die nogal streng en formeel zou zijn, een beetje eng zelfs. Maar zeker geen lange, mooie vrouw – begin veertig, schatte ze – met golvend blond haar tot op haar schouders en een waanzinnig mooie zwarte suède jas die was afgezet met bont.

'Mevrouw Beckett?' vroeg ze met een zwaar, sensueel Duits accent.

'Marlene Hartmann?'

De vrouw glimlachte charmant, waarbij haar kobaltblauwe ogen haar hartelijk toestraalden.

'Het spijt me dat ik te laat ben. Er was vertraging doordat het in München sneeuwde. Maar daar ben ik, en nu ist alles in Ordnung, ja?'

Even van haar stuk gebracht doordat ze opeens op het Duits overging, mompelde Lynn: 'O, eh, ja, ja.' Ze deed een stap naar achteren en liet haar binnen.

Marlene Hartmann schreed langs haar heen en Lynn zag tot haar ongenoegen dat ze afkeurend het voorhoofd fronste. Terwijl ze haar naar de zitkamer begeleidde, vroeg ze: 'Kan ik uw jas aannemen?'

De Duitse vrouw liet hem als een echte diva van haar schouders vallen en gaf hem zonder haar aan te kijken aan Lynn, alsof ze een garderobejuffrouw was.

'Wilt u thee of koffie?' Lynn kromp ineen toen de vrouw om zich heen keek, en alles in zich opnam, elke vlek, elke buts in het schilderwerk, de goedkope meubels, de oude tv. Sue Shackleton, haar hartsvriendin, had ooit een Duits vriendje gehad, en ze had haar verteld dat Duitsers dol waren op goede koffie. Toen ze de vorige avond de bloemen kocht, had Lynn meteen een zakje versgemalen geroosterde Colombiaanse koffiebonen gekocht.

'Muntthee, als u het hebt.'

'Eh... muntthee? Dat heb ik inderdaad, ja,' zei Lynn, teleurgesteld dat ze voor niets die dure bonen had gekocht.

Even later kwam ze de zitkamer weer in met een dienblad, waar de muntthee en een kopje oploskoffie met veel melk voor haarzelf op stonden. De Duitse vrouw stond bij de schoorsteenmantel met een ingelijste foto van Caitlin in haar hand, die uitgedost was als een goth, met zwart stekelhaar, een zwarte tuniek, een piercing in haar kin en een ring door haar neus.

'Is dit uw dochter?'

'Ja, dat is Caitlin. Die foto is ongeveer twee jaar oud.'

Ze zette de foto terug en nam plaats op de bank, waar ze het zwarte koffertje naast zich zette.

'Ze is een knappe jonge vrouw. Sterk gezicht. Mooie jukbeenderen. Ze zou zo model kunnen zijn, vindt u niet?'

'Misschien wel.' Lynn slikte moeizaam en dacht: als ze tenminste blijft leven. Ze deed haar best zo positief mogelijk te glimlachen. 'Wilt u haar nu spreken?'

'Nee, nog niet. Vertelt u me eerst maar iets over haar ziekte.'

Lynn zette het dienblad op de salontafel, gaf de vrouw haar kopje en ging toen in de fauteuil naast haar zitten.

'O, oké, eens zien. Tot haar negende was er niets aan de hand, ze was een normaal, gezond kind. Toen kreeg ze last van haar ingewanden, en af en toe heftige buikpijn. Onze huisarts dacht eerst dat ze een dikkedarmontsteking had. Vervolgens kreeg ze last van diarree met bloedverlies, en dat bleef een paar maanden zo, en ze was voortdurend moe. Hij verwees haar door naar een leverspecialist.'

Lynn nam een slokje koffie.

'De specialist legde uit dat haar milt en lever waren vergroot. Haar buik was opgezet en ze viel af. Ze raakte steeds meer vermoeid. Ze viel voortdurend in slaap, waar ze ook was. Ze ging nog wel naar school, maar moest vier tot vijf keer per dag even slapen. Toen kreeg ze last van haar buik en had ze de hele nacht pijn. Het arme kind was zo ziek en ze vroeg maar steeds: "Waarom heb ik dit nou?"'

Lynn keek plotseling op en zag dat Caitlin de kamer in kwam.

'Hoi!' zei ze.

'Engel, dit is mevrouw Hartmann.'

Caitlin gaf haar afwachtend een hand. 'Prettig kennis te maken.' Haar stem trilde.

Lynn zag dat de vrouw haar dochter nauwkeurig opnam. 'Ik vind het ook erg leuk om kennis met jou te maken, Caitlin.'

'Lieverd, ik was mevrouw Hartmann net aan het vertellen dat je zo'n pijn in je buik had en dat je er de hele nacht van wakker lag. De dokter heeft je toen een antibioticakuur gegeven, weet je nog? Dat ging een tijdje goed, toch?'

Caitlin ging op de andere bank zitten. 'Ik kan het me niet zo goed meer herinneren.'

'Je was ook nog zo jong.' Lynn wendde zich weer tot Marlene Hartmann. 'Op een gegeven moment werkte dat niet meer. Ze was toen twaalf. Ze hebben ons toen verteld dat ze aan PSC, primaire scleroserende cholangitis, leed. Ze heeft daarna bijna een jaar in het ziekenhuis gelegen, eerst hier, daarna in Londen, op de afdeling Leveraandoeningen van het Royal South ziekenhuis. Ze hebben stents in haar galwegen geplaatst.'

Lynn keek ter bevestiging naar haar dochter.

Caitlin knikte.

'Weet u wel hoe erg het is voor een actieve tiener om een jaar in een ziekenhuis te moeten liggen?'

Marlene Hartmann glimlachte meelevend naar Caitlin. 'Ik kan me er wel iets bij voorstellen.'

Lynn schudde haar hoofd. 'Nee, want u weet helemaal niet hoe het er hier in Engeland aan toegaat. Ze lag in het Royal South, dat is een van de beste ziekenhuizen in het land. Omdat er op een gegeven moment te veel patiënten waren, werd zij, een jong meisje, op een zaal met zowel mannen als vrouwen gelegd. Zonder tv. Omringd door gestoorde oude mensen. Ze lag daar bij mannen en vrouwen die de weg kwijt waren en de hele tijd bij haar in bed probeerden te klimmen. Ze was er vreselijk aan toe. Ik ging bij haar zitten en bleef daar totdat ze me eruit gooiden. Dan ging ik even in de wachtkamer of op de gang slapen.' Ze keek Caitlin aan ter ondersteuning. 'Dat ging toen toch zo, hè, lieverd?'

'Het was niet zo leuk op die zaal,' bevestigde Caitlin met een trieste glimlach.

'Toen ze uit het ziekenhuis kwam hebben we alles geprobeerd: gebedsgenezers, geestelijken, colloïdaal zilver, een bloedtransfusie, acupunctuur, echt alles. Niets hielp. Mijn arme engeltje leek wel een oud mens, ze kon alleen maar schuifelen en viel steeds om... Weet je nog, lieverd? Als we onze huisarts niet hadden gehad, was ze nu misschien wel dood geweest. Hij is echt een heilige, dokter Ross Hunter. Hij heeft een specialist voor ons geregeld die Caitlin op een heel assortiment nieuwe medicijnen zette, en zo had Caitlin – eventjes – weer een leven. Ze ging weer naar school, kon weer zwemmen, netbal spelen, en ze kon weer wat aan muziek doen, waar ze altijd zo dol op is geweest. Ze kreeg saxofoonles.'

Lynn nam nog een slok koffie en tot haar ergernis zag ze opeens dat Caitlins aandacht was verslapt en dat ze weer aan het sms'en was.

'Ongeveer een halfjaar geleden ging het helemaal mis. Ze had moeite met de saxofoon omdat ze niet genoeg lucht kon krijgen, nietwaar, lieverd?'

Caitlin hief haar hoofd, knikte en ging door met sms'en.

'De specialist had ons verteld dat ze urgent een andere lever nodig had. Er kwam een geschikte lever beschikbaar en ik ben een paar dagen geleden met haar naar het Royal gegaan voor de transplantatie. Maar op het allerlaatste moment zeiden ze dat de donorlever niet helemaal in orde was. Ze hebben me nooit echt verteld wat er nu mis mee was. Toen werd ons verteld – of in elk geval zeer sterk gesuggereerd – dat ze geen urgentiegeval meer was. Dat betekende dat ze in de groep mensen die op een levertransplantatie wachten terechtkwam die...'

Ze aarzelde en keek even naar Caitlin. Maar Caitlin maakte de zin voor haar af.

'Die sterven voordat ze een lever krijgen, wil mijn moeder zeggen.'

Marlene Hartmann pakte Caitlins hand en keek haar diep in de ogen. 'Caitlin, *mein Liebling*, vertrouw maar op mij. Tegenwoordig hoeft niemand meer te overlijden omdat er geen geschikt orgaan is. Kijk me eens aan?' Ze klopte op haar borst en trok een pruilmondje. 'Zal ik jou eens iets vertellen?'

Caitlin knikte.

'Ik had een dochter, Antje, dertien jaar oud, dus twee jaar jonger dan jij,

280

en zij had een nieuwe lever nodig om te blijven leven. Ze konden er geen voor haar vinden. Antje overleed. Op de dag van haar begrafenis heb ik gezworen dat niemand die op een levertransplantatie wachtte ooit nog zou sterven. En ook niet voor een hart-longtransplantatie. Of een niertransplantatie. Toen heb ik mijn bedrijf opgericht.'

Caitlin tuitte haar mond, zoals altijd als ze het ergens mee eens was, en ze knikte waarderend.

'Kunt u gegarandeerd een lever voor Caitlin vinden?' vroeg Lynn.

'Natürlich! Dat is mijn werk. Ik garandeer dat ik een geschikt orgaan en de transplantatie binnen een week kan regelen. In die tien jaar tijd ben ik nog nooit tekortgeschoten. Als u wat van mijn voormalige cliënten wilt spreken, ken ik er wel een paar die graag contact met u willen opnemen om over hun ervaring te vertellen.'

'Binnen een week, ook met bloedgroep AB negatief?'

'De bloedgroep doet er niet toe, mevrouw Beckett. Er sterven elke dag vijfendertighonderd mensen op aarde bij een ongeluk. Er is altijd wel ergens een geschikte donor.'

Lynn werd opeens overspoeld door opluchting. Deze vrouw leek geloofwaardig. Ze had al zo veel jaar ervaring in het opeisen van schulden dat ze wel iets van de menselijke natuur had geleerd. Met name hoe je de leugen van de waarheid kon onderscheiden.

'Wat komt erbij kijken om een geschikte lever voor mijn dochter te regelen?'

'Wij zitten overal ter wereld, mevrouw Beckett.' Ze nam een slok thee. 'Het is totaal geen punt om een slachtoffer van een ongeluk te vinden dat geschikt is als donor.'

Toen stelde Lynn de vraag waar ze het meest tegen opzag. 'Hoeveel gaat het kosten?'

'Alles bij elkaar, dus de operatie, de chirurgen, de anesthesisten, het verplegend personeel, zes maanden volledige nazorg, en alle medicijnen, zal het' – ze haalde haar schouders op, alsof ze zich maar al te goed bewust was van de zwaarte van wat ze ging zeggen – 'driehonderdduizend euro zijn.'

Lynns adem stokte. 'Driehonderdduizend?'

Marlene Hartmann knikte.

'Dat is' – Lynn rekende het snel uit – 'ongeveer tweehonderdvijftigduizend pond!'

Caitlin wierp haar een blik toe van: we kunnen het wel schudden.

Marlene Hartmann knikte. 'Ja, dat klopt wel zo'n beetje.'

Lynn stak wanhopig haar handen in de lucht. 'Dat... dat is waanzinnig veel geld. Het kan gewoon niet, zo veel geld heb ik helemaal niet.'

De Duitse vrouw nam een slok thee en hield haar mond.

Lynn keek naar haar dochter en zag dat de hoop die daar eerder was geweest de bodem in was geslagen.

'Ik... Ik had geen flauw idee. Zou het ook op... afbetaling kunnen?'

De handelaar maakte haar koffertje open en haalde er een bruine envelop uit die ze Lynn overhandigde.

'Dit is het contract. Ik wil de helft vooruit en de rest onmiddellijk voor de operatie. Het is geen gigantisch bedrag, mevrouw Beckett. Ik heb nog nooit meegemaakt dat iemand het bedrag niet bij elkaar kon krijgen.'

Lynn schudde mismoedig haar hoofd. 'Wat een hoop geld. Waarom is het zo duur?'

'Ik kan het wel punt voor punt aan u uitleggen. U moet goed begrijpen dat een lever al achteruitgaat als hij langer dan een halfuur uit het lichaam is. De persoon van wie de lever is zal dus in leven moeten worden gehouden en per helikopter worden overgevlogen. U weet dat het verboden is in dit land. Het medische team neemt een groot risico, en natuurlijk hebben we alleen maar de beste mensen in dienst. Er is één privékliniek hier in Sussex, maar die is waanzinnig duur. Ik verdien hier uiteindelijk maar heel weinig aan. U kunt wat geld besparen door met uw dochter naar een land te gaan waar men het niet zo nauw neemt. Er zit een kliniek in Mumbai, in India, en een in Bogota, in Colombia. Daardoor zou u zo'n vijftigduizend euro besparen.'

'Maar moeten we daar dan lang blijven?'

'Wel een paar weken, ja. Misschien zelfs langer als er complicaties, zoals een infectie, zijn. Of als de lever wordt afgestoten, natuurlijk. U moet ook denken aan het geld dat u na dat halfjaar kwijt bent: de medicijnen tegen afstoting die uw dochter haar hele leven zal moeten slikken.'

Lynn schudde wanhopig haar hoofd.

'Ik... Ik wil liever niet ergens naartoe waar we nog nooit zijn geweest. En ik moet ook werken. Maar het kan sowieso niet. Ik heb eenvoudigweg niet zo veel geld.'

'Wat u wel moet bedenken, mevrouw Beckett... Mag ik trouwens Lynn zeggen?'

Ze knikte, terwijl ze verwoed haar tranen bedwong.

'Je moet wel bedenken wat de consequenties zijn. Hoe liggen Caitlins kansen als je dit niet doet? Daar moet je aan denken, nietwaar?'

Lynn stopte haar hoofd in haar handen en de tranen stroomden over haar wangen. Ze deed haar best goed na te denken. Een kwart miljoen pond. Onmogelijk! Ze dacht even aan enkele cliënten op het werk. Ze had hun een afbetalingsplan aangeboden. Maar voor zo'n groot bedrag?

'Misschien zou je de hypotheek op je huis kunnen verhogen?' stelde Marlene behulpzaam voor.

'Ik heb al een tophypotheek,' zei Lynn.

'Soms springen familieleden en vrienden bij.'

Lynn dacht aan haar moeder. Ze woonde in een sociale huurwoning. Ze had wel wat spaargeld, maar hoeveel wist ze niet. Ze dacht aan haar ex-man. Malcolm verdiende goed, maar zo goed nu ook weer niet, en bovendien had hij zijn nieuwe gezin ook nog. Haar vrienden? De enige die er goed bij zat was Sue Shackleton. Sue was gescheiden, van een rijke vent, en had een mooi huis in een van de betere wijken van Brighton, maar haar vier kinderen zaten allemaal op een dure kostschool en Lynn had geen idee hoe ze er financieel voor stond.

'Ik werk met een bank in Duitsland,' zei Marlene. 'Die hebben al een paar keer iets voor mijn cliënten geregeld. Een lening van vijf jaar. Ik kan je hun nummer geven.'

Lynn keek haar somber aan. 'Ik zit in de financiën. Aan de kant van als het misgaat: het innen van schulden. Ik weet dat niemand me zo veel geld gaat lenen. Het spijt me, het spijt me echt verschrikkelijk, maar u bent hier voor niets gekomen. Wat ben ik toch dom. Ik had het u gisteren meteen aan de telefoon moeten vragen, dan was het nooit zo ver gekomen.'

Marlene Hartmann nam nog een slok thee en zette toen haar kopje neer.

'Lynn, ik zal je eens iets vertellen. Ik doe dit werk al tien jaar. En nog nooit, in al die tijd, ben ik ergens voor niets gekomen. Op dit moment lijkt het een hele hoop geld. Maar denk er eens over na. Ik ben nog een paar dagen in Engeland. Ik wil je graag helpen en zaken met je doen.' Ze gaf Lynn haar visitekaartje. 'Je kunt me op dit nummer dag en nacht bereiken.'

Lynn keek er met betraande ogen naar. De gedrukte letters waren piepklein. En haar hoop om ooit het geld bij elkaar te krijgen was zelfs nog kleiner.

66

Rares hield het computerspelletje stevig vast en keek door de achterruit van de Mercedes naar het voorbijglijdende Engelse landschap. Er stond een stevig windje en de dikke schapenwolken vlogen langs de blauwe lucht. In de verte zag hij hoge, groene heuvels die hem een beetje aan de omgeving in Roemenië deden denken waar hij als kind een paar jaar had doorgebracht.

Ze reden over een rotonde, langs een plaatsnaambordje met STEYNING erop. Zacht zei hij de naam tegen zichzelf. De chauffeur gaf een dot gas en hij werd met zijn rug tegen de achterbank gedrukt. Hij was blij. Nog even en hij zou Ilunca weer zien. Hij dacht aan haar glimlach. Hoe zacht haar huid was. Haar hazelnootbruine ogen vol vertrouwen. Haar zelfbewuste, onafhankelijke geest. Zij was degene die deze Duitse vrouw, die een nieuw leven voor hen regelde, had ontmoet. Dat vond hij zo mooi aan Ilunca. Dat ze ervoor kon zorgen dat bepaalde dingen gebeurden. Dat ze zo goed voor zichzelf kon zorgen. En dat ze hem had verteld dat hij de enige persoon was die ooit voor haar had gezorgd.

Hij had liever samen met haar gereisd, maar de Duitse vrouw was daarop tegen geweest. Ilunca ging eerst, dan hij. Ze konden beter niet samen reizen, had de Duitse hun verzekerd. Ze hadden haar geloofd.

En nu waren ze hier!

De twee mannen voorin zeiden niets, maar dat vond hij niet erg. Ze waren zijn redders. Het was juist fijn dat ze stil waren, zo kon hij over zijn nieuwe leven nadenken.

De weg werd smaller. Aan beide kanten stonden hoge, groene heggen. De radio stond aan. Hij herkende de zangeres: Feist.

Hij was vrij!

Over niet al te lange tijd zouden ze weer samen zijn. Ze zouden goed geld gaan verdienen, zoals hun was toegezegd. Ze zouden in een mooie flat wonen, misschien zelfs met uitzicht op zee. En met elke boom, heg en verkeersbord waar hij voorbij reed, ging zijn hart sneller kloppen.

De chauffeur remde af. Hij draaide naar links een indrukwekkende poort met zuilen in, langs een bordje waarop stond: KUUROORD WISTON GRANGE. Rares keek naar de naam, vroeg zich af hoe je dat uitsprak en wat het betekende.

Ze reden over een smalle, geasfalteerde oprit, langs verschillende bordjes, die hij niet kon lezen:

EIGEN TERREIN
VERBODEN TE PARKEREN
VERBODEN TE PICKNICKEN
VERBODEN TE KAMPEREN

Voor hen lagen de heuvels. Op een ervan stond een groepje bomen. Ze reden om een groot meer aan hun linkerkant, en toen door over een lange weg met aan weerskanten overhangende bomen en de gevallen bladeren in de berm. De chauffeur remde af, reed over een hoge verkeersdrempel en gaf weer gas. Rares zag een bijgehouden grasveld links van hem waar een vlaggenstok stond. Er stonden twee vrouwen op het gras, ieder met een metalen stok in de hand waarmee ze een klein wit balletje een tik wilden geven. Hij vroeg zich af wat ze aan het doen waren.

Weer remde de chauffeur af, reed over een volgende hoge drempel en gaf gas. Eindelijk kwamen ze tot stilstand voor een kolossaal huis opgetrokken uit grijze steen en met een ronde oprijlaan ervoor. Rares had geen verstand van architectuur, maar het zag er oud en erg statig uit.

Er stonden een heleboel dure auto's geparkeerd. Hij vroeg zich af of het een buitengewoon duur hotel was. Werkte Ilunca hier? Ja, dat leek hem logisch, en hier zou hij ook gaan werken.

Het lag nogal afgelegen, maar dat maakte niet uit, zolang hij maar bij Ilunca was, ze ergens konden slapen, het warm zouden hebben en te eten zouden krijgen; geen politie die hun op de huid zat.

De Mercedes nam een scherpe bocht naar rechts, reed onder een poort door en parkeerde toen achter het huis, wat een stuk minder indrukwekkend was, naast een wit busje.

'Is Ilunca hier?' vroeg Rares.

Cosmescu draaide zijn hoofd om. 'Ze wacht hier op je. Je krijgt nog even een onderzoekje en dan zie je haar weer.'

'Dank u wel. U bent erg aardig voor me.'

Oom Vlad Cosmescu draaide zich in stilte weer om. Grigore keek achterom en glimlachte, waarbij er een paar gouden tanden zichtbaar werden.

Rares pakte de portiergrendel, maar het portier ging niet open. Hij raakte opeens in paniek. Oom Vlad stapte uit en trok het achterportier open. Rares stapte uit en werd toen door oom Vlad naar een witte deur gedirigeerd.

Die werd, zodra ze ervoor stonden, door een grote, dikke vrouw in een witte verpleegsterstuniek en witte broek geopend. Haar gezicht was vierkant en nors, ze had een platte neus en haar zwarte haar was zo kort en met gel naar achteren gekamd dat het wel een mannenkapsel leek. Op haar naamplaatje stond DRAGUTA. Ze keek hem met strenge, koude ogen aan, en schonk hem toen met haar kleine, rozenrode lippen een mager glimlachje. In zijn eigen taal zei ze: 'Welkom, Rares. Goede reis gehad?'

Hij knikte.

Met de twee mannen aan weerszijden van hem kon hij niet anders dan de klinisch aandoende, wit betegelde gang in lopen. Het rook er naar ontsmettingsmiddel. En hij voelde zich opeens niet meer op zijn gemak.

'Ilunca?' vroeg hij. 'Waar is ze?'

De vrouw keek hem met haar kleine donkere ogen verwonderd aan en de angst sloeg hem om het hart.

'Ze is er, hoor!' zei oom Vlad.

'Ik wil haar zien!'

Rares had het in de straten van Boekarest niet voor niets jaren lang overleefd. Hij was goed geworden in het lezen van gezichtsuitdrukkingen. En de blik die tussen de vrouw en de twee mannen werd uitgewisseld, beviel hem maar niets. Hij draaide zich om, dook onder Cosmescu's armen door en nam een spurt.

Grigore kreeg de kraag van zijn spijkerjas te pakken. Rares wurmde zich er snel uit en werd toen bewusteloos geslagen door een klap in zijn nek van Cosmescu.

De vrouw sjorde zijn slappe lijf over haar schouder en met de twee mannen achter haar aan droeg ze hem de gang door naar een kleine verkoeverkamer. Ze legde hem neer op een stalen brancard.

Divide Barbu, een jonge Roemeense anesthesist, die vijf jaar eerder in Boekarest als arts was afgestudeerd, met een salaris van drieduizend euro per jaar, stond al klaar.

Divide had een volle bos zwart haar, met een pony, en een trendy stoppelbaardje. Met zijn gebruinde, lenige lijf had hij zo kunnen doorgaan voor tennisser of acteur. Hij had de spuit, gevuld met een dosis benzodiazepine, al klaarliggen. Zonder verdere instructies stak hij de naald in de bovenarm van de bewusteloze Rares. Hij zou er nog een paar minuten door onder zeil blijven.

Ze gebruikten de tijd om de jonge Roemeen uit te kleden en een canule in zijn pols te steken. Toen bevestigden ze daar een infuus met Propofol aan.

Hierdoor zou Rares buiten bewustzijn blijven, maar het zou geen schade toebrengen aan zijn kostbare organen.

In de kamer ernaast, de grote operatiezaal van de kliniek, was een verdoofde twaalfjarige jongen, wiens lever zo aangetast was dat hij nog maar een paar weken te leven had, al voorbereid door Razvan Ionescu, een achtendertigjarige Roemeense chirurg gespecialiseerd in levertransplantaties. In zijn eigen land zou Razvan zo'n vierduizend euro per jaar opstrijken, aangevuld met wat steekpenningen hier en daar. In deze kliniek kreeg hij meer dan tweehonderdduizend euro. Hij stond al klaar, in groene operatiekleding en met een bril met vergrootglazen op, om de zieke lever uit de jongen te verwijderen.

Razvan werd geassisteerd door twee Roemeense verpleegsters, die de klemmen plaatsten, en elk onderdeel werd nauwgezet gadegeslagen door een van de meest vooraanstaande levertransplantatiechirurgen in Engeland.

Het eerste wat een chirurg leert tijdens zijn opleiding is dat hij mensen geen kwaad mag doen.

Wat hem betrof deed hij niemand kwaad.

Dat Roemeense zwerfjoch had toch geen toekomst. Of hij nu vandaag stierf of over vijf jaar door drugs, maakte weinig uit. Maar de Engelse tiener die zijn lever kreeg was een heel ander verhaal. Hij was een getalenteerde muzikant met een mooie toekomst voor zich. Natuurlijk mochten artsen niet voor God spelen, mochten ze niet beslissen wie mocht leven en wie moest sterven. En ze mochten ook niet het ene leven boven het andere stellen. Maar de naakte waarheid was nu eenmaal dat voor een van deze twee jongemannen het einde naderde.

En hij zou nooit toegeven dat de vijftigduizend pond belastingvrij die hij voor elke transplantatie op zijn Zwitserse bankrekening gestort kreeg hem ietwat bevooroordeelde.

67

Even na halfeen – halftwee in München, rekende Grace uit – belde Kriminal-hauptkommissar Marcel Kullen hem terug.

Het was leuk om zijn oude vriend weer te spreken, en ze kletsten een tijdje over het gezin van de Duitse rechercheur en zijn carrière, vanaf het moment dat ze elkaar in de zomer in München heel kort hadden gesproken.

'Dus niets meer gehoord over Sandy?' vroeg Kullen.

'Nee, niets,' antwoordde Grace.

'Haar foto's hangen hier nog in elk politiebureau. Maar geen nieuws. We blijven het proberen.'

'Weet je, het is zo langzamerhand tijd om afstand te nemen,' zei Grace. 'Ik ben bezig om haar dood te laten verklaren.'

'Ja, maar ik zit te denken... jouw vriend die haar had gezien in de Englischer Garten. We moeten langer zoeken, vind je niet?'

'Ik ga weer trouwen, Marcel. Ik moet door met mijn leven, ik moet het afsluiten.'

'Trouwen? Heb je een nieuwe vrouw in je leven?'

'Ja!'

'Oké, mooi, nou... Ik ben blij voor je! Je wilt niet meer dat we naar Sandy zoeken?'

'Klopt. Maar bedankt voor de moeite. Maar daarom bel ik je niet. Ik heb je hulp ergens anders bij nodig.'

'Ja, oké.'

'Ik wil iets weten over een bedrijf in München genaamd Transplantation-Zentrale GmbH. Voor zover ik weet is dat bedrijf bij jullie bekend.'

'Hoe spel je dat?'

Het kostte Grace een paar minuten, terwijl hij de naam aan de gebrekkig Engels sprekende rechercheur geduldig doorgaf, om het goed gespeld te krijgen.

'Goed, ik ga kijken,' zei Kullen. 'Ik bel terug, ja?'

'Graag, we hebben er haast mee.'

Kullen belde hem een halfuur later terug. 'Dit is interessant, Roy. Ik heb collega's gesproken. Transplantation-Zentrale GmbH wordt al een paar maanden door het LKA in de gaten gehouden. Er is een vrouw de baas, ze heet Marlene Hartmann. Ze hebben banden met de Colombiaanse maffia, en lijntjes met de Russische maffia, met georganiseerde misdaad in Roemenië, de Filipijnen, China en met India.'

'Wat heeft het LKA over ze?'

'Ze drijven internationale handel in organen. Daar lijkt het op.'

'Wat ondernemen jullie tegen hen?'

'We zijn nu nog alleen aan het kijken en informatie verzamelen. Het LKA heeft ze op de radar, zoals jullie zeggen. We willen ze in verband brengen met illegale praktijken in Duitsland. Weet jij iets over ze wat ik aan mijn collega's kan vertellen?'

'Nee, nu nog niet. Maar ik zou die Marlene Hartmann wel eens willen spreken. Zal ik daarvoor naar jullie toe komen?'

De Duitser zei aarzelend: 'Goed.'

'Hebben jullie dat liever niet?'

'Nou, volgens het volgteam is ze nu niet in München, ze is op reis.'

'Weet je waar ze is?'

'Twee dagen geleden is ze met het vliegtuig naar Bockarest gegaan. Meer weten we niet.'

'Maar jullie weten het wel als ze weer in Duitsland terug is?'

'Ja. En we weten dat ze regelmatig naar Engeland gaat.'

'Hoe regelmatig?' vroeg Grace, opeens achterdochtig.

'Ze is vorige week van München naar Londen gevlogen. En de week daarvoor ook.'

'Ze ging waarschijnlijk niet op vakantie?'

'Misschien wel. Mogelijk,' zei de Duitser.

'Niemand is zo gek om rond deze tijd van het jaar in Engeland vakantie te gaan vieren, Marcel,' zei Grace.

'Om de kerstlichtjes te zien misschien?'

Grace lachte. 'Daar lijkt ze me niet het type voor.'

Hij dacht na. De vrouw was de afgelopen week en de week daarvoor in Engeland geweest. Zo'n zeven tot tien dagen geleden waren drie tieners vermoord en waren hun organen verwijderd.

Roy Grace had tot dan toe de diefstal van organen beschouwd als een broodjeaapverhaal. Maar die verhalen over mensen die zonder nier in een bad vol met ijs wakker werden, leken nu opeens een stuk waarschijnlijker. Een heel stuk waarschijnlijker.

'Kun je de belgegevens van deze vrouw voor mij regelen, Marcel?' vroeg hij.

'Haar vaste telefoon of haar *handy*?'

Handy, wist Grace, was het Duitse woord voor mobiele telefoon.

'Allebei graag, als dat kan.'

'Ik zal kijken. Alle telefoontjes of alleen die naar Engeland?'

'Die naar Engeland is alvast een begin. Zijn jullie van plan haar binnenkort op te pakken?'

'Nee, nog niet. Ze willen haar blijven volgen. Er zijn nog een paar Duitse mensenhandelaars met wie ze te maken heeft.'

'Jammer. Ik had graag haar computer willen bekijken.'

'Daarmee kunnen wij je helpen.' Grace voelde bijna de Kriminalhauptkommissar door de telefoon heen glimlachen.

'O ja?'

'Wij hebben een bevelschrift door een *Ermittlungsrichter* om de telefoon- en computergegevens te verkrijgen.'

'De wie?'

'Dat is een onderzoeksrechter. Het bevelschrift is – hoe noemen jullie dat, in *camera*?'

'Ja, zonder dat de andere partij ervan afweet.'

'Precies. En je weet nu in het LKA we hebben de techniek om computers te bekijken. We hebben bestanden van hun computers, ook de laptop van Frau Hartmann en haar collega's. We hebben er een servlet in gestopt.'

Grace wist alles van servlets af. Ray Packard, zijn collega, en Phil Taylor van de afdeling Informatica hadden het hem uitgelegd. Je kon er een installeren door een verdachte simpelweg een e-mail te sturen, alleen moest hij hem dan wel openen. Vervolgens zou je alles kunnen zien wat er op de computer van de verdachte gebeurde.

'Fantastisch!' zei hij. 'Zou ik dat mogen zien?'

'Ik mag je dat niet zomaar sturen, EU-regels. Je moet eerst een aanvraag indienen.'

'Kan het op de een of andere manier sneller?'

'Voor mijn vriend Roy Grace?'

'Voor die, ja!'

'Als je hiernaartoe komt, kunnen er misschien per ongeluk wat kopietjes van op een restauranttafeltje liggen. Maar alleen maar ter informatie, ja? Je mag nooit zeggen hoe je daaraan bent gekomen, en je kunt het ook niet in de rechtbank gebruiken. Snap je?'

'Dat lijkt me meer dan redelijk. Je bent een echte topper, Marcel!'

Grace bedankte hem en hing met een opgewonden gevoel op.

68

Subcomisar Radu Constantinescu had een stijlvol kantoor in Politiebureau 15 in Boekarest, stijlvol tenminste naar de normen van de Roemeense politie. Het gebouw van vier verdiepingen was in 1920 gebouwd, zo stond er op de gegraveerde plaquette in de voorgevel, en zo te zien was er sindsdien nooit meer iets aan gedaan. De trappen waren van kale steen en op de vloer lag gescheurd zeil. De pastelgroene muren waren gebladderd en gebutst, en het stucwerk viel uit de scheuren. Het deed Ian Tilling altijd aan zijn oude school in Maidenhead denken.

Constantinescu's kantoor was groot, donker en smerig en er hing altijd een gordijn van sigarettenrook. Het was spaarzaam gemeubileerd, met een houten bureau dat oud en lelijk was, maar wel bijna zo groot als zijn ego, en een vergadertafel uit een onbekende stijlperiode, waar verschillende stoelen omheen stonden. Pal onder het plafond, dat geel zag van de nicotine, hingen de jachttrofeeën van de politieman: de opgezette koppen van beren, wolven, lynxen, herten, gemzen en vossen. Ingelijste diploma's en foto's van Constantinescu die zij aan zij met verschillende hoge pieten was vereeuwigd, hingen aan de muur, en ook een foto van hem in jachtkledij, geknield bij een dood everzwijn en een met de kop van een hert getooid met een gewei in zijn handen.

De *subcomisar* zat aan zijn bureau, hij droeg een zwarte broek, een wit overhemd met tressen en een slappe groene stropdas. Hij stak een sigaret aan met de peuk van de vorige, die hij daarna half uitdrukte in een enorme, overvolle kristallen asbak. Op de grond om het bureau lagen proppen papier die duidelijk de prullenbak hadden gemist.

Constantinescu was vijfenveertig jaar, klein en pezig, en hij had een grimmig gezicht, inktzwart haar en doordringende donkere ogen met zwarte wallen eronder. Ian Tilling had hem leren kennen toen de politieman regelmatig in Casa Iona begon langs te komen.

'Ha, mijn vriend meneer Ian Tilling, onderscheiden onderdaan van het Britse Rijk wegens diensten aan de daklozen in Roemenië!' zei Constantinescu, door een wolk giftig zoete blauwe rook heen. 'Ja? U hebt uw koningin toch ontmoet?'

'Ja, toen ik mijn plak kreeg.'

'Plak?'

'Een ander woord voor medaille,' zei Tilling.

Constantinescu zette grote ogen op. 'Plak?' zei hij. 'Plak! Mooi hoor. Misschien een drankje? Om het te vieren?'

'Het is alweer een paar maanden geleden.'

De politieman haalde een fles Famous Grouse whisky en twee glazen uit zijn bureau vandaan. Hij schonk ze bijna vol en gaf er een aan Tilling.

'*Spaga*,' zei hij schaamteloos, waarmee hij aangaf dat de fles een vorm van smeergeld was geweest. 'Lekkere whisky, ja? Speciaal?'

Tilling wilde hem niet vertellen dat het maar een gewone whisky was. 'Speciaal!' beaamde hij.

'Op je... plak!'

Met tegenzin, maar omdat het er nu eenmaal bij hoorde, dronk Ian Tilling zijn glas leeg. Doordat hij nog niets had gegeten, sloeg de alcohol in als een bom.

De politieman zette zijn lege glas neer. 'En wat kan ik voor mijn belangrijke vriend doen? Nu Roemenië en Engeland samen in de EU zitten, helemaal belangrijk zelfs!'

Ian Tilling legde de drie vingerafdrukken, de drie compositiefoto's en de close-up van de primitieve tatoeage van de naam Rares op het bureau.

Constantinescu wierp er een blik op en vroeg opeens: 'En hoe doen de knappe meisjes het eigenlijk bij je?'

'Ja, ze werken goed.'

'En de knappe Andreea, werkt ze nog steeds bij jou?'

'Ja, maar ze gaat over een maand trouwen.'

Zijn gezicht betrok. 'O.' Hij hief teleurgesteld zijn hoofd.

De *subcomisar* wipte af en toe met een smoesje bij Casa Iona langs. Maar Tilling wist allang dat hij in werkelijkheid voor de meisjes kwam. De man was een onverbeterlijke vrouwengek en elke keer dat hij langskwam vroeg hij Andreea mee uit, echter zonder succes. Diplomatiek als ze was, bleef ze beleefd en gaf ze hem altijd een sprankje hoop, zolang hij maar het pension bleef spekken.

Omdat hij het over iets anders wilde hebben, wees Ian Tilling naar de foto's en de vingerafdrukken en legde hij uit hoe hij eraan was gekomen. De Roemeen werd twee keer gestoord door een intern telefoontje, en een keer door een persoonlijk gesprek, met zijn huidige vriendinnetje, op zijn mobiel.

'Rares,' zei hij, toen Tilling uitgepraat was. 'Dat is inderdaad Roemeens. Interpol heeft de vingerafdrukken?'

'Zou u me een plezier kunnen doen en ze zelf na willen gaan? Dat gaat een stuk sneller.'

'Oké.'

'En kunt u afdrukken van de foto's van deze drie kinderen in alle politie-bureaus laten rondgaan?'

Constantinescu stak zijn derde sigaret op en kreeg meteen een hoestbui. Toen hij uitgehoest was, schonk hij zichzelf nog een bel whisky in en hield de fles op naar Tilling, die het afsloeg.

'Oké, het hoeft niet.'

Hij had weer een scheurende hoestbui en daarna stopte hij de foto's en de vingerafdrukken in een grote bruine envelop en schoof die, tot Tillings schrik, in een la.

Na jaren ervaring met de man wist Tilling dat hij de neiging had alles nogal snel te vergeten. Hij had soms het vermoeden dat als iets eenmaal in een la ge-stopt was, het er nooit meer uit tevoorschijn kwam. Maar in elk geval trok Constantinescu zich wel het lot van de straatkinderen aan, ook al was dat omdat hij de vrouwen die voor hen zorgden in bed probeerde te krijgen.

En hé, het kon maar beter in die la liggen, dan verfrommeld op de grond.

Na zeventien jaar met de autoriteiten in dit land in de clinch te hebben ge-legen, had Ian Tilling wel geleerd om met het minste of geringste blij te zijn.

69

Mal Beckett vond het elke keer weer een opgave om met zijn ex-vrouw te praten, en nu, tegenover haar gezeten in het rustige café aan Church Road, vond hij het net zo vervelend als anders, ook al hadden ze door wat hun dochter meemaakte de band wat verstevigd.

Het probleem dateerde van de tijd dat ze nog maar net uit elkaar waren, toen hij haar had verlaten voor Jane, zijn toenmalige maîtresse, die inmiddels zijn vrouw was. Door schuldgevoel en omdat hij zich zorgen maakte over haar gemoedstoestand, had hij Lynn om de paar maanden voor een lunchafspraak ontmoet. En ze stelde hem elke keer weer dezelfde vraag: ben je nu gelukkig?

Daardoor werd hij tussen twee vuren geplaatst. Als hij haar vertelde dat hij inderdaad gelukkig was, zou ze zich daar volgens hem nog beroerder door gaan voelen. Dus had hij de eerste paar keren gezegd dat hij niet gelukkig was. Lynn had dat natuurlijk meteen doorverteld aan haar vriendinnen. En aangezien Brighton zowel een grote stad als een klein dorp was, hoorde Jane binnen de kortste keren dat hij niet gelukkig bij haar was.

Dus had hij in de loop der tijd geleerd om de vraag zo oppervlakkig mogelijk te beantwoorden met: gaat best, hoor. Maar nu, terwijl hij het schuim van de cappuccino op een lepeltje in zijn mond stak en over het plastic tafeltje voor zich uit staarde, besefte hij dat ze dat spelletje ontgroeid waren. Hij had diep medelijden met Lynn, die nog steeds alleen was, en hij was ervan geschrokken hoe mager ze was geworden sinds ze elkaar een paar maanden geleden hadden gesproken.

Lynn vond het evenmin gemakkelijk om Mal weer te zien. Ze keek hem over de tafel aan, met zijn vale blauwe sweatshirt aan en een dikke anorak over de rugleuning van zijn stoel geslagen, en zag dat hij mooi oud werd. Hij werd met het jaar knapper, ruiger en mannelijker. Als hij haar weer terug had willen hebben, had ze dat ogenblikkelijk gedaan. Dat zou niet gebeuren, maar godsamme, wat had ze hem nodig!

'Fijn dat je kon komen, Mal,' zei ze.

Hij keek op zijn horloge. 'Maar natuurlijk. Ik moet wel om één uur weg vanwege de vloed straks.'

Ze glimlachte weemoedig en zei zonder rancune: 'Goh, hoe vaak heb ik je dat in al die jaren al niet horen zeggen? Vanwege de vloed.'

Ze keken elkaar aan en even was er een teder moment.

'Misschien moet ik dat maar op mijn grafsteen laten zetten,' zei hij.

'Dat lijkt me nogal moeilijk. Je wilt toch op zee begraven worden?'

Hij lachte. 'Ja, dat was...'

Opeens onderbrak hij zichzelf. Ze zou het niet leuk vinden als ze hoorde dat Jane het hem uit zijn hoofd had gepraat. Lynn was daar zelf ook jaren mee bezig geweest, al die tijd dat ze getrouwd waren, en haar was het niet gelukt.

Het was rustig in het café. Het was vroeg in de middag en nog net voordat het druk werd voor de lunch. Ze wachtten even totdat de serveerster hun bestelling bracht. Een broodje warme cornedbeef voor Mal en een kleine tonijnsalade voor Lynn.

'Tweehonderdtweeënvijftigduizend pond?' vroeg hij.

Lynn knikte.

'Heb je gehoord dat we een lijk hebben opgedregd? Hij zat vast in de snijkop, het staat in de krant.'

'Ik heb erover gelezen,' zei ze. 'Dat was zeker schrikken?'

'Heb je ook gehoord wat er wordt beweerd?'

'Ik heb het zo druk gehad dat ik amper tijd heb gehad om de krant te lezen,' loog ze.

'Het was een jonge knul. Ze hebben geen idee waar hij vandaan komt, maar er wordt gespeculeerd dat hij vanwege zijn organen is vermoord. Orgaanhandel.'

Lynn haalde haar schouders op. 'Vreselijk, hoor. Maar dat heeft toch niets met Caitlin te maken?'

Hij keek haar zo bezorgd aan dat ze van streek raakte. 'Er zijn daarna nog twee lijken aangetroffen. Ook zonder organen.'

Hij stak weer een lepel schuim in zijn mond, waarbij er een witte afdruk met wat cacaopoeder op zijn bovenlip achterbleef. Een paar jaar geleden had ze dat er voor hem met een servet af geveegd.

'Wat wil je daarmee zeggen, Mal?'

'Jij wilt een lever voor Caitlin kopen. Weet je wel waar die vandaan komt?'

'Ja, van iemand die ergens in het buitenland bij een ongeluk is omgekomen. Frau Hartmann zei dat het over het algemeen om een auto- of motorongeluk gaat.'

Hij keek naar zijn broodje, tilde de bovenkant op en spoot wat mosterd uit een plastic fles over het vlees en de augurk. 'Weet je zeker dat die lever wel koosjer is?'

'Weet je, Mal,' zei ze, behoorlijk geïrriteerd door zijn houding, 'zolang hij geschikt is en gezond is, kan het me geen moer schelen waar hij vandaan komt. Ik wil gewoon het leven van mijn dochter redden. O, sorry,' verbeterde ze zichzelf, terwijl ze hem nadrukkelijk aankeek, 'het leven van ónze dochter.'

Hij zette de mosterdfles neer en legde de bovenkant van het broodje op het vlees. Daarna pakte hij het broodje op, deed zijn mond open, bekeek waar hij het beste een hap kon nemen, en legde het toen weer op het bord, alsof hij opeens geen trek meer had.

'Shit,' zei hij hoofdschuddend.

'Ik weet dat je meer verantwoordelijkheden hebt, Mal.'

Hij schudde zijn hoofd weer. 'Tweehonderdtweeënvijftigduizend pond?'

'Ja. Nou ja, sinds een uur tweehonderdzevenentwintigduizend. Van mijn moeder krijg ik vijfentwintigduizend pond, die heeft ze op een bankrekening staan.'

'Dat is heel mooi. Maar tweehonderdzevenentwintigduizend, dat is gewoon onmogelijk!'

'Ik werk bij een incassobureau. Ik heb dat al zo vaak gehoord. Bijna elke cliënt komt daarmee aanzetten: onmogelijk, onmogelijk. Zal ik jou eens wat vertellen? Niets is onmogelijk. Je moet het alleen anders gaan bekijken. Het is altijd mogelijk. Ik heb geen zin om hier van jou te horen dat je Caitlin wilt laten sterven omdat we die tweehonderdvijftigduizend pond niet bij elkaar kunnen schrapen. Je moet me daarbij helpen.'

'Ook al krijgen we dat voor elkaar, wat voor garantie hebben we dan dat die vrouw haar woord nakomt? Dat het lukt? Dat we niet over een halfjaar weer in dezelfde situatie zitten.'

'Geen enkele garantie,' zei ze botweg.

Hij keek haar zonder iets te zeggen aan.

'De enige garantie die ik jou kan geven, Mal, is dat als wij het geld niet bij elkaar kunnen krijgen, Caitlin met de kerst, of kort daarna, niet meer zal leven.'

Zijn brede schouders zakten plotseling ineen. 'Ik heb wel wat gespaard,' zei hij. 'Iets meer dan vijftigduizend pond. Ik heb twee jaar geleden mijn hypotheek verhoogd om wat geld voor een aanbouw los te krijgen. Maar die ging niet door.' Hij stond op het punt te zeggen dat Jane over de rooie zou gaan als hij het geld aan Lynn gaf, maar hij hield zijn mond. 'Dat kun je krijgen als je daar iets aan hebt.'

Lynn boog over de tafel heen, waarbij ze bijna hun drankjes omvergooide, en gaf hem een onhandige kus op zijn wang.

Nog maar honderdvijfenzeventigduizend pond!

70

Brighton and Hove was gezegend met een prachtige architectuur, die een van de grootste bezienswaardigheden was, en zowel door de bewoners als bezoekers werd gewaardeerd. Hoewel hier en daar een lelijk, modern gebouw was neergezet, was het nog steeds mogelijk om in het centrum in de wirwar van straatjes en steegjes een hoek om te slaan en een andere wereld in te stappen, met rijtjeshuizen of villa's uit de negentiende en vroeg-twintigste eeuw. Sommige huizen waren perfect onderhouden, andere iets minder.

Silwood Road was een juweeltje dat betere tijden had gekend. Toeristen die geïnteresseerd waren in architectuur, en richting de kust gingen, weg van het saaie winkelcentrum aan Western Road, sloegen dan misschien Silwood Road in, waar ze vervolgens bleven staan en om zich heen keken. Niet uit blije verwondering, maar meer uit ontzetting dat zo'n prachtige straat vol rijtjeshuizen zo vreselijk verwaarloosd was.

De straat stond vol met bordjes TE HUUR, maar het bleef een achterafbuurt, wat nog verergerd werd door het feit dat het in de afgelopen paar jaar een rosse buurt was geworden.

Het was vijf uur 's middags, en al pikdonker buiten. Bella Moy zei tegen Nick Nicholl, die aan het stuur zat: 'Parkeer de auto maar ergens.'

De hoofdagent zette de grijze Ford Focus op een plekje onder het bordje ALLEEN BUURTBEWONERS en draaide de motor uit.

'Ben je wel eens in een bordeel geweest?' vroeg ze.

Ze zouden om te beginnen naar het House of Babes gaan.

Hij bloosde en zei: 'Nee, niet echt.'

'Het ruikt er heel eigenaardig,' merkte ze op.

'Waarnaar dan?'

'Dat merk je vanzelf wel. Ik zou het altijd weten als ik in een bordeel stond, ook al had ik een blinddoek om.'

Ze stapten uit de auto en liepen een stukje door de straat, waar het flink waaide. De hoofdagent hield zijn notitieboekje in zijn hand. Hij liep achter Bella aan naar de voordeur van een van de huizen en stond, onder het oog van een bewakingscamera, geduldig te wachten nadat zij had aangebeld. Bella had een bruin broekpak aan dat een maat te groot leek en onelegante zwarte schoenen.

'Ja?' zei een vrolijke vrouwenstem met een noordelijk accent over de intercom.

'Rechercheur Moy en hoofdagent Nicholl van de politie van Sussex.'

Er klonk een scherpe piep en daarna een harde klik. Bella duwde de deur open en Nick liep achter haar aan naar binnen. Hij snoof de lucht op, maar rook alleen de geur van sigaretten en afhaalmaaltijden.

De donkere hal werd verlicht door rode lampjes die niet veel licht gaven. Op de grond lag roze tapijt dat behoorlijk versleten was en op de muren zat rood, fluweelachtig behang. Er hing een grote plasma-tv aan de muur, waarop een zwarte vrouw te zien was die een gespierde blanke man die onder de tatoeages zat oraal bevredigde. Nick Nicholl had nog nooit een man gezien die zo groot geschapen was.

Een vrouw kwam aanlopen. Ze was klein, halverwege de vijftig, en droeg een joggingbroek en een blouse met een gigantisch decolleté. Ze had lang bruin haar met een pony, en ze was vroeger, toen ze zo'n veertig kilo lichter was, vast knap geweest, dacht Nick Nicholl.

'Rechercheur Moy!' zei ze met een kinderstemmetje. 'Wat leuk dat u er bent!'

'Goedenavond, Joey. Dit is hoofdagent Nick Nicholl,' zei Bella kortaf en een beetje nors, vond Nick.

'Leuk u te ontmoeten, hoofdagent Nicholl,' zei ze respectvol. 'Mooie naam: Nick. Mijn zoon heet ook Nick, moet u weten!'

'O,' zei hij. 'Aha.'

Ze leidde hen een ontvangsthal in waar Nick van stond te kijken. Hij had uit boeken en films de indruk gekregen dat die altijd een en al verguldsel, spiegels en fluwelen behang waren. Maar in plaats daarvan was het een zootje. Er stonden twee versleten banken, een vol bureau waarop een geopende beker kant-en-klare noodles stond te stomen met een plastic vork erin, een heel assortiment smerige mokken en een paar overvolle asbakken. Op het bureau stonden een oude telefoon en een antiek uitziend faxapparaat. Aan de muur hing een prijslijst.

'Wilt u iets drinken? Koffie, thee, cola?' Ze ging zitten en wierp een blik op haar noodles, maar liet die half opgegeten staan.

'Nee, bedankt,' zei Bella stijfjes tot Nicholls opluchting, terwijl hij weer even naar de smerige mokken keek.

Tussen de bordelen en de politie was een stilzwijgende overeenkomst: als ze geen meisjes in dienst namen die minderjarig of uit de mensenhandel afkomstig waren, werden ze op nu en dan een onaangekondigde inspectie na met rust gelaten. De meeste bordeeleigenaren en -houdsters, inclusief deze vrouw, konden hiermee leven, maar Bella had geleerd dat tolerantie iets heel anders was dan vriendschap.

Ze toonde Joey, de bordeelhoudster, de drie compositiefoto's.

'Ken je misschien een van hen?'

Ze bekeek de foto van het meisje nauwkeurig, vervolgens die van de twee jongens, en schudde haar hoofd.

'Nee, nooit gezien.'

'Hoeveel meisjes zijn er vanavond binnen?' vroeg Bella.

'Vijf.'

'Zijn er nog nieuwe bij?'

'Ja, twee uit Europa. Ene Anca en ene Nusha.'

'Waar komen ze vandaan?'

'Uit Roemenië,' zei ze, 'Boekarest,' eraan toevoegend, alsof ze wilde bewijzen dat ze graag meehielp.

'Zijn ze, eh... vrij?' vroeg Bella tactisch.

'Ik heb hun identiteitsbewijs gezien,' zei de madam bezorgd. 'Anca is negentien en Nusha twintig.'

Er ging een harde bel. De vrouw keek naar het scherm dat aan de muur hing. Op de monitor, die van slechte kwaliteit was, was een kalende man met uitpuilende ogen en gekleed in een pak en stropdas te zien.

Ze gaf de twee politiemensen een knipoog en zei een tikje ongemakkelijk: 'Een vaste klant. Wilt u ze afzonderlijk of tegelijk spreken?'

'Afzonderlijk,' zei Bella.

Ze dirigeerde hen gehaast door de gang een kleine kamer in.

'Ik ga ze even halen.'

Ze deed de deur achter zich dicht. Nick Nicholl kreeg opeens de lucht naar binnen waar Bella het over had gehad. Het was een combinatie van de scherpe lucht van schoonmaakmiddel en goedkope muskusachtige eau de toilette. Hij keek verbijsterd de kleine, roze geschilderde kamer rond. Er stond een tweepersoonsbed met een sprei met luipaardprint en daarop lag een opgevouwen witte handdoek. Er stond een tv waarop een pornofilm werd vertoond, een nachtkastje met wat spulletjes en een rol wc-papier, er hing een grote brede spiegel aan de muur en er lag een hele stapel erotische dvd's.

'Wat erg,' zei hij.

Bella haalde haar schouders op. 'Dit is normaal. Snap je nu wat ik bedoelde met die geur?'

Hij knikte en snoof opnieuw, langzaam.

Even later ging de deur open en werd een knap meisje met lang donker haar, in een dunne, doorzichtige nachtjapon en zwart ondergoed, door Joey naar binnen geleid. Het meisje zag er triest en zenuwachtig uit.

'Dit is Anca. Ben zo terug!' zei de bordeelhoudster, terwijl ze de deur dichtdeed.

'Hallo Anca,' zei Bella. 'Ga zitten.' Ze wees naar het bed.

Het meisje nam plaats, terwijl ze hen afwisselend aankeek. Ze had een pakje sigaretten en een aansteker bij zich en hield ze vast alsof het toneelrekwisieten waren.

'Wij zijn van de politie, Anca,' zei Bella. 'Spreek je Engels?'

Ze schudde haar hoofd. 'Klein beetje.'

'Oké, we komen niet voor jou. Snap je dat?'

Anca keek haar onbegrijpend aan.

'We willen alleen maar weten of het goed met je gaat. Wil je hier graag zijn?'

Anca was goed geïnstrueerd. Cosmescu had haar verteld dat de politie misschien vragen zou stellen. En ze was gewaarschuwd voor wat er zou gebeuren als ze iets verkeerds zei.

'Ja, is leuk hier,' zei ze met een keelachtig accent.

'Weet je dat zeker? Wil je hier echt zijn?'

'Wil ik, ja.'

Bella wierp een blik op haar collega, die zich geen raad wist met zijn figuur.

'Je bent net uit Roemenië overgekomen. Klopt dat?'

'Roemenië. Ik.'

Bella toonde haar de drie compositiefoto's en hield haar nauwkeurig in de gaten.

'Herken je iemand?'

Het Roemeense meisje keek er zonder een blik van herkenning naar en schudde haar hoofd. 'Nee.'

Bella kreeg de indruk dat ze de waarheid vertelde.

'Goed, wat ik graag wil weten is hoe je hier gekomen bent.'

Anca schudde haar hoofd en produceerde een zinnetje dat Cosmescu haar had geleerd: 'Niet begrijpen.'

Geduldig en erg langzaam en met handen en voeten, vroeg Bella: 'Wie heeft je hier gebracht?'

Het meisje schudde niet-begrijpend haar hoofd.

Nick bladerde even door zijn notitieboekje en vroeg opeens langzaam in het Roemeens: 'Ken je iemand hier in Engeland?'

Anca schrok ervan dat hij haar taal sprak, hoewel niet erg goed.

Bella was net zo verbaasd, en ze had geen flauw idee wat hij had gezegd. Het meisje schudde haar hoofd.

Nick sloeg de bladzijde om en keek weer naar zijn aantekeningen. Toen las hij moeizaam hardop in het Roemeens: 'Als je tegen ons liegt, komen we daarachter. En dan moet je terug naar Roemenië. Vertel ons de waarheid!'

Geschrokken en bang, zei het meisje: 'Vlad. Zijn naam.'

'Vlad, en verder?'

'Coz... eh, Cozma. Cozemec?'

'Cosmescu?' raadde Bella.

Het meisje was even stil en keek haar met bange ogen aan. Toen knikte ze.

Twintig minuten later hadden ze beide meisjes ondervraagd en stapten ze weer in de auto.

Bella zei: 'Waar was jij nou mee bezig?'

'Ik heb contact opgenomen met het UKHTC.'

'Het wat?'

'Het United Kingdom Human Trafficking Centre, het Centrum voor Mensenhandel in het Verenigd Koninkrijk. Ik wilde weten waar de meisjes waarschijnlijk vandaan kwamen. Roemenië was een van de mogelijkheden en Roemenië was ook een van de landen die we moesten nagaan.'

'Dus heb je in een middag even vloeiend Roemeens leren spreken?'

'Nee, alleen de zinnen die ik dacht nodig te hebben.'

Bella grinnikte. 'Ik ben onder de indruk, hoor.'

'Nog lang niet zo veel als mijn vrouw straks, als ze hoort waar ik vanmiddag geweest ben.'

'Elke man gaat toch wel eens naar een bordeel?' zei ze.

'Nee,' zei hij nadrukkelijk en vol verontwaardiging. 'Dus niet.'

'Ben je er echt nog nooit eerder naartoe geweest?'

'Nee, Bella,' zei hij hooghartig. 'Het spijt me dat ik je moet teleurstellen, maar dit is mijn allereerste keer.'

'Ik ben niet teleurgesteld. Ik ben juist blij dat er ook nog fatsoenlijke kerels rondlopen. Helaas heb ik er tot nu toe nog steeds geen ontmoet.'

'Dat komt waarschijnlijk doordat mijn vrouw de enige fatsoenlijke man heeft getrouwd!' zei hij.

Bella keek in de gloed van de straatlantaarns naar zijn magere, lange, grijnzende gezicht. 'Ze boft maar.'

'Nee hoor, ik ben de bofkont. En jij? Je bent een mooie vrouw. Je moet toch genoeg kansen krijgen.'

'Genoeg teleurstellingen, zul je bedoelen. En weet je, ik heb het eigenlijk heel erg naar mijn zin zo in mijn eentje. Ik zorg voor mijn moeder, en buiten dat ben ik vrij. Dat vind ik heel prettig.'

'Ik hou van mijn kind,' zei hij. 'Dat is een ongelooflijk gevoel. Ik kan het niet beschrijven.'

'Jij bent vast een fantastische vader, Nick.'

Hij glimlachte. 'Dat hoop ik maar.' Hij haalde zijn schouders op. 'Kun je je Anca's vader voorstellen? Of die van dat andere meisje, Nusha?'

'Nee.'

'Als hun leven in een krakkemikkig bordeel hier beter is dan wat ze hebben achtergelaten, dat is toch ongelooflijk.'

'Ik vind het ongelooflijk dat je hun taal hebt geleerd, Nick. Dat vind ik echt waanzinnig van je.'

'Ik heb hun taal niet geleerd. Ik weet maar een paar zinnen. Genoeg om contact met ze te krijgen.'

Ze keek in haar aantekeningen. 'Vlad Cosmescu.'

'Vlad de Spietser.'

'Hè?'

'Dat is de Transsylvanische keizer op wie de figuur Dracula is gebaseerd. Een regelrechte charmeur die zijn tegenstanders door hun anus aan een houten staak spietste.'

'Dat hoef ik allemaal niet te weten, Nick,' zei ze, ineenkrimpend.

'Je bent agent, Bella. Je zou alles moeten willen weten.'

Ze glimlachte en zei toen: 'Vlad Cosmescu.'

'Ken je hem?'

'Van naam. Hij is een pooier. Toen ik een paar jaar geleden nog de bordelen controleerde deed hij dat werk al. Hij werkt als een soort tussenstation tussen Roemeense, Albanese en andere Oost-Europese smokkelwaar: drugs, illegale dvd's, sigaretten, noem maar op. Het drugsteam heeft hem jarenlang in de gaten gehouden, maar hij wist altijd de dans te ontspringen. Interessant dat hij nog steeds actief is.' Ze schreef iets in haar notitieboekje en zei toen vrolijk: 'Mooi! Dat was de eerste. Nog maar achtentwintig bordelen te gaan. Kun je het nog even volhouden?'

Met een baby die dag en nacht om de paar uur gevoed moet worden, kan ik het waarschijnlijk een stuk langer volhouden dan mijn libido momenteel, dacht hij.

'Nou en of!' zei hij.

71

Het was net zeven uur in Boekarest en Ian Tilling had zijn Roemeense vrouw Cristina beloofd dat hij die avond vroeg thuis zou zijn. Het was hun tiende trouwdag en ze hadden een tafel gereserveerd in hun lievelingsrestaurant om eens lekker te genieten van traditioneel Roemeens eten.

Hij was van het voedsel in zijn nieuwe vaderland gaan houden: vet en met veel vlees. Uitgezonderd twee specialiteiten: koude hersentjes en stukjes reuzel, waar Cristina zo dol op was, en die hij nog steeds niet kon waarderen, en waarschijnlijk ook nooit zóú waarderen.

Hij keek even op de onbruikbare klok die aan het gigantische notitiebord aan de muur hing boven zijn bureau. Er stond TIJD IS GELD op, maar omdat er geen cijfers op stonden, zat je er algauw een uur naast. Ernaast hing een waaier die daar al zo lang hing, dat hij niet meer wist van wie hij was of waarom hij daar hing. Eronder, tussen diverse regeringsmededelingen voor daklozen, hing een vel papier waar zijn lievelingscitaat van Mahatma Gandhi op stond: 'Aanvankelijk negeren ze je, vervolgens maken ze je belachelijk, daarna vallen ze je aan, en dan heb jij gewonnen.'

Dat vatte zijn zeventien jaar in deze vreemde maar prachtige stad, in dit vreemde maar prachtige land prima samen. Hij was aan de winnende hand. Stukje bij beetje. Kleine overwinningen. Kinderen en soms ook volwassenen die hij redde van de straat, en die hij hier in Casa Iona een huis gaf. Voordat hij naar huis ging, zou hij zoals altijd even bij de kleine slaapzalen langsgaan. Dit keer zou hij de foto's van de drie tieners meenemen die Norman Potting hem had gestuurd, misschien dat een van hen ze herkende. Het was leuk om weer wat van die oude gabber te horen. Heel fijn dat hij na al die tijd weer eens bij een onderzoek van de Britse politie betrokken was. Zo fijn zelfs, dat hij zijn uiterste best zou doen.

Hij stond net op toen Andreea met een glimlach op haar gezicht de deur binnenkwam.

'Kan ik u even spreken, meneer Ian?' vroeg de maatschappelijk werkster.

'Maar natuurlijk.'

'Ik ben naar Ileana in district vier geweest.'

Ileana had vroeger als maatschappelijk werkster voor Casa Iona gewerkt en zat nu in Merlijn, een plaatsingscentrum.

'Wist zij iets?'

'Ze wilde ons graag helpen, maar is bang dat het ontdekt wordt. Het centrum heeft te verstaan gekregen dat ze niet met buitenstaanders mochten praten, en daar vallen wij ook onder.'

'Hoezo dat?'

'De regering is blijkbaar geschrokken van de slechte pers die de Roemeense weeshuizen in het buitenland hebben gekregen. Bezoekers zijn niet meer welkom en er mogen geen foto's meer worden gemaakt. Ik moest met haar in een café afspreken. Maar zij zei dat een van die straatkinderen heeft gehoord dat je als je bofte een baan in Engeland kon krijgen en nog een flatje ook. Je zou eens naar haar toe moeten gaan, ze is erg slim.'

'Kunnen we met dat kind praten? Weet je hoe ze heet?'

'Raluca. Ze werkt als prostituee bij het Gara de Nord. Ze is vijftien. Ik weet niet of ze een pooier heeft. Ileana wil graag met ons mee gaan. Dat zou vanavond al kunnen.'

'Nee, vanavond kan ik niet. Morgenavond anders?'

'Ik zal het vragen.'

Tilling bedankte haar, en schreef toen snel een e-mail naar Norman Potting om hem op de hoogte te houden. Toen balde hij zijn vuisten en sloeg ermee op het bureau.

Ja, dacht hij. Yes! Hij deed weer helemaal mee! Hij had het heerlijk gevonden om politieman te zijn, en dat hij er nu weer bij betrokken was, gaf hem een waanzinnig goed gevoel.

72

Lynn zat aan haar bureau van de Wrekende Wespen, zich er maar al te zeer van bewust dat het acht uur 's avonds was en dat ze nog steeds aan het bellen was om de tijd goed te maken die ze thuis en toen ze met Mal had afgesproken had verloren.

Haar moeder was naar haar huis gegaan, en daarna Luke, dus was Caitlin niet alleen geweest, en had er gelukkig steeds iemand een oogje op haar gehouden. Zelfs die halve zool van een Luke kon dat nog doen.

Er waren nog maar een paar collega's aanwezig. Op een paar achterblijvers na, waren de bureaus van de Hongerige Haaien, de Jagende Jaguars en de Denarii Demonen allemaal verlaten. In de bonusspot zat inmiddels elfhonderdvijftig pond. Zoals het er nu uitzag, kwam ze zelfs niet eens in de buurt.

Ze deed daar ook niet echt haar best voor. Ze keek naar de foto van Caitlin die op de rode tussenwand geprikt was. Ze dacht na. Het was een kwestie van honderdvijfenzeventigduizend pond of Caitlin het zou overleven. Het was een enorm en tegelijkertijd ook een piepklein bedrag. Dat soort bedragen, en nog veel meer, gingen er wekelijks in dit kantoor om.

Opeens schoot er een slechte gedachte door haar hoofd. Ze duwde hem weg, maar hij kwam meteen weer terug: medewerkers bestalen hun opdrachtgevers regelmatig.

Er stond elke week wel iets in de krant over een medewerker in een notariskantoor, of een beleggingskantoor, of een bank, of wat voor bedrijf dan ook waar veel geld over de toonbank ging, die geld had verduisterd. Vaak was het al jaren aan de gang geweest. Miljoenen verdwenen zonder dat iemand het had gemerkt.

Ze had maar honderdvijfenzeventigduizend pond nodig. Een habbekrats voor Denarii.

Maar hoe kon ze dat geld 'lenen' zonder dat iemand het merkte? Er waren overal procedures en regels voor.

Het lichtje op haar telefoon flitste opeens. Iemand belde haar rechtstreeks. Ze nam op omdat het Caitlin kon zijn. Maar helaas was het haar minst favoriete cliënt: de walgelijke Reg Okuma.

'Spreek ik met Lynn Beckett?' zei hij met zijn donkere stem.

'Ja,' zei ze stijfjes.

'Wat werk je nog laat, mooie meid. Het is een eer om je aan de lijn te hebben.'

Fijn dat u belt, had ze bijna gezegd. Maar in plaats daarvan zei ze: 'Wat kan ik voor u doen?'

'Nou,' zei hij, 'de zaak ligt zo. Ik ging gisteren op pad om een nieuwe auto te kopen. Ik heb vervoer nodig, weet je, voor mijn werk, voor het nieuwe bedrijf dat ik aan het starten ben en waardoor internet radicaal zal veranderen.'

Ze zei niets.

'Hoor je me wel?'

'Ik luister.'

'Ik wil nog steeds graag heerlijke seks met je hebben. Ik wil graag met je vrijen, Lynn.'

'U weet toch wel dat dit gesprek voor trainingsdoeleinden wordt opgenomen?'

'Ja, dat weet ik.'

'Mooi. Als u een afbetalingsregeling wilt, wil ik naar u luisteren. Zo niet, dan hang ik op. Oké?'

'Nee, toe, luister nu toch. De leaseovereenkomst werd me gisteren geweigerd. Toen ik vroeg waarom zeiden ze omdat Experian me als niet kredietwaardig had aangemeld.'

'Verbaast dat u?' vroeg ze vinnig.

Experian was een van de grote bedrijven in Engeland die aangaven of iemand kredietwaardig was. De banken en financieringsinstellingen gebruikten dit soort bedrijven om hun klanten na te gaan.

'U betaalt uw schulden niet, dus wat verwacht u dan?'

'Nou, maar moet je horen. Ik heb Experian gebeld – ik heb mijn rechten vanwege de Wet op de Privacy – en zij hebben me verteld dat uw bedrijf ervoor heeft gezorgd dat ik nu als niet kredietwaardig te boek sta.'

'U kunt dat heel eenvoudig oplossen, meneer Okuma. Sluit een afbetalingsregeling met ons, en dan kan ik dat voor u regelen.'

'Ja, natuurlijk, maar zo eenvoudig ligt dat niet.'

'Toch wel. Wat snapt u er niet aan?'

'Je hoeft toch niet zo lelijk tegen me te doen?'

'Meneer Okuma, ik ben erg moe. Als u aan de afbetalingsregeling wilt meewerken, zal ik mijn best voor u doen bij Experian. Zolang u daar niet toe bereid bent, moet ik u een goede avond toewensen.'

Ze hing op.

Even later flitste het lampje weer. Ze liet het knipperen en liep het kantoor uit op weg naar huis. Toen ze echter op de begane grond de lift uit stapte, kreeg ze opeens een inval.

73

Roy Grace zat in zijn kantoor terwijl het buiten regende en er een zuid-westelijke wind opstak die de ruiten deed rammelen. Het zou weer een stormachtige avond worden, dacht hij. Zelfs de straatverlichting en de gloed van de lampen van het parkeerterrein van ASDA waren niet zo fel als anders. En het was koud, alsof de wind dwars door de muren zijn botten in drong. Hij zag op zijn horloge dat het vijf over acht was.

Glenn Branson had van hem toestemming gekregen niet bij de vergade-ring te zijn. De vrouw van de rechercheur had erin toegestemd dat hij de kin-deren in bad deed en in bed stopte. Zeker op advies van haar advocaat, dacht hij cynisch.

Hij las zorgvuldig de aantekeningen door die hij tijdens de vergadering had gemaakt en las vervolgens het uitgetikte onderzoeksplan door. Er knip-perde een lampje op zijn telefoon, maar het was niet zijn rechtstreekse nummer, dus hij liet het aan iemand anders over om op te nemen. Als er ten-minste nog iemand aanwezig was behalve de immer vrolijke Duncan, de be-veiligingsman die beneden bij de balie zat. Het leek hier het spookschip de Marie Céleste wel, hoewel hij wist dat er een paar van zijn mensen deze avond nog lang zouden doorwerken in CR1, in elk geval twee typistes en Juliet Jones, de HOLMES-analyst.

Juliet was nog steeds aan het zoeken naar eventueel relevante misdaden, opgelost of niet opgelost, die in Engeland waren gepleegd. Het was een ver-velend werkje, maar het moest nu eenmaal gebeuren. Eindeloze rijen sleu-telwoorden en combinaties op zoek naar vergelijkbare slachtoffers die elders in het Verenigd Koninkrijk waren opgedoken, of andere organendiefstallen. Ze was er al sinds zaterdag mee bezig, maar haar geploeter had tot nu toe niets opgeleverd.

In de afgelopen negen jaar was Grace vaak alleen geweest en hij had zich verdiept in de geschiedenis van speurwerk en forensisch onderzoek. Hij was in het bijzonder gefascineerd door ene dr. Edmond Locard, een Franse arts, geboren in 1877, die bekendstond als de Franse Sherlock Holmes. Locard was degene die met zijn woorden dat 'elk contact een spoor achterlaat' het grondbeginsel van de forensische wetenschap vaststelde.

Roy Grace vroeg zich af welk verband hij over het hoofd zag tussen de drie lijken. Waar waren de chirurgische instrumenten die met de lijken in contact waren geweest? Die waren inmiddels vast al gesteriliseerd. Misschien waren er nog genoeg microscopische sporen om een match te krijgen, maar die moesten ze dan wel eerst zien te vinden. Maar waar? Het was tevens zeer waarschijnlijk dat degene die de organen van de tieners had verwijderd – tenzij het natuurlijk een krankzinnige eenling was geweest – speciale operatie-kleren had gedragen. Die kleding, en met name de latex handschoenen, zou sporen bevatten. Maar ze hadden nog steeds geen flauw idee waar ze moesten zoeken en het was niet echt een optie om elke prullenbak en wasmand van alle ziekenhuizen in Zuid-Engeland te doorzoeken.

Als de afdeling Dactyloscopie geluk had met de nieuwe techniek die ze aan het testen waren, zouden ze misschien een paar afdrukken van het plastic kunnen halen waarmee de lijken waren ingepakt.

Hij maakte een aantekening, en las toen snel de drie uitgetikte vellen door van het onderzoeksplan, waarvan elk lid van zijn team een exemplaar had gekregen. Het moest bijgewerkt worden en hij wilde er nog wat belangrijke dingen aan toevoegen. Maar hij wilde ook erg graag naar Cleo toe. Wat hij nu nog moest doen kon net zo goed bij haar thuis als in dit kille, eenzame kantoor gebeuren.

Het werd kouder en de wind nam toe tot stormkracht, toen hij de Ford voor een antiekzaak naast een gele streep zette. Hij liep snel door de harde regendruppels de straat door en ving een flard op van 'God Rest Ye, Merry Gentlemen' dat ergens vlakbij behoorlijk vals werd gezongen. Nu al kerstkoortjes, vroeg hij zich af, of waren het gewoon wat dronken kantoorlui?

Hij had er moeite mee dat Kerstmis al voor de deur stond. Hij wist niet wat hij voor Cleo moest kopen – behalve een ring natuurlijk, maar dat was geen kerstcadeau – en hij wilde haar iets heel bijzonders geven.

Het was al zo lang geleden dat hij cadeautjes voor een vrouw van wie hij hield had gekocht, dat hij het gewoon niet meer wist. Een handtas? Een sieraad, voor bij de ring? Hij zou zijn zus om raad vragen. Die was praktisch en zou het wel weten. Net als brigadier Mantle.

Niet alleen moest hij cadeautjes kopen, hij moest ook nog eens beslissen waar hij Kerstmis zou vieren. Nadat Sandy was verdwenen, had hij het elk jaar bij zijn zus gevierd, maar Cleo had voorgesteld om dit jaar naar haar familie in Surrey te gaan. Natuurlijk wilde hij graag de feestdagen met Cleo doorbrengen, maar hij had haar ouders nog niet ontmoet. Hij wist dat zijn zus blij voor hem zou zijn dat hij was verloofd – ze zat hem al jaren achter zijn broek dat hij iemand moest zoeken – maar hij moest eerst eens kijken hoe hij het ging aanpakken. En als operatie Neptunus tegen die tijd nog niet was opgelost, zou het voor hem in elk geval een zeer korte kerst worden.

Hij droeg het zware koffertje mee over de met kinderkopjes bestrate binnenplaats, zocht in zijn zak naar de sleutel en maakte Cleo's deur open. Hij werd meteen een stuk vrolijker toen hij de warme, grote zitkamer in liep en Cleo's brede, gelukkige glimlach zag. Het rook heerlijk naar iets met knoflook, en opwindende operamuziek vulde de kamer. De Overture uit *Carmen* van Bizet, dacht hij, in zijn nopjes dat hij het had herkend. Cleo had zichzelf tot taak gesteld zijn muzikale smaak uit te breiden en tot zijn eigen verbazing was hij opera steeds meer gaan waarderen.

Humphrey kwam op hem af gehuppeld, met een lange sliert wc-papier achter zich aan, en sprong luid keffend tegen hem op.

Grace bukte zich en aaide hem over zijn kop. 'Hé, knul!'

Humphrey likte hem, opgewonden op en neer springend, over zijn kin.

Cleo zat op een van de grote banken, met stapels papier om zich heen en een boek in haar hand, vast een of ander boekwerk over filosofie, wat ze aan de Open Universiteit studeerde.

'Kijk eens aan, Humphrey!' zei ze, met haar hoge stem die speciaal voor hondjes was bedoeld. 'Inspecteur Roy Grace is weer thuis! Je baasje! Hij is in elk geval erg blij dat je er weer bent, Roy!'

'Alleen hij?' Hij deed of hij teleurgesteld was. Hij kwam overeind en liep naar haar toe, met Humphrey trekkend aan zijn broekspijp.

'Hij is zo'n braaf hondje geweest! Niet één keer binnen een poepje gedaan!'

'Nou, dat is voor het eerst!'

'Maar ik ben zelfs nog blijer dan hij dat je er bent!' zei ze, en ze legde het boek neer. Het droeg de titel *Existentialism and Humanism* en er staken diverse gele Post-its uit.

Ze had haar haar opgestoken en droeg een bruine gebreide trui die tot halverwege haar bovenbenen kwam en een zwarte legging. Hij bleef even van haar staan genieten.

De muziek raakte hem tot in zijn ziel, de heerlijke etensgeuren drong in zijn neus en hij werd overmand door blijdschap, door het gevoel ergens bij te horen. Een gevoel dat hij eindelijk, na zo veel verschrikkelijke jaren, ergens was gekomen – een plek in zijn leven – waar hij zich werkelijk tevreden voelde.

'Ik hou van je,' zei hij, en hij bukte zich, sloeg zijn armen om haar heen en gaf haar een lange kus op haar mond. Hij kwam iets overeind en zei: 'Ik hou heel veel van je.'

Ze kusten elkaar weer, en dit keer duurde het zelfs nog langer.

Toen ze elkaar eindelijk loslieten zei ze: 'Ja, ik mag jou ook wel.'

'O ja?'

Ze keek een tijdje peinzend voor zich uit, alsof ze aan het hoofdrekenen was, en knikte. 'Ja hoor, best wel.'

'Ik ga dit weekend een ring voor je kopen.'

Ze keek hem met haar grote ogen als een opgewonden schoolmeisje aan. Toen grijnsde ze en knikte weer.

'Ja, ik wil een allejezus duur ding met een hele hoop diamanten!'

'Ik koop het allejezus duurste en grootste ding voor je. Als de koningin je ooit ontmoet zal ze zich opvreten van jaloezie!'

'Over eten gesproken, inspecteur. Ik ga sint-jakobsschelpen voor je bakken.'

Dat was zijn lievelingskostje. 'Je bent fantastisch.'

Ze stak haar vinger op. 'Ja, dat klopt. Vergeet dat nooit!'

'En zo bescheiden ook.'

'Inderdaad.'

Hij wierp een blik op het boekwerk naast haar en las de naam van de auteur: Jean-Paul Sartre.

'Mooi boek?'

'Jazeker. Ik las net iets wat heel goed voor ons allebei opgaat, voordat we elkaar leerden kennen.'

'Wat dan?'

Cleo pakte het boek, bladerde naar een van de bladzijden waar een geeltje aan zat en las hardop voor: '"Als je eenzaam bent in je eentje, heb je slecht gezelschap."' Ze keek hem aan. 'Ja?'

Hij knikte. 'Ja, dat is waar. Ik had waardeloos gezelschap!'

'En,' zei ze, 'hoe laat wil mijn lieve verloofde aan tafel?'

Hij wees naar zijn koffertje. 'Hopelijk nog voor middernacht?'

'Ik ben eigenlijk best geil. Ik was van plan vroeg naar bed –'

'Over een halfuur?'

Ze tuitte verleidelijk haar mond, sloeg een bladzijde op waar ook een geeltje aan zat en las voor: '"Ik ben nergens meer zeker van. Als ik aan mijn verlangens toegeef, bega ik een zonde, maar ben ik er wel van verlost; als ik er niet aan toegeef, verzieken ze mijn ziel."' Ze legde het boek neer. 'Jij wilt toch zeker geen zieke ziel hebben, inspecteur?'

'Nee, dat wil ik zeker niet!'

'Dan zijn we het daarover eens.'

Roy sleepte zich met moeite bij haar vandaan en ging met zijn koffertje de houten trap op naar Cleo's studeerkamertje, dat hij min of meer als zijn kantoortje in beslag had genomen. Op het bureau lag een plastic tasje van City Books. Er zat een geeltje op geplakt waar in Cleo's handschrift zijn naam op stond geschreven. Hij haalde er een boek uit met een foto van een renpaard op de omslag. Het boek heette *Eclipse*.

Cleo had hem verteld dat haar vader aan paardenracen was verslingerd en dat ze een boek voor hem had besteld om cadeau te geven.

Hij legde het zorgvuldig aan de kant, en trok toen een grote stapel papier uit zijn koffertje. Op het bovenste vel stond het wapen van de politie van Sussex gedrukt met de woorden POLITIEKORPS SUSSEX, HOOFDBUREAU. *Afdeling Zware Misdrijven. Operatie Neptunus. Onderzoeksplan.* Vervolgens pakte hij zijn in een rode multomap gestoken ONDERZOEKSDOSSIER en zijn lichtblauwe schrijfblok op A4-formaat, waarin al zijn aantekeningen stonden van de vergaderingen van operatie Neptunus, inclusief die van die avond.

Vijf minuten later kwam Cleo stilletjes de kamer in, gaf hem een kus achter in zijn nek en zette een cocktailglas, tot aan de rand toe gevuld met een wodka-martini, op het bureau.

'Kalashnikov,' zei ze. 'Daar word je vurig van.'

'Dat ben ik anders al! Hoe gaat het met jouw ziel?' fluisterde hij.

'Bezig een infectie te bestrijden.' Ze gaf hem weer een kus in zijn nek en ging weg.

'Geef ik dit boek, *Eclipse*, aan je vader met Kerstmis?' riep hij haar achterna.

Ze kwam terug. 'Ja. Daarmee scoor je een hoop punten bij hem. Eclipse is het beroemdste renpaard ter wereld. Hij zal onder de indruk zijn dat je dat weet.'

'Dan kun je me er maar beter wat meer over vertellen.'

Ze glimlachte. 'Je kunt ook het boek lezen.'

'Jeetje!' zei hij en hij sloeg zichzelf op het voorhoofd. 'Dat ik daar nou niet aan heb gedacht!' Hij bekeek de omslag nog eens goed en keek wie de schrijver was. 'Nicholas Clee. Was hij een beroemde jockey of zo?'

Ze schudde haar hoofd. 'Nee, volgens mij was hij oorspronkelijk tennisser, maar ik kan het mis hebben.' Ze ging weer weg.

Hij ging door zijn aantekeningen van de vergadering en gaf de belangrijke ontwikkelingen aan voor zijn secretaresse, die ze voor de vergadering van morgenochtend in het onderzoeksplan zou opnemen.

Er was nog steeds geen verdachte, bedacht hij. Het United Kingdom Human Trafficking Centre had doorgegeven dat er geen bewijs was dat er mensen naar Engeland werden gehaald voor hun organen, en dat was bevestigd door wat de HOLMES-analiste tot nu toe had ontdekt.

De handel in organen was een van de belangrijkste onderzoeken op de lijst. Maar omdat er geen aantoonbaar bewijs was dat het al eerder in Engeland had plaatsgevonden, wilde Grace niet alles daarop gooien, ook al leek het er wel op dat het daarom ging.

Het kon ook een of andere maniak zijn.

Iemand die kon opereren.

Maar waarom zou die dan maar vier organen hebben verwijderd? De organen die het meest gewild waren...

Wat zou broeder Ockham doen? Wat was de duidelijkste reden? Wat zou de grote filosofische monnik met zijn scheermes verwijderen?

Opeens onderbrak Cleo zijn gedachten. Ze riep naar boven dat het eten op tafel stond.

74

Lynn hoorde de muziek al uit de zitkamer schallen toen ze even voor negen uur thuiskwam. Ze sloeg de deur met een klap achter zich dicht om de ijskoude wind buiten te houden en deed de Cornelia James-sjaal af die ze een paar weken eerder op eBay had gekocht, net als bijna al haar accessoires.

Met haar jas nog aan gluurde ze de zitkamer in. Luke lag op de bank met een blikje cola light, zijn haar zat nog stommer dan anders, want bijna alles hing in één grote schuine lok voor zijn rechteroog. Maar hij zag er niet zo stom uit als de twee ranke meisjes die op het scherm aan het dansen waren in de videoclip.

Zij hadden alleen een zwarte bh en slipje aan, en een zilverkleurig vierkant hoedje op hun hoofd, en maakten schokkerige heupbewegingen op het harde, monotone ritme. Op hun armen, benen en buik stond in primitieve zwarte letters DO IT! MAKE IT! WORK HARDER! EVER BETTER! geschreven.

'Daft Punk?' vroeg Lynn.

Luke knikte. 'Ja.'

Met de afstandsbediening zette ze het geluid zachter. 'Is alles in orde?'

Hij knikte. 'Caitlin ligt te slapen.'

Met deze teringherrie? had ze bijna gezegd. Maar in plaats daarvan bedankte ze hem dat hij op haar had gepast en toen vroeg ze: 'Hoe gaat het met haar?'

Hij haalde zijn schouders op. 'Hetzelfde. Ik heb een paar minuten geleden nog even bij haar gekeken.'

Met haar jas nog aan rende Lynn de trap op en naar de kamer van haar dochter. Caitlin lag met haar ogen dicht in bed. In het zachte licht van het lampje op het nachtkastje zag ze er nog geler uit dan anders. Toen opende ze één oog en keek ze haar moeder aan.

'Hoe gaat het met je, engel?' Lynn boog zich voorover, gaf haar een kus en streelde over haar haar, dat nog vochtig aanvoelde.

'Ik heb eigenlijk wel dorst.'

'Wat wil je? Water? Vruchtensap? Cola?'

'Water,' zei Caitlin met een iel stemmetje.

Lynn liep naar de keuken en schonk een glas koud water in uit de koelkast. Het viel haar op dat er achter in de koelkast weer ijs zat, wat betekende, zo wist ze uit ervaring, dat het apparaat op zijn laatste benen liep. Nog een uitgave die ze zich niet kon veroorloven.

Ze deed de deur dicht en op dat moment kwam Luke op blote voeten en met een grijs vest over een gescheurd T-shirt en wijde spijkerbroek aanlopen.

'Hoe ging het vandaag, Lynn?'

'Met geld bij elkaar krijgen, bedoel je?'

Hij knikte.

'Mijn moeder wil wat bijdragen. En Caitlins vader wil zijn spaargeld beschikbaar stellen. Maar dan heb ik nog honderdvijfenzeventigduizend pond nodig.'

'Ik wil graag helpen,' zei hij.

Verbaasd zei ze: 'Nou, dank je, dat is erg... erg aardig van je, Luke. Maar het is een belachelijk hoog bedrag.'

'Ik heb wel wat geld. Heeft Caitlin het wel eens over mijn vader gehad? Mijn echte vader dan, niet mijn stiefvader.'

Met het glas water in haar hand, dat ze zo snel mogelijk aan Caitlin wilde geven, zei ze: 'Nee.'

'Hij is op zijn werk omgekomen. Op een bouwterrein, er viel een kraan boven op hem. Mijn moeder heeft er heel veel compensatiegeld voor gekregen, en ze heeft het bijna allemaal aan mij gegeven omdat ze niet wilde dat mijn stiefvader het kreeg; hij gokt namelijk. Ik wil graag wat geven.'

'Dat is ontzettend aardig van je, Luke,' zei ze ontroerd. 'Alles is welkom. Hoeveel zou je kunnen geven?'

'Het is zo'n honderdvijftigduizend pond bij elkaar. Dat mag je allemaal hebben.'

Het glas glipte uit haar hand.

75

Soms, dacht Roy Grace, werd je een tikje te zelfverzekerd en vergat je de een-voudige dingen. Af en toe was het gewoon goed om je in de eenvoudige din-gen te verdiepen.

Het was kwart voor zeven 's ochtends en hij zat in zijn kantoor aan zijn tweede kop koffie van die dag. Hij stond op en trok zijn exemplaar van het *Handboek moordonderzoek* van de plank, dat was samengesteld voor alle hogere politiemensen.

Het werd regelmatig herzien en bevatte alle richtlijnen voor elk aspect van een moordonderzoek, zoals een zeer gedetailleerd voorbeeld van een moord-onderzoek, dat hij nu opzocht. In de samenvatting, die hij doorlas om zijn geheugen op te frissen, stonden tien aandachtspunten die in het hoofd van elke rechercheur gegrift stonden, en juist omdat ze zo bekend waren, wer-den sommige wel eens vergeten.

Als eerste op de lijst stond 'Identificeer verdachten'. Mooi, dat kon hij af-strepen, want daar waren ze mee bezig.

Als tweede: 'Mogelijkheden om informatie in te winnen'. Dat kon hij ook afstrepen. Ze hadden Norman Pottings vriend in Roemenië, zijn eigen con-tactpersoon Kriminalhauptkommissar Marcel Kullen in München, de in-formatie die rechercheur Moy en hoofdagent Nicholl in de bordelen ver-gaarden, Guy Batchelor die alle uit het vak gezette chirurgen naging en de HOLMES-analyst die ook druk bezig was.

'Sporen plaats delict' stond als derde op de lijst. De zeebodem van het Kanaal was daar niet erg geschikt voor. De enige kans die ze hadden was met het plastic, en de nieuwe techniek om vingerafdrukken van de buitenboord-motor af te halen, en heel misschien de peuken die Glenn naar het DNA-laboratorium had gestuurd.

Hij ging door met 'Vaststelling plaats delict'. Ze wisten wel waar de lijken waren gedumpt, maar nog niet waar ze waren gedood. Nummer vijf was 'Zoeken naar getuigen'. Wie had de drie tieners gezien? Medewerkers in het ziekenhuis of de privékliniek waar ze waren geopereerd? Passagiers en medewerkers op een vliegveld, of haven of station, waar ze Engeland waren binnengekomen? Ze waren ongetwijfeld toen ze aankwamen door beveili-gingscamera's gefilmd, maar hij had geen idee hoelang ze al in Engeland waren. Het konden dagen, weken of zelfs maanden zijn. Het was geen doen om op dit moment al die banden na te gaan. Er viel hem wel iets in en hij maakte de aantekening: *zijn er Roemenen hier werkzaam die ze kennen?* De compositiefoto's waren wijd en zijd verspreid en hadden in de krant gestaan, maar ze hadden geen enkele reactie gehad.

'Onderzoek slachtoffers' was de zesde. De meeste kans daartoe hadden ze met de vriend van rechercheur Potting in Roemenië. En misschien ook Interpol, maar daar had hij een stuk minder vertrouwen in.

Bij 'Eventuele motieven', het zevende punt op de lijst, bleef hij het langst hangen en hij dacht diep na. Hij zei altijd tegen zijn mensen dat 'veronderstellingen de reden van een hoop fouten' waren. Hij had er de vorige avond over nagedacht, en de kans bestond dat ze een doodlopende weg in waren geslagen door aan te nemen dat het motief voor de drie moorden orgaanhandel was. Stel dat er een of andere zieke geest rondliep die er genoegen in schepte om mensen te fileren?

Dat zou inderdaad kunnen, maar de kans was niet zo groot als hij het principe van Ockhams Scheermes toepaste. Overal ter wereld was er een tekort aan organen. Dat was een feit. Roemenië was betrokken bij mensenhandel met als reden onder andere handel in organen. Feit. De drie slachtoffers waren op kundige wijze geopereerd. Feit. Dat werd onderbouwd door de informatie dat dokter Raymond Crockett, een vooraanstaand Brits chirurg, ooit was geroyeerd omdat hij illegaal vier nieren uit Turkije voor zijn patiënten had gehaald. Maar wat ertegen pleitte was dat er in Engeland geen geschiedenis van orgaanhandel was.

Maar wat niet is kan altijd nog komen.

En, bedacht hij opeens, dokter Crockett was opgepakt. Maar was hij iemand die alleen werkte of had hij gewoon pech gehad dat hij was gesnapt? Waren er misschien tientallen chirurgen die net als hij illegale organen gebruikten en nog niet betrapt waren? Was Crockett weer aan het werk? Dan moest hij ondervraagd worden om erachter te komen of hij als verdachte aangemerkt kon worden.

Vervolgens was het punt 'Media' aan de beurt. Ze gebruikten de media zo goed als ze konden, maar de belangrijkste mogelijkheid, het televisieprogramma *Crimewatch*, werd pas volgende week uitgezonden, áls ze al in het programma konden.

Dan kwamen de 'Secties'. Voorlopig had hij alles wat er bekend was daarover gekregen. Als ze de operatie-instrumenten te pakken kregen, konden ze verdergaan. Tot die tijd bleven de lijken in het mortuarium liggen.

Hij gaapte, schudde de vermoeidheid van zich af en nam nog een grote slok koffie. Toen hij om halfzes wakker was geworden, waren zijn hersens al volop bezig. Hij had natuurlijk kunnen gaan hardlopen, want daardoor kon hij altijd beter nadenken, maar hij voelde zich schuldig omdat hij zijn werk niet had afgemaakt, dus was hij eerder naar kantoor gegaan dan anders.

'Verdere belangrijke zaken' stond als laatste op de lijst. Hij dacht even na, en ging toen door de lijst die hij al in zijn onderzoeksplan had opgenomen. Toen schreef hij als toevoeging daarop *Buitenboordmotor? Scoob-Eee vermist* in zijn schrijfblok.

Hij wipte met zijn stoel naar achteren tegen de muur. Door het raam zag hij dat de dag bijna aanbrak. De storm was die nacht gaan liggen en het regende niet meer. Maar de vooruitzichten waren niet goed. De donkergrijze lucht was dooraderd met rode en roze strepen. Hoe ging dat gezegde ook alweer? Morgenrood, water in de sloot.

Waar moet ik nog op letten? Wat ontgaat me, daagde hij zichzelf uit. *Er is vast iets, maar wat? Wat is het in hemelsnaam?*

Hij tuurde in zijn koffiekop alsof de waarheid in de stomende, zwarte vloeistof te vinden was.

En opeens schoot het hem te binnen.

Sandy ging altijd graag naar een pubquiz. Ze was heel goed in algemene kennis, veel beter dan hij. Hij kon zich nog een quiz herinneren, zo'n elf of twaalf jaar geleden, waarbij de vraag gesteld werd hoe groot het Kanaal in vierkante meters was. Sandy had gewonnen door het juiste antwoord daarop te geven: bijna zevenenveertigduizend vierkante kilometer.

Hij knipte met zijn vingers.

'Bingo!'

76

'We zoeken verkeerd,' kondigde Roy zijn nog groter geworden team aan. 'En waarschijnlijk zoeken we ook naar de verkeerde mensen. Dat denk ik althans.'

De zesentwintig politiemensen en ondersteunend personeel die aanwezig waren op de vergadering keken hem aandachtig aan. Toen tikte hij op zijn slaap.

'Geestelijk gezien verkeerd, bedoel ik, niet geografisch.'

Zesentwintig paar ogen richtten zich op hem.

Het was het vierde punt in de samenvatting van het *Handboek moordonderzoek* dat hem had geïnspireerd.

'Laat jullie eigen onderzoek even vallen en denk aan de "Vaststelling plaats delict". Ja? Goed, we zijn ervan uitgegaan dat de plaats waar ze zijn gedumpt gewoon willekeurig was gekozen. Maar denk daar eens over na. Het Kanaal is maar liefst zevenenveertigduizend vierkante kilometer groot. Het gebied waar mag worden gedregd, bedraagt honderdzestig vierkante kilometer.'

Hij keek Glenn, Guy Batchelor, Bella, E.J. en een paar andere mensen in de ogen.

'Kan hier iemand goed rekenen?'

De HOLMES-analist stak haar hand op.

'Hoe groot is het percentage waarin gedregd mag worden in het Kanaal, Juliet?' vroeg hij.

Ze rekende het snel uit haar hoofd uit. 'Ongeveer nul komma vierendertig procent, Roy.'

'Dat is wel erg klein,' zei Grace. 'Eén derde procent. Een naald in een hooiberg dus. Als ik zomaar ergens een lijk in het Kanaal zou gooien, moet ik toch wel enorme pech hebben als ik dat nou net in het dreggebied zou doen. Weet je, ik zou de kans dat dat zou gebeuren eigenlijk kunnen verwaarlozen. Tenzij ik natuurlijk met opzet dat gebied had uitgekozen.'

Hij liet dat even bezinken.

'Met opzet?' vroeg Lizzie Mantle.

'Ik ga hiervan uit,' zei hij. 'Als we te maken hebben met internationale mensenhandel – de snelst groeiende criminele activiteit ter wereld – kunnen we er wel zeker van zijn dat daar zware criminelen bij betrokken zijn. Als ze zo goed georganiseerd zijn dat ze een stel tieners het land in kunnen krijgen, en ook nog hier organen op de juiste manier kunnen verwijderen, zijn ze net zo professioneel als ze zich van de lijken willen ontdoen. Ze gaan niet even de zee op in een rubberbootje en gooien ze overboord.'

Iedereen knikte bevestigend.

'We hebben het er al eerder over gehad, en toen kwamen we tot de conclusie dat de lijken of met een eigen boot of per privévliegtuigje of helikopter het water in zijn gegooid. Maar wat de daders ook gebruikten, ze moesten daarvoor een echte schipper of piloot inhuren. Die zou de kaarten hebben, en zich bewust zijn van de verschillende diepten in het Kanaal, en zou waarschijnlijk de zee net zo goed kennen als zijn broekzak. Het gedeelte waarin gedregd mag worden, staat dan wel niet op alle kaarten, maar is wel redelijk ondiep. Als je een paar lijken wilt dumpen en je hebt het hele Kanaal tot je beschikking, waarom gooi je ze dan niet ergens waar het heel erg diep is? Dat zou ik in elk geval wel doen.'

'Hoe diep is het diepste punt, Roy?' vroeg Potting.

'Op verschillende plekken een meter of zestig. Waarom zou je ze dan ergens overboord zetten waar het nog geen twintig meter diep is?'

'Omdat ze haast hadden?' stelde Glenn Branson voor. 'Als mensen een lijk bij zich hebben, willen ze nog wel eens in paniek raken.'

'Nee, dit soort mensen niet, Glenn,' zei de inspecteur.

'Misschien hebben ze het echt niet op hun kaart gezien,' zei Bella Moy.

Grace schudde zijn hoofd. 'Bella, dat zou natuurlijk best kunnen, maar ik veronderstel dat ze daar met opzet zijn gedumpt.'

'Maar waarom dan, Roy?' vroeg brigadier Mantle.

'Omdat ze dan misschien ontdekt zouden worden.'

'Waarom zouden ze dat willen?' vroeg Nick Nicholl.

'Omdat iemand het niet eens is met waar ze mee bezig zijn?' antwoordde Grace. 'Hij gooit de lijken daar overboord, omdat hij weet dat er een kans bestaat dat ze ontdekt worden.'

'Als hij het er niet mee eens is, waarom heeft hij dan de politie niet gebeld?' vroeg Glenn Branson.

'Daar kunnen verschillende redenen voor zijn. Bijvoorbeeld omdat de piloot of de schipper het geld graag wilde maar ook een geweten had. Als hij ze zou verraden, zou zijn inkomstenbron opdrogen. Op deze manier suste hij zijn geweten. Hij dumpte ze op een plek waar je kunt duiken. Als ze niet door een baggerschip werden opgedregd, zou hij de politie een tip geven, maar dat kon nog wel heel lang duren.'

Het team bleef een tijdje stil.

'Ik zit misschien helemaal verkeerd, maar ik wil toch een andere weg inslaan met ons onderzoek. Allereerst gaan we naar Shoreham-Haven en controleren we daar alle boten. De havenmeester, de sluiswachters en de kustwacht kunnen ons daar een handje mee helpen. De boten die we op het oog hebben zijn de snelle jachten en de vissersboten, en ook de huurboten. Glenn, jij was bezig met die vermiste boot, de Scoob-Eee. Heb je al iets ontdekt?'

De rechercheur hield een dikke bruine envelop omhoog. 'Dit kwam vijf minuten geleden binnen van O_2, de telefoonprovider, Roy. Hier staan alle zendmasten op waarmee het mobieltje van de schipper die vrijdagavond contact heeft gehad. Het is niet waarschijnlijk dat hij het Kanaal is overgestoken, dus met een beetje geluk kunnen we zien waar hij zich aan de zuidkust heeft bevonden. Ray Packard en ik gaan hier na de vergadering meteen mee aan de slag.'

'Prima. Maar we weten niet zeker of de Scoob-Eee er inderdaad bij betrokken is, dus moeten we ook de andere boten nagaan.'

Grace zette twee van zijn mensen daarop. Toen richtte hij zich tot Potting.

'Oké, Norman, ik zei dus dat we misschien wel achter de verkeerde mensen aan zijn gegaan.'

Potting fronste zijn wenkbrauwen.

'Jij moest met alle transplantatiecoördinatoren gaan praten om te zien of zij een van de drie slachtoffers kennen. Maar tot zover nog geen succes, neem ik aan?'

'Klopt, baas. We hebben inmiddels al met een groot gedeelte gesproken.'

'Dan heb ik iets anders, wat hopelijk meer resultaat oplevert. Ik snap niet waarom we daar niet eerder op zijn gekomen. We moeten contact opnemen met iedereen die ooit op een wachtlijst voor een transplantatie heeft gestaan, of het nu voor hart en longen, een lever of een nier is geweest, en die geen orgaan heeft gekregen, maar wel van de wachtlijst af is gegaan.'

'Er zullen vast wel meer redenen zijn waarom iemand van een wachtlijst af gaat, neem ik aan, Roy?' vroeg Potting.

Grace schudde zijn hoofd. 'Voor zover ik heb begrepen, wordt niemand die op een wachtlijst voor een nier of lever staat uit zichzelf beter, wonderen daargelaten. Als zij van de wachtlijst worden gehaald, kan dat twee dingen betekenen. Of ze zijn ergens anders geopereerd, of ze zijn gestorven.'

Zijn mobieltje ging. Hij haalde het tevoorschijn en keek op het schermpje. Hij herkende het Duitse landnummer +49 en wist dat het Marcel Kullen was.

Hij stak verontschuldigend zijn hand op, liep de vergaderkamer uit en ging de gang op.

'Roy,' zei de Duitse rechercheur, 'jij wilde dat ik ons belde als orgaan-handelaar Marlene Hartmann weer in München was, ja?'

'Dat klopt, ja!'

Grace vond het grappig dat de Duitser steeds 'jullie' en 'ons' door elkaar haalde.

'Ze is gisteravond laat aangekomen. Vanochtend heeft ze al drie keer iemand in Brighton gebeld.'

'Prachtig! Kan ik dat nummer van je krijgen?'

'Vertel je niet van wie je het hebt gekregen?'

'Erewoord.'

Kullen gaf het hem.

77

Om kwart voor negen 's ochtends zat Lynn in de keuken op haar laptop de mails te lezen die 's nachts waren binnengekomen. Luke, die een gedeelte van de avond met Caitlin had doorgebracht, had op de bank in de zitkamer nog wat geslapen, en zat nu naast haar. De mails waren stuk voor stuk van cliënten van de Transplantation-Zentrale.

Een was van een moeder uit Phoenix in Arizona, wier dertien jaar oude zoon twee jaar geleden via de handelaar een lever had gekregen. Ze had haar telefoonnummer erbij gezet zodat Lynn haar kon bellen. Ze was, schreef ze, enorm tevreden over de service en was ervan overtuigd dat haar zoon niet meer zou leven als Marlene Hartmann hem niet had geholpen.

Er was er ook een van een man uit Kaapstad die acht maanden eerder een hart via het bedrijf had gekregen. Ook hij was uiterst tevreden en gaf zijn telefoonnummer door.

· De derde was eveneens uit Amerika, en die was erg ontroerend; hij was van de zus van een twintigjarig meisje uit Madison in Wisconsin dat een nier had gekregen en ze schreef dat Lynn haar altijd kon bellen. De vierde was van een Zweedse vrouw, uit Stockholm, wier dertigjarige man een hart en longen had gekregen. De vijfde van een vrouw in Manchester, wier dochter van achttien een jaar geleden een lever had ontvangen. Ze had haar vaste en haar mobiele nummer erbij gezet.

Lynn, die nog in haar ochtendjas rondliep, nam een slok thee. Ze had van de spanning bijna geen oog dichtgedaan. Caitlin was op een gegeven moment in tranen haar kamer in gekomen omdat ze zo'n vreselijke jeuk had. Haar benen en armen waren rood van het krabben. Toen ze haar weer in bed had gestopt, had ze wakker gelegen en goed nagedacht.

Ze vond het heel wat om Lukes geld aan te nemen. En dat gold ook voor haar moeders spaarcentjes. Het geld van Mal baarde haar de minste zorgen, omdat Caitlin per slot van rekening ook zijn dochter was. Maar stel dat de lever niet aansloeg? In het contract, dat ze samen met Frau Hartmann had doorgenomen en dat de vrouw had achtergelaten, stond dat afstoting van het orgaan binnen de garantie viel. Zolang dat binnen een halfjaar plaatsvond, zou er zonder extra kosten voor een andere lever worden gezorgd.

Maar dat wilde nog niet zeggen dat de transplantatie goed zou verlopen.

En stel dat het wel gebeurde, dan kwam er nog het probleem bij dat ze per jaar haar hele leven lang duizenden ponden kwijt zou zijn aan de medicijnen die moesten voorkomen dat de lever werd afgestoten.

Maar er was geen alternatief. Behalve dat ene dan, waar ze niet aan wilde denken.

Stel dat Marlene Hartmann een oplichtster was? Ze zou dan al het geld dat ze bijeen kon schrapen aan haar hebben gegeven en nog steeds met lege handen staan. Oké, ze had het bedrijf, stiekem vanaf haar werk de vorige dag, gecontroleerd en alles leek in orde. En inmiddels had ze ook getuigenissen van diverse mensen, met wie ze vast en zeker contact zou opnemen. Maar toch maakte ze zich vreselijke zorgen over de volgende stap: het ondertekenen van het contract en het overmaken van de helft van het geld – honderdvijftigduizend euro – naar München.

Breakfast was op tv, ze had het geluid uitgezet. De presentatoren zaten op een bank met een gast te praten en te lachen, een of andere mooie, jonge vrouw van in de twintig, die haar vaag bekend voorkwam, maar die ze niet echt kon plaatsen. Ze had donker haar en was net zo slank als Caitlin. Ineens zag ze Caitlin daar op die bank met de presentatoren zitten praten en lachen. Dat ze hun vertelde dat ze bijna was overleden, maar dat het haar lekker was gelukt om toch te blijven leven!

Misschien zou Caitlin wel een ster worden. Dat zou best kunnen. Ze was erg knap, ze viel op. Ze had een sterke persoonlijkheid. Als ze weer gezond was, zou ze alles kunnen doen wat ze maar wilde.

Als.

Lynn keek op haar horloge en maakte snel een berekening.

'In Wisconsin is het zo'n zes of zeven uur vroeger dan hier, toch?'

Luke knikte bedachtzaam. 'Dat geldt ook voor Phoenix.'

'Dus is het daar midden in de nacht. Ik wil erg graag met een van die moeders spreken. Ik bel haar vanmiddag wel.'

'Die moeder in Manchester heeft een dochter van dezelfde leeftijd. Haar zou je nu al kunnen bellen. Het lijkt mij wel slim om haar als eerste te spreken.'

Lynn keek hem aan, en opeens, dwars door haar vermoeidheid en emotionele gemoedstoestand heen, voelde ze een diepe genegenheid voor hem.

'Daar heb je gelijk in,' zei ze, en ze toetste meteen het vaste nummer van de vrouw in. Na zes keer overgaan nam het antwoordapparaat op. Ze belde het mobiele nummer.

Ze hoorde bijna meteen een klik, gevolgd door een hoop herrie, alsof de vrouw in een auto zat.

'Hallo?' zei ze met een zwaar Manchester-accent.

Lynn stelde zichzelf voor en bedankte de vrouw voor haar e-mail.

'Ik breng net de kleintjes naar school,' zei ze. 'Ik ben over twintig minuten weer thuis. Zal ik je dan terugbellen?'

'Graag.'

'Meid, maak je maar geen zorgen, hoor. Marlene Hartmann is een kanjer. Je mag gerust langskomen om Chelsey te ontmoeten. Ze zal met je praten en je vertellen wat voor ellende ze allemaal bij de nationale gezondheidszorg heeft meegemaakt. Ik heb ook foto's die je kunt zien. Kan ik over twintig minuten terugbellen, meid?'

'Heel graag, dank u wel!' zei Lynn.

Ze legde de hoorn neer, en de hoop laaide in haar op.

78

Glenn Branson reed over de ringweg van Shoreham Airport en door de krachtige wind schudde de kleine Hyundai heen en weer. Hij kwam langs een stel helikopters op de grond en zag in de verte een tweemotorig vliegtuigje dat een landing ging maken op de daarvoor bestemde grasstrook. Hij draaide naar rechts, ging achter de hangars om, en reed naar het verbouwde pakhuis met eromheen een traliehek, waar het Gespecialiseerde Zoekteam in gevestigd was. Het klokje in de auto gaf aan dat het één minuut over half-een was.

Even later bevond hij zich in de volle vergaderzaal, die ook dienstdeed als kantine en gezamenlijk kantoor, met een beker koffie naast zich, terwijl hij een kopie van een zeekaart die Ray Packard voor hem had gemaakt op de grote tafel uitspreidde.

Aan de muur hingen kaarten, houten schildjes, een whiteboard, enkele ingelijste foto's van het team en een certificaat van betoonde moed. Door het raam keek je uit op het parkeerterrein en een saaie, grijze metalen wand van het pakhuis daarachter. Op het raamkozijn stond een vissenkom, met daarin een enkele goudvis en een speelgoedduiker.

Smurf, Jonas, Arf en de Windbuil zaten al. De jonge vrouwelijke brigadier had een dichtgerits zwart fleece jasje aan, waarop het woord POLITIE was geborduurd met daarboven het logo van de politie van Sussex. De drie mannen droegen een blauw overhemd met korte mouwen en epauletten waar hun nummer op stond.

Gonzo, die ook een fleece jasje aanhad, kwam de kamer in lopen en gaf Glenn Branson een stevige papieren zak. 'Voor het geval dat.'

De anderen grinnikten.

Glenn vroeg verwonderd: 'Voor het geval wat?'

'Dat je moet kotsen,' zei Gonzo.

'Het gaat aardig tekeer daarbuiten!' zei Jonas.

'Ja, en als het erg winderig is,' zei de Windbuil, 'beweegt dit gebouw een tikje heen en weer, en omdat je – nou ja, je weet wel – toen je met ons mee-ging...'

Tania Whitlock glimlachte Glenn vriendelijk toe terwijl haar team hem pestte.

'Goh, grappig, hoor,' zei hij.

'We hebben gehoord dat je bij ons wilt komen werken, Glenn,' zei Arf. 'Omdat je zo hebt genoten toen je bij ons was.'

'Ik moet opeens denken aan *Muiterij op de Bounty*,' zei Glenn.

'Goed, Glenn,' zei Tania Whitlock, 'wat heb je voor ons?'

Op de kaart was een gedeelte van de kust van Worthing tot Seaford te zien. Er stonden drie met de hand getrokken rode cirkels op, waar A, B en C bij was geschreven, die vrij ver van elkaar af lagen. Een gestippelde groene lijn gaf de koers vanaf Shoreham-Haven naar zee aan, en kwam uit bij een kinderlijke tekening van een bootje, waarnaast iemand DAS BOOT had geschreven. Er was ook nog een grote blauwe boog.

'Oké,' zei Branson. 'Jim Towers, de schipper van de Scoob-Eee, had een mobieltje van O_2. De drie rode cirkels geven aan waar in dat gedeelte van de kust zendmasten staan van O_2. Het telefoonbedrijf heeft ons een diagram verstrekt, dat we hierop hebben aangegeven, van de signalen die op vrijdagavond van Towers mobieltje zijn ontvangen, tussen vijf voor negen, toen de havenloods en een schipper hem hebben gezien toen hij door de sluis ging, en om acht over tien toen het laatste signaal werd ontvangen.'

'Glenn, waren dat telefoontjes die Jim Towers heeft gepleegd?' vroeg brigadier Whitlock.

'Nee, Tania. Als de telefoon stand-by is, stuurt die om de twintig minuten een signaal naar een zendmast, eigenlijk net als jij, toen ik met jullie mee was, van tijd tot tijd de kustwacht je positie doorgaf, oké?' legde hij uit, trots op de vergelijking. 'Het is net als even laten weten waar je bent. Technisch gesproken wordt dit een locatieherziening genoemd.'

Iedereen knikte.

'Het signaal wordt door de dichtstbijzijnde mast opgepikt, tenzij het daar te druk is, dan wordt het doorgesluisd naar de volgende. Als er meer dan één mast in de buurt is, kan het zelfs door twee of door drie masten worden opgepikt.'

'Godver, Glenn,' zei Arf. 'We wisten niet dat je behalve een topzeeman ook nog een telefoongenie was.'

'Rot op!' reageerde hij met een brede grijns. Hij ging door met zijn verhaal en zei: 'Dat is hier dus ook gebeurd. Nadat de boot Shoreham-Haven had verlaten, werd de eerste locatieherziening door de mast in Shoreham en die in Worthing opgepikt.' Hij wees naar de A en de B. 'Twintig minuten later werd het tweede signaal ook door deze twee opgepikt. Maar het derde, ongeveer een uur nadat hij de haven was uitgevaren, werd ook door de derde opgepikt, even ten oosten van de jachthaven van Brighton.' Hij wees naar de C.

'Dus weten we dat Towers een zuidoostelijke koers aanhield, en dat hebben we zo goed mogelijk met die groene stippellijn aangegeven.'

'Mooie film, *Das Boot*,' zei Gonzo.

'En hier wordt het pas echt interessant,' zei Glenn, die net deed of hij hem niet had gehoord.

'O, fijn!' zei de Windbuil. 'Daar zaten we op te wachten, want we zaten ons tot nu toe stierlijk te vervelen!'

De rechercheur wachtte geduldig tot iedereen was uitgelachen.

'Het tijdverschil kan nul tot drieënzestig zijn,' ging Glenn door, die zich niets van hun melige gedoe aantrok. 'Als het bereik daar maximaal tweeëndertig kilometer is, moeten we dat in drieënzestig stukjes verdelen zodat we tot op zo'n halve kilometer kunnen uitrekenen waar ze zaten.'

'Oké,' zei Gonzo. 'Als ik dit goed begrijp, kun je hiermee de koers waarin de boot voer bepalen. Dus dit is de laatst bekende locatie voordat hij buiten bereik kwam?'

Glenn Branson schudde zijn hoofd.

'Nee, volgens mij is hij niet buiten bereik geweest.'

Hij keek op. Iedereen keek bedenkelijk.

'Hier werd het laatste signaal, de laatste locatieherziening, uitgezonden,' zei hij, 'Op zee hebben de masten ongeveer een halve kilometer bereik. Maar ik heb gehoord dat de mobieletelefoonbedrijven waar mogelijk de masten aan de kust zo hoog mogelijk maken, zodat ze telefoontjes van buitenlandse schepen kunnen oppikken. Het bereik is dus wel wat groter, misschien zelfs vijftig kilometer.'

Gonzo rekende iets uit op een kladblok.

'Nou,' zei Glenn, 'jullie kennen allemaal de Scoob-Eee. Dat is geen snelle boot, de maximumsnelheid is hooguit tien knopen, zo'n dertien kilometer per uur. Toen dit laatste signaal werd opgevangen, zat hij pas negentig minuten op zee, en hij had geen rechte koers gevaren, zodat hij ongeveer zestien kilometer weg was, dus nog ruim binnen bereik.'

Iedereen dacht daar even over na. Tania Whitlock verbrak de stilte.

'Het kan zijn dat zijn batterij leeg was, Glenn,' stelde ze voor.

'Dat zou inderdaad kunnen, maar hij was een ervaren schipper en de telefoon was belangrijk voor hem. Denk je dat hij het risico zou lopen om eropuit te gaan zonder een oplader of nieuwe batterijen?'

'Hij zou overboord kunnen zijn geslagen,' opperde Gonzo.

'Kan ook,' gaf Glenn toe. 'Maar niet erg geloofwaardig bij zo'n doorgewinterde schipper.'

Gonzo haalde zijn schouders op. 'Ja, Towers wist wel waar hij mee bezig was, maar een ongeluk zit in een klein hoekje. Wat denk jij dan dat er gebeurd is?'

Branson keek hem uitdrukkingsloos aan. 'Misschien is zijn schip gezonken?'

'Aha, nu snap ik het!' zei Arf. 'Jij wilt dat we ernaar gaan zoeken, hè?'

'Goh, wat zijn jullie snel!' zei Branson.

'Het is een stevige boot, berekend op zwaar weer,' zei de Windbuil. 'Het lijkt me niet erg waarschijnlijk dat hij gezonken is.'

'Averij misschien?' zei Branson. 'Een aanvaring? Een brand? Sabotage? Of zelfs iets ergers.'

'Zoals wat, Glenn?' vroeg Tania.

'De hele reis is absurd,' zei Branson. 'Ik heb met zijn vrouw gesproken. Op vrijdagavond zouden ze hun trouwdag vieren. Ze hadden gereserveerd in een restaurant. Hij had geen enkele klant voor een vistripje geboekt. Maar in plaats dat hij naar huis gaat, stapt hij op zijn boot en kiest hij de woelige wateren.'

'Ach, ik snap dat wel,' zei Arf. 'Als je moet kiezen tussen eten met je vrouw of lekker in je eentje de zee op, zou ik het wel weten.'

Ze grinnikten. Tania, die pas een paar maanden getrouwd was, deed iets minder enthousiast mee dan haar collega's.

Gonzo wees door het raam. 'Er staat daar windkracht negen momenteel. Weet je wel hoe dat op zee is?'

'Een klein beetje deining, zou ik zo zeggen.' Glenn keek Gonzo vragend aan.

'Als jij wilt dat we eropuit gaan, vriend, dan gaan we,' zei de Windbuil. 'Maar jij gaat wel mooi mee dan.'

79

Lynn zat ongeduldig met haar headset op aan haar bureau van de Wrekende Wespen. Ze wierp een blik op de kalender die rechts naast haar monitor op de rode verbindingsmuur geprikt zat.

Nog drie weken tot Kerstmis, dacht ze. Ze had zich nog nooit zo onvoorbereid – of ongeïnteresseerd – gevoeld. Er was maar één kerstcadeau dat ze echt wilde.

Sue Shackleton, haar beste vriendin, had gezegd dat ze al heel snel tienduizend pond bij elkaar kon schrapen. Dan kwam ze nog vijftienduizend pond tekort.

Op dit moment was Luke bij zijn bank alles aan het regelen om honderdvijftigduizend euro naar Marlene Hartmann van de Transplantation-Zentrale over te maken. Maar het geld werd pas overgemaakt nadat ze de referenties waren nagegaan.

Tot dusver ging alles goed. Ze had met de vrouw in Manchester, Marilyn Franks heette ze, gesproken. De levertransplantatie van haar dochter had in een kliniek in Sussex plaatsgevonden, vlak bij Brighton, en was volkomen geslaagd. Marilyn Franks kon Marlene Hartmann niet genoeg de hemel in prijzen.

Dat ging ook op voor de man in Kaapstad. Er waren aanvankelijk wat complicaties geweest, maar de nazorg, zo had hij Lynn verzekerd, was veel beter geweest dan hij voor mogelijk had gehouden. De Zweedse vrouw in Stockholm, wier man een hart-longtransplantatie had ondergaan, was niet zo enthousiast. Ook die twee operaties waren in een plaatselijke kliniek uitgevoerd.

Het was nog te vroeg om naar Amerika te bellen, maar na wat ze allemaal al had gehoord, was Lynn al overtuigd. Toch was ze het met name aan Luke verschuldigd om ook dat telefoontje nog te plegen. Ze zouden geen tweede kans krijgen.

Hopelijk zou in de loop van deze middag, of op zijn laatst de volgende morgen, nadat ze met de twee andere referenties had gesproken, de helft van het geld zijn overgemaakt. De rest zou contant worden overhandigd op de dag van de transplantatie zelf. Zo had ze nog een paar dagen de tijd om die ontbrekende vijftienduizend bij elkaar te krijgen.

Ze had de Duitse vrouw gevraagd wat er zou gebeuren als ze geld tekort-kwam en Marlene was daar heel duidelijk over geweest. Het was alles of niets.

Vijftienduizend. Dat was nog steeds een hele hoop geld, en al helemaal omdat ze het binnen een week, en misschien zelfs korter, bij elkaar moest krijgen. Bovendien was de wisselkoers van pond naar euro ongunstig, waar-door het tekort zelfs nog groter zou worden.

Zodra Luke het geld had overgemaakt, ging de klok lopen. In de dagen daarna kon Lynn elk moment een telefoontje van de Duitse krijgen, waarna Caitlin en zij misschien maar twee uur de tijd zouden krijgen voordat ze opgehaald werden en naar de kliniek werden gebracht. Marlene had duide-lijk uitgelegd dat je niet van tevoren wist wanneer er een ongeluk plaatsvond waardoor er een geschikt orgaan beschikbaar kwam.

Ze keek om zich heen. Er stonden hier en daar al wat kerstkaarten en wat kerstversieringen en hulst. Maar er werkten een paar moslims voor het be-drijf en het was verboden om Kerstmis openlijk te vieren, om mensen met een ander geloof niet voor het hoofd te stoten. Dus ook dit jaar zouden er geen mooie kerstversieringen zijn, en ook geen officiële kerstlunch.

Het jaar daarvoor was ze daar laaiend over geweest, maar dit jaar kon het Lynn niets schelen. Ze gaf nog maar om één ding. Het was inmiddels vijf voor één. Om precies één uur gingen alle collega's van de Wrekende Wespen lunchen. Het punt was dat Katie en Jim, die naast haar zaten, als ze toevallig meeluisterden alles konden verstaan wat ze zei en dat gold ook voor Liv Thomas, hun teammanager.

Op het scherm aan de muur was te zien dat de bonus tot veertienhonderd-vijftig pond was gegroeid. Het gegraai voor Kerstmis was begonnen, nog snel even wat geld van de cliënten zien te krijgen voordat alles aan cadeau-tjes en drank opging.

Ze deed haar best om zich weer op haar werk te richten, maar de bonus kon ze deze week toch wel vergeten, en ze toetste het volgende nummer van haar lijst in. Na een paar tellen nam een vrouw op die zo te horen dronken was.

'Mevrouw Hall?' vroeg Lynn.

'Met wie spreek ik?'

'Met Lynn, van Denarii. Het is ons opgevallen dat u afgelopen maandag uw afbetaling hebt overgeslagen.'

'Ja, nou, het is Kerstmis, toch? Ik moet van alles kopen. Wat moet ik mijn kinderen anders vertellen? Dat ze dit jaar geen cadeautjes krijgen omdat ik Denarii moet afbetalen?'

'We hadden een overeenkomst, mevrouw Hall.'

'Ja, nou, kom anders maar hierheen en leg dat aan mijn kinderen uit.'

Lynn sloot even haar ogen. Ze hoorde de vrouw een slok van het een of ander nemen. Ze had de moed niet om daar iets over te zeggen.

'Hebt u enig idee wanneer u weer verder kunt gaan met afbetalen?'

'Zegt u het maar. En mijn huis dan? En hoe zit het met de bijstand? Waarom gaat u niet met hen praten?'

De vrouw was inmiddels vrijwel onverstaanbaar en wat ze zei raakte kant noch wal.

'Ik bel u morgen wel terug, mevrouw Hall.'

Lynn hing op.

Jim, die rechts van haar zat, een kleine noorderling van een jaar of dertig, zette zijn headset af en zuchtte diep.

'Godallemachtig,' zei hij. 'Wat hebben mensen tegenwoordig toch?'

Lynn glimlachte meelevend naar hem. Hij stond op.

'Ik ga ervandoor. Ik heb wel zin in een drankje. Ga je mee? Ik trakteer.'

'Bedankt, Jim, maar ik kan niet. Ik moet doorwerken.'

'Wat jij wilt.'

Lynn was blij toen ze zag dat Katie, een mollige vrouw van in de veertig met rood haar, ook haar headset afzette en haar handtas pakte.

'Oké,' zei ze. 'Op naar de winkelstrijd!'

'Veel succes,' zei Lynn.

Even later zag ze dat de teammanager haar jas aantrok. Lynn deed net of ze haar e-mails las en wachtte tot ze alle drie de kamer uit waren, voordat ze het cliëntenbestand erbij haalde en een nummer opschreef.

Zodra ze weg waren, zette ze haar headset af, pakte ze haar mobieltje uit haar handtas, gaf aan dat haar nummer niet mocht worden getoond, en toetste toen het nummer in van haar meest gehate cliënt.

Hij nam behoedzaam, na drie keer overgaan, op.

'Ja?' zei hij, met zijn zware, stroperige stem.

'Met Reg Okuma?'

'Met wie spreek ik?'

Fluisterend zei ze: 'Met Lynn Beckett, van Denarii.'

Hij veranderde op slag van toon. 'De mooie Lynn! Bel je me omdat je heerlijke seks met me wilt?'

'Nou, ik bel u om u te helpen met uw kredietbepaling. We hebben een speciale kerstaanbieding voor onze cliënten. U bent bij drie verschillende creditcardbedrijven zevenendertigduizend en vijfhonderd pond schuldig, plus rente, toch?'

'Volgens jou wel, ja.'

'Als u nu meteen vijftienduizend pond cash kunt betalen, schrijven we de rest van de schuld voor u af, zodat u het nieuwe jaar met een schone lei kunt beginnen.'

'Echt waar?' vroeg hij ongelovig.

'Dat geldt alleen voor Kerstmis. Dat doen we voor onze eindejaarcijfers. Als we alles met bepaalde grote cliënten afgesloten hebben, is dat gunstig voor ons.'

'Het is een heel mooi aanbod.'

Lynn wist dat hij het geld had. Hij betaalde al tien jaar lang zijn schulden niet. Hij deed altijd zaken waarbij contant geld werd gebruikt – ijscowagens en eetkraampjes – en kreeg vervolgens diverse creditcards, waarvan hij de maximale hoeveelheid geld opnam. Dan beweerde hij dat hij geen geld had. Lynn schatte hem op zo'n paar honderdduizend pond in contanten die hij ergens had verstopt. Vijftienduizend betekende niets voor hem. En het was een koopje.

'U zei gisteren dat u een aantal voertuigen voor uw nieuwe zaak wilde kopen, en dat u geen krediet kon krijgen.'

'Klopt.'

'Dus hier zou u mooi mee geholpen zijn.'

Het was een hele tijd stil.

'Meneer Okuma, bent u daar nog?'

'Ja, mijn allermooiste. Ik luister graag naar je ademhaling. Daar kan ik beter door nadenken en ik word er geil van. Dus als ik... eh... dat geld bij elkaar kan krijgen –'

'Contant.'

'Moet het per se contant zijn?'

'Ik bied u een grote gunst aan. Ik steek mijn nek uit om u te helpen.'

'Ik zou je er graag voor bedanken, mijn mooie Lynn. Misschien in bed?'

'Geeft u nu maar eerst het geld.'

'Ik denk dat die hoeveelheid geld... wel zal lukken. O, ja. Hoeveel tijd krijg ik ervoor?'

'Vierentwintig uur.'

'Ik bel je zo meteen terug.'

'Bel me op dit nummer,' zei ze, en ze gaf hem haar mobiele nummer op.

Toen ze de verbinding verbrak, begon ze te trillen.

80

Grace schreef de datum en de tijd op zijn schrijfblok – donderdagavond 4 december, halfzeven – en keek toen de lange agenda door die zijn secretaresse voor de veertiende vergadering van operatie Neptunus had uitgetikt.

Enkele leden van zijn team, onder wie Guy Batchelor, Norman Potting en Glenn Branson, waren druk aan het kletsen over een omstreden scheidsrechtersbeslissing in de voetbalwedstrijd van de avond ervoor. Grace, die meer van rugby hield, had er niet naar gekeken.

'Goed,' zei hij terwijl hij zijn hand opstak, 'de aftrap, graag.'

'Da's een goeie,' zei Glenn Branson.

'Wil je soms een gele kaart?'

'Die wil je me vast niet meer geven als je hoort wat ik heb ontdekt. Wil je soms dat ik als eerste aftrap?'

Met een grijns zei Roy Grace: 'Ga je gang.'

'Oké, nou...' – Branson pakte een stapel briefjes op – 'de jongens van het Gespecialiseerde Zoekteam hebben vanmiddag het gebied bestreken waar de Scoob-Eee voor het laatst is gezien. Hoewel het rotweer was, hebben ze iets op de zeebodem ontdekt wat ongeveer net zo groot is als de Scoob-Eee. Het heeft de vorm van een boot, ligt ongeveer dertig meter onder water, ongeveer twintig kilometer ten zuiden van Black Rock. Het kan natuurlijk een oud wrak zijn, maar ze gaan daar, als het weer het toestaat, morgen duiken om een kijkje te nemen.'

'Ga je met ze mee, Glenn?' vroeg brigadier Mantle.

'Nou...' zei hij aarzelend. 'Als ik het voor het zeggen heb, liever niet.'

'Ik denk dat je beter mee kunt gaan,' zei ze. 'Voor het geval ze iets ontdekken.'

'Ze hebben toch niets aan me, want ik lig alleen maar op mijn rug over te geven.'

'Je kunt beter op je zij of op je buik liggen als je aan het kotsen bent,' merkte Potting op. 'Anders kun je nog stikken.'

'Bedankt voor de goede raad, Norman, daar heb ik iets aan,' antwoordde Glenn.

'Ik maak me zorgen over het nut,' kwam Grace tussenbeide. 'Afgezien van het feit dat de Scoob-Eee is gebruikt om twee van de lijken te bergen: is er verder nog iets waarmee de verdwijning ervan in verband met ons onderzoek kan worden gebracht, zodat het verantwoord is dat Glenn er weer veel tijd in steekt?'

Mistroostig, als iemand die zijn eigen beul een handje helpt, zei Glenn: 'Ja, want ik heb de uitslag van het lab gekregen over het DNA op de twee peuken die ik in Shoreham-Haven heb gevonden. Weet je nog dat ik heb genoteerd dat iemand die vrijdagochtend de Scoob-Eee in de gaten hield?'

Grace knikte.

'Nou, de nationale databank in Birmingham laat weten dat het DNA overeenkomt met dat van iemand die ze onlangs op verzoek van Europol hebben toegevoegd. Hij staat onder twee verschillende namen bekend. Hij noemt zichzelf hier Joe Baker, maar zijn echte naam is Vlad Cosmescu, en hij is afkomstig uit Roemenië.'

Grace dacht even na. Joe Baker. De eigenaar van de zwarte Mercedes die hij die ochtend tijdens het joggen had gezien. Toeval of niet?

'Dat is interessant,' zei Bella Moy. 'Zijn naam kwam ook naar voren als pooier voor twee meisjes die onlangs uit Roemenië over zijn gekomen.'

'Die man komt nog eens ergens,' zei Grace, terwijl hij een paar vellen papier uit een gele envelop haalde. 'Die genieën van Dactyloscopie hebben een paar afdrukken van een buitenboordmotor kunnen halen die een tijd in zee heeft gelegen. Ze hebben daar een nieuwe techniek voor toegepast, en er vanmiddag van Europol een naam bij gekregen. Raad eens van wie ze zijn?'

'Van onze goede vriend Vlad de Spietser?' deed Guy Batchelor een gok.

'Goed geraden!' zei Grace.

'Pakken we hem op?' vroeg Norman Potting. 'Alle Roemenen zijn boeven, ja toch?'

'Lekker racistisch,' zei Bella ijzig.

'Nee, het is gewoon zo.'

'En waarom zou jij hem oppakken, Norman?' zei Grace. 'Omdat hij een sigaret gerookt heeft? Of omdat hij een buitenboordmotor in zee heeft gegooid? Of omdat hij een Roemeen is?'

Potting sloeg zijn ogen neer en mompelde iets onverstaanbaars.

'Had de Scoob-Eee een buitenboordmotor, Glenn?' vroeg E.J.

'Niet dat ik gezien heb, nee.'

'Weten we waar deze Baker/Cosmescu woont?'

Bella zei: 'Hij zit al jaren in de bordeelbusiness, Roy. We moeten zijn adres vrij gemakkelijk kunnen achterhalen.'

'Gaan we met hem praten?' vroeg brigadier Mantle.

'Nee, voorlopig blijft hij gewoon iemand die we in de gaten houden. Het lijkt me niet verstandig om nu al met hem te gaan praten. Als hij ergens mee bezig is, wordt hij daardoor afgeschrikt. Maar we kunnen hem wel laten volgen.' Hij keek in zijn aantekeningen. 'Goed, hoe ver zijn we inmiddels met het punt "acties"?'

'Twee agenten zijn bij alle toeleveranciers geweest in dit gebied die pvc-zeil verkopen. Tot nu toe nog geen resultaat,' zei David Browne.

'Nick en ik zijn gisteren naar twaalf bordelen geweest,' zei Bella Moy terwijl ze een Malteser pakte.

'Dan ben je zeker wel afgepeigerd, Nick!' zei Norman Potting.

Nicholl bloosde en glimlachte flauwtjes. Grace onderdrukte een grijns. Potting had zich de afgelopen dagen ingehouden, wat waarschijnlijk kwam door zijn huwelijksproblemen. Het was wel een opluchting. Potting was een prima politieman, maar tijdens de zaken waarbij ze onlangs hadden samengewerkt had Grace een paar keer op het punt gestaan om de rechercheur wegens zijn beledigende opmerkingen te ontslaan.

Hij wendde zich tot Bella en vroeg: 'En? Leverde het iets op?'

Ze wierp een blik op Nick Nicholl ter bevestiging en antwoordde: 'Niets, behalve Cosmescu dan. We hebben geen enkel meisje gesproken dat zich ellendig voelde.'

'Heerlijk toch dat het in onze bordelen zo prettig toeven is,' merkte Grace sarcastisch op.

'We gaan er vandaag mee door,' zei ze.

Met weer een blik op zijn aantekeningen, vroeg Grace aan Potting: 'Al iets van die vriend in Roemenië gehoord?'

'Ian Tilling heeft me een uur geleden gemaild. Hij gaat vanavond ergens achteraan. Morgen krijg ik daar meer over te horen.'

Grace schreef iets op.

'Mooi. Dank je wel. Hoe zit het met mensen die op een transplantatielijst stonden en eraf zijn gegaan?'

'Daar ben ik al de hele dag mee bezig, Roy,' zei Potting. 'Ik heb het vermoeden dat het nergens toe leidt. Ten eerste hebben we de hippocratische eed die ons tegenwerkt: de goeie ouwe vertrouwelijke gegevens van patiënten. Ten tweede: de manier waarop het is opgezet. De transplantatielijsten zijn niet zo eenvoudig als ze lijken. Ik heb met een behulpzame leverconsulent in het Royal South gesproken, een van de grootste ziekenhuizen waar levertransplantaties worden uitgevoerd. Hij zei dat ze elke week op woensdagmiddag vergaderen en de lijst opnieuw bekijken. Omdat er maar zo weinig donoren zijn, wordt de lijst elke keer weer naar urgentie aangepast. Zo gaat het ook bij de andere ziekenhuizen hier in Engeland. We zouden voor iedereen naar de rechter moeten stappen om hun gegevens in te mogen zien. We hebben iemand nodig die toegang heeft.'

'Zoals?' vroeg Grace.

'Een transplantatiechirurg die het vertrouwen van andere medici heeft,' zei Potting. 'Iemand die bij de gegevens kan.'

'Ik weet misschien wel iemand,' zei Emma-Jane Boutwood. 'Ik ben op internet aan het zoeken naar misnoegde transplantatieconsultants of -chirurgen. Iemand die openlijk kritiek heeft op hoe het eraan toegaat.'

'Op welke manier openlijk kritiek hebben?' wilde brigadier Mantle weten.

'Nou, een chirurg bijvoorbeeld die het niet onethisch vindt om organen te kopen,' zei de jonge hoofdagent. 'En ik heb iemand gevonden – hij heet sir Roger Sirius – die al bij verschillende links voorkomt.'

Ze keek Grace aan, die haar bemoedigend toeknikte.

'Sirius is een interessante mogelijkheid. Hij is door een van de pioniers van de levertransplantatie in Engeland opgeleid. Vervolgens werkte hij als specialist voor het Royal South. Hij voerde campagne om de wetten voor orgaandonatie te veranderen, hij wilde dat de organen automatisch werden verwijderd als iemand stierf, tenzij die persoon had aangegeven dat niet te willen. Zo doen ze dat ook in Spanje. Nog interessanter is dat hij na een ruzie hierover met vervroegd pensioen het Royal South heeft verlaten. Hij is toen naar het buitenland vertrokken.'

Ze keek even naar haar aantekeningen.

'Hij staat op een paar websites over Colombia, en dat land doet aan orgaanhandel. Daar heeft hij een tijdje gewerkt. En nu zit hij opeens in Roemenië.'

'In Roemenië?' vroeg Grace.

E.J. knikte en ging door. 'Hij leeft op grote voet. Heeft zijn eigen helikopter, dure auto's en een kolossaal landhuis in Sussex, vlak bij Petworth.'

'Interessant,' zei brigadier Mantle, 'dat hij in Sussex een huis heeft.'

'Vier jaar geleden maakte hij een uiterst bittere en dure scheiding door, en nu is hij getrouwd met een voormalige Miss Roemenië. Meer heb ik momenteel niet.'

Het bleef een tijd stil, en toen zei Grace: 'Goed gedaan, E.J. We moeten maar eens bij hem langsgaan.'

Hij dacht even na. Hoewel hij er weinig ervaring mee had, zag hij specialisten als opgeblazen mensen met een hoog inkomen. Guy Batchelor, die op kostschool had gezeten, zou misschien zonder problemen met iemand als sir Roger Sirius kunnen praten. Het sloot ook mooi aan bij waar Batchelor mee bezig was.

Hij wendde zich tot de rechercheur. 'Guy, op dit gebied ben jij al bezig. Het lijkt mij het best als jij met E.J. mee gaat.'

'Goed, baas.'

'Zeg maar dat we de dood van drie tieners onderzoeken die volgens ons betrokken zijn bij orgaanhandel en vraag hem of hij weet waar we dat soort mensen moeten zoeken. Vlei hem een beetje, steek een veer in zijn kont, en hou hem scherp in de gaten. Ik wil weten hoe hij reageert.'

Toen keek hij weer in zijn aantekeningen. 'Dat telefoonnummer in Duitsland dat ik had gekregen. Heeft iemand daar al iets mee gedaan?'

Jacqui Phillips, een van de onderzoekers, stak haar hand op. 'Ja, ik, Roy. Ik heb een adres in Patcham voor je en de naam van de abonnee van dat telefoonnummer. Maar er was nog iets, en dat heb ik al aan brigadier Mantle doorgegeven.'

Lizzie haakte daarop in en zei: 'Dat had je goed opgemerkt, Jacqui. Degene die daar woont is een zekere mevrouw Lynn Beckett. Het viel Jacqui op dat haar achternaam overeenkomt met die van een van de bemanningsleden van de Arco Dee, het baggerschip dat het eerste lijk heeft opgedregd. Nick en ik hebben de bemanningsleden toentertijd gesproken, dus zijn we vanmiddag weer teruggegaan, toen het schip zijn lading aan het lossen was in de haven. We kregen te horen dat Lynn Beckett de ex-vrouw is van het hoofd van de machinekamer, Malcolm Beckett. Een van de bemanningsleden wist me te vertellen dat hij momenteel nogal bedroefd was omdat zijn dochter ziek is. Hij wist niet precies wat er aan de hand was, maar hij dacht dat het iets met haar lever was.'

'Haar lever?' herhaalde Grace.

Ze knikte.

'Heb je verder nog iets ontdekt?'

De brigadier schudde haar hoofd. 'Nee. Malcolm Beckett was behoorlijk op zijn hoede, wat mij betreft iets te veel.'

'Hoezo?'

'Ik had het gevoel dat hij iets te verbergen had.'

'Wat dan?'

'Hij bleef maar zeggen dat zijn dochter bij zijn ex-vrouw woonde en dat hij haar maar zelden zag en dat hij niet precies wist wat er met haar aan de hand was. Dat leek me niet erg waarschijnlijk, omdat hij de vader is. Bovendien faalde hij voor de ogentest van inspecteur Grace.'

Grace glimlachte.

'Zullen we de telefoon afluisteren, Roy?' vroeg David Browne.

'Nou, daar hebben we nog niet genoeg voor momenteel, maar ik denk dat

337

we wel genoeg hebben om de lijst te kunnen krijgen met welke telefoontjes er op dit nummer binnenkomen.'

'Ik neem aan dat Lynn Beckett ook een mobieltje heeft,' opperde Guy Batchelor.

'Ja, een van jullie moet contact opnemen met de mobieletelefoonbedrijven, om te zien wat er op die naam en dat adres bekend is aan mobieltjes.' Hij wierp nog een blik op zijn aantekeningen. 'Ik ga morgen naar München, maar ik ben 's avonds weer terug, dus brigadier Mantle heeft in die tijd de leiding. Nog vragen?'

Die waren er niet. De vergadering werd beëindigd en Glenn Branson kwam Roy Grace achterna terwijl hij door de wirwar van gangen terugliep naar zijn kantoor. Ze bleven voor een op een spinnenweb lijkend schema staan dat op een rood vilten bord geprikt zat en de kop MEEST VOORKOMENDE MOTIEVEN droeg.

'Hé, ouwe,' zei hij. 'Ga je soms vanwege Sandy naar München?'

Grace schudde zijn hoofd. 'Nee hoor. Ik heb een afspraak met die orgaanhandelaarster, ik ga net doen of ik een klant ben. En terwijl ik daar ben, mag ik van mijn vriend bij het LKA stiekem een paar dossiers inzien.'

Op het schema achter Glenns hoofd las Grace de woorden *lust*, *machtsconflict*, *haat*, *wraak*.

Glenn keek hem strak aan. 'Weet je zeker dat het alleen maar daarom gaat? Want... nou ja, we hebben het al een tijdje niet meer over Sandy gehad, en nu ga je opeens weer naar de stad waar ze voor het laatst is gezien.'

'Ze was daar niet echt, Glenn. Wil je weten wat ik denk?'

'Je hebt me nog nooit verteld wat je echt denkt. Zullen we wat gaan drinken?'

Grace keek op zijn horloge. 'Ik moet even naar huis om wat kleren op te halen, en ik moet eerst nog een halfuur werken. Waar wil je naartoe?'

'Waar we altijd naartoe gaan?'

Grace haalde zijn schouders op. In een stad vol met kroegen was de Black Lion niet zijn favoriet, maar het was dichtbij en er was een eigen parkeerterrein. Hij keek weer op zijn horloge.

'Ik ben daar om kwart voor acht. Maar het blijft bij één drankje.'

Toen Grace tien minuten later dan afgesproken aankwam, zat Glenn al aan een rustig tafeltje in de hoek, met een groot glas bier, een whisky met ijs en een kan water erbij voor Grace.

'Glenfiddich?' vroeg Branson.

'Heel goed.'

'Ik snap niet hoe je dat kunt drinken.'

'Nou, ik vind Guinness anders niet te zuipen.'

'Nee, ik bedoel dat Glenfiddich niet de beste single malt is, toch?'

'Klopt, maar ik vind het nu eenmaal het lekkerst. Zit je daarmee?'

'Heb je de film Whisky Galore wel eens gezien?'

'Over dat schip dat met een lading whisky voor de Schotse kust verging?'

'Goed hoor. Soms verbaas je me. Je bent toch niet helemaal een culturele onbenul. Ook al is je smaak in kleren en muziek waardeloos.'

'Ja, nou ja, ik kan natuurlijk niet helemaal volmaakt zijn.' Hij grinnikte. 'Maar hoe gaat het met jou? Hoe zit het met mevrouw Branson?'

'Nu even niet.' Glenn schudde zijn hoofd. 'Het is verdomme één doffe ellende.' Hij nam een slok. Toen veegde hij met de rug van zijn hand het schuim van zijn mond en zei: 'Vertel eens over München... en Sandy.'

Grace pakte zijn glas op en liet de ijsblokjes rondwalsen. Over de luidsprekers was 'Ring of Fire' van Johnny Cash te horen.

'Kijk, dat is nog eens echte muziek.'

Branson sloeg zijn ogen ten hemel.

Grace nam een slok en zette het glas neer.

'Volgens mij leeft Sandy niet meer, al heel lang niet meer. Het was dom om te blijven hopen. Het heeft me negen jaar van mijn leven gekost.' Hij haalde zijn schouders op. 'Al die helderzienden.' Hij nam nog een slok whisky. 'Weet je, de meesten zeiden dat ze geen contact met haar konden krijgen omdat ze nog geen geest was, dus nog niet was overgegaan.'

'Wat houdt dat in?'

'Dat ze nog niet in de geestenwereld leeft, dus nog niet dood is, en dat ze dus nog in leven moet zijn.' Hij nam weer een paar slokken en merkte opeens dat zijn glas al leeg was. Hij stak het omhoog en vroeg: 'Was dat wel een dubbele?'

Glenn knikte.

'Ik ga er nog een halen, een kleintje, dat mag nog voor de wet. Wil jij ook nog een klein glas?'

'Doe maar een grote. Ik ben een grote vent, ik kan het wel hebben!'

Grace kwam terug met de drankjes en ging zitten. Hij zag dat Branson zijn glas in de tussentijd had leeggedronken.

'Geloof je die helderzienden dus niet?' vroeg Branson. 'Jij geloofde toch in het paranormale?'

'Ik weet zo langzamerhand niet meer wat ik moet geloven. Ze is volgend jaar al tien jaar weg. Dat is lang genoeg. Ze is of echt dood of in elk geval dood voor mij. Als ze nog leeft en in al die tijd geen contact met me heeft opgenomen, zal ze dat ook niet meer doen.' Hij was even stil. 'Ik wil Cleo niet meer kwijt, Glenn.'

'Dat kan ik me voorstellen. Ze is een fantastische vrouw.'

'Als ik Sandy niet laat gaan, raak ik Cleo kwijt. Dat mag niet gebeuren.'

Glenn raakte voorzichtig met zijn vuist de wang van zijn vriend aan. 'Goed zo, zo heb ik je nog niet eerder horen praten.'

Grace knikte. 'Zo heb ik me nog niet eerder gevoeld. Ik heb mijn advocaat opdracht gegeven om haar officieel dood te laten verklaren.'

Glenn keek hem strak aan en zei: 'Weet je, het gaat niet alleen om het wettelijke gedoe, het gaat erom dat je er geestelijk aan toe bent. Ja toch?'

'Hoe bedoel je?'

Hij tikte op zijn slaap. 'Je moet het hier geloven.'

'Dat doe ik ook,' zei Grace en toen glimlachte hij weemoedig. 'Ik ben per slot van rekening politieman.'

81

Dokter Ross Hunter zat op de rand van Caitlins bed, terwijl Lynn beneden thee aan het zetten was voor hem.

Het was benauwd en bedompt in de rommelige kamer, en het rook sterk naar Caitlins zweet. Hij voelde de klamme warmte van haar af komen, terwijl hij door zijn halvemaansbrilletje met schildpadmontuur naar haar gele gezicht en de donkere wallen onder haar ogen keek. Haar haar zat aan elkaar geklit. Ze lag onder het dekbed, tegen een paar kussens aan, had een roze ochtendjas aan over haar nachtjapon, haar oordopjes hingen om haar nek en de kleine witte iPod lag boven op het dekbed, naast een boek over Jordans leven en een paar knuffeldieren.

'Hoe gaat het met je, Caitlin?' vroeg hij.

'Ik heb glitter gekregen,' mompelde ze bijna onverstaanbaar.

'Glitter?' Hij fronste zijn wenkbrauwen.

'Iemand van Facebook heeft me glitter gestuurd,' mompelde ze, nauwelijks samenhangend.

'Wat bedoel je met glitter?'

'Dat is iets van Facebook, weet u wel. Gemma, een vriendin van me, heeft het me gestuurd. En Mitzi heeft me gepoked.'

'Oké.' Hij wist duidelijk niet waar het over ging.

'Mitch Symons heeft me wieltjes gestuurd, weet u wel, zodat ik overal kan komen.'

De dokter keek rond in de kamer, op zoek naar iets met wielen. Hij zag een dartbord aan de muur, waar een paarse boa overheen hing. Een saxofoonkoffer die tegen de muur aan stond. En een speelgoedpaardje op wieltjes dat tussen een lading schoenen op het kleed stond.

'Die wieltjes?' vroeg hij.

Ze schudde haar hoofd. 'Nee,' mompelde ze, en ze wapperde met haar rechterhand alsof ze een zin uit haar hoofd wilde halen. 'Ook iets van Facebook. Om overal te komen. Ze zijn een beetje virtueel.'

Ze sloot haar ogen, alsof ze doodop was van het praten.

Hij boog zich voorover en maakte zijn tas open. Net op dat moment kwam Lynn de kamer in met een kopje thee en een biscuitje erbij.

Hij bedankte haar en wendde zich toen weer tot Caitlin.

'Ik wil even je temperatuur en je bloeddruk opnemen, mag dat?'

Met haar ogen nog steeds dicht fluisterde ze met een knikje: 'U doet maar.'

Tien minuten later liep hij met Lynn in zijn kielzog de trap af naar beneden. Ze gingen naar de keuken en namen plaats aan de tafel. Aan de bezorgde blik op zijn gezicht wist ze al wat hij ging zeggen voordat hij zijn mond opendeed.

'Lynn, ik maak me grote zorgen. Ze is ernstig ziek.'

De tranen sprongen haar in de ogen, en Lynn stond op het punt hem te vertellen waar ze mee bezig was. Maar ze had geen idee wat hij ervan zou vinden. Ze wist dat hij zeer integer was en dat hij, of hij nu wel of niet in de weg geloofde die ze insloeg, het nooit zou goedkeuren. Dus knikte ze stilletjes en somber.

'Ja,' zei ze met een snik en een bezwaard gemoed. 'Dat weet ik.'

'Ze moet terug naar het ziekenhuis. Zal ik een ambulance bellen?'

'Ross,' zei ze opeens. 'Hoor eens... Ik...' Ze liet haar hoofd in haar handen zakken, terwijl ze wanhopig haar best deed alles op een rijtje te zetten. 'God, Ross, ik weet het gewoon niet meer.'

'Lynn,' zei hij vriendelijk. 'Jij denkt dat je hier goed voor haar kunt zorgen, maar het arme kind voelt zich heel erg beroerd, buiten het feit dat ze in gevaar verkeert. Haar hele huid is rauw door het krabben. Ze heeft hoge koorts en ze gaat in ijltempo achteruit. Het is verbijsterend hoe snel ze sinds ik haar voor het laatst zag is achteruitgegaan. Om je de waarheid te zeggen, zal ze het hier niet overleven. Ik heb het met dokter Granger over haar gehad. Alleen een transplantatie kan haar nog redden, en die heeft ze dringend nodig voordat ze er te zwak voor is.'

'Moet ze terug naar het Royal?'

'Ja, en wel meteen. Nu vanavond al.'

'Ben je daar wel eens geweest, Ross?'

'Al een paar jaar niet meer, nee.'

'Het is een verschrikking. Dat is niet hún schuld. Er werken daar een paar prima mensen. Maar door hoe alles wordt geregeld. De nationale gezondheidsdienst. De regering. Ik weet niet wie de schuldige is, maar het is één grote verschrikking daar. Jij kunt makkelijk zeggen dat ze in het ziekenhuis hoort te liggen, maar wat houdt dat in? Dat ze op een zaal voor mannen en vrouwen komt te liggen, met verwarde oude mensen die midden in de nacht bij haar in bed willen klimmen? Waar ik de grootste moeite moet doen om een rolstoel te bemachtigen zodat ze ook eens ergens naartoe kan? Waar ik na halfnegen 's avonds niet meer bij haar mag zitten om haar te troosten?'

'Lynn, ze stoppen kinderen niet bij volwassenen.'

'Dat is anders wel gebeurd. Toen het hartstikke druk was.'

'We zullen ervoor zorgen dat het niet meer gebeurt.'

'Ik ben zo bang, Ross.'

'Ze krijgt nu snel een andere lever.'

'Weet je dat zeker? Weet je dat echt zeker, Ross? Weet je wel hoe het er bij transplantaties aan toegaat?'

'Dokter Granger zal ervoor zorgen.'

Ze schudde haar hoofd. 'Dokter Granger bedoelt het vast goed, maar hij heeft al net zo weinig verstand van hoe het er bij transplantaties aan toegaat als jij. Ze komen elke week op woensdag bij elkaar om te bespreken wie er die week een transplantatie krijgt, ervan uitgaand dat er een geschikte lever beschikbaar komt. Het is nu donderdagavond, dus we zouden op z'n vroegst volgende week woensdag het groene licht krijgen. Dat is bijna een hele week. Zal ze het nog een week volhouden?'

'Hier niet, in elk geval,' zei hij bot.

Ze pakte zijn hand, en al snikkend zei ze: 'Ze heeft hier meer kans op over-leven, Ross, geloof mij maar. Echt. Vraag me niet waarom. Dat wil je niet weten.'

'Hoe bedoel je, Lynn?'

Ze was even stil. Toen zei ze: 'Zodra je een lever voor haar hebt, ga ik met haar naar het Royal. Maar tot die tijd blijft ze hier. Dat bedoel ik ermee, oké?'

'Ik zal mijn best doen,' zei hij. 'Dat beloof ik.'

'Weet ik. Maar je moet wel begrijpen dat ik haar moeder ben en dat ook ik mijn best zal doen.'

82

Grote sneeuwvlokken dwarrelden naar beneden toen Ian Tilling zijn aftandse Opel Kadett zo'n honderdvijftig meter van de hoofdingang van het Gara de Nord parkeerde. Zoals altijd bleef de motor een paar tellen al hoestend en proestend doorpruttelen nadat hij de contactsleutel had omgedraaid, totdat hij het opgaf.

Hij stapte samen met Andreea en Ileana uit en sloeg het portier achter zich dicht. Hij mocht Ileana graag. Ze hield van haar werk en wijdde zich met hart en ziel aan de minderbedeelden in Boekarest. Ze was knap, on-danks haar grote haviksneus, maar ze droeg haar haar altijd strak naar ach-teren in een ouderlijk knotje, alsof ze expres iedereen van zich af wilde hou-den, droeg een lelijke bril en had eerder praktische dan vrouwelijke kleding aan.

Hij had vaak gedacht dat ze er prachtig uit zou zien als ze wat meer aan-dacht aan zichzelf besteedde. Hij vond het ook grappig dat ze die geile sub-comisar Radu Constantinescu voortdurend van zich af had weten houden, hoe halsstarrig hij haar ook uit bleef vragen.

Er stonden soms prostituees op straat, maar helaas dit keer niet. Ze had-den gehoopt hier een meisje genaamd Raluca te treffen. Met Ileana voorop liepen ze in de ijskoude nacht de trap op het spelonkachtige, donkere station in. Ian zag bijna meteen een groep straatkinderen links van hen staan. Zo'n vijftig meter verderop, onder het zwakke licht van de lampen, stonden een paar politiemannen te roken en te lachen.

'Dat zijn Raluca's vrienden, daar,' zei Ileana zachtjes tegen hem, terwijl ze met haar duim naar de kinderen wees.

'Mooi. We gaan iets voor ze kopen.'

Met de twee meisjes op zijn hielen liep hij door de verlaten stationshal, langs het gesloten METROPOL en een oude man met een baard, een wollen muts op, in vodden van kleren en rubberlaarzen, die uit een fles dronk, en die daar al zo lang als hij zich kon herinneren op de grond zat, met zijn rug tegen de muur, op dezelfde plek, in dezelfde kleren. Hij deed een stap naar hem toe en liet een biljet van vijf lei boven op de paar muntjes vallen die voor de man op de grond lagen. Hij kreeg een vrolijke zwaai voor de moeite.

Tilling hoorde een trein van een perron dichtbij optrekken en steeds meer vaart maken, en hij keek automatisch naar het bord met de vertrek- en aankomsttijden. De snoepwinkel ging net dicht, maar Ian wist de nukkige eigenaar over te halen om nog een armvol repen, koekjes, chips en limonade te verkopen, die ze in een paar grote plastic tassen naar de straatkinderen sjouwden.

Hij kende er een paar van. Een lange, magere jongen van een jaar of negentien die Tavian heette en een blauwe wollen muts met oorkleppen droeg, een grijze nylon regenjas en nog wat truien, met daarover een camouflagejas uit het leger. Hij had een slapende baby in zijn armen, die een corduroy pakje aanhad en in een deken gewikkeld was. Tavian glimlachte altijd; of het nu kwam doordat hij zo aardig was of doordat hij voortdurend high was van de Aurolac wist Tilling niet, maar hij vermoedde het laatste.

'Ik heb wat voor jullie!' zei de Engelse ex-politieman in het Roemeens, terwijl hij de tassen omhooghield.

De groep kwam om hem heen staan en ze schoven elkaar opzij om te zien wat er in de zakken zat voordat ze de inhoud eruit graaiden. Niemand bedankte hem.

Ileana wendde zich tot een Roma-meisje van onbestemde leeftijd in de groep, dat een felroze jasje van een trainingspak en een glimmend groene broek droeg en een sjaal om haar nek had gedrapeerd.

'Stefania,' zei ze in het Roemeens. 'Hoe gaat het met je?'

'Niet zo best,' zei het meisje, dat ondertussen een zakje chips openscheurde. 'Het is pokkenweer, oké? Het is nu een slechte tijd. Niemand heeft geld over voor bedelaars. Waar zijn de toeristen? En het is bijna kerst, oké? Niemand heeft geld.'

Een lange, stuurse jongen, met een snorretje, die een geborduurde wollen muts, een zwarte fleece trui en een smerige spijkerbroek droeg, en een plastic boodschappentasje in zijn hand had waarin ongetwijfeld een flesje Aurolac zat, begon tekeer te gaan over hoe slecht de 'kalkoenen' – zoals ze de politie noemden – hen de laatste tijd hadden behandeld. Vervolgens tuurde hij in een van de tassen die Stefania openhield en haalde er een reep uit.

'Ze laten ons maar niet met rust. Ze laten ons maar niet met rust.'

'Ik ben op zoek naar Raluca,' zei Ileana. 'Hebben jullie haar vanavond gezien?'

De groep wierp elkaar blikken toe. Hoewel ze haar duidelijk hadden gezien, schudden ze allen het hoofd.

'Nee,' zei Stefania. 'Die kennen we niet.'

'Toe nou zeg, ze was verleden keer hier bij jullie. Ik heb toen nog met haar gesproken!' zei Ileana.

'Wat heeft ze gedaan?' vroeg een van de meisjes.

'Niets,' stelde Ileana haar gerust. 'We hebben haar nodig. Een paar straatkinderen lopen gevaar. We willen jullie waarschuwen.'

'Waarvoor dan?' vroeg de stuurse jongen met het snorretje. 'We lopen altijd gevaar. Geen hond die om ons geeft.'

Ian Tilling vroeg: 'Hebben jullie een baan in het buitenland aangeboden gekregen?'

De jongen lachte laatdunkend. 'We zijn toch nog steeds hier?' Hij brak een stukje van de reep af en stak dat in zijn mond. Al kauwend zei hij: 'Denk je nou echt dat we nog hier zouden zijn als we een uitweg aangeboden hadden gekregen?'

'Kennen jullie deze man?' Een meisje dat zo te zien onder de invloed van drugs was wees achterdochtig naar Ian Tilling.

'Hij is een goede vriend van ons,' zei Ileana.

Andreea haalde de compositiefoto's van de drie overleden tieners tevoorschijn.

'Kunnen jullie hier even naar kijken om te zien of jullie ze kennen?' vroeg ze. 'Het is heel erg belangrijk.'

De groep gaf ze door, sommigen keken er aandachtig naar, anderen wierpen er onverschillig een blik op. Stefania bekeek ze het langst en wees toen op de foto van het meisje. 'Is dat Bogdana niet?' vroeg ze.

Een ander meisje pakte de foto van haar over en keek ernaar. 'Nee, ik ken Bogdana. We hebben een jaar lang op dezelfde plek geslapen. Dat is ze niet.'

Ze gaven de foto's terug aan Ileana.

'Kennen jullie een jongen met de naam Rares?' vroeg Ian Tilling. Hij hield de close-up omhoog van de tatoeage.

Iedereen schudde opnieuw het hoofd.

Opeens keek Stefania naar iemand achter hem en Tilling draaide zich om. Er kwam een meisje van een jaar of vijftien met donker, opgestoken haar in een leren jasje, een leren minirok en kniehoge glimmende zwarte laarzen en een woedende blik in haar ogen op hen af lopen. Toen ze dichterbij was viel het hem op dat ze een blauw oog had en een schaafwond op haar wang.

'Raluca!' zei Ileana.

'Klootzak!' zei Raluca kwaad tegen iedereen en niemand in het bijzonder. 'Weet je wat die man me wilde laten doen in zijn vrachtwagen? Ik zal het maar niet zeggen. Ik zei dat hij mijn rug op kon en toen sloeg hij me. Daarna gooide hij me de auto uit!'

Ileana ging naar Raluca toe, sloeg haar arm om haar heen en leidde haar een eindje weg zodat de anderen haar niet konden horen. Ze keek naar haar oog en de schaafwond en vroeg haar toen of ze naar het ziekenhuis wilde. Het meisje schudde heftig van nee.

'Ik heb je hulp nodig, Raluca,' zei Ileana.

Raluca haalde, nog steeds kokend van woede, haar schouders op.

'Wat voor hulp? Alsof ik ooit van iemand hulp krijg.'

'Wil je even naar me luisteren, Raluca?' vroeg ze haar, zonder op haar opmerking in te gaan. 'Je hebt me een tijdje geleden verteld over een vrouw die kinderen een baan in het buitenland aanbod, inclusief een flat. Weet je nog?'

Ze haalde weer haar schouders op en gaf toen toe dat ze dat inderdaad had gedaan.

Ileana liet haar de foto's zien. 'Ken je hier iemand van?'

Raluca wees naar een van de jongens. 'Hij... Ik heb hem wel eens gezien, maar weet niet hoe hij heet.'

'Raluca, dit is echt heel erg belangrijk. Vorige week zijn deze Roemeense kinderen in Engeland vermoord. Al hun organen waren verwijderd. Vertel me alsjeblieft alles wat je over die vrouw weet.'

Raluca trok wit weg. 'Ik ken haar niet, maar... Ik...' Ze zag er plotseling bang uit. 'Ken je Simona, en Romeo, haar vriend?'

'Nee.'

'Ik heb Simona een paar dagen geleden nog gesproken. Ze was heel erg blij. Ze had het over een vrouw die haar een baan in Engeland had aangeboden. Ze gaat ernaartoe, ze is al medisch onderzocht...' Ze onderbrak zichzelf. 'Hè, verdomme. Heb je een sigaret voor me?'

Ileana gaf haar er een, nam er zelf ook een en stak ze aan met haar aansteker.

Raluca inhaleerde en blies toen snel de rook naar buiten.

'Een medisch onderzoek?'

'Die vrouw zei dat ze onderzocht moesten worden – je weet wel – of ze gezond zijn. Voor de reispapieren.'

'Waar is ze nu?'

'Ze woont samen met haar vent, Romeo, en een groep onder de straat, bij de verwarmingsbuis.'

'Waar dan?'

'Dat weet ik niet precies. Ik weet alleen de wijk. Meer heeft ze me niet verteld.'

'We moeten haar spreken,' zei Ileana. 'Ga je met ons mee?'

'Daar heb ik geen tijd voor. Ik heb geld nodig voor drugs.'

'Je krijgt het geld van ons. Zo veel als je vannacht zou verdienen. Afgesproken?'

Een paar minuten later liepen ze allemaal snel naar Ian Tillings auto toe.

83

De Airbus had de landing ingezet en zakte gestaag door de heldere, maar turbulente lucht naar beneden. Het lichtje van de gordels was net aangegaan. Grace controleerde of zijn stoel overeind stond, hoewel hij hem de hele vlucht niet had aangeraakt. Hij had zich over de aantekeningen gebogen die een onderzoeker voor hem had gemaakt over leverfalen, en gepland wat hij uit het gesprek wilde halen dat hij die ochtend met de Duitse orgaanhandelaarster zou hebben.

Ze hadden bij het vertrek vijfentwintig minuten vertraging vanwege een oponthoud in de verkeerstoren, waardoor de korte tijd die hij had nog meer ingekort was. Hij keek door het raampje naar buiten. De vorige keer dat hij er was geweest was het zomer geweest, maar nu lag er een dik pak sneeuw. Toen was het een lappendeken van landerijen geweest, en nu één grote witte vlakte. Het moest onlangs hevig gesneeuwd hebben, dacht hij, want zelfs de meeste bomen waren bedekt.

De grond kwam steeds dichterbij, de gebouwen werden groter. Hij zag een stel witte huisjes bij elkaar staan, het dak onder een laag sneeuw, vervolgens een paar stukken kreupelhout en een kleine stad. Nog meer huisjes en gebouwen. Het licht was zo fel dat hij even spijt had dat hij geen zonnebril bij zich had.

Vreemd dat de tijd alles veranderde. Een paar maanden geleden was hij naar München gegaan in de hoop Sandy weer te spreken, nadat een goede vriend haar hier in een park had gezien. Maar nu was dat gevoel helemaal verdwenen. Hij kon met zijn hand op zijn hart zeggen dat hij geen gevoelens meer voor haar had. Voor de eerste keer in de afgelopen weken vond hij dat hij in de laatste fase zat om zijn leven met haar af te sluiten. Van het duister naar het licht.

Grace hoorde het landingsgestel uitklappen en er ging een golf ongerustheid door hem heen. Na al die tijd had hij eindelijk weer iemand om voor te leven. Zijn allerliefste Cleo. Hij had nooit geweten dat hij zo veel van iemand kon houden. Ze was altijd bij hem. In zijn hart, in zijn ziel, in zijn huid, in zijn botten, in zijn bloed.

Hij moest er niet aan denken dat er iets met haar zou gebeuren. En voor het eerst in lange tijd maakte hij zich zorgen over zijn eigen veiligheid. Bang dat er iets zou gebeuren waardoor ze niet meer samen konden zijn. Net nu ze elkaar hadden gevonden.

Bijvoorbeeld als dit vliegtuig neerstortte.

Hij was nooit bang geweest om te vliegen, maar dit keer keek hij hoe de grond steeds dichterbij kwam, en alles wat er maar mis kon gaan schoot door hem heen. Ze konden te hoog zitten. Het landingsgestel kon het begeven. Ze konden van de baan raken. Met een ander vliegtuig in botsing komen. Vogels in de motoren. Stroomstoring. Hij zag de landingsbaan. In de verte hangars. Lichten. De geheimzinnige tekens op de landingsbaan en bordjes aan de rand ervan die alleen de piloten iets zeiden. Hij voelde het amper toen de wielen de grond raakten. De landing was perfect en het vliegtuig ging soepel van vliegen over op taxiën. De motoren brulden en door de remmen werd hij ietsje naar voren geworpen, tegen zijn gordel aan.

Een stewardess met een zachte, vriendelijke stem en een keelachtig accent heette iedereen hartelijk welkom op de internationale luchthaven Franz Josef Strauss.

Het achterportier van de taxi werd geopend en de vrouw, met een chique zonnebril op zodat ze geen last had van de telwitte sneeuw, stapte uit. Ze betaalde de chauffeur en gaf hem een kleine fooi, en liep met haar koffer op wieltjes naar de vertrekhal van de overkoepelde luchthaven.

Ze was aantrekkelijk, halverwege de dertig, en droeg een mooie en warme, lange camel jas, suède laarzen, een kasjmieren sjaal en leren handschoenen. Ze had jarenlang haar haar bruin geverfd en kort geknipt, maar nu liet ze het uitgroeien en had het weer een donkerblonde tint. Ze had ooit in een tijdschrift gelezen dat een vrouw zich vaak een ander kapsel aanmat als ze op zoek was naar een man. Nou, dat klopte in haar geval zeer zeker.

Ze liep naar de balie van Lufthansa en ging in de rij voor de economy class naar Parijs staan. In die stad was ze vijftien jaar geleden, in een ander leven, voor het laatst geweest.

De vrouw achter de balie nam de vragenlijst met haar door. Had ze haar eigen koffer ingepakt? Had ze haar bagage ergens onbeheerd achtergelaten? Toen gaf ze haar haar paspoort, haar ticket en haar frequent-flyerkaart terug.

'Ich wünsche Ihnen einen guten Flug, Frau Lohmann.'

'Danke.'

Ze sprak inmiddels vloeiend Duits. Dat had even geduurd, omdat het, zoals iedereen haar had verteld, een erg moeilijke taal was. Ze volgde de bordjes naar de gate en wist uit ervaring dat het een heel eind lopen was.

Terwijl ze op de roltrap stond, ging haar mobieltje. Ze haalde het uit haar handtas en hield het bij haar oor.

'Ja, hallo?'

De stem van de beller was onduidelijk en fragmentarisch. Het was haar collega Hans-Jürgen Waldinger, die haar vanuit zijn Mini Cooper belde. Ze kon hem amper verstaan. Ze kwam boven aan de roltrap, trok haar koffer mee en zei met harde stem in de telefoon: 'Hallo?'

De verbinding werd verbroken. Ze liep verder naar de gate in zone G, in de richting van de loopband waarmee ze in de hal kwam. Toen ging haar mobieltje weer. Ze nam op.

Door het gekraak nauwelijks te verstaan zei Hans-Jürgen: 'Sandy? Sandy?'

'Ja, Hans!' zei ze, en ze stapte de loopband op.

Zevenhonderd meter verderop, in de aankomsthal van zone G, stapte Roy Grace, met zijn dikke koffertje onder zijn arm, aan de andere kant de loopband op.

84

Glenn was blij dat de zee rustig was, of in elk geval zo rustig als het Kanaal kon zijn. Evengoed ging de boot nog steeds bij elke golf heftig op en neer. Maar voorlopig was er nog niets aan de hand. Het ontbijt, bestaande uit twee gekookte eieren en geroosterd brood, dat Bella had aangeraden, zat nog in zijn maag en lag niet over het dek verspreid, en hij was ook nog niet duizelig geworden, zoals bij het vorige reisje.

Het was een koude maar mooie dag, en de lucht was staalblauw boven de donkergroene zee. Er vloog een zeemeeuw over hen heen, op zoek naar eten, maar hij had geen geluk. Glenn snoof de lucht van zout en lak op, en af en toe wat uitlaatgassen, en keek toe hoe een kwal ter grootte van een tractorwiel langsdreef. Ondanks de beschermende kleding was hij blij dat hij niet hoefde te duiken. Hij had ook nooit de behoefte gevoeld uit een vliegtuig te springen of de zeebodem te ontdekken. Hij was er al lang geleden achter gekomen dat hij graag met beide benen op de grond stond.

Een klein rood vlekje in de verte kwam steeds dichterbij terwijl ze gestaag de zee op voeren, langs de uitgestrekte kust van Brighton, en op de koers die Ray Packard en hij hadden uitgezet. Het vlekje werd steeds duidelijker naarmate ze dichterbij kwamen en hij herkende het opeens als drie drijvende roze boeien, die het Gespecialiseerde Zoekteam daar de vorige avond had geplaatst.

Aan het stuur nam agent Steve Hargrave – Gonzo – gas terug en hun snelheid ging van achttien knopen naar nog geen vijf. Glenn pakte de reling voor zich stevig vast toen hij door het plotselinge gebrek aan beweging naar voren schoof. Deze boot, een Sunseeker van elf meter lang, was veel beter dan de Scoob-Eee. Hij was in alle haast van een nachtclubeigenaar gecharterd en het was echt een patserboot, met leren stoelen overal, een teakhouten vloer, en een afgesloten brug en een luxe bar beneden. Niet dat die door een van de mensen aan boord werd gebruikt, behalve dan als opslagruimte voor hun spullen.

Arf, in het uniform van het Gespecialiseerde Zoekteam bestaande uit een zwarte basketbalpet waar POLITIE op stond, een rood jack, een zwarte broek en zwarte rubberlaarzen, pakte de microfoon van de scheepsradio uit zijn houder.

'Hotel Uniform Oscar Oscar. Dit is Suspol Suspol aan boord van het vaartuig Our Current Sea, voor de Solent Kustwacht.'

Hij hoorde gekraak. 'Solent Kustwacht. Solent Kustwacht. Kanaal 67. Over.'

'Met Suspol,' zei Arf weer. 'We zijn met ons tienen. We zitten op dertien zeemijlen ten zuidoosten van Shoreham-Haven.' Hij gaf de coördinaten door en zei toen: 'We bevinden ons in het duikgebied en gaan zo het water in.'

Weer een hoop gekraak. 'Hoeveel duikers zijn er, Suspol, en hoeveel gaan er het water in?'

'Er zijn zeven duikers. Er gaan er twee het water in.'

Gonzo zette de hendel in de neutrale stand. Tania, die naast hem stond, was bezig met de scanner van de Hummingbird.

Glenn keek naar het scherm links van de scanner. Er stond: 30 m, 09.52 u, 51,5 km/u.

'Kom eens kijken, Glenn, we zijn er nu pal boven,' zei Tania, die wees naar wat leek op een rechte, zwarte asfaltweg, doormidden gesneden door een witte streep, die verticaal over het midden van het scherm liep. Aan weerskanten was er een blauwachtig maanlandschap te zien.

'Kijk!' riep ze opgewonden.

Links van het zwarte gedeelte zag hij duidelijk iets nog zwarters, wat op een boot leek, van ongeveer een centimeter groot.

'Zou dat de Scoob-Eee zijn, denk je?' vroeg hij.

'Daar komen we zo achter,' zei Arf. 'Ga je met ons mee?'

Er kwam een slap, ondoorzichtig ding langsdrijven. Glenn wist niet zeker of het nu een kwal of een plastic tasje was.

'Nee, ik kan maar beter hier aan boord blijven op de uitkijk voor piraten. Maar evengoed bedankt.'

Arf wees naar de zee. 'Mocht je van gedachten veranderen, er is genoeg ruimte daar, hoor.'

85

'Ik heb gehoord dat je vader tenniste voor Sussex, E.J.,' zei Guy Batchelor. 'Ik speel zelf ook, nou ja, vroeger dan, maar niet op dat niveau. Hoe heet hij?'

'Nigel. Hij speelde bij de jeugd onder de zestien. Maar hij heeft al jaren niet echt meer getennist. Hij kan nu eerder aan de drinkwedstrijden meedoen. Of, nog beter, praatwedstrijden.' Ze grinnikte.

'Kletst je de oren van de kop?'

'Dat kun je wel stellen, ja.'

Ze reden naar het westen, met de zachtglooiende heuvels van de South Downs links van hen, en hadden het dorp Storrington achter zich gelaten. Ze keek naar de kaart op haar knieën.

'De volgende rechts.'

Ze draaiden een nauw paadje in, waar hun auto maar net op paste, en reden bonkend langs hoge heggen. Na vierhonderd meter gaf Emma-Jane aan dat hij de bocht naar links moest nemen en kwamen ze op een zelfs nog smaller paadje uit. Politiewagens, dacht Batchelor, waren zo'n beetje de enige auto's die nog geen navigatiesysteem hadden, terwijl ze dat nu juist zo goed konden gebruiken. Hij wilde daar net iets over zeggen tegen E.J., toen de radio krakend tot leven kwam. Hoewel hij aan het stuur zat, pakte hij de portofoon op, maar het was een verzoek om in een geheel ander gedeelte van het district bijstand te verlenen.

'Het moet links zijn,' zei Emma-Jane.

Hij remde af in de blauwe Mondeo. Even later zagen ze een indrukwekkend gietijzeren hek met aan weerskanten een zuil met een stenen bol erop. In gouden letters op een zwart bordje stond de naam THAKEHAM PARK vermeld.

Hij zette de auto voor het hek neer, daarbij gadegeslagen door het oog van een bewakingscamera die boven op een van de zuilen bevestigd was. Op de andere zuil stond een geel bordje waarop een lachend gezicht stond met daarop de melding: GLIMLACH, WANT U WORDT GEFILMD.

De jonge hoofdagent stapte uit en drukte op de knop van de intercom. Even later hoorde ze een vrouw met een accent iets zeggen.

'Hallo?

'Rechercheur Batchelor en hoofdagent Boutwood,' kondigde ze aan. 'We hebben een afspraak met sir Roger Sirius.'

De luidspreker kraakte hevig en de hekken zwaaiden open. Ze stapte weer in de auto en ze reden verder, over een geasfalteerde oprijlaan omzoomd met hoge bomen die ongeveer een kilometer lang over een helling naar boven kronkelde. Opeens kwam een reusachtig herenhuis uit begin zeventiende eeuw met een ronde oprit in het zicht. In het midden bevond zich een grasveld met een vijver.

Voor het huis stonden een paar auto's geparkeerd, waaronder, viel Guy op, een zwarte Aston Martin Vanquish. Rechts van hen, op een grote betonnen ronde plek midden in het uitstekend bijgehouden grasveld, stond een donkerblauwe helikopter.

'Blijkbaar kun je goed verdienen in de medische sector!' merkte hij op.

'Als je in het juiste segment zit wel,' zei ze nadrukkelijk.

'Of misschien het verkeerde segment,' corrigeerde hij haar.

Emma-Jane nam niet eens de moeite het aantal ramen te tellen. Er moesten wel zo'n twintig tot dertig slaapkamers zijn in dit gebouw, en misschien zelfs nog meer. Dit was meer een landhuis.

'Volgens mij hebben we het verkeerde beroep gekozen,' zei ze.

Hij reed langzaam om de vijver heen en parkeerde de auto bijna pal voor de indrukwekkende voordeur. 'Dat hangt af van wat je van je leven wilt maken, nietwaar? En van de normen en waarden die je hebt.'

'Ja, dat is wel zo.'

'Ken je Jack Skerritt?'

'Ik heb hem wel eens gesproken,' zei ze. 'Maar alleen heel kort.'

Jack Skerritt was de commissaris van politie, de hoogste pief van de recherche in Sussex. En de meest gerespecteerde.

'Een paar jaar geleden heb ik een keer wat met hem gedronken,' zei Batchelor. 'In de kroeg bij het Huis van Bewaring van Brighton, toen hij nog adjunct-commissaris was. We hadden het erover hoeveel politiemensen verdienen. Hij zei dat hij drieënzeventigduizend pond per jaar binnenhaalde, en nog tweeduizend pond erbovenop aan toelagen. "Dat mag dan veel lijken," zei hij, "maar een hoofdmeester van een basisschool verdient meer, en ik ben de baas van heel Brighton and Hove." En toen zei hij iets wat ik nooit ben vergeten.'

Ze keek hem vragend aan.

'Hij zei: "In dit beroep word je rijk vanbinnen."'

'Mooi gezegd.'

'En waar ook. Omdat ik dit werk doe, als politieman, voel ik me een miljonair, elke dag weer. Ik heb nooit iets anders willen zijn.'

Ze stapten uit en belden aan.

Even later werd de enorme eiken deur door een klein, onooglijk mannetje van een jaar of zeventig geopend. Hij was slank, had een vriendelijk, vogelachtig gezicht, met een kleine, kromme neus en levendige, grote blauwe ogen die nieuwsgierig de wereld in keken. Zijn haar was dun en grijs, bijna wit, en keurig gekamd, en hij droeg een gingang overhemd met een beige vest erover, een paisley sjaaltje om zijn nek, een roestkleurige corduroy broek, die hij zo te zien voor tuinieren gebruikte, en zwarte leren instappers. De enige aanwijzing dat hij wel eens rijk zou kunnen zijn, was de lichte maar overduidelijke gloed van een zongebruinde huid.

'Goedemorgen,' zei hij met een opgewekte, heldere stem, die zo in een film uit de jaren vijftig zou passen.

'Sir Roger Sirius?' vroeg Batchelor.

'Dat ben ik.' Hij stak zijn slanke, behaarde hand uit, waarvan de vingers perfect gemanicuurd waren.

De rechercheurs gaven hem een hand, en toen toonde Batchelor hem het bevelschrift. Sirius wierp er even een blik op, zwaaide theatraal met zijn hand en deed een stap opzij.

'Kom dan maar binnen. Ik ben benieuwd hoe ik jullie van dienst kan zijn. Ik heb jullie altijd uiterst fascinerend gevonden. Heb heel veel detectives gelezen. En ik keek graag naar The Bill. Kennen jullie dat?'

De politiemensen schudden allebei het hoofd.

'Morse. Vond ik ook goed. John Hannah in Rebus was een stuk minder, maar Stott was weer prima. Kennen jullie die wel?'

'Daar hebben we de tijd niet voor, meneer,' zei Batchelor.

Ze liepen achter de vooraanstaand chirurg aan een immense hal met eiken lambriscring door. Hij stond vol met prachtige antieke meubels en een paar glimmende harnassen. Aan de muren hingen antieke zwaarden, vuurwapens en olieverfschilderijen, sommige van mensen, andere van landschappen.

Toen liepen ze een indrukwekkende studeerkamer in. Ook hier was er eiken lambrisering, en aan de muren hingen diploma's van de chirurg. Overal stonden ingelijste foto's waar hij met bekende mensen op stond. Er was er een bij van Sirius met koningin Elizabeth. Op een andere stond hij in smoking naast prinses Diana. Verder waren er nog foto's met Richard Branson, Bill Clinton, François Mitterrand en de voetballer George Best. Batchelor keek het langst naar die foto. Best had een veelbesproken levertransplantatie gehad in een privékliniek.

De twee politiemensen gingen op de rode leren bank zitten en een schoonheid met ravenzwart haar, die Sirius voorstelde als zijn vrouw, gaf hun een kop koffie. Sirius was even afgeleid toen zijn BlackBerry piepte, en Batchelor en E.J. namen de gelegenheid te baat om elkaar een blik toe te werpen. De chirurg was duidelijk een complexe man. Bescheiden in zijn voorkomen en zijn manier van doen, maar niet wat zijn ego en zijn smaak in vrouwen betrof.

'Wat kan ik voor jullie doen?' vroeg Sirius nadat zijn vrouw de kamer uit was gegaan. Hij ging in de leunstoel tegenover hen zitten, voor de eiken dekenkist die dienstdeed als salontafel.

Guy had dit onderweg met E.J. geoefend. Opeens had hij vreselijke behoefte aan een sigaret en hij wist doordat het fris rook in de kamer en omdat er geen asbakken stonden, dat hij dat wel kon vergeten. Hij zou er straks stiekem een moeten opsteken, iets waar hij zo langzamerhand wel aan gewend was.

Hij hield zorgvuldig de ogen van de chirurg in de gaten en zei: 'Wat een prachtig huis, sir Roger. Hoelang woont u hier al?'

De arts dacht even na. 'Zevenentwintig jaar. Het was een bouwval toen ik het kocht. Mijn eerste vrouw vond het helemaal niets. Mijn dochter vond het hier heerlijk.' Plotseling raakten zijn ogen omfloerst. 'Zonde dat Katie het niet heeft kunnen zien toen het helemaal klaar was.'

'Wat erg,' zei E.J.

De chirurg haalde zijn schouders op. 'Dat is inmiddels alweer heel lang geleden.'

'U hebt meermalen in de pers kenbaar gemaakt wat u van het donorsysteem in Engeland vindt,' ging Guy Batchelor door, terwijl hij nog steeds op de ogen lette.

'Dat klopt,' beaamde hij, heftig knikkend, meteen enthousiast door het onderwerp. 'Honderd procent!'

'We hoopten dat u ons kon helpen.'

'Ik zal mijn best doen.' Hij boog zich naar voren en glimlachte bereidwillig, zodat hij zelfs nog meer op een vogel leek.

'Nou,' zei E.J. alsof het afgesproken was, 'het klopt toch dat ongeveer dertig procent van de patiënten die op een levertransplantatie wachten sterven voordat ze aan de beurt zijn?'

'Hoe komt u aan dat getal?' vroeg hij met gefronste wenkbrauwen.

'Ik citeer u, sir Roger. Dat hebt u in 1998 in een artikel voor The Lancet geschreven.'

Hij fronste opnieuw zijn wenkbrauwen en zei afwerend: 'Ik schrijf zo veel. Ik kan dat niet allemaal onthouden, hoor. Zeker niet op mijn leeftijd! Voor zover ik weet is het inmiddels negentien procent, maar zoals met zo veel dingen, hangt dat af van de criteria die je hanteert.' Hij pakte een zilveren roomkannetje van de salontafel. 'Wilt u melk?'

Ik kan dat niet allemaal onthouden, hoor. Zeker niet op mijn leeftijd! Maar je mag wel in een helikopter vliegen, dus zo slecht zal je geheugen wel niet zijn, dacht Guy Batchelor.

Toen ieders koffie naar wens was, vroeg E.J.: 'Weet u nog dat u een artikel voor *Nature* hebt geschreven, waarin u de orgaantoewijzing hekelde, sir Roger?'

Hij haalde zijn schouders op. 'Zoals ik al zei, ik heb zo veel geschreven.'

'U hebt ook op verscheidene plaatsen gewerkt, nietwaar?' drukte ze door. 'Zoals Colombia en Roemenië.'

'Goh!' zei hij, zo te zien oprecht onder de indruk. 'Jullie zijn wel in mijn verleden gedoken!'

Batchelor gaf de chirurg de compositiefoto's van de drie overleden tieners.

'Kent u misschien een van hen, meneer?'

Sirius bekeek elke foto aandachtig, terwijl Batchelor hem zorgvuldig in de gaten hield. Hij schudde zijn hoofd en gaf ze terug.

'Nee, ik heb ze nog nooit gezien,' zei hij.

Batchelor stopte ze weer in de envelop.

'Dan is het gewoon toeval dat u juist in die twee landen hebt gewerkt? Ze staan namelijk nogal hoog op de lijst van landen die bij mensenhandel voor orgaantransplantaties betrokken zijn.'

Sirius dacht even na voordat hij antwoord gaf. 'Jullie hebben duidelijk je huiswerk gedaan, maar ik vraag me af... Vertel eens. Hebt u ook ontdekt dat mijn allerliefste dochter Katie tien jaar geleden op drieëntwintigjarige leeftijd is overleden omdat haar lever het begaf?'

Geschokt wendde Batchelor zich tot E.J. Ze was net zo verbaasd als hij.

'Nee,' zei hij. 'Wat erg... Wat erg voor u. Nee, dat wisten we niet.'

Sirius knikte, hij zag er opeens verdrietig en somber uit.

'Er is ook geen reden waarom u dat zou weten. Zij hoorde helaas tot die dertig procent. Zo ziet u maar, zelfs ik kon niet om de wetten bij orgaantoewijzing heen. Onze wetten zijn behoorlijk streng.'

'We wilden u spreken, sir Roger,' zei Emma-Jane, 'omdat we denken dat enkele mensen met een medisch beroep die wetten aan hun laars lappen om patiënten die dat nodig hebben van een orgaan te voorzien.'

'En u denkt dat ik weet wie dat zijn?'

'Dat klopt, ja,' zei ze.

Hij glimlachte weemoedig. 'Je leest om de paar maanden wel iets op internet over een vent die dronken wordt in een bar in Moskou en vervolgens ontwaakt in een bad vol met ijsblokjes, en met nog maar één nier. Allemaal broodjeaapverhalen. Elk orgaan dat hier in Engeland ter beschikking wordt gesteld voor transplantatie gaat via UK Transplant. Er is geen ziekenhuis dat buiten hen om een orgaan kan transplanteren. Dat is volstrekt onmogelijk.'

'Maar in Roemenië of Colombia kan het wel?' Batchelor draaide de duimschroeven aan.

'Zeer zeker. En ook in China, Taiwan en India. Als je genoeg geld hebt en bereid bent het risico te nemen, kun je op veel plaatsen terecht.'

Batchelor ging erop door. 'Dus volgens u gebeurt het hier in Engeland nooit ofte nimmer illegaal?'

De arts zette zijn stekels op. 'Moet u horen, het is niet alleen maar even een orgaan eruit halen en in iemand anders stoppen. Daar komt een enorme hoeveelheid mensen bij kijken: op zijn minst drie chirurgen, twee anesthesisten, drie operatieverpleegkundigen, een intensivecareteam en nog een heleboel medische specialisten voor de nazorg. Die moeten allemaal volgens de geldende ethische regels een opleiding hebben gevolgd. We hebben het hier over wel vijftien tot twintig mensen. Dan moet er toch wel een keer over worden gepraat! Nee, het is volkomen onzin!'

'We hebben gehoord dat er wel degelijk een privékliniek is die dat uitvoert, sir Roger,' zei Batchelor.

Sirius schudde zijn hoofd. 'Zal ik u eens wat vertellen? Van mij mogen ze. Die hele wetgeving daarover mag wel eens een schop onder zijn kont krijgen. Maar echt, wat u zegt is onmogelijk. Trouwens, waarom zou iemand het risico nemen het hier te doen als ze in het buitenland legaal een orgaan kunnen krijgen?'

'Mag ik u iets vragen?' zei Batchelor. 'Ik begrijp dat het een nogal gevoelige kwestie voor u is, maar gezien uw achtergrond verbaast het me dat u uw dochter niet naar het buitenland hebt overgebracht voor een transplantatie.'

'Dat heb ik ook gedaan,' zei hij na een korte stilte. En in een plotselinge woede-uitbarsting zei hij: 'Een of ander smerig gat van een ziekenhuis in Bogota. Onze arme lieverd stierf aan een infectie die ze daar heeft gekregen.' Hij tuurde boos naar de twee politiemensen. 'Oké?'

Een halfuur later, in de auto op de terugweg naar Brighton, verbrak Emma-Jane de stilte die tussen hen had gehangen nadat ze bij Roger Sirius weg waren gegaan, en ze allebei de dingen op een rijtje wilden zetten.

'Ik mocht hem wel,' zei ze. 'Ik vond het heel erg voor hem.'

'O ja?'

'Ja. Hij is er duidelijk erg verbitterd door. Arme man. Ironisch toch dat een van de beste levertransplantatiechirurgen in ons land zijn dochter aan een leverziekte kwijtraakt.'

'Echt pech,' beaamde Batchelor.

'Nogal, ja.'

'Maar hij heeft daardoor wel een motief.'

'Om de wet te veranderen?'

'Of te ontduiken.'

'Hoe bedoel je?'

'Nou, ik keek steeds naar zijn ogen,' zei Batchelor. 'Toen hij die foto's bekeek, zei hij dat hij ze nooit had gezien. Ja, toch?'

'Ja.'

'Hij loog.'

86

Sommige mannen konden al op het eerste gezicht zo in een hokje worden geplaatst. Door de combinatie van kortgeknipt haar, een gespierd lijf, een slechtzittend pak en een brutale houding, werden ze onmiddellijk als politieman of soldaat herkend. Maar ondanks zijn korte haar en zijn behoorlijk gehavende neus zag Roy Grace er zo netjes uit dat zijn beroep moeilijk aan hem af te lezen was.

In zijn driekwartjas, donkerblauwe pak, witte overhemd en beschaafde stropdas had hij met zijn volle koffertje zo een zakenman of een IT'er kunnen zijn die op zakenreis was. Of misschien wel een Eurocraat, een arts of een wetenschapper op weg naar een vergadering. Als je naar hem keek vielen ook zijn autoriteit, de paar zorgenrimpels en de enigszins lege blik op, alsof hij in gedachten verzonken was, terwijl hij over de loopband liep.

Roy was behoorlijk nerveus. Het reisje stelde niets voor. Zijn oude vriend Kriminalhauptkommissar Marcel Kullen kwam hem van het vliegveld ophalen en reed hem vervolgens rechtstreeks naar het kantoor van de orgaanhandelaarster, die hij onder vier ogen zou spreken. Zolang hij maar voorzichtig was en het niet verknalde, was er niets aan de hand. Even snel een listig gesprek en hij kon weer terug naar Engeland.

Maar op de een of andere manier gierden de zenuwen hem door zijn lijf. Het was hetzelfde gevoel als wanneer hij een afspraakje had, en hij had geen flauw idee waarom hij zich zo voelde. Misschien omdat hij onbewust moest denken aan de hoop die hij had toen hij de vorige keer in München was. Of was het gewoon vermoeidheid? Hij had al een paar nachten slecht geslapen. Tijdens een moordonderzoek sliep hij eigenlijk nooit goed, en deze zaak lag al helemaal ingewikkeld. Bovendien wilde hij graag indruk maken op de nieuwe hoofdcommissaris.

Hij keek op zijn horloge, ging iets sneller lopen, haalde een paar mensen in, en bleef toen hangen achter een moeder met een buggy en vier kleine kinderen. Hij kon bijna van de loopband af, dus wachtte hij daarop, en toen liep hij om het gezinnetje heen en haastte zich naar de volgende band.

Rechts van hem stond een rode Audi TT tentoongesteld – een nieuwer model dan die van Cleo – met grote borden eromheen. Omdat die in het Duits waren kon hij ze niet lezen, maar hij nam aan dat je de auto ergens mee kon winnen. Hij kon wel een nieuwe gebruiken, dacht hij, aangezien zijn Alfa op de schroot lag. En natuurlijk kwamen die smeerlappen van de verzekering met een bespottelijk bedrag aanzetten, waarmee hij hooguit een tweedehands brommertje kon kopen.

Vervolgens kwam hij langs een bar, een krantenkiosk en boekwinkel, en uiteindelijk een verlaten gate. Op de tegemoetkomende band kwamen allerlei mensen langs, van alle leeftijden, en de helft ervan praatte druk in hun mobiel.

Hij wierp een blik op een mooie, jonge roodharige vrouw, in een leren jas afgezet met bont, die er waanzinnig chic uitzag en zijn kant op kwam. Ze had een grote, dure handtas en een koffer op wieltjes bij zich en hij vroeg zich af of ze een model of topmodel was, of hoe dat tegenwoordig ook heette. Hij had roodharige vrouwen altijd leuk gevonden, maar had nog nooit iets met eentje gehad.

Vreemd, dacht hij. Voordat hij Cleo leerde kennen, zou hij dat meisje met zijn ogen hebben uitgekleed, maar nu vond hij alleen Cleo nog interessant. Deze vrouw was een van de weinige naar wie hij in de afgelopen maanden uitgebreid had gekeken. Terwijl de loopband hem naar voren droeg, bedacht hij opnieuw hoe hij geboft had, ontzettend geboft had, met zijn geweldige vrouw.

Vier Japanse zakenmannen, druk met elkaar in gesprek, schoven aan de andere kant langs hem heen. Hij was inmiddels bloednerveus. Hij stuiterde zowat. De spanning was bijna te snijden. Kwam het soms door de vlucht dat hij zich zo voelde?

Toen kwamen twee homo's van in de twintig met bijna identieke leren jasjes hand in hand zijn kant op. De ene had een kaalgeschoren hoofd, de andere blonde stekeltjes. Hij liep door en zij schoven langs hem heen. Toen was er vóór hem een opstopping door een hele horde tieners, allemaal met een rugzak om, die duidelijk op vakantie gingen.

Op de tegenoverliggende band, achter een ouder echtpaar dat zo bewegingloos als standbeelden op de band stond, ving hij opeens een glimp op van een brunette die hem aan Sandy deed denken.

Het was net of hij een stomp in zijn maag kreeg.

Hij bleef stokstijf staan.

Toen gaf zijn mobieltje aan dat er een sms'je binnenkwam. Heel even wierp hij een blik op het scherm.

Hans-Jürgen viel zo plotseling weg alsof hij een tunnel in was gereden. Waarom belde die stomkop toch altijd ergens vandaan waar de ontvangst slecht was? Ze werd er gek van. Uiteraard wist ze haar woede in bedwang te houden, ze werd tegenwoordig nergens meer gek van, niet zoals vroeger in elk geval.

Woedebeheersing hoorde bij het mentale proces van wedergeboorte van de beweging van Vrijwillig Geestelijke. De scientologists hingen 'Clear' aan: de brug naar volkomen vrijheid. De organisatie waarvoor ze hen had verlaten had dezelfde mentale regeneratie geboden, maar op een minder agressieve – en minder dure – manier.

Sandy was nog een beginneling, maar ze was blij toen ze de loopband af kwam en naar de volgende liep, langs de schoenenpoetser en een barretje, dat de woede die ze voelde opkomen toen Hans-Jürgen wegviel meteen weer was weggezakt, als een vlammetje van een lucifer in de wind.

Dat was een van de dingen die haar nieuwe meesters haar leerden: een Vrijwillig Geestelijke was als een vlammetje in de wind, maar dan zonder aan een kaars of een lucifer verbonden te zijn. Want als je een steuntje nodig had om te overleven, overleefde je het niet als dat steuntje wegviel. Dan werd je gedoofd.

Je moest leren om zonder hulp te branden. Op die manier kon je nooit worden gedoofd. Iedere Vrijwillig Geestelijke werkte eraan om een enkel vlammetje in de wind te worden.

Ze keek naar de mensen die haar op de andere band tegemoetkwamen. Mensen die vastgeplakt zaten aan hun BlackBerry, hun iPhone, de vertrektijden, de financiële zorgen, hun schuld. Hun dingen. Ze beseften niet dat niets ertoe deed. Ze beseften niet dat zij een van de weinige mensen op aarde was die wisten hoe ze hen vrij konden maken.

Ze keek naar een paar mensen in het bijzonder. Een man die er bijzonder triest uitzag, lang, en krom, met zijn haar over zijn kale plek gekamd, een zonnebril van Porsche op en zo'n leren jasje met een mao-kraag dat onder de buttons zat van motoren, en de indruk moest geven dat je heel wat voorstelde in de motorsport.

Ik kan je vrijmaken, dacht ze.

Daarachter stond een groep tieners, met rugzak, die elkaar luidruchtig aan het plagen waren. Toen ging haar mobieltje weer.

Omdat ze haar handschoenen aanhad lukte het haar niet goed het ding te pakken, en liet ze hem vallen. Ze bukte zich om hem op te rapen.

Toen Roy Grace weer opkeek van het schermpje was de vrouw verdwenen.

Heb ik het me verbeeld, vroeg hij zich af. Nog geen seconde geleden had hij een vrouw gezien met precies dezelfde kleur haar als Sandy, ze had vlak achter de nors uitziende bejaarden gestaan die op hem af kwamen.

Hij keek weer op het schermpje en drukte op het knopje om de tekst te lezen.

Hé, ouwe. Op zee. Nog niet gekotst. Hoe'st bij jou?

Hij schreef een antwoord en verzond het: *Ik ook nog niet.*

Nieuwsgierig keek hij achterom. De vrouw met dezelfde haarkleur als Sandy was weer opgedoken, ze stond achter het echtpaar en verdween in de verte.

Opnieuw kreeg hij een stomp in zijn maag. Hij draaide zich om, wurmde zich langs een lange, geïrriteerd uitziende man in een regenjas, en zette snel een paar stappen tegen de richting van de loopband in. Vervolgens baande hij zich een weg langs een stel stewardessen, in uniform en met hun bagage bij zich.

Opeens bleef hij staan.

Stom.

Kom op, man! Doe normaal!

Een paar maanden geleden zou hij verder achter haar aan zijn gerend, voor het geval dat...

Maar dit keer draaide hij zich om en baande zich weer een weg tussen de stewardessen door, de paar woorden in het Duits mompelend die hij kende. 'Entschuldigung. T'schuldigung. Danke!'

87

Ze waren alle vier de hele nacht opgebleven en ze hadden het koud, waren van top tot teen doorweekt en bovendien doodop. Raluca had al een tijd geen drugs genomen en ze voelde zich erg beroerd. Ze had geld nodig om meteen iets bij haar dealer te gaan halen, zei ze tegen Ian Tilling.

Geen van de drie Roemenen wist wat Tilling zei toen hij met zijn vuist op de tafel in het vol rook hangende café gefrustreerd uitriep: 'Het is verdomme net of je een speld in een hooiberg zoekt!'

Maar ze snapten wat hij bedoelde.

Ze zaten in een café, in een barak van gegolfde metalen platen waar ook een slagerij en een kleine supermarkt in waren gevestigd. Het lag pal aan een zandpad vol met rotzooi, een van de grootste toegangswegen van Boekarest, die door sectie vier sneed. De sneeuw deed zijn best de rotzooi te bedekken zodat het er wat netter uitzag.

Tilling nam hongerig een hap van de droge bonk brood waar een of andere vleessoort die hij niet herkende in zat gerold. Het was in elk geval dood en het leek op leer, maar het waren tenminste eiwitten. Hij was hyper van de cafeïne. Ileana, Andreea en Raluca, die amper hun ogen open konden houden, zaten te roken. Ze hadden een onmogelijke taak. Dit was een stad met twee miljoen mensen, van wie er tienduizend buiten de maatschappij vielen. Tienduizend, over het algemeen jonge mensen, die over het algemeen wantrouwend hun mond hielden.

Ze hadden veertien uur lang de hutjes langs de warmwaterpijp nagezocht en ze waren in zo veel gaten in de grond gekropen dat ze de tel waren kwijtgeraakt. Maar tot nu toe hadden ze nog niets ontdekt. Niemand kende Simona. En als ze haar wel kenden, gaven ze dat niet toe.

Hij gaapte en door zijn vermoeidheid kwamen er herinneringen boven. Hij was de dodelijke vermoeidheid vergeten die soms bij het vak politieman hoorde. De dagen – en nachten – dat je maar door moest blijven gaan, enkel op adrenaline en aangewakkerd door de geur van vooruitgang.

Het was een heerlijk gevoel.

'Meneer Ian, ik moet nu echt weg,' zei Raluca.

'Hoeveel heb je nodig?' vroeg Tilling aan haar, terwijl hij zijn versleten portefeuille tevoorschijn trok.

Ze bekeek de portefeuille met arendsogen, alsof ze bang was dat hij zou verdwijnen als ze hem niet in de gaten hield, wreef haar duimen bezorgd over elkaar, wipte naar voren en achteren in de stoel en zei: 'Honderdveertig lei.' Toen pakte ze haar sigaret uit de asbak en nam er een forse trek van.

Ian was er elke keer weer verbaasd over hoeveel geld heroïneverslaafden aan een shot kwijt waren. Dit kon ze in een week nooit verdienen met alleen maar schoonmaken. Het was dus niet zo vreemd dat ze een hoertje was. Ze kon dat soort bedragen, behalve door stelen of frauderen, op geen enkele andere manier bij elkaar krijgen.

Zonder al te veel hoop – maar nog wel met gevoel – riep Tilling de eigenaar erbij terwijl hij zijn papiergeld natelde. Het was een oudere man met een baard die een smerig schort over zijn bruine overall droeg. Hij had de regering-Ceauşescu overleefd en was nu op een bepaalde manier tevreden met zijn lot, ondanks zijn gelaten en bedroefde gezichtsuitdrukking. De ex-politieman vroeg hem of hij wist of er straatkinderen in de buurt woonden.

Hij kende er genoeg, antwoordde hij, wie niet? Sommigen kwamen aan het eind van de avond, vlak voor sluitingstijd, binnen voor oud brood of de kliekjes die hij anders zou weggooien.

'Heb je wel eens een meisje en een jongen samen gezien?' vroeg Tilling. 'Hij is rond de zestien, zij dertien, maar ze zien er waarschijnlijk ouder uit.' Als je op de straat leefde zag je er algauw ouder uit.

Het viel hun allemaal op dat er een blik van herkenning in de ogen van de man kwam.

'Het meisje heet Simona,' zei Raluca. 'En de jongen Romeo.'

'Romeo?' Hij fronste zijn wenkbrauwen.

Raluca, die door het geld opeens was opgeleefd, zei: 'U herkent hem zo. Zijn linkerhand is verschrompeld en hij heeft kort zwart haar en grote ogen.'

De eigenaar herinnerde het zich weer. 'Heeft dat meisje van hem lang haar? Lang bruin haar? Draagt altijd een joggingpak van twee verschillende kleuren?'

Raluca knikte.

'Hebben ze een hond? Soms komen ze hier met een hond binnen. Ik geef hem altijd een bot.'

'Een hond!' Raluca werd nog enthousiaster. 'Een hond! Ja, ze hebben inderdaad een hond!'

'Die komen wel eens hier.'

'Tegen sluitingstijd, neem ik aan?' vroeg Tilling.

'Hangt ervan af.' Hij haalde zijn schouders op. 'Soms ook op andere tijden. Soms zie ik ze helemaal niet. Ik heb liever klanten!' Hij lachte om zijn eigen grapje. Toen zei hij: 'Stom van me, dat vergeet ik helemaal. Dat meisje was hier vanochtend nog. Ze wilde een bot, een speciaal bot. Ze zei dat ze wegging en dat ze de hond dat bot bij wijze van afscheidscadeau wilde geven.'

'Heeft ze gezegd waar ze naartoe ging?' vroeg Tilling, lichtelijk in paniek.

'Ja, volgens mij een cruise maken op de Caribische Zee,' grapte hij. Toen glimlachte hij weer. 'Ik heb het wel gevraagd, maar ze wilde het me niet vertellen. Ze zei alleen maar: "Weg."'

'Weet u misschien waar ze wonen?'

Hij spreidde zijn armen. 'Dichtbij. Hier in de buurt, volgens mij. Op straat, onder de straat, geen idee.'

Tilling keek op zijn horloge. Het was net twaalf uur. Raluca zou straks zonder shot niet meer goed kunnen functioneren, en hij had haar nodig om Simona aan te wijzen en om met haar te praten. Simona en Romeo zouden eerder een vriendin geloven dan hem. Maar als hij Raluca het geld gaf, zou ze ermee vandoor gaan, drugs kopen en ergens wegkruipen.

'Raluca, ik rij met je naar je dealer, oké? En daarna gaan we verder met de zoektocht.'

Raluca was niet erg blij. Toen keek ze door het raam naar het verlaten sneeuwlandschap en ze knikte.

Tilling betaalde de rekening en ze gingen weg. Het leek buiten nog kouder dan toen ze naar binnen waren gegaan. Je overleefde het niet als je in dit weer buiten moest blijven. Als Simona en Romeo in de buurt waren, zoals de man had gesuggereerd, zouden ze vast ondergronds zitten, vlak bij een verwarmingsbuis.

Maar er waren honderden gaten in de straat die naar de ondergrondse verblijfplaatsen van de daklozen leidden. En het zou nog maar een paar uur licht zijn.

88

In elk centrum van elke grote stad waar hij ooit was geweest, was er altijd wel een bepaalde straat die opviel. Het soort straat waarvan Roy Grace wist, zonder dat hij in de etalages naar de prijskaartjes hoefde te kijken – als er al prijskaartjes waren – dat hij het zich niet kon veroorloven daar iets te kopen.

Hij reed nu zo'n straat in.

'Maximilianstrasse,' deelde Marcel Kullen hem mee op het moment dat ze over tramrails heen bonkten en een grote, brede laan in reden waar aan weerskanten mooie, chique neogotische panden stonden. Enkele hadden een zuilenrij, sommige marmeren pilaren en de meeste waren in het bezit van een glimmende etalage onder een elegant baldakijn. Een paar namen vielen Grace op: Prada, Tod's, Gucci.

Zelfs de wat oudere maar nog perfecte grijze BMW van de Duitse rechercheur leek hier niet helemaal op zijn plaats, tussen de geparkeerde parade van limousines met chauffeur, Porsches, Ferrari's, Bentleys en milieuvriendelijke kleine Mini's, Fiat Cinquecento's en Smarts, die er bijna allemaal glimmend bij stonden, ondanks de smurrie van de gesmolten sneeuw.

Grace zat op de passagiersstoel en had een stapel papier in zijn handen met de telefoongegevens die de Kriminalhauptkommissar hem had toegezegd. Hoewel hij er graag in wilde kijken, had hij beleefd met Kullen gesproken tijdens het ritje van een halfuur vanaf het vliegveld.

Ze kwamen langs de imposante gevel van het Four Seasons Hotel, en daarna zette Kullen zijn auto voor een chic café met een uitnodigende etalage vol gebak, en een klantenkring die uitsluitend leek te bestaan uit vrouwen in lange bontmantels.

De Duitse rechercheur wees op een koperen paneel met deurbellen op een marmeren pilaar en de deur ernaast.

'Daar is het bedrijf,' zei hij. 'Succes. Ik wacht op je.'

'Dat hoeft niet, hoor. Ik neem wel een taxi terug naar het vliegveld.'

'Jij was erg aardig toen ik in Engeland was, vier jaar geleden. Nu ben ik – hoe zeg je dat ook weer – tot jouw beschikking?'

Grace grijnsde en gaf hem een klopje op zijn arm.

'Bedankt. Dat stel ik zeer op prijs.'

'En misschien kunnen we daarna een hapje eten, en misschien zijn er dingen waar we over kunnen praten.'

'Dat hoop ik wel.'

Hij stapte de auto uit en kreeg meteen een druppel ijskoude ijzel in zijn nek. Hij pakte zijn koffertje van de achterbank, liep naar de voordeur en keek naar de namen op het paneel: DIEDERICHS BUCHS GMBH, LARS SCHAFFT KRIMI, en onderaan TRANSPLANTATION-ZENTRALE.

Hij was al een stuk minder nerveus dan op het vliegveld, en hij drukte rustig, maar wel wat vermoeid door het vroege opstaan, op de bel. Vanuit een lensje boven in het paneel scheen er ogenblikkelijk een fel licht in zijn ogen. Een vrouw vroeg hem in het Duits naar zijn naam en zei toen dat hij op de derde verdieping moest zijn.

De deur ging open. Hij duwde ertegenaan en stapte een smalle hal in, rijk bekleed met rood tapijt, waar een grote bewaker aan een bureau zat die Grace verzocht zijn naam in een register te schrijven. Hij schreef de naam Roger Taylor op en zette er een valse handtekening onder. Vervolgens wees de bewaker naar een ouderwetse kooilift. Hij ging ermee naar de derde etage en kwam uit in een grote, luxe hal, met witte vloerbedekking. Er brandden een paar geparfumeerde witte kaarsen, zodat er een aangename vanillegeur hing.

Een jonge vrouw, in chique kleding en met kort zwart haar, zat aan een sierlijk antiek bureau.

'*Guten Morgen, Herr Taylor*,' zei ze met een vrolijke glimlach. 'Frau Hartmann kan u zo ontvangen. Gaat u maar even zitten. Wilt u iets drinken?'

'Koffie, graag.'

Grace plofte neer op de harde witte bank. Op de glazen salontafel voor hem lag een stapel brochures van het bedrijf. Aan de muren hingen ingelijste foto's van gelukkige mensen. Ze varieerden in leeftijd van een klein kind dat op een schommel zat tot een oudere, glimlachende man in een ziekenhuisbed. Bijschriften waren overbodig. Het waren duidelijk allemaal tevreden cliënten van de Transplantation-Zentrale.

Hij pakte een brochure op en wilde er net in gaan lezen, toen er een deur achter de secretaresse openging en een uiterst knappe en zelfverzekerde vrouw de hal in kwam. Ze was tussen de veertig en de vijfenveertig, schatte hij, met blond haar tot op haar schouders dat perfect was gekapt, en ze droeg een slank afkledend zwart broekpak, glimmende zwarte laarzen en diverse grote diamanten ringen aan haar vingers, inclusief een trouwring.

'Meneer Taylor?' vroeg ze met een warm, keelachtig accent. Ze kwam in een wolk parfum op hem af lopen en stak haar hand uit. 'Marlene Hartmann.'

Hij gaf haar een hand en voelde de diamanten in zijn huid drukken.

Ze bleef even staan en wierp hem met haar heldere grijze ogen een onderzoekende blik toe, alsof ze hem de maat nam. Toen schonk ze hem, naar hij aannam, een goedkeurende glimlach.

'Ja,' zei ze. 'Fijn dat u er bent. Komt u mee naar mijn kantoor.'

De combinatie van haar grote fysieke schoonheid en aantrekkingskracht en haar professionele afstandelijkheid deed hem denken aan Alison Vosper. Deze vrouw had absoluut iets over zich van: je kunt maar beter niet met me sollen.

Ze dirigeerde hem een kamer in waardoor hij voor de eerste keer besefte hoeveel Cleo's smaak in meubels en die van Sandy overeenkwamen. Deze kamer had door hen allebei ingericht kunnen zijn. Er lag een wit kleed en de muren waren ook zuiver wit, met een enkel kleuraccent door de zwarte lijst om drie witte abstracte schilderijen. Er stonden een zwart gelakt bureau, in de vorm van een halve maan, waar een computer en wat persoonlijke dingetjes op stonden, een paar mooie planten, en strategisch her en der in de kamer geplaatst grote abstracte beeldhouwwerken. Ook hier brandden enkele witte geparfumeerde kaarsen, die eveneens naar vanille roken, maar die geur werd bijna verdrongen door het parfum van de vrouw. Hij vond het lekker, maar iets te mannelijk.

Er stonden twee stoelen met rechte rug voor het bureau, die zo uit een museum voor moderne kunst konden zijn weggehaald, en nadat ze hem daartoe had uitgenodigd, ging hij op een ervan zitten. Het was maar net iets comfortabeler dan het eruit had gezien.

Marlene Hartmann ging aan haar bureau zitten, sloeg een in leer gebonden schrijfblok open en pakte een zwarte vulpen.

'Kunt u me vertellen, meneer Taylor, hoe Transplantation-Zentrale u kan helpen? En misschien om te beginnen, hoe kent u ons?'

Hij wilde geen verkeerde opmerking plaatsen, dus zei Grace: 'Via internet.'

Ze knikte goedkeurend, dus hij had het juiste antwoord gegeven. 'Gut.'

'Ik ben hier vanwege mijn neef – de zoon van mijn zus – die negentien jaar is en wiens lever niet meer goed functioneert. Mijn zus is bang dat hij niet op tijd een levertransplantatie krijgt.'

Hij wachtte even toen de secretaresse hem een kop koffie en een kannetje met melk gaf. Toen hij het inschonk zag hij dat het room was.

'Waar woont u, meneer Taylor?'

'In Brighton, in Sussex.'

'De wet in uw land is... Hoe zeg je dat ook weer in het Engels? Een tikje eigenwijs. Nee, eigenzinnig.'

'Dat kun je wel stellen, ja,' beaamde hij enthousiast, in een poging op één lijn met de vrouw te komen zodat ze hem ging vertrouwen.

Ze boog zich over haar bureau naar hem toe, legde haar ellebogen op het blad, vouwde haar perfect gemanicuurde handen, legde haar kin daarop en keek hem aandachtig, bijna verleidelijk aan.

'Vertelt u eens, heeft uw neef een chronische of acute leverziekte?'

Grace had, tot zijn ontzetting, geen idee. Die verdomde onderzoeker had hem er nooit iets over verteld. Het leek hem dat acuut het logische antwoord was. Acuut leek hem dringend. Chronisch, wist hij, betekende dat je al jaren die ziekte had.

'Acuut,' antwoordde hij.

Ze schreef het op. Toen keek ze hem aan. 'Hoelang heeft uw neef nog, denkt u?'

'Een maand, misschien,' zei hij. 'Daarna zal hij waarschijnlijk te zwak zijn om nog een transplantatie aan te kunnen.'

'Hij ligt in welk ziekenhuis?'

'Hij heeft in het Royal South London gelegen, maar nu is hij weer thuis.'

'En hoe heet de ziekte van de jongen?'

'Auto-immune hepatitis,' zei hij. 'Zijn lever is daardoor erg aangetast.'

Ook dat schreef ze op terwijl ze een gezicht trok, alsof ze daarmee aan wilde geven dat ze begreep hoe erg het was.

'Wat kan uw bedrijf voor hem doen?'

'Nou,' zei ze. 'Het is bijna Kerstmis, dus we zullen snel moeten zijn. Normaal gesproken vinden de transplantatie en de nazorg plaats in een kliniek in de buurt van de patiënt. Als het geld een probleem is, zijn er een paar goedkopere alternatieven, bijvoorbeeld dat de operatie in China of India of zo wordt uitgevoerd.'

'Hoeveel kost een levertransplantatie in Engeland?'

'Weet u de bloedgroep van uw neef?'

'Hij is AB negatief,' zei hij.

Ze keek opeens bedachtzaam. 'Redelijk zeldzaam.'

'Dat weet ik.'

'Een lever kost driehonderdduizend euro. We willen vijftig procent vooruit, voordat we gaan zoeken, en vijftig procent als de lever er is, dus voor de transplantatie. We regelen binnen een week van de vooruitbetaling een lever voor u.'

'Zelfs voor zo'n zeldzame bloedgroep?'

'Maar natuurlijk,' zei ze zelfverzekerd.

'Mijn neef woont dus in Brighton. Waar zou de transplantatie kunnen plaatsvinden?'

'Brighton is een mooie stad,' zei ze.

'Kent u het?'

'Brighton? Ja, zeker. Mijn man en ik hebben in Engeland gereisd.'

'Dus u kunt in de buurt van Brighton de operatie laten uitvoeren?'

'Dat kunnen we op veel plaatsen in de wereld, meneer Taylor. Neemt u dat van ons aan. In sommige kunnen we lever en nieren transplanteren, in andere hart en longen, en in bepaalde alle vier. Ik geef u referenties die erg tevreden zijn over onze diensten. Mensen die nu niet meer zouden leven zonder ons. Maar er is geen haast. In ons land sterven elk jaar duizend mensen omdat ze geen orgaan kunnen krijgen voor de levensreddende operatie. Toch komen er elk jaar één miljoen tweehonderdvijftigduizend mensen in de hele wereld om bij verkeersongevallen. Transplantation-Zentrale is alleen maar een tussenpersoon. We troosten de nabestaanden van de mensen die plotseling en tragisch zijn omgekomen door hun organen te gebruiken en zo andere mensen het leven te redden. Hierdoor, begrijpt u, krijgt de dood van een geliefde toch nog een doel. Ja?'

'Dat snap ik. Welke transplantaties voert u in Sussex uit?'

'Lever en nieren.' Ze keek hem onderzoekend aan. 'Hebt u een donor codicil?'

Hij bloosde. 'Nee.'

'Helaas bent u de enige niet. Toch, als u ooit een keer wakker wordt en uw nieren doen het niet meer, meneer Taylor, zult u blij zijn dat iemand anders er wel een had.'

'Dat is zo. Vertelt u eens, kan ik met iemand in Brighton praten die gebruik heeft gemaakt van uw diensten?'

'We betrachten strikte geheimhouding.'

'Dat begrijp ik.'

'Ik kijk het even na, en als er iemand bij u in de buurt woont neem ik contact met die persoon op om te vragen of hij of zij met u wil praten.'

'Dank u. Welke kliniek gaat u gebruiken?'

Ze keek ontwijkend. 'Sorry, maar dat hangt af van beschikbare operatieruimte. We weten dat later pas.'

'Zal het een privékliniek zijn of een ziekenhuis van de gezondheidszorg?'

'Ik denk niet dat de gezondheidszorg mee wil helpen, meneer Taylor.'

'Omdat het illegaal is?'

'Als u het illegaal vindt om het leven van uw neef te redden, dan ja. Daar hebt u gelijk in.' Ze keek op haar horloge. 'Ik moet een vliegtuig halen, dus sorry... En u was iets te laat, dus we moeten het gesprek nu afbreken. Denk eens na over wat ik heb gezegd. Wilt u wat informatie mee naar huis nemen? We gaan u niet overhalen, hoor. Waarom niet? Om een eenvoudige reden:

er zijn genoeg wanhopige mensen en er zijn genoeg organen. Prettig kennis met u te hebben gemaakt, meneer Taylor. U hebt mijn e-mailadres en mijn telefoonnummer. U kunt me dag en nacht bereiken.'

De limousine van Marlene Hartmann stond buiten en ze wilde er zo snel mogelijk mee naar het vliegveld, want ze had een strak schema. Maar ze bleef aan haar bureau zitten totdat ze op de beveiligingscamera Roy Grace het gebouw uit zag lopen. Toen downloadde ze twee camerabeelden van hem op haar mobieltje en stuurde ze naar Vlad Cosmescu in Brighton met het verzoek deze man zo snel mogelijk te identificeren.

Meneer Roger Taylor, u bent een leugenaar, zei ze tegen zichzelf.

Na tien jaar in de internationale orgaanhandel kende ze de markt van haver tot gort. Ze wist hoe het in Engeland was geregeld. Als je aan acuut leverfalen leed, werd je onmiddellijk op de transplantatielijst gezet en opgenomen in een ziekenhuis. Je was dan te ziek om thuis te blijven.

Roger Taylor, als dat zijn echte naam was – en ze vermoedde van niet – was al meteen door de mand gevallen. Wie was hij? En wat kwam hij hier doen? Ze dacht het door zijn gedrag en zijn vragen al te weten.

Ze stond op om weg te gaan, maar haar mobieltje ging en toen werd haar dag nog slechter dan die al was.

89

Door het rustige weer en de grote lege ruimte van het Kanaal om hen heen waren de duikomstandigheden – de ijskoude temperatuur van het water daargelaten – bijna ideaal. Vergeleken met een meer vol algen of een smerig kanaal dat vol lag met stukken metaal, was dit voor het Gespecialiseerde Zoekteam een prachtige duik.

Maar op de twee monitors die de beelden weergaven die werden opgenomen door de camera's op de helmen van de duikers was alleen een grijs waas te zien.

Jon Lelliot – beter bekend als de Windbuil – bijgestaan door Chris Dicks, die de bijnaam Clyde droeg, had het wrak officieel herkend als de Scoob-Eee. En ze hadden een lijk in de voorste hut aangetroffen, dat hij momenteel naar de oppervlakte haalde.

De rest van het team, samen met Glenn Branson, die wel een beetje misselijk was, maar zich een stuk beter voelde dan op de vorige zeereis, tuurde over de reling naar de steeds wildere massa luchtbellen die rond de gele, blauwe en rode slangen voor lucht en communicatie naar boven kwamen en de vier touwen waar de hefballon mee naar beneden was gelaten. Even later dook het hoofd van de Windbuil op, met helm, en daarna een lijk dat in een maalstroom van luchtbellen boven water kwam.

'Nee, hè!' riep Gonzo uit.

Branson keek na een snelle blik weg en had moeite zijn ontbijt binnen te houden.

De Windbuil duwde het lijk, dat ondersteund door de opgeblazen zakken hoog op het water dreef, naar de zijkant van de boot.

Enkele leden van het team, onhandig geholpen door Glenn Branson, trokken aan de touwen en sleurden het zware, met water volgelopen lijk over de rand van de Sunseeker en de reling.

De ontwerper van het vaartuig had waarschijnlijk voor ogen gehad dat het achterdek zou worden gebruikt door rijke playboys en prachtige topless meiden om te zonnen. Hij had zijn ogen niet geloofd als hij had gezien wat het team en de arme rechercheur nu zagen.

'Arme donder,' zei Arf.

'Is het Jim Towers?' vroeg Tania Whitlock aan hem.

Hoewel ze aan het hoofd stond van het Gespecialiseerde Zoekteam, werkte de brigadier nog geen jaar bij het team en ze kende de plaatselijke schippers lang niet zo goed als de rest van haar team.

Hij knikte somber.

'Zeker weten,' beaamde Gonzo. 'Ik heb zo'n vijf jaar met hem samengewerkt. Dat is Jim.'

De man was tot aan zijn nek met grijze tape ingezwachteld. Zijn hoofd stak erboven uit, met nog een enkel stuk tape over zijn mond. Er rende een krabbetje over de tape. Arf bukte zich, pakte het beestje op en gooide het over de reling.

'Kutbeesten,' zei hij. 'Ik heb toch zo'n hekel aan ze.'

Glenn begreep dat helemaal.

De bebaarde onderkant van het gezicht van de man was nog intact, uitgezonderd een paar hapjes die uit de lippen waren genomen. Maar het vlees van zijn wangen en voorhoofd en de spieren en zenuwen daaronder waren weg, zodat de kale schedel erdoorheen schemerde. Een oogkas was schoongevreten. In de andere zat nog wat oogwit ter grootte van een krent.

'Voorlopig voor mij geen krab met avocado als voorgerecht,' grapte Glenn, die zich groot wilde houden.

'Wil er nog iemand een zeebegrafenis?' vroeg Arf.

Niemand meldde zich aan.

90

Vlad Cosmescu maakte zich zorgen. Hij zat aan zijn bureau met zijn computer voor zijn neus, maar hij genoot niet langer van het uitzicht op de kust van Brighton. Om het halfuur keek hij dwangmatig naar de online-editie van de *Argus*, de plaatselijke krant.

Hij voelde zich na dat telefoontje de afgelopen week nog steeds ellendig. *Je hebt het verknald.*

Deze stad was jarenlang zijn speelterrein geweest. Geld en meiden. Hij verdiende er genoeg geld aan om zijn geestelijk gestoorde zusje in een mooi tehuis te huisvesten. En ook om op een manier te leven waar hij anders alleen van zou kunnen dromen.

Hij vond het maar niets dat iemand tegen hem zei dat hij het had verknald.

Hij was altijd uiterst voorzichtig. Had eerst het vertrouwen van zijn ondergeschikten gewonnen. Langzaam zijn zakenimperium opgebouwd. Massagesalons. Escortservices. De lucratieve drugshandeltjes. En onlangs dus de Duitse connectie. De orgaanhandel was het beste van allemaal. Voor elke geslaagde transplantatie kreeg hij tienduizenden ponden betaald. En dat ging rechtstreeks naar zijn Zwitserse bankrekening.

Als hij één ding wel had geleerd in zijn nieuwe vaderland, dan was het dat de politie scherp op de drugshandel lette. De rest kwam op de tweede plaats. Daar kon hij prima mee leven.

Het was allemaal heel goed gegaan. Tot Jim Towers.

Het kon zijn dat de schipper zich werkelijk had vergist door die drie lijken in het baggergebied te dumpen. Maar dat geloofde hij niet. Towers had hem willen naaien, maar waarom? Gewetensnood? Om hem te chanteren?

Opeens kwam er een sms'je op zijn mobieltje binnen.

Het was afkomstig van zijn grootste inkomstenbron: Marlene Hartmann in München.

Net als hij kocht ze elke week een nieuwe prepaidtelefoon, zodat de politie haar niet zo gemakkelijk in de gaten kon houden.

Het bericht luidde: *Ken je deze man?*

Er zaten twee foto's bij. Hij opende ze en zocht meteen naar zijn sigaretten.

Toen hij hier net was begonnen, had hij ervoor gezorgd iedereen die voor de politie werkte en in hem geïnteresseerd kon zijn, van gezicht te kennen.

Hij volgde deze politieman al jarenlang, dankzij de *Argus*, en had hem een paar keer promotie zien maken.

Hij toetste haar nummer in. 'Dat is inspecteur Roy Grace van de politie van Sussex,' vertelde hij haar.

'Hij is net bij me langs geweest.'

'Heeft hij misschien een transplantatie nodig?'

'Dat lijkt me niet,' zei ze zonder gevoel voor humor. 'Maar je moet weten dat Roger Sirius me heeft gebeld. De politie is vanochtend bij hem op bezoek geweest.'

'Waarom?'

'Ik denk om iets uit te vissen. Maar we moeten meteen Alternatief 1 in werking stelling. Ja?'

'Ja, dat lijkt me ook.'

Om iets uit te vissen. Hij kromp ineen bij die woorden.

'Ik schuif alles naar voren. Zorg ervoor dat je klaar bent,' gaf ze hem het bevel.

'Ik ben klaar.'

Zonder verdere plichtplegingen beëindigde ze het gesprek.

Cosmescu stak zijn sigaret op en nam er nerveus een trek van, hij dacht diep na over de lijst van Alternatief 1. Hij vond het maar niets dat de politie zowel bij de chirurg als de handelaar was geweest, en dan nog wel op één en dezelfde dag. Dat was erg slecht nieuws.

Opeens trok een artikel in de krant zijn aandacht.

Dat kopte met VIERDE LIJK IN KANAAL.

Hij las een stukje van het verhaal. Het duikteam van de politie dat op zoek was gegaan naar de Scoob-Eee, een vissersvaartuig geregistreerd in Shoreham, was gevonden en er was een lijk aan boord ontdekt.

Futu-i! dacht hij. O shit, o shit, o shit.

91

Lynn zat met dichtgeknepen keel van de zenuwen aan haar bureau. Het broodje tonijn dat ze voor de lunch had gekocht en waar ze maar een klein hapje van had genomen, lag voor haar, samen met de nog onaangeraakte appel.

Ze had geen trek. Haar maag kromp samen en ze was één bonk zenuwen. Ze had die avond een afspraakje na het werk. Maar haar maag kneep niet samen op de manier uit haar tienertijd, als ze opgewonden was omdat ze een date had met een vriendje. Dit was meer een venijnige, pijnlijke samentrekking. Want ze had een afspraakje met de walgelijke Reg Okuma

Of beter gezegd, wat haar betrof, met de toegezegde vijftienduizend pond contant.

Maar aan zijn toespelingen van die ochtend over de telefoon te horen verwachtte hij duidelijk meer dan enkel een snel achterover geslagen cocktail.

Ze deed even haar ogen dicht. Caitlin verslechterde met de dag. Soms per uur, leek het wel. Haar moeder was die ochtend bij haar gebleven. Kerstmis stond voor de deur. Marlene Hartmann had haar gegarandeerd dat ze binnen een week na ontvangst van de aanbetaling een lever kon regelen, en inmiddels had ze de aanbetaling bij elkaar. Maar ongeacht de toezeggingen van de handelaarster – en alle referenties die ze ter geruststelling was nagegaan – was er tijdens kerst bijna niets meer open, en wat nog wel open was werkte veel langzamer.

Ross Hunter had haar die ochtend gebeld en haar gesmeekt Caitlin naar het ziekenhuis te brengen.

Ja, om daar te sterven!

Een van haar collega's, een levendige, aardige, jonge vrouw die Nicky Mitchell heette, kwam langs en legde een gesloten envelop op haar bureau.

'Voor Kerstmis!' zei ze.

'O, oké, bedankt.'

Lynn keek naar de envelop en vroeg zich af voor wie ze op kantoor een cadeautje moest kopen. Ze had dat altijd leuk gevonden, maar dit keer vond ze het alleen maar lastig.

Op het grote scherm aan de muur zag ze de woorden KERSTBONUS knipperen, omringd met kerstboompjes en draaiende gouden munten. De bonus bedroeg inmiddels drieduizend pond. Het kantoor wasemde de sfeer van geld uit. Als ze haar collega's opensneed, wist ze zeker dat er kleingeld in plaats van bloed uit hun aderen zou stromen.

Zo veel geld. Miljoenen. Tientallen miljoenen.

Waarom was het verdomme dan zo moeilijk voor haar om de vijftienduizend die ze nog voor die Duitse orgaanhandelaarster nodig had bij elkaar te krijgen? Mal, haar moeder, Sue Shackleton en Luke waren allemaal fantastisch geweest. Haar bank was tot haar verbazing erg meelevend geweest, maar omdat ze al in het rood stond had de manager het fiat van het hoofdkantoor nodig voor een lening, en hij dacht niet dat hij dat zou krijgen. De enige andere kans was een hogere hypotheek, maar dat kon weken duren, en zo lang had ze niet.

Haar mobieltje ging. Het nummer was afgeschermd. Ze nam behoedzaam op omdat ze geen reprimande wilde krijgen voor een privégesprek.

Het was Marlene Hartmann en ze klonk gespannen en een tikje geagiteerd. 'Mevrouw Beckett, we hebben een geschikte lever voor uw dochter gevonden. De transplantatie zal morgenmiddag plaatsvinden. U moet morgen met Caitlin en de koffers klaarstaan. U hebt de lijst toch die ik u heb gestuurd met dingen die u moet meenemen?'

'Ja,' zei Lynn. 'Ja.' Maar haar mond was opeens zo droog door de zenuwen en de opwinding dat ze amper iets kon uitbrengen. 'Kunt u... Kunt u me iets vertellen over de... de donor?'

'De lever is van een jonge vrouw die bij een ongeluk betrokken is geweest en nu hersendood is. Meer kan ik u niet vertellen.'

'Dank u,' zei Lynn. 'Dank u wel.'

Ze verbrak de verbinding en was duizelig en misselijk van de opwinding, maar ook van de angst.

92

Het was te koud voor een zoektocht te voet, dus zaten ze in Ian Tillings Opel en keken ze door de schoongeveegde stukken van de beslagen ruiten terwijl ze door de sneeuwbrij in de buurt van het café reden. Het was even na half-vijf en het daglicht nam, door de dreigende sneeuwwolken, rap af.

Ze hadden al diverse gaten in de straat onderzocht, maar tot nu leek er niet een bewoond te zijn. Toen ze terugreden, kwamen ze opnieuw langs de kleine supermarkt, het café, de slagerij en een orthodoxe kerk die in de steigers stond. Twee grote honden, een grijze en een zwarte, waren een vuilniszak aan het openscheuren.

Raluca, die op de achterbank zat en na een shot weer rustig was, verstijfde opeens en boog zich naar voren. Toen riep ze opgewonden: 'Meneer Ian! Daar, daarzo! Stop de auto!'

Hij zag in de richting die ze aanwees aanvankelijk alleen een stuk braakliggend land met een paar autowrakken en smerig uitziende hoge flats met tientallen schotelantennes als zeepokken aan de buitenmuur bevestigd.

Hij reed naar de stoep, bonkte over een sneeuwrand en kwam slippend tot stilstand. Een chauffeur in een oude vrachtwagen drukte woedend op zijn claxon terwijl hij langsdenderde, waarbij hij bijna de zijkant van de Opel eraf reed.

Raluca wees door de ruit naar drie figuurtjes die uit een gat in een stuk beton waren gekropen. Vanwege de invallende duisternis en het sneeuwdek was het moeilijk te zien of het op de weg was of de stoep. Vlak bij het gat viel Tilling een soort kennel op, in elkaar geflanst met een omgevallen hek. Er lag een hond in, die ergens druk op lag te kauwen en zich niets van het slechte weer aantrok. Even verderop, met draaiende motor en walmende uitlaatpijpen, stond een grote zwarte Mercedes.

Een van de drie was een lange, elegante vrouw met een bontmuts op, en een lange donkere jas en laarzen aan. Ze hield de hand vast van een verbijsterd uitziend meisje met bruin haar en een wollen muts op, die een veelkleurig joggingpak met daarover een bodywarmer droeg en gympen die totaal niet geschikt waren voor dit weer. De derde was een jongen, hij droeg een spijkerbroek, eveneens gympen, en een jack met capuchon, en stond bij het gat met een verloren blik naar hen te kijken.

De vrouw leidde het meisje naar de auto. Het meisje draaide haar hoofd verloren om en zwaaide. De jongen zwaaide terug en riep iets. Toen draaide het meisje zich om en zwaaide naar de hond, maar die keek niet.

Door de wind zaten ze zo langzamerhand in een sneeuwstorm.

'Dat is ze!' riep Raluca. 'Dat is Simona!'

Ian Tilling sprong uit de auto en de sneeuw sloeg keihard in zijn gezicht. Andreea schoot ook naar buiten, samen met de andere inzittenden.

Er kwam weer een vrachtauto langsdenderen, zo hard dat ze moesten wachten. Tilling sprong over de sneeuwderrie en schreeuwde zo hard hij kon: 'Stop! Stop!'

De vrouw en het meisje bevonden zich vlak bij de auto, zo'n vijftig meter voor hen uit.

'Stop!' riep hij weer. Toen richtte hij zich tot de jongen: 'Hou ze tegen!'

De vrouw hoorde hem roepen en draaide zich om. Ze trok snel het achterportier open, duwde het meisje naar binnen en ging zelf ook snel zitten. De Mercedes trok op voordat het achterportier gesloten was.

Tilling bleef er een paar meter achteraan rennen, tot hij plat voorover viel. Hij klauterde weer overeind en rende hijgend terug naar de Opel, terwijl hij Raluca, Ileana en Andreea riep om mee te komen. Toen bleef hij bij de jongen staan en zag de verschrompelde hand.

'Was dat Simona?'

De jongen zei niets.

'Simona? Was dat Simona?'

De jongen zei nog steeds niets.

'Ben jij Romeo?'

'Zou kunnen.'

'Moet je horen, Romeo, Simona verkeert in gevaar. Waar gaat ze naartoe?'

'Die mevrouw neemt haar mee naar Engeland.'

Tilling vloekte, rende naar zijn auto, stapte in en trok op, in de richting die de Mercedes had genomen.

Al na een paar minuten besefte hij dat hij hem was kwijtgeraakt.

Maar toen viel hem opeens iets in.

93

Ze miste Romeo en Artur nu al. Ze zag de verdrietige uitdrukking op de kop van de hond weer voor zich toen ze hem dat bot had gegeven. Alsof hij wist dat hij haar nooit meer zou zien.

Ze had Artur beloofd dat ze terug zou komen. Had haar armen om zijn mottige nek geslagen en hem een zoen gegeven. Maar hij had haar aangekeken alsof hij er geen woord van geloofde. Alsof er verschillende manieren van afscheid nemen waren, en hij precies wist tot welke deze behoorde. De hond had het bot naar zijn hok gesjouwd en niet meer naar haar omgekeken.

Ze kon wel zonder de hond, besefte ze. De hond was een overlever en die zou zich wel redden. Maar ze kon niet zonder Romeo. Ze miste hem verschrikkelijk. De tranen stroomden over haar wangen terwijl ze Gogu, de dunne reep nepbont die haar enige bezit was, tegen haar wangen aan drukte.

Daarachter in de zwarte limousine, met de getinte ruiten, en de sterke geur van leer en het parfum van de Duitse, voelde ze zich zo verlaten als nooit tevoren. De vrouw zat voortdurend te telefoneren en wierp af en toe bezorgd een blik door de achterruit het donker in. Ze reden nu over een gepekelde weg, en moesten door het drukke verkeer steeds weer stoppen en een eindje optrekken. Ze keek om de haverklap naar de nek van de man die aan het stuur zat.

Het haar van de man was heel erg kort geknipt. Uit de kraag van zijn witte overhemd kwam de tatoeage van een slang tevoorschijn, die met zijn gevorkte tong op het punt stond toe te slaan. Elke keer dat de vrouw het binnenlichtje had aangedaan om iets in haar agenda aan te tekenen, had ze hem gezien.

Ze rilde. Ze was bang voor hem, ondanks het feit dat de vrouw erbij was en haar beschermde.

Hij was de chauffeur van de man die haar uit de klauwen van de politie had gered op het Gara de Nord en haar vervolgens had verkracht. Die chauffeur had haar willen dwingen seks met hem te hebben toen hij haar naar huis had gereden. De man die ze had gebeten en die ze pijn had gedaan.

Ze zag hem meermalen in de spiegel naar haar kijken. De boze blik maakte haar duidelijk dat hij nog niet klaar met haar was. Dat hij het niet was vergeten. Ze wilde niet meer in de spiegel kijken, maar elke keer dat ze toch toegaf, zag ze zijn blik op haar gericht.

Had ze hem maar nog meer pijn gedaan. Had ze dat stomme ding er maar helemaal afgebeten.

Eindelijk was de vrouw klaar met bellen.

'Wanneer komt Romeo?' vroeg ze kleintjes.

'Al snel, *meine Liebe!*' De vrouw gaf haar een klopje op haar wang. 'Jullie zijn snel weer samen. Je zult Engeland vast leuk vinden. Je zult daar gelukkig zijn. Kijk je ernaar uit?'

'Nee.'

'Dat zou je wel moeten doen. Een nieuw leven!'

Marlene dacht: drie nieuwe levens zelfs.

Het was zonde van het hart en de longen, maar ze had momenteel niemand in Engeland in haar bestand voor wie ze geschikt waren, en ze wilde de zaak niet vertragen door erop te wachten, niet nu de politie zich ermee bemoeide. De organen zouden als ze eenmaal verwijderd waren een tocht overzee niet overleven. Net als bij een levertransplantatie was het het best als de donor en de ontvanger vlak bij elkaar waren, zodat er zo min mogelijk tijd tussen dood en transplantatie zat. Het meisje was te klein om de lever op te delen, maar ook zonder bracht hij al genoeg geld op.

Nieren kon je wat langer bewaren, zelfs wel vierentwintig uur, als je ze goed gekoeld hield. De liefhebbers voor Simona's nieren stonden er al op te wachten, een in Duitsland en een in Spanje. In andere landen had ze ook de huid, ogen en botten van het meisje kunnen slijten, maar de verdiensten daarvan vielen tegen, en het was de moeite niet waard om ze Engeland uit te smokkelen. Voor de twee nieren streek ze een nettowinst van honderdduizend euro op en voor de lever honderddertigduizend.

Daar was ze uiterst tevreden mee.

94

Roy Grace was net op tijd terug uit München om bij de vergadering van half-zeven aanwezig te zijn.

Hij kwam gehaast de kamer binnen en las al lopend de agenda, terwijl hij zijn best deed niet met zijn koffie te morsen.

'Geslaagde reis, Roy?' vroeg Norman Potting. 'Heb je de moffen op hun nummer gezet? Even duidelijk gemaakt wie de oorlog heeft gewonnen?'

'Dank je, Norman,' zei hij, terwijl hij ging zitten. 'Ik heb zo het vermoeden dat ze dat zo langzamerhand wel weten.'

Potting stak zijn vinger op. 'Onbetrouwbare sodemieters zijn het. Net als de jappen. Moet je eens naar onze auto-industrie kijken! Een op de twee auto's is Duits!'

'Dank je wel, Norman!' zei Grace met stemverheffing. Hij was moe en ge irriteerd na de lange dag, die voorlopig nog niet om was, en wilde de agenda even snel doornemen voordat iedereen had plaatsgenomen.

Potting haalde zijn schouders op.

Grace las rustig door terwijl er nog wat mensen binnenkwamen en opende toen de vergadering.

'Oké, dit is de zestiende vergadering van operatie Neptunus. Er is weer een lijk ontdekt, dat hier misschien ook bij betrokken is.' Hij keek Glenn aan. 'Kan onze visser tegen wil en dank ons op de hoogte brengen?'

Branson glimlachte als een boer met kiespijn. 'Het is waarschijnlijk goeie ouwe Jim Towers. Omdat hij van top tot teen ingetaped is, kunnen we nog niet zeggen of ook hij organen kwijt is, dus moeten we wachten op de sectie. Dat kan vanavond niet, morgen zijn we de eersten.'

'Is hij al formeel geïdentificeerd?' wilde Lizzie Mantle weten.

'Aan een gouden armband en zijn horloge,' antwoordde Branson. 'Het leek ons geen goed idee om zijn vrouw naar hem te laten kijken. Hij ziet er niet zo mooi uit. Kun je je dat hoofd onder water uit *Jaws* nog herinneren? Het oog hing eruit en het dook opeens op in een gat in de romp, en Richard Dreyfuss schrok zich het apelazarus. Zo dus.'

'Een beetje minder kan ook wel, Glenn!' zei Bella Moy walgend, die maar even geen Malteser in haar mond stak.

'Wat hebben we tot nu toe?' vroeg Grace.

'De boot is tot zinken gebracht, het was geen aanvaring.'

'Kan het zelfmoord zijn geweest?'

'Het valt niet mee om je boot tot zinken te brengen als je als een mummie vastgebonden bent, baas. Tenzij hij er natuurlijk bij beunde als boeienkoning.'

Er werd hier en daar gelachen.

Grace glimlachte ook en zei toen: 'Voorlopig doet dit team er onderzoek naar. Brigadier Mantle zal de groep die dit gaat onderzoeken leiden en zij beslist ook of er een apart moordonderzoek moet plaatsvinden, dat hangt gedeeltelijk af van wat er uit de sectie naar voren komt.'

Hij keek haar aan.

'Ja,' zei ze. 'Glenn, ik wil je er graag bij hebben, omdat jij al contact hebt gehad met Towers' vrouw... weduwe.'

'Prima.'

'We moeten de pers heel omzichtig te woord staan,' zei Grace. 'Ook in dit geval moeten we even afwachten wat er uit de sectie komt.'

'Mee eens,' zei brigadier Mantle.

Branson zei: 'Ik word steeds minder blij met Vlad Cosmescu. Door de DNA-tests op de sigarettenpeuken kunnen we onomstotelijk bewijzen dat hij in Shoreham-Haven is geweest. Dan nog de buitenboordmotor –'

'We kunnen áántonen dat hij er was, Glenn,' corrigeerde Roy Grace hem. 'Maar het is geen onomstotelijk bewijs. Iemand anders had die peuken daar neer kunnen leggen. Jij, en verder iedereen' – hij keek even rond – 'moet je ervan bewust zijn dat als je beweert dat iets bevestigd of bewezen is, de kans groot is dat een slimme advocaat je tijdens de rechtszitting ervan langs geeft omdat je zogenaamd de jury misleidt. Het woord dat we moeten gebruiken is "aantonen", oké? Zeg nooit dat iets onomstotelijk is "bewezen". Op die manier is het meteen al een verloren zaak.'

Bijna iedereen knikte.

'Wat heb je nog meer, Glenn?'

'We weten dat Europol en Interpol vanwege mensenhandel en het witwassen van geld in hem geïnteresseerd zijn.'

'Maar hij is nooit aangeklaagd en nooit veroordeeld, voor zover we weten?'

'Dat klopt.'

'Het Kanaal is niet zo'n goede plek om dingen te verbergen,' merkte Bella Moy op. 'Als je een lijk of een boot wilt verstoppen, kun je dat volgens mij beter midden op Churchill Square doen. Dan loop je tenminste nog de kans dat het wordt gepikt!'

'Ik wil hem laten verhoren, een huiszoekingsbevel regelen, naar zijn huis gaan, en de telefoongegevens opvragen,' ging Branson door.

'Vanwege een paar peukjes in Shoreham-Haven en een aangespoelde buitenboordmotor?' vroeg Grace.

'Omdat hij de Scoob-Eee door een verrekijker in de gaten hield. Waarom deed hij dat? Het is een oude vissersboot, niets bijzonders, totdat die overleden tieners ermee werden opgehaald. Mijn intuïtie zegt me dat we deze man moeten hebben, Roy.'

'Kan de boot geborgen worden?' wilde Grace weten.

'Ja, maar daar komt wel heel wat bij kijken, en het zal een bak met geld kosten. Ik heb het met Tania Whitlock besproken. Het lijkt me een harde dobber voor je om dat er bij adjunct-hoofdcommissaris Vosper door te krijgen.'

'Als je intuïtie klopt, moet je bewijs zien te krijgen dat hij aan boord van die boot is geweest. Misschien heeft iemand hem gezien, of misschien vindt de Technische Recherche afdrukken, of iets wat hij heeft achtergelaten.'

Branson fronste zijn voorhoofd. 'Wie weet vinden ze nog wat als ze daar weer duiken en de boel uitkammen.'

Grace dacht even na. 'Heb je enig idee hoe hij erbij betrokken kan zijn, Glenn?'

'Nee, baas, maar dat hij erbij betrokken is, dat weet ik zeker. En volgens mij moeten we hem snel zien op te pakken.'

'Oké,' beaamde Grace. 'Regel een bevel tot huiszoeking, maar dan moet je het wel een beetje aandikken. Eens kijken of hij dan vrijwillig informatie geeft, op die manier krijg je misschien meer van hem te horen dan als je hem oppakt en zijn advocaat hem adviseert niets te zeggen. Neem iemand mee die gespecialiseerd is in verhoren. Bella.' Hij wendde zich tot brigadier Mantle. 'Is dat goed wat jou betreft, Lizzie?'

De politievrouw knikte.

Grace keek op zijn horloge en maakte snel een berekening. Tegen de tijd dat Branson het bevel tot huiszoeking en een rechter had geregeld die het ondertekende, zou het als ze een beetje geluk hadden vast al tien uur zijn. Hij dacht weer aan die heel vroege ochtend toen hij Cosmescu's Mercedes sportauto had gezien en zei: 'De man is een nachtmens, je kon wel eens lang op hem moeten wachten.'

'Dan moeten we het onszelf zolang maar gemakkelijk maken in zijn huis!' zei Branson.

'Die arme cd-verzameling van hem,' verzuchtte Grace.

Branson had tenminste het fatsoen om betrapt te kijken.

'Als je hem spreekt,' zei Grace, 'zou het wel eens moeilijk kunnen zijn om iets uit hem te krijgen. Hij loopt al zo'n tien jaar in het criminele wereldje mee in deze stad en is nog nooit opgepakt. Dat lukt je niet, tenzij je heel goed weet hoe het spel wordt gespeeld.'

Hij wierp weer een blik op zijn agenda.

'Gisteren hebben we vastgesteld dat mevrouw Lynn Beckett, wier telefoonnummer mij is doorgegeven door onze Duitse collega's, een dochter heeft die aan een leverziekte lijdt.' Hij tikte op de stapel kopietjes. 'Dit zijn de telefoongegevens van het Duitse bedrijf waar ik vandaag ben geweest, de Transplantation-Zentrale. Die mag ik officieel niet in bezit hebben, dus ga er uiterst voorzichtig mee om, maar dat moet lukken.'

Hij nam een slok koffie en ging door.

'Er staan negen belletjes naar Lynn Becketts vaste telefoon op en vier inkomende telefoontjes in de afgelopen drie dagen, en nog twee uitgaande vanaf haar mobieltje.'

'Heb je er ook tapes van, Roy?' informeerde Guy Batchelor.

'Helaas niet. Hun wet op de privacy is hetzelfde als bij ons. Maar ze zijn bezig met een machtiging en dat zou elk moment moeten lukken.'

'Dat was ten tijde van Adolf vast wel anders,' mompelde Potting.

Grace zond hem een dodelijke blik toe en zei: 'Ik heb vanochtend met Marlene Hartmann gesproken, zij is het hoofd van het Duitse orgaanhandelbedrijf Transplantation-Zentrale, gevestigd in München. Ze doen pal onder onze neus hier in Engeland zaken! We moeten er snel achter zien te komen waar ze hier de operaties uitvoeren. Al die telefoontjes van en naar mevrouw Beckett geven aan dat er iets staat te gebeuren en –'

Opeens liet Pottings mobieltje de tune van *Indiana Jones* horen. De rechercheur keek met een rood hoofd op het schermpje, stond op, mompelde: 'Dat zou wel eens belangrijk kunnen zijn: Roemenië!' en liep de kamer uit.

'En we hebben waarschijnlijk nog maar weinig tijd om uit te zoeken waar de operaties worden uitgevoerd,' ging Grace door. 'Ik heb hier en daar in medische kringen rondgebeld, om een beeld te krijgen van wat er zoal nodig is voor een orgaantransplantatieruimte, of dat nu tijdelijk of permanent is.'

'Heel veel mensen, Roy,' zei Guy Batchelor. 'Toen we Roger Sirius ondervroegen, zei hij' – hij bladerde even door zijn schrijfblok – 'dat je minimaal drie chirurgen nodig hebt, minimaal drie operatieverpleegkundigen, en een intensivecareteam dat vierentwintig uur per dag aanwezig moet zijn en dan ook nog een paar mensen die gespecialiseerd zijn in de nazorg.'

'Ja, in totaal vijftien tot twintig mensen,' zei Grace. 'En dan hebben ze nog zeker één volledig ingerichte operatiekamer nodig en een volledig bezette intensivecareafdeling.'

'We moeten dus op zoek naar een ziekenhuis,' zei Nick Nicholas. 'Van de gezondheidszorg of een privékliniek.'

'De gezondheidszorg kunnen we wel vergeten. Het moet praktisch onmogelijk zijn om een illegaal orgaan zoals een lever hier te transplanteren,' merkte brigadier Mantle op.

'Weet je dat zeker?' vroeg Glenn Branson.

'Zeer zeker,' zei Lizzie Mantle. 'Dat is wettelijk goed geregeld. Als je het toch illegaal wilt doen, zouden er een hoop mensen van moeten weten. Tenzij het maar om één persoon gaat, dan zou het misschien wel kunnen.'

Branson knikte bedachtzaam.

'Volgens mij is het een privékliniek,' zei Grace. 'Er zijn vast medicijnen die je bij zo'n operatie nodig hebt, we moeten uitzoeken welke dat zijn, wie ze maakt en levert, en vervolgens gaan we kijken aan welke ziekenhuizen en klinieken ze verkocht worden.'

'Dat gaat veel tijd in beslag nemen, Roy,' zei brigadier Mantle.

'Zo veel medicijnen of leveranciers en afnemers zullen er nu ook weer niet zijn,' zei Grace. Hij wendde zich tot Jacqui Phillips, de onderzoekster. 'Kun je daar meteen mee beginnen? Ik kan nog wel wat mensen voor je regelen, als je dat nodig hebt.'

Norman Potting kwam de kamer weer in. 'Sorry, hoor,' zei hij. 'Dat was mijn contactpersoon in Boekarest: ex-politieman Ian Tilling.'

Grace gebaarde dat hij door kon gaan.

'Hij volgt momenteel een jonge Roemeense vrouw – een tiener genaamd Simona Irimia – die volgens hem in de molen zit van de mensenhandel en misschien al vannacht of morgenochtend naar Engeland wordt getransporteerd. Zijn collega heeft me een paar politiefoto's gemaild van een meisje dat volgens hem de bewuste tiener is, en die twee jaar geleden zijn genomen toen ze wegens winkeldiefstal werd opgepakt. Zij zei toen dat ze twaalf jaar was. Ik laat ze nu printen. Kan ik ze even halen?'

'Ga je gang.'

Potting liep de kamer weer uit.

'Als rechercheur Batchelor en hoofdagent Boutwood gelijk hebben wat hun vermoedens over sir Roger Sirius betreft, moeten we hem schaduwen. Als we hem volgen, leidt hij ons misschien naar de kliniek,' zei brigadier Mantle.

Grace knikte. 'Ja, daar heb je helemaal gelijk in. Is er bekend hoeveel mankracht onze eigen inlichtingendienst beschikbaar heeft?'

'Ze zitten op een grote zaak,' antwoordde Mantle. 'Dus dat gaat lastig worden.'

De inlichtingendienst was het geheime achtervolgingsteam van de politie. Ze richtten zich voornamelijk op drugs, maar mensenhandel werd steeds belangrijker.

Potting kwam na een paar minuten weer terug en deelde kopietjes uit van de foto's die de Roemeense politie van Simona had gemaakt, en profil, van links en van rechts, en een foto waarop ze rechtstreeks in de camera keek.

'Volgens Ian Tilling werd het meisje vandaag van haar huis opgehaald door een Duitse vrouw die haar meenam om een nieuw leven in Engeland te beginnen. Een nieuw leven, hè? Voor iemand anders, als je het mij vraagt.'

'Knap meisje,' merkte Lizzie Mantle op.

'Ze zal er een stuk minder knap uitzien op de ontleedtafel,' zei Potting.

Grace haalde een paar foto's van Marlene Hartmann uit een envelop, die met een telelens gemaakt waren, en gaf die door.

'Deze heb ik van mijn LKA-vrienden in München gekregen. Zou het deze vrouw kunnen zijn, Norman?'

Potting keek er aandachtig naar. 'Wat een stuk, Roy!' zei hij. 'Ik snap nu waarom je zo graag naar München wilde!'

Grace reageerde er niet op en zei: 'Het is al bijna Kerstmis. Ik weet uit ervaring dat mensen dingen graag ruim voor de kerstvakantie geregeld willen hebben. Als dit meisje vanavond of morgen hier aankomt, zal ze waarschijnlijk al vrij snel worden gedood voor haar organen. Ik wil meer weten over die Lynn Beckett. We hebben wat mij betreft dankzij Norman genoeg om haar telefoon afgetapt te krijgen.'

Een telefoon aftappen mocht pas als er een leven op het spel stond. Grace was ervan overtuigd dat hij dat kon aantonen.

'Ik heb een handtekening van het hoofd en een van de minister of van de staatssecretaris van Binnenlandse Zaken nodig,' zei brigadier Mantle.

Het dienstdoende hoofd van de politie was afwisselend de hoofdcommissaris, diens plaatsvervanger of een van de twee adjunct-hoofdcommissarissen.

'Alison Vosper heeft deze week dienst,' zei Grace. 'Dat moet dus geen probleem zijn. Zij is al op de hoogte.'

'Hoe snel werkt een staatssecretaris?' vroeg Bella Moy.

'Het gaat tegenwoordig een stuk sneller dan vroeger. Londen accepteert de aanvraag per telefoon.' Hij wierp een blik op zijn horloge. 'We moeten voor middernacht toestemming hebben en haar telefoons hebben afgetapt.'

'De vrouw en dat meisje kunnen hier al zijn, meneer,' zei Guy Batchelor.

'Dat is zo. Maar we moeten toch alles in de gaten houden. Ze komen waarschijnlijk aan op Gatwick, maar we moeten ook Heathrow erbij betrekken – dat moet wel geregeld worden – en de Kanaaltunnel en de veerboten. Ik bel Bill Warner wel op Gatwick, dat hij alle inkomende vluchten uit Boekarest en alle andere plaatsen waar ze aan boord kunnen zijn gegaan, in de gaten houdt.' Hij was even stil. 'Het wordt helaas een latertje voor ons. Ik wil morgen niet nog een lijk.'

95

Schiet op, schiet op! Rotauto's! Godvergeten rotauto's!

Ian Tilling toeterde luid, maar het maakte geen moer uit. In de avondspits stond het hele centrum van Boekarest en de buitenwijken bumper aan bumper. Door de sneeuw was het dit keer zelfs nog erger en duurde de spits nog langer dan anders.

De enige troost was dat de auto met Simona erin ook vastzat.

Wat ben je toch een luie klootzak, *subcomisar* Radu Constantinescu, dacht Tilling, terwijl hij de condens van zijn ruit veegde en naar het rode waas van achterlichten tuurde van een verlengde Hummer-limousine voor hem. Hij was al veertig minuten bezig een van de machtigste politiemensen in Boekarest te bellen op zijn vaste telefoon en zijn mobieltje. Beide telefoons gingen eindeloos over, maar er werd niet opgenomen en hij kreeg ook geen voicemail. Was de man al naar huis? Had hij een vergadering? Had hij soms problemen met zijn stoelgang?

Hij was er bijna zeker van dat de Duitse vrouw Simona naar een van de twee internationale vliegvelden van Boekarest zou meenemen. Het meest logische was het grootste: Otopeni. Daar was hij naartoe gegaan, maar ze waren nergens te bekennen. Nu was hij onderweg naar het andere vliegveld. Hij moest dringend de *subcomisar* te spreken krijgen, zodat ze opgepakt konden worden of in elk geval werd verhinderd dat ze het land verlieten, als de politieman het er tenminste mee eens was.

Het verkeer ging een centimeter naar voren en stopte toen weer, en hij stond boven op zijn rem omdat hij anders tegen de Hummer op geknald zou zijn. De benzine was bijna op en de temperatuurmeter ging alarmerend omhoog. Hij toetste opnieuw Constantinescu's nummer in en tot zijn verbazing en opluchting nam hij meteen op.

'Ja?' zei de politieman met zijn knarsende stem.

'U spreekt met Ian Tilling. Hoe gaat het met u?'

'Meneer Ian Tilling, mijn vriend, onderdaan van het Britse Rijk en weldoener van de daklozen in Roemenië! Wat kan ik voor u doen?'

'Ik heb een grote gunst nodig.'

Tilling hoorde de man ergens op zuigen en besefte dat hij waarschijnlijk een sigaret aanstak met de peuk van de vorige. Hij legde de situatie kort en bondig uit.

'U weet hoe de Duitse vrouw heet?'

'Volgens de Engelse politie heet ze Marlene Hartmann.'

'Ken ik niet.' Hij kreeg opeens een hevige hoestbui. Toen hij uitgehoest was, vroeg hij: 'En hoe heet het meisje?'

'Simona Irimia. U zou haar voor me nagaan, weet u nog? Hopelijk hebt u haar inmiddels geïdentificeerd.'

'Ah.'

Tot zijn teleurstelling hoorde Tilling een la openschuiven. De la die hij de politieman de laatste keer dat hij er was open en weer dicht had zien doen. De la waarin de *subcomisar* de drie compositiefoto's en de vingerafdrukken had gedaan waarvan Tilling hem had gevraagd ze rond te sturen. Hij was ze dus duidelijk vergeten, zoals zo veel andere dingen waar hij geen belang aan hechtte.

'Kunt u de naam Marlene Hartmann voor me spellen, meneer Heel Belangrijk?'

Tilling deed dat geduldig. Toen, met de hulp van Raluca, gaf hij hem een gedetailleerde beschrijving van Simona.

'Ik bel meteen het vliegveld,' verzekerde Constantinescu hem. 'Deze twee zullen bij de balie of bij de douane niet zo moeilijk te vinden zijn. Ik vraag de politie van het vliegveld wel of ze de vrouw op willen pakken op verdenking van mensenhandel, oké? U bent al onderweg?'

'Dat klopt.'

'Ik bel u zo snel mogelijk de naam van de politieman door met wie u daar contact op moet nemen. Goed?'

'Bedankt, Radu. Dat stel ik zeer op prijs.'

'We gaan snel samen iets drinken, om uw "plak" te vieren, nietwaar?'

'Heel graag!' antwoordde Tilling.

De Mercedes was al een stuk van de stad verwijderd en het verkeer werd steeds minder. Marlene Hartmann draaide zich nog eens om en wierp een blik door de achterruit. Tot haar opluchting losten de koplampen van het voertuig dat al veertig minuten achter hen aan had gereden in de verte op.

Simona lag met haar hoofd tegen het koude glas van de ruit, met Gogu tegen haar wang aan, en keek door de sneeuw naar de gebouwen die langzaam plaatsmaakten voor een enorme, donkere, lege, doorzichtige ruimte, net zo bleek als de maan.

Marlene Hartmann ging eens goed zitten, en klapte haar laptop open om haar e-mails te lezen. Ze hadden nog een lange rit voor de boeg.

96

Lynn had altijd een hekel aan de winter gehad, omdat ze dan in het donker naar huis moest. Maar deze avond stond Reg Okuma iets verderop in de straat geparkeerd en was ze blij dat het donker was, hoewel de auto door een straatlantaarn duidelijk verlicht was. Ze hoorde de muziek op zijn luidsprekers dreunen en het gegorgel van zijn enorme uitlaat toen ze er nog vijftig meter vanaf was.

De auto was een oude BMW uit de 3-serie en had de donkerbruine kleur van mest, maar er zaten in elk geval getinte ruiten in. De motor draaide, ze vermoedde dat dat was om muziek te kunnen spelen.

Het portier werd voor haar opengegooid en ze aarzelde even terwijl ze zich afvroeg of ze een vreselijke vergissing beging. Maar ze had het geld dat hij beloofd had mee te nemen, wanhopig nodig. Ze keek om zich heen of er niemand van haar werk in de buurt was, ging snel op de passagiersstoel zitten en trok het portier meteen dicht.

De auto zag er vanbinnen nog erger uit dan vanbuiten. De bas van de luidsprekers die een of ander afschuwelijk rapnummer speelden, deed haar hersens schudden. Een paar pluchen dobbelstenen hingen aan het achteruitkijkspiegeltje en deinden ook mee. Over het dashboard lag een snoer met blauwe lichtjes gedrapeerd waarvan ze aanvankelijk dacht dat ze bedoeld waren als kerstversiering, totdat ze besefte dat Reg Okuma ze gewoon cool vond.

De stank van zijn aftershave was zelfs nog erger dan de muziek.

De inzittende was echter een aangename verrassing.

Hij leek in de verste verte niet op het beeld dat Lynn had gehad van een combinatie tussen Robert Mugabe en Hannibal Lecter, zag ze nu in het licht van de straatlantaarn en de blauwe lampjes.

Ze schatte hem eind dertig, en hij was eigenlijk best knap. Hij kwam zo krachtig en zelfverzekerd over dat hij haar deed denken aan de acteur Denzel Washington. Hij was lang en gespierd en had een kort afrokapsel. Verder was hij modern gekleed in een zwart T-shirt met daaroverheen een zwart jasje. Hij had heel veel ringen om en een wijde, grote gouden armband om zijn ene pols en om de andere een horloge ter grootte van een zonnewijzer.

'Lynn!' zei hij met een brede grijns en hij boog zich voorover om haar onhandig te kussen. Ze deinsde net zo onhandig achteruit.

'Ik heb de hele tijd hard aan je gedacht. En jij, heb jij lekker nat aan me gedacht?'

'Heb je het geld bij je?' vroeg ze met een blik door het raam, bang dat een van haar collega's zou langslopen en haar zou zien.

'Wat ordinair om het op een romantisch afspraakje over geld te hebben, vind je ook niet, schoonheid?'

'Zullen we gaan?'

'Wat vind je van mijn auto? Het is de 325 i.' Hij benadrukte de i. 'Deze heeft brandstofinspuiting. Hij is ontzettend snel. Oké, het is geen Ferrari. Nog niet. Maar die komt eraan.'

'Leuk voor je,' zei ze. 'Zullen we nu maar gaan?'

'Ik wil je eerst goed bekijken,' zei hij, en hij draaide zich naar haar om. 'O, je bent zelfs mooier dan ik had gedroomd!'

Toen schakelde hij gelukkig naar zijn één en stoof de auto naar voren.

Ze keek achterom en zag een canvas zak van een bank op de achterbank liggen. Ze pakte hem en legde hem op haar schoot. Even later legde hij zijn sterke, magere hand op haar bovenbeen.

'Wat zullen wij straks heerlijke seks hebben, knappe meid!' zei hij.

Hij moest voor een rood licht op de New England Hill achter een lange rij auto's stoppen. Ze keek in de zak en zag rolletjes bankbiljetten van vijftig pond, samengebonden met een elastiekje. Het waren er heel veel.

'Het klopt tot op de cent,' zei hij. 'Reg Okuma houdt zich aan zijn woord.'

'Daar heb ik anders nog niets van gemerkt,' zei ze, aangemoedigd door het feit dat er auto's voor en achter hen stonden. Ze pakte er een rolletje uit en telde het: duizend pond.

Zijn hand kroop over haar bovenbeen naar boven.

Ze lette er niet op en telde de rolletjes. Er waren er vijftien.

Opeens zat zijn hand tussen haar benen. Ze kneep haar benen samen en duwde resoluut zijn hand weg. Ze zou echt niet met Okuma naar bed gaan. Niet voor vijftienduizend pond. Nog niet voor een miljoen. Ze wilde alleen maar het geld en dan wegwezen. Maar zelfs in haar wanhoop besefte ze dat het niet zo eenvoudig zou gaan.

'We gaan naar een bar,' zei hij, 'mijn lieve Lynn. Daar heb ik een romantisch tafeltje voor ons gereserveerd. We hebben een etentje bij kaarslicht en daarna bedrijven we heerlijk de liefde.'

Zijn vingers waren weer terug en zaten in haar.

Het licht werd groen en ze reden over de heuvel en maakten een bocht naar links. Ze pakte zijn hand en legde hem op zijn eigen bovenbeen.

'Ik word zo geil van je, Lynn.'

Twintig minuten later zaten ze buiten op het terras van de Kama Bar, in de jachthaven van Brighton. Ondanks de felle gloed van de gaskachel boven hen zat ze te vernikkelen. Reg Okuma had een grote sigaar opgestoken en zij nam, in haar jas gedoken, af en toe een slok whisky sour die hij haar had opgedrongen omdat hij ervan overtuigd was dat ze dat lekker zou vinden, en ze vond het inderdaad lekker. Ze had het nog een stuk lekkerder gevonden als ze binnen hadden gezeten.

Aan een paar andere tafeltjes zaten ook rokers, maar verder was het met touw afgezette stuk terras verlaten. In het donkere water van de jachthaven kraakte en piepte de tuigage van de boten in de ijzige wind.

'Zo, schoonheid van me,' zei hij en hij pakte zijn glas op. 'Vertel me eens iets meer over jezelf.'

'Vertel jij me maar eens hoe je weet dat mijn dochter ziek is,' zei ze ijzig en op haar hoede.

Hij nam een trek van zijn sigaar en ze ving een vleug op van de aromatische, dikke rook. Ze vond het lekker ruiken en het deed haar denken aan haar vader met Kerstmis, toen ze nog klein was.

'Allermooiste Lynn,' zei hij berispend met zijn warme stem. 'Brighton and Hove mag dan een stad zijn, maar het is in wezen maar een dorp. Ik had een relatie met een onderwijzeres van de school waar je dochter naartoe ging. Ik haalde haar een keer op en toen zag ik jou. Ik vond je de mooiste vrouw die ik ooit heb gezien. Ik vroeg haar wie je was. Ze vertelde me het een en ander. Daardoor wilde ik je zelfs nog meer. Je bent zo'n lief mens. Er zijn lang niet genoeg lieve mensen op aarde.'

97

Op Cyprus reed men aan de linkerkant van de weg. Daardoor was het land ideaal om gestolen Britse auto's te slijten. Er waren natuurlijk nog meer landen geschikt, maar Cyprus deed nooit veel moeite de auto's goed na te kijken. Zolang je het nummer maar uit het chassis en de motor vijlde en ze verving en goede valse papieren had, had je geen enkel probleem. Vlad Cosmescu wist al jaren, van wat kennissen in deze stad, dat als je een auto spoorloos wilde laten verdwijnen, je die het beste naar Cyprus kon verschepen.

Hij was niet sentimenteel, maar toen zijn geliefde zwarte SL 55 AMG Mercedes onder het felle licht van de drukke kade aan Newhaven-Haven een container in werd gereden, deed het hem toch wel wat. Hij nam nog een trek van zijn sigaret en smeet die toen op de grond. Een paar meter bij hem vandaan tilde een kraan een andere container omhoog en draaide die naar het dek van het schip. Een claxon toeterde terwijl de chauffeur van een vorkheftruck door de wirwar van kratten, containers, mensen en voertuigen slalomde.

Engeland was goed voor hem geweest en hij had in Brighton flink verdiend. Maar om te overleven moest je, net als bij gokken, op tijd kunnen stoppen. Na de ontdekking van het wrak van de Scoob-Eee en het lijk van Jim Towers was hij hen nog maar een miniem stapje voor.

Nog een dag en dan zou hij weg zijn. Er was nog één karwei dat hij moest klaren. Morgenavond zat hij in een vliegtuig naar Boekarest. Hij had een flinke som geld achter de hand. Mogelijkheden zat. Hij kon in Europa blijven, maar er waren nog veel meer mogelijkheden. Brazilië trok hem wel, de meisjes daar waren prachtig en velen hadden wel zin om in het buitenland in de seksindustrie te gaan werken. Een warm land trok hem zeer zeker. Lekker warm, met mooie meiden en goede casino's.

Er was een prachtige uitdrukking voor. Hoe ging die ook alweer? O ja: de wereld lag aan zijn voeten.

Maar voorlopig kon hij misschien maar beter met beide voeten op de grond blijven.

98

Ze liepen terug over het winderige, praktisch verlaten plankenpad naar de parkeertoren. Dankzij de drie whisky's en een halve fles wijn was Lynn in een toegeeflijke bui. En Okuma in een trieste. Hij had zijn vader nooit gekend. Zijn moeder was aan een overdosis drugs overleden toen hij zeven jaar was, en hij was door pleegouders opgevoed die hem seksueel hadden misbruikt. Na hen had hij in verschillende tehuizen gezeten. Op zijn veertiende was hij lid geworden van een straatbende in Brighton, de enige mensen, zei hij, die hem een gevoel van eigenwaarde hadden gegeven.

Hij had een tijdje geld verdiend als koerier voor de plaatselijke drugs-dealer, en na een aantal jaren op een keurige school had hij economie gestu-deerd aan de universiteit van Brighton. Hij trouwde, kreeg drie kinderen, maar een paar maanden nadat hij was afgestudeerd, verliet zijn vrouw hem voor een rijke vastgoedhandelaar. Op dat moment was hem duidelijk gewor-den dat hij alleen maar status kon krijgen door heel veel geld te verdienen. Daar was hij nu mee bezig. Maar tot nu toe was het nog niet erg gelukt.

Een paar jaar geleden was hij erachter gekomen dat het op de legale ma-nier niet zou lukken om een enorme hoeveelheid geld te verdienen, dus had hij het op andere manieren geprobeerd.

'Zakendoen is een spel, Lynn,' zei hij. 'Ja, toch?'

'Dat gaat wel wat ver.'

'Is dat zo? Ik weet precies hoe jullie bedrijf in elkaar steekt. Jullie verdie-nen grof aan alle schulden die jullie kunnen innen terwijl ze al afgeschreven zijn. Dat is toch een spel, of niet soms?'

'Grote schulden ondermijnen een bedrijf, Reg. Zo raken mensen hun baan kwijt.'

'Maar zonder ondernemers zoals ik zouden er helemaal geen bedrijven zijn.'

Ze glimlachte om zijn logica.

'Maar we gaan het op ons romantische afspraakje niet over zaken hebben, Lynn.'

Ondanks de roes door de alcohol wist ze nog heel goed waar ze mee bezig was. De volgende ochtend moest ze de rest van het geld op de bankrekening van de Transplantation-Zentrale storten. Koste wat kost.

Okuma sloeg zijn arm om haar heen. Hij bleef plotseling staan om haar te kussen.

'Niet hier!' fluisterde ze.

'Gaan we naar jouw huis, dan?'

'Ik weet iets beters.'

Ze liet haar hand tegen zijn rits aan komen en kneep uitdagend in zijn erectie.

In de auto, in het donker van de halflege parkeergarage, trok ze zijn rits helemaal naar beneden en stak haar hand naar binnen.

Het was al na een paar minuten voorbij. Ze veegde met een zakdoek zijn zaad van haar blauwe jas.

Hij reed haar mak als een lammetje naar huis.

'Ik zie je snel weer, schoonheid van me!' zei hij, terwijl hij zijn arm om haar heen sloeg.

Ze maakte het portier open met de canvaszak tegen zich aan gedrukt. 'Het was een leuke avond. Bedankt voor het etentje.'

'Volgens mij ben ik verliefd,' zei hij.

Relatief veilig op de stoep wierp ze hem een kushandje toe. Daarna haastte ze zich misselijk en behoorlijk aangeschoten en met haar gevoelens in de knoop het huis in. Ze liep het toilet in, deed de deur op slot en ging op de grond zitten met haar hoofd boven de wc omdat ze dacht dat ze moest overgeven. Maar na een poosje werd ze een stuk rustiger.

Ze rende naar boven en Caitlins kamer in. Daar was het smoorheet en het rook naar zweet. Haar dochter lag te slapen met de oortjes van haar iPod in en de televisie uit. Lag het aan haar, of kwam het door het licht? Caitlin leek zelfs nog geler dan die ochtend.

Ze liet de deur op een kier staan, ging naar haar eigen slaapkamer, trok haar jas uit, stopte hem in een plastic hoes van de stomerij, werd weer misselijk, en propte hem onder in haar klerenkast.

In de zitkamer was Luke in slaap gevallen tijdens een aflevering van *The Dragon's Den* die ze al gezien had. Ze pakte de afstandsbediening, zette het geluid af omdat ze bang was dat Caitlin er last van zou hebben, ging toen naar de keuken, schonk zichzelf een flink glas chardonnay in en goot die in één keer naar binnen. Toen liep ze weer terug naar de zitkamer.

Luke schrok wakker toen ze binnenkwam. 'Hoi! Heb je het leuk gehad?'

De wijn ging meteen naar haar hoofd, en Lynn kreeg een rode kop. Dat was een goede vraag. Had ze het leuk gehad?

Ze voelde zich smerig. Schuldig. Oneerlijk. Maar eigenlijk kon het haar niet schelen. Met een blik op de canvaszak vol met bankbiljetten, zei ze zacht: 'Ja, hoor. Mijn doel is bereikt. Hoe gaat het met Caitlin?'

'Zwakjes,' zei hij. 'Het gaat niet zo goed. Zal het...'

Ze knikte.

'Morgen?'

'Dat hoop ik wel.'

Voor het eerst omhelsde ze hem. Drukte hem stevig tegen zich aan. Hield hem vast alsof hij haar het leven had gered.

Ze voelde een traan uit zijn oog op haar wang druppelen.

Toen hoorden ze beiden een verschrikkelijke schreeuw van boven komen.

99

Even na middernacht werd er aangebeld. Lynn holde de trap af en trok de deur open. Dokter Hunter stond op de stoep, in een pak, overhemd, stropdas en jas, met zijn zwarte tas in zijn hand. Hij zag er moe uit.

Ze vroeg zich heel even af of hij het pak speciaal voor dit bezoek had aangetrokken, of had hij misschien oproepdienst?

'Ross, godzijdank dat je kon komen. Dank je. Fijn dat je er bent.'

Ze moest zich inhouden om hem niet uit pure dankbaarheid te omhelzen.

'Sorry dat het zo lang duurde. Ik was net bij een ander noodgeval toen je belde.'

'Dat geeft niet,' zei ze. 'Ik ben zo blij dat je er bent. Wat fijn dat je kon komen.'

'Hoe gaat het met haar?'

'Erg slecht. Ze schreeuwt het uit van de buikpijn en ze huilt voortdurend.'

Hij beklom de trap en zij liep achter hem aan Caitlins slaapkamer in. Luke stond daar met een wanhopige blik op zijn gezicht en hield Caitlins hand vast. In het zwakke licht van het bedlampje was te zien dat het zweet van haar voorhoofd stroomde. Haar nek en armen zaten onder de schrammen.

'Hallo, Caitlin,' zei de dokter. 'Hoe gaat het met je?'

'Zal ik eens wat vertellen?' zei ze hijgend met raspende stem. 'Eigenlijk helemaal niet zo goed.'

'Is het een felle pijn?'

'Het doet vreselijk veel zeer. Kunt u alstublieft iets aan de jeuk doen?'

'Waar heb je pijn, Caitlin?' vroeg hij.

'Ik wil naar huis,' bracht ze hijgend uit.

Ross Hunter fronste zijn wenkbrauwen. 'Naar huis?' Toen zei hij vriendelijk: 'Maar je bent al thuis.'

Ze schudde haar hoofd. 'U snapt het niet.'

'Het klopt wel,' kwam Lynn tussenbeide. 'Ze heeft het over het huis waar we vroeger woonden: Winter Cottage. Op het platteland, in de buurt van Henfield.'

'Wil je daar naartoe, Caitlin?' vroeg hij.

Ze keek hem aan en wilde wat zeggen, maar kreeg toen moeilijkheden met ademen.

'Ik ga dood,' zei ze naar adem snakkend. Ze sloot haar ogen en liet een lange, hartverscheurende kreun ontsnappen.

Ross Hunter greep haar pols om haar hartslag te controleren. Toen keek hij naar haar ogen.

'Kun je de pijn in je buik omschrijven?'

'Het doet vreselijk zeer,' zei ze hijgend met haar ogen dicht. 'Het brandt. Ik sta in brand.'

Ze draaide opeens wild heen en weer, als een dol geworden dier.

Lynn deed de lamp aan het plafond aan. Caitlins gezicht, en haar geopende ogen nu ook, hadden de kleur van nicotine.

Lynn brandde vanbinnen ook. Ze had het gevoel alsof haar darmen uitgewrongen werden.

'Alles is in orde, lieverd. Engeltje van me, alles is in orde.'

'Kun je me laten zien waar het pijn doet?'

Ze schoof haar nachtpon omhoog en wees het aan. Ross Hunter legde even zijn hand daar neer. Toen tuurde hij in haar ogen. Hij zei tegen Caitlin dat hij zo weer terug zou zijn, pakte Lynn bij de arm en liep met haar de kamer uit, waarna hij de deur achter hen dichtdeed.

Luke stond met een lijkbleek gezicht op de overloop.

'Komt het weer goed?' vroeg hij.

Lynn knikte geruststellend naar hem, maar ze wilde even onder vier ogen met de arts praten.

'Wil je even een glas water voor me halen, Luke?'

'Nee... eh... oké. Ja, natuurlijk, Lynn.' Hij liep naar beneden.

'Lynn,' zei Ross Hunter, 'ze moet nu meteen naar het ziekenhuis. Ik maak me grote zorgen over haar.'

'Toe, Ross, kunnen we niet tot morgen wachten? Tot morgenmiddag? Af en toe gaat het een stuk beter met haar, en dan zakt ze weer in. Ze houdt het nog wel even uit.'

Hij legde zijn gemanicuurde handen op haar schouders en keek haar indringend aan.

'Ja, af en toe is ze heel even een beetje beter, als ze weer een tikje op krachten komt, maar vergis je niet. Dat zijn haar laatste krachten. Lynn, als ze niet meteen behandeld wordt zal ze morgenmiddag niet halen. Haar lever functioneert bijna niet meer. Ze wordt door haar eigen afvalproducten vergiftigd.'

De tranen stroomden over Lynns wangen. Ze was duizelig en voelde zijn sterke handen haar tegenhouden toen haar knieën het bijna begaven. Ik moet sterk blijven, dacht ze. We zijn al zo ver. Ik moet nu erg sterk blijven.

De Duitse zou haar 's middags ophalen. Over een paar uurtjes. Zo lang moesten ze het zien vol te houden.

Ze keek hem vastberaden aan. 'Ross, het kan niet.'

'Waarom niet in vredesnaam? Ben je gek geworden?'

'Ze mag niet naar het ziekenhuis om te sterven. Want dat zal er gebeuren. Ze zal daar sterven.'

'Niet als ze meteen behandeld wordt.'

'Maar zonder een nieuwe lever zal ze sterven, Ross, en ik heb er geen vertrouwen in dat ze er een voor haar kunnen regelen.'

'Het is haar enige kans, Lynn.'

'Niet vanavond, Ross. Misschien morgenmiddag?'

'Ik snap niet waarom je het niet wilt.'

Luke kwam met het glas water de trap op. Ze pakte het dankbaar aan, waarna hij erbij bleef staan. Ze kon hem moeilijk zeggen dat hij moest ophoepelen.

'Geef jij haar maar iets, Ross.'

'Ik ben geen leverspecialist, Lynn.'

'Je bent godverdomme toch een dokter!' viel ze naar hem uit. Toen schudde ze haar hoofd. 'Het spijt me, het spijt me echt, Ross. Maar je moet haar toch iets kunnen geven? Weet ik veel, iets waarmee haar lever het weer even doet, iets tegen de pijn, iets waardoor ze weer opleeft, een vitamine-injectie of zo.'

Hij haalde zijn mobieltje uit zijn zak. 'Lynn, ik bel een ambulance voor haar.'

'Nee!!!'

Hij schrok van de felheid waarmee ze dat zei. Ze keken elkaar een paar tellen alleen maar aan.

Toen wierp hij haar een eigenaardige blik toe.

'Wat is er aan de hand, Lynn? Wat heb je me niet verteld? Ga je soms naar het buitenland met haar? Naar China voor een transplantatie?'

Ze keek hem aan zonder iets te zeggen en vroeg zich af of ze hem kon vertrouwen. Ze ving Lukes blik op en hoopte dat hij zijn mond zou houden.

'Nee,' zei ze.

'Ze zou de reis niet overleven, Lynn.'

'We... We gaan niet naar het buitenland.'

'Waarom wil je dan niet dat ze naar het ziekenhuis gaat?'

'Dat kun je me maar beter niet vragen, Ross, oké?'

Hij fronste zijn wenkbrauwen. 'Jij kunt me maar beter vertellen wat er aan de hand is. Ga je soms naar een alternatieve genezer? Een handoplegger?'

'Ja,' zei ze schel, buiten adem van de zenuwen. 'Ja. Ik... Ik heb iemand –'

'Maar dan kan ze toch nog wel naar het ziekenhuis?'

Lynn schudde heftig met haar hoofd.

'Weet je wel dat je Caitlins leven hiermee op het spel zet?'

'En wat hebben jullie verdomme tot nu toe voor haar gedaan?' zei Luke opeens met tranen van woede in zijn ogen. 'Wat heeft die stomme gezondheidsdienst gedaan? Ze gaat al jaren het ene ziekenhuis na het andere in. Ze wordt op een transplantatielijst gezet zodat ze weer hoop krijgt, ze zoeken naar een lever, en dan geven ze die aan een of andere nietsnut van een alcoholist zodat hij weer een paar jaar lekker door kan drinken! Wat wil je dan? Dat ze weer teruggaat naar die nachtmerrie zodat ze weer een lever toegezegd krijgt die ze verdomme toch nooit krijgt?'

Hij draaide zich om en veegde met zijn gebalde vuisten de tranen weg.

In de stilte die was gevallen, keken Lynn en de dokter elkaar hulpeloos aan.

Snikkend zei ze: 'Hij heeft gelijk.'

'Lynn,' zei Ross Hunter ernstig. 'Ik geef haar een flinke dosis antibiotica en jij moet haar om de vier uur wat tabletten geven. Die zijn tegen de infectie waardoor ze zo veel pijn heeft. Ik kan haar een klysma geven, zodat de hoeveelheid eiwitten in haar darmen afneemt. Ze zou eigenlijk al een infuus moeten hebben, ze heeft heel veel vocht nodig.'

'Wat voor een?'

'Met glucose. Ze heeft er heel veel van nodig. En zorg dat ze wat eet, zo veel als ze wegkrijgt.'

'Zal het haar helpen, Ross?'

Hij keek haar grimmig aan. 'Als je dat allemaal doet, houdt ze het hopelijk nog een tijdje vol. Maar dit is erg gevaarlijk en je wint er maar een heel klein beetje tijd mee. Snap je dat?'

Ze knikte.

'Ik kom morgenmiddag weer langs. Tenzij ze flinke vooruitgang heeft geboekt, en dat zie ik nog niet gebeuren, gaat ze linea recta naar het ziekenhuis. Begrepen?'

Ze sloeg haar armen om hem heen en drukte hem tegen zich aan.

'Dank je,' zei ze, in tranen. 'Ontzettend bedankt.'

100

Glenn Branson trok zijn jas aan en liet Bella Moy in de warme politieauto achter. Hij stak het straatje over achter het Metropole Hotel en belde opnieuw aan bij nummer 1202: J. Baker. Hij bleef in de ijskoude wind voor de hoge flat staan wachten tot er iemand via de intercom zou reageren.

Het bleef stil.

Het was even na vier uur 's nachts. Hij had het huiszoekingsbevel in zijn zak dat om elf uur die avond door Juliet Smith, een rechter die altijd bereid was hen te helpen, was getekend. Daarna hadden ze de hele tijd de wacht gehouden, op twee korte perioden na dat ze even weg waren gereden.

De eerste keer waren ze naar een van de plekken gegaan waar Cosmescu regelmatig rondhing, het Rendezvous Casino in de jachthaven, maar de manager had hun met enige spijt in zijn stem gezegd dat meneer Baker al een paar dagen niet was geweest, wat hoogst ongebruikelijk was. De tweede keer hadden ze een paar broodjes met bacon en koffie gehaald bij de Market Diner, een van de weinige cafés in de stad die hele nacht open waren.

Hij liep rillend terug naar de auto en sloeg het portier achter zich dicht om de wind buiten te houden. Het rook nog steeds naar bacon.

Bella keek hem vermoeid aan. 'We moesten de huismeester maar eens uit zijn bed bellen,' zei ze.

'Ja, het is wel erg egoïstisch om als enigen van deze prachtige nacht te genieten,' zei hij.

'Ontzettend egoïstisch,' beaamde ze.

Ze stapten uit, deden de auto op slot en liepen naar de voordeur. Glenn drukte op de knop waar HUISMEESTER bij stond vermeld.

Er kwam geen reactie. Even later belde hij opnieuw. Een halve minuut ging voorbij en toen hoorden ze een luid gekraak, gevolgd door een mannenstem met een sterk Iers accent.

'Wie is daar?'

'Politie,' zei Glenn Branson. 'We hebben een huiszoekingsbevel voor een van uw appartementen en u moet voor ons opendoen.'

De man was achterdochtig. 'De politie?'

'Ja.'

'Shit! Wacht even, dan trek ik wat aan.'

Even later werd de voordeur geopend door een vitale man van een jaar of zestig met een geschoren hoofd en de gebroken neus van een bokser, die een sweatshirt, een wijde joggingbroek en teenslippers droeg.

'Rechercheur Branson en rechercheur Moy,' zei Glenn, die zijn identiteitsbewijs omhooghield.

Bella stak dat van haar ook onder zijn neus en de Ier tuurde er argwanend naar.

'En wat is uw naam?' vroeg Bella.

De huismeester sloeg zijn armen over elkaar en zei afwerend: 'Oliver Dowler.'

Glenn haalde een vel papier tevoorschijn. 'Hier is een huiszoekingsbevel voor flat 1202. We hebben al sinds elf uur gisteravond regelmatig bij de bewoner aangebeld, maar hij gaf niet thuis.'

'Aha, nummer 1202?' zei Oliver Dowler met gefronste wenkbrauwen. Toen stak hij vrolijk glimlachend zijn vinger op. 'Het is niet zo gek dat er niemand opendoet. De bewoner is gisteren vertrokken. U hebt hem net gemist.'

Glenn vloekte.

'Vertrokken?' vroeg Bella Moy.

'Hij is verhuisd.'

'Weet u waar naartoe?' wilde Glenn weten.

'Naar het buitenland,' zei de huismeester. 'Had het helemaal gehad met het Engelse klimaat.' Hij wees naar zichzelf. 'Ik ook trouwens, nog twee jaar, dan ga ik met pensioen op de Filipijnen.'

'Hebt u zijn nieuwe adres of zijn telefoonnummer?'

'Nee. Hij zei dat hij wel contact zou opnemen.'

Glenn wees naar boven. 'We willen zijn flat zien.'

Ze gingen met z'n drieën met de lift naar boven en stapten pal voor het penthouse uit.

Zoals Oliver Dowler al had gezegd, was Cosmescu inderdaad vertrokken. Er was geen meubelstuk achtergebleven. Geen vloerbedekking, geen kleed, zelfs geen stukje afval. Een paar kale peertjes hingen aan hun snoertjes en enkele inbouwlampjes brandden fel. Het rook alsof er net geverfd was.

Ze liepen door alle kamers, hun voetstappen weerkaatsten luid. De flat zag eruit alsof hij professioneel was schoongemaakt. Glenn trok de koelkast en de vriezer in de keuken open. Die waren leeg. Net als de vaatwasser. Hij keek in de wasmachine en de droger in de bijkeuken en ook daar zat niets meer in.

Glenn Branson en Bella Moy zagen zo op het eerste gezicht niets wat van de vorige bewoner was geweest, ze zagen zelfs niets wat erop wees dat er überhaupt een bewoner was geweest. Er waren nergens plekken op de muur waar schilderijen of spiegels hadden gehangen.

Branson ging met zijn vinger over de lichtgrijze muur, maar hoe kortgeleden de verf er ook op was aangebracht, hij was inmiddels opgedroogd.

'Huurde hij of was de flat van hemzelf?' vroeg Bella Moy.

'Het was een huurflat. Ongemeubileerd,' zei de huismeester. 'De huur werd om het halfjaar verlengd.'

'Hoelang heeft hij hier gewoond?'

'Net zo lang als ik. Volgende maand tien jaar.'

'Was de huurtermijn verlopen?' vroeg Glenn Branson.

Dowler schudde zijn hoofd. 'Nee hoor. Hij had nog drie maanden te goed.'

De twee rechercheurs keken elkaar onderzoekend aan. Toen gaf Glenn de huismeester zijn visitekaartje.

'Als hij contact met u opneemt, wilt u ons dan bellen? We moeten hem dringend spreken.'

'Hij zei dat hij me wel een briefje of een e-mail zou sturen met zijn nieuwe adres, voor de rekeningen en zo.'

'Kunt u ons iets over hem vertellen, meneer Dowler?' vroeg Bella.

Hij schudde opnieuw zijn hoofd. 'In die tien jaar heb ik hem nog nooit gesproken. Nog nooit. Hij was erg op zichzelf.' Toen grinnikte hij. 'Maar ik heb hem wel een paar keer met een paar mooie meiden gezien. Hij wist ze wel uit te zoeken, kan ik u vertellen.'

'En zijn auto?'

'Ook weg.' Hij gaapte. 'Hebt u me nog verder nodig? Of zal ik u aan uw onderzoek overlaten?'

'U kunt gaan. Ik denk niet dat we hier nog lang bezig zijn,' zei Glenn.

'Nee,' zei de huismeester grijnzend, 'dat denk ik ook niet.'

Nadat hij weg was gegaan, glimlachte Glenn opeens. 'Nu weet ik het!'

'Wat dan?' wilde Bella weten.

'Aan wie die huismeester me deed denken: aan de acteur Yul Brynner.'

'Yul Brynner?'

'*The Magnificent Seven*.'

Het zei haar duidelijk niets.

'Een van de beste films die ooit zijn gemaakt! Steve McQueen, Charles Bronson en James Coburn speelden er ook in.'

'Nooit gezien.'

'Godsamme, jij bent na de oorlog zeker niet meer buiten geweest!'

Door de bedroefde uitdrukking op haar gezicht besefte hij dat hij een gevoelige snaar had geraakt.

101

Om kwart voor acht 's ochtends bracht Tania Whitlock in de propvolle vergaderkamer van het Gespecialiseerde Zoekteam haar team op de hoogte van een operatie waar ze geen van allen blij mee waren.

Sectie op Jeffery Deaver, de drugsdealer die van zevenhoog te pletter was gevallen, had aangetoond dat de klap op zijn hoofd veroorzaakt was door een zwaar, stomp voorwerp voordat hij was gevallen, en niet, zoals aanvankelijk werd aangenomen, door de metalen reling waarop hij met zijn hoofd terecht was gekomen.

Uit de afdrukken op zijn schedel en metaalonderzoek van de stukjes in zijn haar, was de patholoog tot de conclusie gekomen dat het moordwapen een antieke bronzen schemerlamp kon zijn, en volgens Deavers troosteloze vriendin ontbrak er zo een uit zijn flat.

Tania had een ruwe plattegrond van de grote open ruimte waar het huisvuil en recyclebare spullen van Hove werden verzameld ten zuiden van Old Shoreham Road, naast de begraafplaats, voor zich uitgespreid. Het hele team had de dag ervoor door achttien ton afval geploegd, waar het wemelde van de ratten, op zoek naar die lamp. Sommige mensen hadden nog hoofdpijn van het methaangas dat uit de rottende vuilnis was opgestegen. Nu stonden ze op het punt om er weer naar terug te gaan en verder te zoeken.

In de dageraad boven het gebouw van het Gespecialiseerde Zoekteam nam de piloot van een vierpersoons Cessna contact op met de verkeerstoren van Shoreham.

'Golf Bravo Echo Tango Whisky binnenkomend van Dover.'

Het kleine vliegveld was onverlicht, en dus alleen maar open tussen zonsopkomst en zonsondergang. Het vliegtuigje was een van de eerste die die ochtend daar zouden landen.

'Golf Bravo Echo Tango Whisky, landingsbaan nul drie. Hoeveel passagiers?'

'Ik ben alleen,' antwoordde de piloot.

Brigadier Whitlock liet het volgende stuk op de plattegrond zien dat haar teamleden moesten doorzoeken en ze keken allemaal nauwlettend toe. Geen van hen hoorde het kleine vliegtuig laag overkomen, cirkelen en vervolgens op landingsbaan 03 van het vliegveld van Shoreham aanvliegen.

Privévliegtuigjes en helikopters vlogen af en aan. Als er geen internationale vluchten waren was er niemand van de grensbewaking of van de douane aanwezig. Vluchten vanuit het buitenland moesten via de radio om een douanebeambte en agent van de grensbewaking verzoeken en in hun vliegtuig blijven zitten totdat beiden bij hen waren geweest. Maar dat betekende normaal gesproken een behoorlijke vertraging, en vaak kwam er ook geen mens opdagen, dus namen de piloten soms de moeite niet.

De piloot van de tweemotorige Cessna was al helemaal niet van plan hen via de radio op te roepen. Hij had de avond ervoor een vluchtplan ingediend voor een vlucht vanaf Shoreham naar een privélandingsbaan vlak bij Dover en weer terug. Hij had niet op het vluchtplan vermeld dat hij een kleine omweg over het Kanaal naar Le Touquet in Frankrijk zou maken, en in 'die tijd had hij zijn transponder ook uitgezet. Voor de hoeveelheid geld die hij voor dat reisje incasseerde had hij er geen problemen mee om het een en ander uit zijn vluchtplan weg te laten.

Hij taxiede tussen de aan de grond staande vliegtuigen door naar zijn eigen plaats, en was blij dat er nog meer vliegtuigen in de lucht rondcirkelden tot ze konden landen, want dat betekende dat de mensen in de verkeerstoren het druk hadden. Hij reed zijn plek op, zette zijn vliegtuig net zo neer als de andere, remde en nam gas terug. Hij keek voorzichtig om zich heen of iemand hem in de gaten hield en zette toen beide motoren af.

De propellers gingen langzamer draaien, het vliegtuig vibreerde steeds minder en viel opeens stil. De piloot zette zijn koptelefoon af, wendde zich tot de mooie, blonde Duitse vrouw naast hem en vroeg: 'Gaat het?'

'Sehr gut,' zei ze, en ze wilde haar gordel losmaken.

Hij stak zijn hand op. 'Nog even wachten.' Hij tuurde behoedzaam weer naar buiten en draaide zich toen om naar het vermoeid uitziende tienermeisje, gekleed in een chique witte jas, die achter de Duitse vrouw zat. 'Hoe vond je het?'

Het meisje sprak geen Engels, maar ze begreep wel wat hij bedoelde en glimlachte zenuwachtig. Hij stak zijn hand uit naar de gesp van haar gordel. Toen gebaarde hij dat ze moest blijven zitten, stapte uit en sprong omlaag, waarbij hij de deur op een kier liet staan.

Marlene Hartmann genoot van de koude, frisse lucht, ook al droeg die een vleugje kerosine met zich mee. Ze gaapte en glimlachte naar Simona. Het meisje glimlachte terug. Wat een knap ding, dacht Marlene. In een ander land, onder andere omstandigheden, zou ze een mooi leven hebben gehad.

Ze gaapte weer en snakte naar een kop koffie. Het was een erg lange nacht geweest. Eerst met de auto naar Belgrado, toen een late vlucht naar Parijs, en vervolgens om vier uur 's nachts met de taxi naar Le Touquet. Maar ze waren er nu. En ze was tevreden met hoe de dingen zouden gaan.

Jazeker, het was verstandiger geweest om alles na het bezoek van de politieman af te blazen. Maar dan was ze een goede klant kwijtgeraakt. Het leek haar sterk dat de rechercheur zo snel kon handelen. Het zou al gebeurd zijn voordat hij het maar besefte en die avond zat zij weer in Duitsland.

Er kwam nog een vliegtuig aan om te landen en de piloot, die buiten stond, hoorde het gebrul van diverse vliegtuigen en het geratel van een helikopter en zag drie vliegtuigjes de landingsbaan op gaan. De toren zou het erg druk hebben. Dit was altijd een gunstig tijdstip: nog een beetje donker, heel veel afleiding, inclusief de medewerkers van het vliegveld die per auto aankwamen.

Het witte busje stond een eindje verderop geparkeerd, pal naast het hek. Hij keek ernaar, haalde toen zijn zakdoek tevoorschijn en snoot zijn neus.

Vlad Cosmescu zat aan het stuur te wachten. Hij zag het teken.

Hij zette de motor aan en schakelde naar zijn één.

102

Lynn Beckett zat na een slapeloze nacht met rode ogen en bonkend hart over de keukentafel gebogen en dronk een kop thee. Ze had urenlang in bed liggen woelen, had haar kussens opgeschud om lekkerder te liggen, en was om de twintig minuten of zo opgestaan om te kijken of het nog goed ging met Caitlin, had haar op het toilet geholpen en ervoor gezorgd dat ze glucosewater dronk en de antibioticatabletten innam. De medicijnen die Ross Hunter had voorgeschreven, waarschijnlijk versterkt door de injectie, leken te werken. Caitlin had minder pijn en de jeuk was ook een stuk minder.

Ze had nadat de dokter was weggegaan nog een hele tijd met Luc in de zitkamer gezeten. Ze hadden samen een fles sauvignon blanc soldaat gemaakt en een heel pakje Silk Cut opgerookt, en de laatste sigaret samen gedeeld.

Haar hoofd bonsde, haar longen waren rauw en ze voelde zich verschrikkelijk. Luke was eindelijk in de stoel naast Caitlins bed in slaap gevallen.

De televisie stond aan. Het nieuws van negen uur was erop te zien, maar ze keek er niet echt naar. En evenmin naar het programma over helikopterreddingen dat daarna kwam. Ze vond op dit moment niets boeiend, behalve dan het telefoontje van Marlene Hartmann waar ze op zat te wachten.

Bel nou. Bel nou toch, alsjeblieft.

Ze wist niet wat ze zou doen als ze niets meer van de Duitse zou horen. Als ze hen gewoonweg opgelicht had. Ze had geen plan B.

Toen ging opeens haar vaste telefoon.

Ze nam ogenblikkelijk op. 'Ja hallo?'

Ze was onmetelijk opgelucht toen het Marlene Hartmann bleek te zijn. 'Hoe gaat het me je, Lynn?'

'Prima hoor,' bracht ze hijgend uit.

'Alles is in orde. We zijn hier. Ben je zo klaar om opgehaald te worden?'

'Nou en of.'

'Het geld is geregeld? Je hebt de rest van het geld?'

'Ja.' Ze slikte moeizaam.

Haar bankmanager had vragen gesteld toen ze de aanbetaling had overgemaakt en ze had een of ander slap smoesje verzonnen over dat ze een pand in Duitsland had gekocht als investering, van het geld dat haar ex-man haar eenmalig had gegeven nadat hij een erfenis had gekregen.

'Tot straks dan. De auto zal op de afgesproken tijd bij je zijn.'

Ze hing op voordat Lynn haar kon bedanken.

De auto zou die middag komen. Over nog geen drie uur.

Ze was zo op van de zenuwen, angst en opwinding, dat ze amper kon nadenken.

103

Na de vergadering van halfnegen zat Roy Grace aan zijn bureau in CR1 een van de twee rechercheurs te bellen die Roger Sirius' huis in de gaten hielden. Ze waren er al sinds middernacht aanwezig en hadden doorgegeven dat niemand het huis uit was gegaan en dat de helikopter nog steeds op zijn plaats stond. Hij was chagrijnig en terwijl hij in gesprek was, rinkelde er ergens in de kamer een telefoon zonder dat er werd opgenomen. Hij legde zijn hand op de hoorn en schreeuwde dat iemand moest opnemen. Dat werd heel snel gedaan.

Alle staatssecretarissen hadden de vorige avond of in het buitenland gezeten of waren uit eten geweest. Ze hadden er pas na middernacht een te pakken kunnen krijgen – die van Binnenlandse Zaken nog wel – en die had toestemming verleend om de telefoon af te tappen, maar het was al na twee uur 's nachts voordat de apparatuur eindelijk geïnstalleerd was en Lynn Becketts vaste en mobiele telefoons afgeluisterd werden.

Grace had drie uurtjes bij Cleo thuis kunnen slapen en was alweer om zes uur op het bureau geweest. Hij bleef overeind op Red Bulls, een lading guaranapillen die hij van Cleo had gekregen en koffie. Hij maakte zich zorgen dat de enige echte aanwijzing die ze hadden alleen nog Roger Sirius was, de transplantatiechirurg, en het was niet eens zeker dat hij er wel bij betrokken was, of dat hij hen zou helpen.

Hij maakte zich ook zorgen over het feit dat Glenn Branson hem had doorgegeven dat Vlad Cosmescu ervandoor was. Hield dat verband met zijn bezoek aan de Duitse orgaanhandelaarster de dag ervoor? Had Marlene Hartmann hem doorgehad? Had haar team daarom zijn plannen afgeblazen en was het daarom met de noorderzon vertrokken? Tot nu toe had de oproep aan alle toegangswegen tot Engeland om te letten op de Duitse vrouw die samen met een jong meisje reisde, maar ook op een man die voldeed aan Vlad Cosmescu's beschrijving nog niets opgeleverd.

Het zou altijd wel een probleem blijven op een eiland als Groot-Brittannië, met kilometers kust en een grote hoeveelheid privévliegvelden en -landingsbanen, om in de gaten te houden wie er allemaal binnenkwam en vertrok. Soms had je geluk, maar het was domweg niet te betalen om alle vliegvelden en havens na te gaan. Daar kwam nog bij dat Binnenlandse

Zaken, in hun ijver om te bezuinigen, de paspoortcontrole voor mensen die het Verenigd Koninkrijk verlieten hadden opgeheven. Kortom, tenzij iemand hen herkende hadden de ordehandhavingsinstanties geen idee wie waar was.

De sectie op Jim Towers vond op dit moment plaats en Grace wilde naar het mortuarium om erachter te komen of de patholoog zijn dood in verband kon brengen met operatie Neptunus, en natuurlijk om Cleo te zien, die sliep toen hij bij haar thuis aankwam en nog steeds toen hij weer wegging.

Hij stond op en trok zijn jasje aan, zei tegen de rest van het team waar hij naartoe ging, en de hele tijd ging er weer een telefoon over zonder dat er werd opgenomen. Was iedereen doof of zo? Of gewoon na de lange avond te moe om even op te nemen?

Hij was al bij de deur toen het rinkelen eindelijk ophield. Terwijl hij de deur opentrok, riep Lizzie Mantle hem, met de hoorn omhooggehouden.

'Roy! Het is voor jou.'

Hij liep terug naar de werkplek. Het was David Hicks, een van de mensen die de telefoon aftapten.

'Meneer,' zei hij, 'we hebben net een gesprek afgeluisterd op mevrouw Becketts vaste telefoon.'

104

'Ik moet eigenlijk... Ik moet om tien uur bij die workshop aanwezig zijn,' mompelde Luke, die als een slaapwandelaar de keuken in kwam wankelen. 'Kan ik wel gaan, denk je?'

'Maar natuurlijk,' zei ze tegen zijn linkeroog, dat als enige zichtbaar was. 'Ga maar. Ik bel wel als er nieuws is.'

'Cool.'

Hij ging weg.

Lynn rende naar boven, ze moest nog zo veel regelen en nu Luke even weg was – goddank – kon ze een stuk beter nadenken.

Ze moest de checklist van Marlene Hartmann van de Transplantation-Zentrale afwerken.

Ze moest Caitlin uit bed helpen, onder de douche zetten en spullen voor haar inpakken.

Ze moest voor zichzelf inpakken.

Het duurde even voordat Caitlin wakker werd. Ze was diep in slaap door de pillen die dokter Hunter haar had gegeven. Lynn zette de douche vast voor haar aan en ging toen voor hen beiden een weekendtas inpakken.

Opeens ging de bel.

Ze keek op haar horloge terwijl de paniek haar bij de keel greep. Ze waren er toch niet nu al? De Duitse vrouw had toch gezegd dat het 's middags zou zijn? Het was net tien uur geweest. Was het misschien de postbode?

Ze liep snel de trap af en deed de voordeur open.

Een man en een vrouw stonden op de stoep. De man was een jaar of veertig, hij had kortgeknipt haar, een kleine, ietwat platte neus en doordringende blauwe ogen. Hij had een wit overhemd, een blauwe das, een donkerblauw pak en een jas aan, en hij hield een zwart leren mapje omhoog met een kaartje erin en zijn foto. De vrouw was ruim tien jaar jonger, had haar blonde haar opgestoken, en ze droeg een zwart broekpak met een roomwitte blouse en ook zij hield zo'n zwart mapje omhoog.

'Mevrouw Lynn Beckett?' vroeg hij.

Ze knikte.

'Ik ben inspecteur Grace en dit is hoofdagent Boutwood. Mogen wij u even spreken?'

Lynn keek hen geschokt aan. Het was net alsof ze na een sauna in een koud bad was gesmeten. De grond leek onder haar weg te zakken. De politiemensen stonden pal voor haar, zo dichtbij dat ze de warme adem van de inspecteur voelde. Ze zette een stap naar achteren en werd bevangen door paniek.

'Het eh... komt nu niet echt goed uit,' bracht ze hijgend uit.

Ze had het gevoel alsof ze het niet zelf had gezegd.

'Het spijt me, maar we moeten u nu spreken,' zei de inspecteur en hij deed een stap naar voren, zodat hij weer intimiderend vlak bij haar was.

Ze keek hen om de beurt verwilderd aan. Waar ging dit verdomme over? Opeens moest ze denken aan het geld dat ze van Reg Okuma had gepikt. Was hij naar de politie gestapt? vroeg ze zich angstig af.

De stem die niet van haar leek, zei automatisch: 'Ja, goed, kom binnen. Het is koud, hè? Koud maar droog. Dat is mooi, toch? Geen regen. December is over het algemeen wel een droge maand.'

De jonge vrouw keek haar meelevend aan en glimlachte.

Lynn ging opzij om hen erin te laten en deed de deur achter hen dicht. De hal leek nog kleiner dan anders en ze kreeg het benauwd door de aanwezigheid van de twee politiemensen.

'Mevrouw Beckett,' zei de inspecteur, 'uw dochter heet Caitlin, klopt dat?'

Lynn keek naar boven. 'Ja.' Ze kreeg met moeite het woord uit haar keel. 'Ja, ja, dat klopt.'

'Het is misschien een beetje brutaal van me, mevrouw Beckett, maar ik heb gehoord dat uw dochter een leverkwaal heeft en dat ze een transplantatie nodig heeft. Is dat zo?'

Ze dacht wanhopig na en het bleef even stil. Waarom waren ze hier? Waarom?

'Waarom bent u hier? Waar gaat dit over? Wat wilt u eigenlijk?' vroeg ze, trillend op haar benen.

Roy Grace zei: 'Wij hebben het vermoeden dat u op het punt staat een nieuwe lever voor uw dochter te kopen.'

Hij was even stil en ze keken elkaar aan. Hij zag de paniek in haar ogen.

'U weet toch wel dat dat in ons land verboden is, mevrouw Beckett?'

Lynn keek weer naar boven omdat ze bang was dat Caitlin hen misschien zou horen. Ze dirigeerde de twee politiemensen naar de keuken en deed de deur dicht.

'Nou, sorry,' zei ze, 'maar ik heb geen flauw idee waar u het over hebt.'

'Mogen we even gaan zitten?' vroeg Grace.

Lynn trok een stoel naar achteren en ging tegenover de twee politiemensen zitten. Ze overdacht of ze hun thee zou aanbieden, maar ze deed het toch maar niet, want ze was hen liever kwijt dan rijk.

Roy Grace zat nog met zijn jas aan tegenover haar en hij sloeg zijn armen over elkaar.

'Mevrouw Beckett, in de afgelopen week is er een groot aantal telefoontjes geweest tussen uw vaste en uw mobiele telefoon en een bedrijf in München genaamd Transplantation-Zentrale. Kunt u me uitleggen waarom u ze belde?'

'De Transplantation-Zentrale?' vroeg ze.

'Dat is een internationaal bedrijf dat in organen handelt. Zij regelen een orgaan voor mensen die, net als uw dochter, een transplantatie moeten ondergaan,' zei hij.

Lynn haalde onschuld voorwendend haar schouders op. 'Sorry, maar ik heb nog nooit van dat bedrijf gehoord. Ik weet wel dat het vriendje van mijn dochter heel erg overstuur was over hoe mijn dochter in het ziekenhuis in Londen is behandeld.'

'Waar was hij overstuur over?' vroeg Grace.

'Over de manier waarop ze met die kutwachtlijst omspringen.'

'Zo te horen bent u ook erg overstuur,' merkte hij op.

'Als het om uw dochter ging, zou u ook overstuur zijn, inspecteur Grace, denkt u niet?'

'Dus u hebt nooit de gedachte opgevat om buiten Engeland op zoek te gaan naar een geschikte lever?'

'Nee, waarom zou ik?'

Grace was even stil. Toen vroeg hij zo vriendelijk mogelijk: 'Dus u ontkent dat u een telefoongesprek met ene Frau Marlene Hartmann, het hoofd van de Transplantation-Zentrale hebt gevoerd, om vijf over negen vanochtend? Nog geen uur geleden, dus?'

Ondanks alle moeite die ze deed om zo helder mogelijk na te denken, merkte ze dat de touwtjes haar uit handen glipten. Ze beefde onbeheersbaar. O shit, o shit, o shit. Ze keek hem met grote ogen aan.

'Luistert u verdomme mijn telefoon af?'

Ze hoorde op de verdieping boven haar de douche leeglopen.

De inspecteur stak zijn hand in zijn jas en haalde een bruine envelop tevoorschijn. Hij trok er voorzichtig een foto uit en legde die op de tafel zodat Lynn hem kon bekijken.

Op de foto stond een meisje van een jaar of dertien. Hoewel ze er groezelig uitzag, had ze een knap gezichtje, met Roma-trekken en een getinte huidskleur en steil bruin haar, en ze had een blauwe bodywarmer over het kleurige jasje van een joggingpak aan.

'Mevrouw Beckett,' vervolgde hij. 'Er is u vast verteld dat de lever die uw dochter krijgt van iemand is die bij een auto-ongeluk is omgekomen.

Hij keek aandachtig naar haar ogen. Ze zei niets.

'Nou,' ging hij door, 'dat is dus niet zo. Hij is afkomstig van dit Roma-meisje. Ze heet Simona Irimia. Volgens ons leeft ze nu nog en is ze gezond. Ze is naar Engeland vervoerd en zal worden gedood zodat uw dochter haar lever kan krijgen.'

Voor Lynn verging op dat moment de wereld.

105

Simona zat op een bobbelige matras achter in een schommelend en slingerend busje, met Gogu op haar schoot. Het ene moment gaf de chauffeur een dot gas, het volgende stond hij boven op de rem, op een weg vol met haarspeldbochten. Ze hield bijna de hele tijd haar handen op de geribbelde metalen vloer gedrukt voor houvast, zodat ze niet door de auto heen en weer werd gesmeten.

Er stonden ook nog een metalen gereedschapskist, een wielslot, een rol blauw touw en een paar rollen brede tape. De hele handel rammelde en bonkte elke keer dat ze over een hobbel reden. Ze had voordat ze in dat vliegtuigje waren gestapt voor het laatst wat gegeten en gedronken en dat was uren geleden. Ze had verschrikkelijke dorst en door de uitlaatgassen was ze misselijk.

Ze miste Romeo, ze had zich altijd veilig bij hem gevoeld en ze had graag iemand gehad om mee te kletsen. De Duitse vrouw had bijna de hele lange reis niets tegen haar gezegd, die was op haar laptop aan het werk of met haar mobieltje aan het bellen. Ze was nu in gesprek met de chauffeur van het busje, een lange, gerimpelde uitdrukkingsloze Roemeen met pikzwart haar dat naar achteren gekamd was, gekleed in een blouson en een spijkerbroek en met een grote gouden armband om.

Af en toe verhief de vrouw haar stem en dan zei de chauffeur even niets of ging hij ertegenin, Simona kreeg althans de indruk dat ze aan het ruziën waren, hoewel ze de taal niet kende.

Er zaten geen ramen achterin en ze kon alleen iets zien als ze haar nek strekte en tussen de stoelen voorin door de voorruit heen tuurde. Ze reden door goed ondergehouden velden. Ze zag veel bomen, struiken en af en toe een boerderij of een huis.

De chauffeur remde abrupt. Even later draaiden ze een hek tussen twee hoge stenen zuilen in. Ze reden ratelend over een rooster heen en toen verder over een lange, bochtige oprijlaan. Simona zag diverse bordjes staan, maar ze kon niet lezen wat erop stond.

EIGEN TERREIN
VERBODEN TE PARKEREN
VERBODEN TE PICKNICKEN
VERBODEN TE KAMPEREN

In de verte zag ze weelderig groene heuvels onder een grijze lucht. Ze reden om een groot meer, met een prachtig uitgestrekt groen gazon. Het gras was hier en daar wat korter gemaaid dan in andere stukken en ze zag een paar kuilen die zo te zien met zand waren gevuld. Ze vroeg zich af wat dat waren, maar durfde het niet te vragen.

Ze reden over een rechte weg onder overhangende bomen door, met de bermen vol afgevallen bladeren, totdat de chauffeur opeens weer remde en ze heel langzaam over een forse verkeersdrempel verder reden. Daarna gaf hij weer gas. Na nog drie verkeersdrempels kon Simona in de verte een enorm grijs huis zien, waar glimmende auto's keurig in rijen voor stonden geparkeerd. Ze was opeens opgewonden. Wat een prachtige plek! Zou ze hier gaan werken?

Ze wilde dat aan de Duitse vragen, maar die was weer in gesprek op haar mobieltje en zo te horen was ze ergens boos over.

Het busje reed onder een boog door en bleef achter het huis staan. De chauffeur zette de motor af en stapte uit, terwijl de vrouw met steeds hardere en fellere stem nog steeds aan de telefoon ruziede.

Even later maakte de chauffeur een van de achterdeuren van het busje open. Hij greep Simona bij de hand terwijl ze eruit klauterde, en tot haar verbazing bleef hij haar hand stevig vasthouden, hoe ze ook haar best deed los te komen, alsof hij bang was dat ze ervandoor zou gaan.

Ze trok hard en had opeens een hekel aan hem, maar hij hield haar hand in een ijzeren greep zonder zich iets van haar aan te trekken.

De Duitse vrouw stapte uit, beëindigde het gesprek en klapte het mobieltje dicht. Simona ving haar blik op. De vrouw had altijd tegen haar geglimlacht, maar dit keer deed ze dat niet, er was zelfs geen teken dat ze haar had opgemerkt. Ze keek dwars door Simona heen, alsof ze onzichtbaar was geworden.

Ze was vast erg boos over het telefoongesprek, dacht Simona.

Er kwam een verpleegster het huis uit lopen, door een deur vlak naast het busje. Ze was een grote, gespierde vrouw, breed gebouwd, met een korte nek en sterke armen. Haar grijzende haar was net zo kort als dat van een man, en met gel in stekels omhooggezet. Ze bekeek de tiener met een blik alsof ze iets was wat in een etalage te koop aangeboden stond. Toen plooide ze haar roodgeverfde mond, veel te klein voor haar grote vollemaansgezicht, tot een kleine glimlach.

'Simona,' zei ze stijfjes in het Roemeens, 'ga maar met mij mee.'

Ze pakte Simona's hand. De chauffeur liet haar eindelijk los. De verpleegster trok Simona zo hard mee dat ze struikelde en haar enige troost, die ze tegen zich aan had gehouden, op de grond viel en daar bleef liggen terwijl ze het huis in gesleurd werd.

'Gogu!' gilde Simona, die wanhopig haar hoofd omdraaide. 'Gogu!' riep ze weer en ze deed haar best zich los te trekken. 'Gogu!'

Maar Marlene Hartmann kwam snel achter haar aan en sloeg de deur achter hen dicht.

Vlad Cosmescu zag buiten de smerige reep bont op de grond liggen. Hij bukte zich om hem op te pakken. Vol afschuw hield hij het vieze ding tussen zijn vingers en gooide het in een vuilnisvat dat er vlakbij stond.

Vervolgens reed hij het busje achteruit in een van de garages die daar stonden en trok de garagedeur dicht zodat het busje niet meer te zien was. Gewoon, voor alle zekerheid.

106

Met moeite hield Lynn zichzelf goed terwijl ze de foto van het knappe, smoezelige meisje bekeek dat voor haar op de keukentafel lag.

Bangmakerij, dacht ze. Laat het alsjeblieft alleen maar bangmakerij zijn.

Marlene Hartmann was een fatsoenlijke vrouw. Ze kon niet geloven dat het waar was wat de inspecteur haar had verteld. Dat kon eenvoudigweg niet.

Haar handen trilden zo erg dat ze ze onder tafel in haar schoot verborg. Stevig verstrengelde ze haar vingers, uit het zicht. Het kon eenvoudigweg niet!

Ze moest dit zien te doorstaan. Moest deze mensen haar huis uit zien te krijgen, zodat ze die Duitse kon bellen. De brok in haar keel verstikte haar stem. Ze ademde diep in om rustig te worden, net zoals ze op haar werk had geleerd als ze een moeilijke of agressieve cliënt te woord moest staan.

'Sorry hoor,' zei ze, terwijl ze ieder van hen even aankeek. 'Maar ik heb geen idee wat jullie hier doen of wat jullie willen. Mijn dochter staat op de wachtlijst van het Royal South London ziekenhuis voor een transplantatie. We zijn tevreden met wat ze voor ons doen en zijn ervan overtuigd dat ze binnenkort een lever voor haar hebben. Ik zou niet weten waarom we het ergens anders zouden moeten zoeken.' Ze slikte moeizaam. 'Ik zou... Ik weet niet... Ik heb geen idee... waar ik naartoe zou moeten gaan.'

'Mevrouw Beckett,' zei Roy Grace rustig terwijl hij haar strak aankeek, 'mensenhandel is een van de meest onfrisse misdaden in dit land. De politie en de wet veroordelen deze handel zeer strikt. Iemand in Londen heeft onlangs een gevangenisstraf van drieëntwintig jaar gekregen omdat hij in mensen handelde.'

Hij liet dat even bezinken. Ze had het gevoel alsof ze elk moment kon overgeven.

'Mensenhandel bevat een veelheid aan criminele overtredingen,' vervolgde hij. 'Ik zal ze voor u opnoemen: illegale immigratie, ontvoering en iemand tegen zijn of haar zin vasthouden, bijvoorbeeld. Snapt u waar ik heen wil? Iedereen die in dit land een orgaan hier of in het buitenland koopt kan veroordeeld worden voor samenzwering tot mensenhandel en als medeplichtige. Hiervoor gelden dezelfde straffen als voor mensenhandel zelf. Ben ik duidelijk?'

Ze zweette als een otter. Het leek wel alsof de hoofdhuid op haar schedel kromp.

'Heel duidelijk.'

'Ik heb inmiddels genoeg om u op te pakken, mevrouw Beckett, op verdenking van orgaanhandel.'

Het duizelde haar. Ze had moeite hen scherp te kunnen zien. Ze moest zich op de een of andere manier vermannen. Caitlins leven hing van haar af, van hoe ze zich hier doorheen sloeg. Ze keek weer naar de foto, in een wanhopige poging om tijd te rekken, om weer helder te kunnen denken.

'Wat gebeurt er dan met u, als ik u arresteer?' vroeg de politieman. 'Wat gebeurt er met uw dochter?'

'U moet me geloven,' zei ze wanhopig.

'Misschien kunnen we beter met uw dochter praten.'

'Nee!' zei ze snel. 'Nee! Ze is te... te ziek om met iemand te spreken.'

Ze keek de jonge agente met wanhoop in haar ogen aan en zag een flits medelijden oplaaien.

Het bleef een tijd stil, totdat de portofoon van de inspecteur opeens ging kraken.

Hij liep een eindje bij de tafel vandaan en sprak erin.

'Met Roy Grace.'

Een man meldde hem: 'Doelwit 1 is onderweg.'

'Wacht even.'

Grace wees naar hoofdagent Boutwood en vervolgens naar de deur. Hij wendde zich weer tot Lynn.

'Denk heel zorgvuldig na over wat ik net heb gezegd.'

Even later waren beide politiemensen vertrokken, opzettelijk de foto op de keukentafel achterlatend. De voordeur sloeg achter hen dicht.

Lynn liet zich op de stoel zakken en verborg haar gezicht in haar handen. Even later voelde ze twee handen op haar schouders.

'Ik heb alles gehoord,' zei Caitlin. 'Ik wil dus echt die lever niet meer.'

107

Het smeedijzeren hek zwaaide open en een zwarte Aston Martin Vanquish snorde langzaam en voorzichtig tussen de stenen zuilen door. Vervolgens draaide hij met brullende motor naar rechts en schoot naar voren. Het hek ging meteen weer dicht.

Het zou de chauffeur niet opvallen dat er iets anders dan anders was op het door bossen omzoomde paadje. De twee plaatselijke surveillanten hadden zich goed verstopt. De een zat in een heg en de ander, gestoken in camouflagekledij, zat in een conifeer, en hun auto stond op een bospaadje verderop geparkeerd.

Rechercheur Paul Tanner, degene in de heg, kon ongehinderd voor zich uit kijken, en ondanks het getinte glas en de zwarte bekleding in de auto viel hem het grijze haar van de bestuurder op.

Roy Grace, die op de stoep voor Lynn Becketts huis stond, riep hem op via de portofoon.

'Vertel het maar.'

'Kenteken Romeo Sierra nul acht Alpha Mike Lima, meneer. Rijdt naar het oosten.'

Na het gesprek met de leverchirurg dat Guy Batchelor en Emma-Jane Boutwood hadden gevoerd en vermeld tijdens de vergadering, wist Grace dat het Roger Sirius' auto was. Hij wist ook dat de twee surveillanten hard nodig waren in een grote drugsoperatie die die dag in Brighton zou plaatsvinden. Een tekort aan mankracht bij de politie was aan de orde van de dag.

'Goed gedaan,' zei hij. 'Blijf nog een halfuur op je plaats voor het geval hij terugkeert. Zo niet, dan kun je de surveillance opheffen.'

'Na halfuur surveillance opheffen. Begrepen, meneer.'

Grace verbrak de verbinding en belde de Centrale dat ze onmiddellijk een bevel tot aanhouding moesten verzenden met betrekking tot die auto en dat ze moesten nagaan of de politiehelikopter vrij was.

Langs de belangrijkste hoofdwegen stond een heel netwerk aan automatische kentekenherkenningscamera's. Elke nummerplaat werd door de computer gelezen, waardoor, in theorie, een auto om de paar kilometer gevolgd kon worden, zolang hij maar op de hoofdweg bleef. Als de auto eenmaal door een camera was opgepikt of was gesignaleerd door een oplettende politieman, kon de helikopter daar naartoe worden gestuurd en met een beetje geluk het voertuig onopvallend vanuit de lucht volgen.

Hij wendde zich tot hoofdagent Boutwood en knikte naar Lynn Becketts huis.

'Wat vind jij ervan?'

'Je hebt gelijk, ze is ergens mee bezig. Ga je haar oppakken?'

Hij schudde zijn hoofd. 'Zij is niet belangrijk, ze speelt maar een kleine rol. We gaan eens zien wat ze nu gaat doen, waar ze ons naartoe leidt.'

'Denk je dat ze het afblaast?'

'Ik vermoed dat ze gaat telefoneren.' Hij opende met de afstandsbediening de portieren van de Hyundai. Voordat hij instapte stak hij onopvallend zijn vinger ter begroeting op naar de bestuurder en de passagier van de groene Volkswagen Passat die iets verderop aan de straat geparkeerd stond.

108

'Hallo! Lees je verdomme nooit de krant of zo? Ben je twee weken niet buiten geweest, moeder?'

Moeder?

Sinds wanneer noemde ze haar moeder, vroeg Lynn zich wanhopig af, nog steeds in paniek door het bezoek van de politie. De nachtmerrie waarin ze zich bevonden werd steeds grimmiger.

'We zitten midden in de grootste orgaanhandel van de eeuw maar jij hebt daar geen flauw idee van?'

Lynn kwam overeind, schoof de keukenstoel naar achteren en keek haar dochter recht aan. Het verbaasde haar, maar tevens verheugde het haar dat ze er zo sterk uitzag. Maar ze maakte zich ook een beetje zorgen, omdat Caitlin zowat door het lint ging.

'Ja, dat is zo, ik weet er helemaal niets van, oké?'

Caitlin schudde haar hoofd. 'Dat is niet oké. Oké?' Ze krabde heftig over haar armen.

'De politie liegt, engel,' zei ze. 'Er is helemaal geen orgaanhandelschandaal, dat hebben ze gewoon verzonnen.'

'Ja hoor, natuurlijk. Er zijn drie lijken in het Kanaal aangetroffen, zonder organen, en de kranten en de actualiteitenprogramma's op de radio en tv liegen ook allemaal.'

'Die lijken hebben niets met jouw transplantatie te maken.'

'Tuurlijk niet,' zei Caitlin. 'En waarom kwam de politie dan langs?'

Lynn was van haar stuk gebracht. De wanhoop sijpelde door in haar stem en in haar achterhoofd schreeuwde een stemmetje tegen haar, terwijl ze bijna met tegenzin naar de foto op de tafel keek: stel dat inspecteur Grace de waarheid vertelde?

De foto van het meisje stond in haar hersens gegrift. Aan de binnenkant van haar oogleden, zodat ze haar zag elke keer dat ze met haar ogen knipperde.

Het kon niet waar zijn. Niemand zou zoiets doen. Niemand zou een kind voor... voor geld vermoorden voor een ander kind, voor... voor...?

Voor Caitlin?

Zouden ze dat echt doen?

Was Malcolm er maar. Ze moest dit aan iemand kwijt, erover praten. De angst greep haar bij de keel.

Drieëntwintig jaar achter de tralies.

De politie en de wet veroordelen deze handel zeer strikt.

Ze had daar nooit bij stilgestaan. Ja, natuurlijk ontdook ze de wet door een orgaan van iemand te gebruiken die bij een ongeluk was omgekomen. Maar daar was toch in wezen niets mis mee?

Een kind vermoorden.

Dat meisje vermoorden.

Het geld was weg. De helft in elk geval. Zou ze het ooit terugkrijgen? Ze wilde het verdorie niet eens meer terug. Ze wilde verdorie een lever.

Wat de politieman vertelde moest wel een leugen zijn.

Ze kon er zo achter komen. Ze pakte haar mobieltje en zocht in het telefoonboek naar Marlene Hartmann.

Ze wilde net bellen, maar hield opeens op.

Besefte het.

Besefte hoe stom dat zou zijn. Als de orgaanhandelaarster wist dat de politie bij haar langs was geweest, zou ze meteen de hele operatie afblazen en ervandoor gaan. Lynn kon dat risico niet nemen. Na de medicijnen die dokter Hunter had voorgeschreven, was Caitlin weer een stuk levendiger geworden, maar dat zou niet lang duren. Ze had alleen maar wat meer tijd gekregen door hem toe te zeggen dat ze Caitlin die middag nog in het ziekenhuis zou laten opnemen.

Tenzij er een wonder gebeurde was ze ervan overtuigd dat Caitlin er nooit meer uit zou komen als ze weer naar het Royal ging. Ze moest een manier zien te vinden om het toch door te laten gaan.

'Hallo? Hallo? Hallo, moeder? Mam? Ben je er nog?'

Lynn keek haar dochter geschrokken aan. 'Wat is er?'

'Ik vroeg je wat de politie wilde.'

Tot Lynns ontsteltenis zakte Caitlin opeens in elkaar. Lynn kon haar nog net op tijd pakken voordat ze op de grond viel.

Haar dochter keek haar verdwaasd aan.

'Lieverd? Engeltje? Gaat het wel met je?'

Caitlins ogen leken zich niet te kunnen focussen. Ze zag er ontdaan uit en fluisterde: 'Ja.' Haar huid leek zelfs nog geler dan de avond ervoor. Ze fluisterde weer, zodat Lynn haar oor bij haar mond moest houden, en zei: 'Wat wilden ze? De politie?'

'Dat weet ik niet.'

'Worden we opgepakt?'

Lynn schudde haar hoofd. 'Nee.'

Caitlins stem werd wat krachtiger. 'Ze kwamen behoorlijk wanhopig over, vind je niet? Dat was erg wanhopig, toch? Dat ze die foto van dat meisje aan ons lieten zien. Tenzij het natuurlijk waar is.'

Ze keek haar moeder recht aan, haar ogen ineens weer helder en gericht. 'Ze staan waarschijnlijk onder druk vanwege die lijken. Misschien willen ze wanhopig graag de zaak oplossen. Ze proberen alles.'

'Nou, wij zijn anders ook behoorlijk wanhopig.'

Hoe rot ze zich ook voelde, toch glimlachte Lynn, en ze drukte Caitlin heel dicht tegen zich aan, dichter dan ze ooit had gedaan.

'O, liever, ik hou zoveel van je. Zo ontzettend veel. Jij betekent alles voor me. Jij bent de reden waarom ik 's ochtends opsta. Jij bent de reden waarom ik mijn baan volhou. Jij bent mijn leven. Weet je dat wel?'

'Je zou eens een keertje uit moeten gaan.'

Lynn grinnikte en gaf haar een kus op haar wang. 'Wat ben je toch gemeen.'

'Ja.' Caitlin grinnikte ook. 'En jij bent zo ontzettend bezitterig!'

Lynn gaf haar een duwtje en hield haar op een armlengte van zich af.

'En weet je waarom ik zo bezitterig ben?'

'Omdat ik mooi, slim, intelligent ben en de wereld aan mijn voeten zou hebben als ik niet dat ene kleine probleempje zou hebben, nietwaar? God gaf me een lever uit de verkeerde doos.'

Lynn barstte in snikken uit. Vreugdetranen. Tranen uit verdriet. Tranen door de angst. Ze omhelsde Caitlin weer en fluisterde: 'Ze logen. Hij loog. Je moet hem niet geloven. De inspecteur loog. Je moet mij geloven. Engel, lieverd, geloof mij nou maar. Ik ben je mama. Geloof me alsjeblieft.'

Caitlin drukte haar met het beetje kracht dat ze nog in zich had tegen zich aan. 'Ja. Oké, ik geloof je.'

Opeens draaide Caitlin zich om en gaf bijna over. Ze wankelde naar de gootsteen. Lynn kwam achter haar aan en pakte haar bij de arm zodat ze niet zou vallen.

Toen gaf Caitlin heftig over.

Ontzet zag Lynn dat het geen braaksel was wat in de gootsteen en de tegels erachter terechtkwam. Het was helderrood bloed.

Terwijl ze haar brakende en naar adem snakkende dochter stevig vasthield, wist ze ineens heel zeker dat verder niets er meer toe deed. Het deed er niet toe of inspecteur Grace nu wel of niet de waarheid vertelde. Het deed er niet toe dat het meisje op de foto moest sterven. Het deed er niet toe wie er dan ook moest sterven. Indien nodig zou ze hen zelf met haar blote handen kunnen vermoorden als ze daarmee haar kind kon redden.

109

Simona zat huilend op een stoel in een kleine kamer zonder ramen een glas cola te drinken. De kamer deed haar denken aan de gevangeniscel waar ze ooit een avond in had doorgebracht toen Romeo en zij twee jaar geleden wegens winkeldiefstal waren opgepakt. Het rook er ook naar ontsmettings-middel. Er stonden een paar kasten in met medische spulletjes, maar verder niets. Ze had zo'n honger dat haar maag pijn deed.

'Ik wil Gogu,' bracht ze snikkend uit.

De grote Roemeense verpleegster die Simona zo hard bij de arm had ge-grepen dat ze nu blauwe plekken had en het pijn deed, stond voor de deur met haar armen over elkaar geslagen toe te kijken terwijl ze dronk.

'Ik heb hem buiten laten vallen.'

'Ik pak hem straks wel,' antwoordde ze.

Simona voelde zich daar een beetje beter door en knikte blij. Ze keek naar het glas en vervolgens weer naar de vrouw.

'Mag ik ook iets te eten?' Het was al de derde keer in een kwartier dat ze dat vroeg. 'Maakt niet uit wat.'

'Drink op,' commandeerde de vrouw.

Gehoorzaam nam Simona nog een paar slokjes. Als ze dit tweede glas op had, zou ze misschien wat te eten krijgen, en zou de vrouw Gogu voor haar halen.

'Wat voor werk ga ik hier doen?' vroeg ze.

De verpleegster fronste haar wenkbrauwen. 'Werk? Wat voor werk?'

Simona glimlachte dromerig. 'Ik wil wel in een bar werken!' zei ze. 'Ik wil graag leren hoe je drankjes mixt. U weet wel, van die chique drankjes. Hoe noemen ze die ook alweer? Cocktails! Dat lijkt me erg leuk werk, drankjes mixen en met mensen kletsen. Ze hebben in dit hotel vast een mooie bar, toch?' Omdat de vrouw haar nog steeds verbaasd aankeek, voegde ze er snel aan toe: 'Maar het maakt mij verder niet uit, hoor. Ik wil alles wel doen. Ik kan schoonmaken. Dat doe ik graag. Ik ben al blij dat ik hier ben. En ik zal zelfs nog blijer zijn als Romeo er ook weer is! Komt hij snel, voor zover u weet?'

'Drink op,' zei de vrouw weer.

Simona dronk het glas leeg. Toen zat ze daar in stilte, terwijl de vrouw als een schildwacht met haar armen over elkaar geslagen bij de deur bleef staan.

Na een paar minuten werd Simona plotseling slaperig. Ze werd duizelig en kon niet goed meer zien. De vrouw, de muren en de kasten werden wazig. Ze gleden almaar sneller langs.

De verpleegster stond uitdrukkingsloos toe te kijken en zag dat Simona haar ogen dichtdeed en op de grond viel en daar luid ademend stil bleef liggen.

Ze hees het meisje over haar schouder, droeg haar door de kleine gang naar een kamertje waar ze werd klaargemaakt voor de operatie en legde haar op een brancard. Toen trok ze al haar kleren uit, op zoek naar waardevolle dingen. Sommige straatratten zoals dit meisje hadden gestolen waardevolle spullen bij zich die ze in Engeland wilden verkopen.

Ze trok snel een latex handschoen aan voordat er iemand aankwam, en keek de mond van het meisje na en onderzocht vervolgens nauwkeurig haar vagina en anus. Niets! Stomme trut.

Ze belde de anesthesist en vertelde hem met nauwelijks verholen walging in haar stem dat het meisje zover was.

110

Roy Grace liep net CR1 in toen de Romeo Sierra nul acht Alpha Mike Lima door een bewakingscamera werd opgepikt. Hij kreeg dat meteen te horen. Hij bleef voor de afgeladen werkplek staan en schreef de informatie op. De Aston Martin van sir Roger Sirius reed vanaf de Washington-rotonde over de A24 in noordelijke richting.

Hij belde meteen de afdeling Vliegverkeer en gaf aan dat de Hotel 900, de politiehelikopter, moest opstijgen. Ze schatten dat ze over zeven minuten bij de rotonde zouden aankomen, die zesenhalve kilometer ten noorden van Worthing en dertien kilometer van hun basis, Shoreham Airport, af was.

Hij rekende het snel uit. De maximum grondsnelheid van de Hotel 900, afhankelijk van of er rug- of tegenwind was, bedroeg ongeveer tweehonderdtien kilometer per uur. De A24 was een snelle tweebaansweg, maar Sirius zou vast niet het risico willen lopen opgepakt te worden voor te snel rijden. Stel dat hij honderddertig kilometer per uur reed en op deze weg bleef, zou de helikopter hem binnen een kwartier in zicht moeten hebben.

Tenzij hij natuurlijk een B-weg insloeg.

Hoewel het bewolkt was, zaten de wolken erg hoog, zodat de helikopter nog zicht genoeg had. Hij stak zijn hand op ter begroeting van een paar teamleden die zijn aandacht wilden trekken en liep naar een plattegrond die op het whiteboard geprikt was. Sussex en gedeelten van de districten ernaast waren erop te zien, alsmede de positie van de woningen van Lynn Beckett en Roger Sirius, die met rood omcirkeld waren. Paars omcirkeld waren alle privé-klinieken in dat gebied. Het waren er behoorlijk veel, inclusief klinieken voor sportblessures, diagnostische centra en huidklinieken; Grace wist dat de meeste niet in aanmerking kwamen omdat ze te klein waren om de faciliteiten te herbergen waar ze naar op zoek waren.

Hij zag al snel de A24 en de rotonde en volgde met zijn vinger de weg naar boven. De auto kon naar heel wat plekken onderweg zijn. De agglomeratie van Horsham of Guildford was een mogelijkheid, maar Grace had het vermoeden dat ze een privékliniek zouden gebruiken die het soort faciliteiten had dat benodigd was voor transplantaties alsmede de verpleegkundige staf die daarbij hoorde, en dat die waarschijnlijk ergens op het platteland zou staan.

Hij keek op zijn horloge en wachtte gespannen of hij iets hoorde van een andere automatische kentekenherkenningscamera die de auto had opgepikt of van de helikopter en had er al spijt van dat hij het surveillanceteam bij zijn huis had laten staan in plaats van ze achter de auto aan te sturen.

Hij had geen idee hoeveel tijd ze hadden, maar uit het telefoongesprek dat ze hadden onderschept, had hij begrepen dat Lynn Beckett en haar dochter binnen de kortste keren werden opgehaald. Hij ging ervan uit dat ze hooguit nog een paar uur hadden.

Er waren sinds zijn bezoek geen telefoontjes meer onderschept en dat vond hij een slecht teken. Dat hield in dat ze niet in paniek was geraakt door zijn bezoek en er gewoon mee doorging. Het was natuurlijk ook mogelijk dat ze nog een telefoon had, een prepaid, waar zij niets vanaf wisten, maar als dat zo was, dan had ze daar toch zeker eerder ook mee gebeld en niet met haar vaste telefoon? Of misschien met het mobieltje van haar dochter, als die er een had.

Waar zij of Sirius ook naartoe ging, en hij was ervan overtuigd dat ze naar dezelfde plek gingen, hij zou erbovenop zitten. Hij had in de loop van de nacht de eenheden verzameld en alle voertuigen en medewerkers klaar laten staan. Gelukkig was het die ochtend erg rustig in Sussex geweest en had hij nog steeds een voltallige bezetting.

'Meneer!' Jacqui Phillips, een van de onderzoekers, riep hem.

Hij liep naar haar toe. Hij had haar de dag ervoor de taak gegeven alle fabrikanten en leveranciers na te gaan van operatieapparatuur, -instrumenten en -medicijnen. Maar nu hij de lijst bekeek, besefte hij dat die veel te lang was. Het zou weken duren om al die adressen te controleren.

Vervolgens wilde Glenn Branson hem spreken. De rechercheur had inmiddels gehoord van de mensen die de toegangswegen in de gaten hielden nadat foto's van Marlene Hartmann en Simona waren verstuurd. In de nacht en de vroege ochtend waren er meermalen mensen gesignaleerd die aan de beschrijving voldeden. Er waren een moeder en dochter bij uit Roemenië die op Gatwick een uur lang waren vastgehouden voordat ze weer mochten gaan, en verder nog een stel uit Duitsland, dat een jong meisje bij zich had, en verhoord was door Eurostar.

'We kunnen dus gerust aannemen dat ze inmiddels in het land is,' zei Grace.

'Zal ik het verzoek opheffen?'

'Laat het nog maar een uur doorgaan, voor alle zekerheid,' zei hij.

Zijn portofoon kraakte weer. Een andere camera had Sirius opgepikt. Hij reed nog steeds over de A24, had inmiddels Horsham achter zich gelaten en ging nog steeds in noordelijke richting. Grace keek weer op zijn horloge. Sirius zette er haast achter. Als hij zo doorging zou hij over niet al te lange tijd het district uit zijn en Surrey in rijden, wat betekende dat de districts- politie ter plaatse over hun achtervolging moest worden ingelicht.

Hij nam contact op met de helikopter, gaf de informatie door en vroeg waar ze zich bevonden.

De waarnemer antwoordde dat ze vlak bij Horsham zaten. Een paar tellen nadat hij de verbinding had verbroken, kraakte de portofoon weer en hoorde hij de waarnemer opgewonden iets zeggen.

'We kunnen Romeo Sierra nul acht Alpha Mike Lima zien! Er is langzaam verkeer vanwege wegwerkzaamheden, en hij zit nog steeds op de A24, rich- ting het noorden.'

Grace liep weer naar de plattegrond en zette een cirkel ten oosten, ten westen en ten noorden van de positie van de auto. In dat gebied stonden er zeven paarse cirkels, de bestaande klinieken aldaar.

Tien spannende minuten later gaf de helikopter door dat de Aston Martin verder naar het noorden reed. Als hij deze route aanhield, dacht Grace van zijn stuk gebracht, terwijl hij weer op de plattegrond keek, zou hij al snel op de M25 komen, de ringweg rond Londen.

'Waar ga je verdorie naartoe?' zei hij hardop.

De negenentwintig leden van zijn onderzoeksteam die op dat moment aanwezig waren en over hun scherm gebogen zaten of met de telefoon in de weer waren, of uitdraaien bekeken, wisten het evenmin.

III

Lynn ritste net haar weekendtas dicht toen de deurbel ging.

Het geluid van de bel snerpte door haar heen. Snerpte door haar ziel. Ze bleef in blinde paniek als aan de grond genageld staan.

Was dat de politie weer?

Ze liep naar het raam en tuurde voorzichtig naar buiten. Er stond een turquoise met witte Streamline-taxi voor de deur.

Ze was nog nooit zo opgelucht geweest. Ze had dan wel geen taxi verwacht, maar het kon wel, het was zelfs prima, besefte ze toen ze erover nadacht. Een taxi! Ja, prima! Door een taxi te sturen liet Marlene Hartmann zien dat ze niets hoefde te verbergen. Een taxi was open. Als zij hen met een taxi liet ophalen, betekende dat dat alles in orde was.

Je kunt m'n rug op met je bangmakerij, inspecteur Grace, dacht ze. Toen tikte ze hard op het raam. De chauffeur, een man van in de veertig in een pilotenjack, keek naar boven en Lynn gebaarde naar hem dat ze eraan kwamen.

Ze liep met een opgewekt gevoel met haar tas en die van Caitlin de trap af. Het zou allemaal in orde komen. Alles zou prima gaan. Het zou fantastisch zijn. Caitlin zou van haar het allermooiste kerstcadeau ooit krijgen!

'Lieverd!' riep ze. 'Het is zover!'

Caitlin zat aan de keukentafel met Max op haar schoot en aaide hem, terwijl ze naar het Roemeense meisje op de foto keek. Het glas met glucosewater en de antibioticapillen die Ross Hunter haar had gegeven, stonden nog onaangeroerd voor haar op tafel.

'Heb je Max water en wat voer gegeven, lieverd?' vroeg Lynn.

Caitlin keek haar niet-begrijpend aan.

'Lieverd?'

Het opgewekte gevoel dat Lynn had gehad, week onmiddellijk toen ze zag hoe verward haar dochter was.

'Geeft niet, dat doe ik wel!'

Ze vulde snel het waterbakje, gooide wat voer in het etensbakje, tilde Max voorzichtig uit Caitlins armen, gaf hem een knuffel en een kus en zette hem op de grond.

'Pas goed op het huis, Max! Je stamt van de leeuwen af, denk daar wel aan!'

Caitlin moest altijd lachen als ze dat zei, maar dit keer reageerde ze niet. Lynn legde zachtjes haar hand op haar arm.

'Kom, engel, neem je pillen en en dan gaan we.'

'Ik heb geen dorst.'

'Het is goed voor je. Je mag vanwege de operatie verder niets eten vanochtend, weet je nog wel?'

Met tegenzin gaf Caitlin toe. Ze pakte het glas op, kwam half overeind en viel toen zwaar terug in de stoel, waarbij er wat vloeistof uit het glas klokte.

Lynn keek haar met toenemende paniek aan. Ze hield het glas vast en hielp Caitlin de rest op te drinken en de pillen door te slikken. Daarna rende ze naar buiten om de chauffeur te vragen of hij even kon helpen.

Twee minuten later stond hun bagage in de kofferbak en zat Lynn met Caitlins hand in de hare op de achterbank van de taxi en reden ze weg.

Op honderd meter afstand stond de groene Volkswagen Passat. De inzittenden gaven door dat Doelwit 2 het huis verlaten had en gaven het kenteken van de taxi door.

Grace, die aan zijn bureau in CR1 zat, gaf hun opdracht de taxi te volgen en hen in het oog te houden.

'Waar gaan we naartoe?' vroeg Lynn aan de chauffeur.

'Dat is een verrassing!'

Ze zag hem in het spiegeltje grijnzen.

'Hoe bedoelt u?'

'Dat mag ik u nog niet vertellen.'

'Pardon?'

'Het is allemaal een beetje spionage-achtig. Net James Bond.'

'Die Another Day,' mompelde Caitlin met haar ogen halfdicht. Ze krabde steeds feller op haar bovenbenen.

Ze namen een bocht naar links Carden Avenue in, en toen weer links London Road op, richting het zuiden, naar het centrum van Brighton.

Lynn keek op het identiteitsbewijs van de chauffeur dat op het dashboard bevestigd was. Er stond op dat hij Mark Tuckwell heette.

'Nou goed, meneer Bond,' zei Lynn. 'Is het een lange reis?'

'Dit gedeelte nog niet. Ik –' Hij werd onderbroken door zijn mobieltje. Hij nam kortaf op. 'Ik zit in de auto, bel je zo terug.'

'Kunt u me een aanwijzing geven?' vroeg Lynn.

'Rustig, mens!' mompelde Caitlin.

Lynn hield haar mond terwijl ze naar Preston Circus reden en toen bij de verkeerslichten onder het viaduct door naar rechts afsloegen, New England Hill op. Toen namen ze een scherpe bocht naar links. Even later reden ze de heuvel over en gingen ze naar beneden, naar het station van Brighton. De chauffeur stond stil bij een kruising, reed toen weer door en sloeg links af Trafalgar Street in, waarna hij voor de trap van het station stopte.

Een kleine man van een jaar of vijftig, in een goedkoop beige pak en met vet haar en een adelaarsneus, kwam snel naar hen toe lopen en trok het portier aan Lynns kant open.

'Kom mee met mij,' zei hij in slecht Engels. 'Snel, snel! Ik ben Grigore!' Hij glimlachte onderdanig, waarbij zijn vooruitstekende tanden goed te zien waren.

Lynn keek hem verbijsterd aan en vroeg: 'Waar... Waar gaan we naartoe dan?'

Hij trok ze met een verontschuldigend glimlachje zowat de auto uit, de ijskoude lucht in.

De taxichauffeur haalde hun tassen uit de kofferbak.

Geen van hen zag de groene Passat die langzaam langsreed.

In de Coördinatieruimte piepte Grace' portofoon.

'Met Roy Grace,' antwoordde hij.

'Ze stappen uit bij Brighton Station,' stelde de surveillant hem op de hoogte.

Roy snapte er niets van. Brighton Station?

'Waar slaat dat nou op?' zei hij, hardop denkend.

Vanaf dat station gingen er vier treinen per uur naar Londen. Romeo Sierra nul acht Alpha Mike Lima reed nog steeds richting de M25. Hij kon het dus wel schudden dat ze naar een kliniek in Sussex gingen. Gingen ze dan naar een kliniek in Londen?

'Volg ze te voet,' zei hij in paniek. 'Verlies ze niet uit het oog. Verlies ze verdomme alsjeblieft niet uit het oog.'

Grigore droeg een van de tassen en Lynn de andere, en met Caitlin struikelend tussen hen in haastten ze zich door Brighton Station. Om de haverklap wierp de man nerveus een blik achterom.

'Snel!' spoorde hij haar aan. 'Snel!'

'Ik kan verdorie niet sneller!' bracht Lynn hijgend uit.

Ze liepen onder de klok die aan het glazen plafond hing, langs de kiosk en het café en verder, langs het verste perron.

'Waar gaan we heen?' vroeg Lynn.

'Snel!' zei hij.

'Ik moet even zitten,' zei Caitlin.

'Straks zitten, ja?'

Ze wankelden het parkeerterrein op, langs rijen auto's, en kwamen bij een stoffige bruine Mercedes. De man maakte de kofferbak open, legde hun tassen erin, trok toen het achterportier open en liet Caitlin plaatsnemen. Lynn stapte aan de andere kant in. Grigore ging snel op de bestuurdersstoel zitten, startte de motor en reed als een speer naar de uitgang. Hij stak zijn kaartje in het apparaat en de hefboom ging omhoog. Toen scheurde hij als een gek weg.

De surveillant, hoofdagent Peter Woolf, stond er met afgrijzen naar te kijken en zag zijn promotiekansen tegelijk verdwijnen. Hij belde verwoed zijn collega in de Passat om zo snel mogelijk naar het parkeerterrein te komen.

Maar de Passat zat vast in een file van gefrustreerde bestuurders die stonden te wachten voor een of andere idioot in een vrachtwagen met oplegger die de hele straat verstopt hield terwijl hij achteruit parkeerde.

112

Marlene Hartmann ijsbeerde in haar kantoor op de begane grond van de westvleugel van Wiston Grange, een van de zes klinieken ter wereld die in handen waren van de Transplantation-Zentrale. Ze was op van de zenuwen. De meeste verwende cliënten die hier voor het kuuroord kwamen, of voor de plastische chirurgie en de andere verjongingspraktijken, waren zich niet bewust van wat er achter de dichte deuren met het bordje PRIVÉ – GEEN TOEGANG in deze vleugel plaatsvond.

Ze had vanuit haar raam een prachtig uitzicht op de Downs, maar ze had het over het algemeen te druk om ervan te genieten. Net zoals nu.

Ze keek voor de tiende keer op haar horloge. Waar bleef Sirius? Waarom waren de moeder en de dochter er nog niet?

Lynn Beckett moest via de fax haar bank instrueren dat ze de rest van het geld moesten overmaken. Normaal gesproken wachtte ze op bevestiging dat het geld op haar rekening in Zwitserland stond voordat ze verdergingen, maar dit keer was ze bereid het risico te lopen, omdat ze zo snel mogelijk weer weg wilde.

De zon ging om vijf voor vier onder. Dan konden er op Shoreham Airport geen vliegtuigen meer vertrekken of landen. Op zijn allerlaatst moest zij daar dus om halfvier zijn. Cosmescu en de stoffelijke resten van het Roemeense meisje gingen met haar mee. Het team dat ze achterliet zou het wel redden, dat moest voor de kleine Caitlin zorgen. Zelfs als de politie achter de locatie kwam, zou de operatie tegen de tijd dat ze kwamen opdagen al achter de rug zijn en zou er maar heel moeilijk enig bewijs te vinden zijn. Ze zouden er niet blij mee zijn, maar ze konden moeilijk Caitlin opensnijden om te zien of ze een nieuw orgaan had.

Ze liep haar kantoor uit naar de kleedkamer, waar ze operatiekleding aantrok, rubberlaarzen en latex handschoenen. Ze stapte de operatiekamer in en knikte bij wijze van begroeting naar Razvan Ionescu, de transplantatie-specialist, de twee anesthesisten en de drie verpleegsters, allen afkomstig uit Roemenië.

Simona lag naakt en bewusteloos op de tafel, in de felle gloed van de lampen boven haar. Er zat een buis in haar keel die met het beademingsapparaat en de anesthesie-apparatuur verbonden was. In haar pols zat een infuus dat leidde naar een standaard met vloeistof naast de tafel, waardoor ze voortdurend voorzien werd van Propofol. Er waren nog twee infusen met vocht die ervoor zorgden dat haar organen goed vochtig gehouden werden en optimaal bleven.

Op de platte, ultramoderne monitor aan de muur werden haar bloeddruk, hartslag en zuurstofverzadigingsniveau weergegeven.

'Alles ist in Ordnung?' vroeg Marlene Hartmann.

Razvan keek haar niet-begrijpend aan. Ze was vergeten dat hij geen Duits sprak.

'Zijn jullie zover?' vroeg ze, dit keer in het Roemeens.

'Ja.'

Ze keek weer op haar horloge. 'Willen jullie nu meteen de lever verwijderen?'

Hoewel hij uiterst ervaren was, zei Razvan: 'Ik wacht liever op sir Roger.'

'We hebben niet veel tijd,' gaf ze aan. 'Begin anders alvast met de nieren. Die gaan naar Duitsland en Spanje.'

Opeens piepte haar portofoon. Ze nam op en luisterde even. Toen zei ze: 'Oké, heel mooi!'

Mevrouw Beckett en haar dochter zouden er over twintig minuten zijn.

113

Hoofdagent Woolf gaf met het schaamrood op de kaken door dat Whisky zeven negen zes Lima Delta Yankee onvindbaar was. De bruine Mercedes waar Lynn en Caitlin Beckett in zaten was hun te vlug af geweest.

Fantastisch, dacht Roy Grace aan zijn overvolle bureau in CR1. Echt helemaal fantastisch.

Hij kon nu alleen nog maar hopen dat de auto door de automatische kentekenherkenningscamera's werd opgepikt.

Er rinkelde opnieuw een telefoon eindeloos door. Ze kregen naar aanleiding van de persberichten momenteel het ene na het andere telefoontje en hadden moeite het bij te houden. Maar toch, er waren tweeëntwintig mensen in deze ruimte en er zaten er maar een stuk of twaalf te bellen, de rest was aan het lezen of aan het tikken.

'Neem verdomme een keer op!' riep hij uit.

Grace wierp een blik op het sectierapport van Jim Towers, dat hij net binnen had gekregen. De doodsoorzaak was verstikking door het inademen van water. Door hypoxie en zuurvergiftiging had hij een hartstilstand gekregen. Tussen de regels vol met technische aantekeningen van Nadiuska de Sancha door lezend, kwam hij erachter dat de schipper van de Scoob-Eee was verdronken. Zijn organen waren nog allemaal aanwezig.

Maar hoewel de doodsoorzaak heel anders was dan bij de drie overleden tieners, wist Grace intuïtief dat deze twee zaken verband met elkaar hielden. Hij wist nog niet of hij moeite zou doen om het wrak van de Scoob-Eee te laten bergen. Hij had er nog niet over na kunnen denken.

Hij gaf op zijn computer aan dat hij een plattegrond wilde zien. Even later, dankzij de transponders aan boord, zag hij de positie van de helikopter en de twee auto's die de Aston Martin van Sirius volgden. Ze waren nog maar een paar kilometer van de M25 verwijderd. Er stonden daar zo veel camera's voor automatische kentekenherkenning dat ze hem voortdurend in het oog konden houden.

Hij kreeg een belletje van de Centrale. Whisky zeven negen zes Lima Delta Yankee was op de A283, ten westen van Brighton, opgepikt.

Hij sprong opgewonden van zijn stoel en stormde naar de plattegrond. Toen fronste hij zijn wenkbrauwen. De paarse cirkels daar in de buurt waren

het Southlands Hospital in Shoreham, een ziekenhuis van de nationale gezondheidszorg dat ze al hadden afgeschreven, en Wiston Grange, een medische en schoonheidskliniek, die ze eveneens hadden doorgestreept. Maar de
weg leidde wel naar dezelfde rotonde in Washington, even ten noorden van
Worthing, waar Sirius de A24 op was gegaan.

Hij liep terug naar zijn bureau, belde ondertussen Jason Tingley, de inspecteur van de inlichtingendienst, en vroeg hem of hij toevallig iemand in
de buurt van Washington had. Maar Tingley moest tot zijn spijt zeggen dat
dat niet het geval was.

Tien minuten later had hij nog steeds niets van de auto gehoord.

Wat bijna zeker inhield dat hij zich in de richting had vergist. Het was te
hopen dat een bijdehante verkeersagent hen zag.

Er rinkelde weer een telefoon. Neem verdomme toch op, dacht hij.

Hij werd op zijn wenken bediend.

Hij kreeg steeds meer last van zijn zenuwen. Alison Vosper wilde weten
wat er aan de hand was en Kevin Spinella van de *Argus* had al vier berichten
ingesproken omdat hij benieuwd was wanneer er weer een persconferentie
zou zijn.

Hij riep een plattegrond van de politie van Sussex op zijn beeldscherm tevoorschijn en keek ernaar, terwijl hij zich wanhopig afvroeg wat hem was
ontgaan.

Opeens belde de waarnemer vanuit de helikopter hem. De Aston Martin
reed een tankstation binnen.

Grace bedankte hem. Even later nam een van de wagens contact met hem
op en gaf door dat ze nu allebei in het tankstation waren en wilden weten
wat ze verder moesten doen.

'Blijf bij hem,' antwoordde Grace. 'Doe niets. Tank ook maar, of doe alsof.'

'Bij hem blijven, oké.' Wat gekraak en toen: 'Meneer, Doelwit 1 verlaat het
voertuig. Alleen, meneer, is het geen hij maar een zij.'

'Wat zeg je?'

'Het is een vrouw, meneer. Lang, donker haar. Eén meter vijfenzeventig,
achter in de twintig.'

'Weet je het zeker?' wilde Grace weten.

'Ja, het is echt een vrouw, meneer.'

De grond leek onder Grace' voeten weg te zakken. 'Een vrouw met lang,
bruin haar. Maar... ze had een halfuur geleden nog grijs haar!'

'Nu niet meer, meneer.'

'Dat meen je niet!' zei hij.

'Helaas wel, meneer.'

'Blijf bij haar,' zei Grace. 'Ik wil weten waar ze naartoe gaat.'

Vervolgens gaf hij de helikopter opdracht naar de Washington-rotonde te vliegen en uit te kijken naar de Mercedes. Toen nam hij een slok ijskoude koffie en deed hij even zijn ogen dicht, terwijl hij in gedachten verzonken met zijn vuist tegen zijn kin tikte.

Was de vrouw in de Aston gewoon ergens naar onderweg, of was ze een lokvogel? Had rechercheur Tanner, een ervaren surveillant, een grote vergissing begaan? Grijs of bruin haar scheelde anders nogal wat. Er zaten waarschijnlijk getinte ruiten in de auto, maar een getinte voorruit was verboden.

Even later piepte zijn portofoon en kreeg hij het antwoord.

Het was de surveillant bij het pompstation.

'Meneer, ik heb even in de auto gekeken toen ze aan het afrekenen was. Er ligt een pruik met kort, grijs haar op de passagiersstoel.'

Grace bedankte hem en gaf opdracht haar te blijven volgen. Toen beëindigde hij het gesprek.

Verdomme, dacht hij. Verdomme, verdomme.

Hij nam meteen contact op met Paul Tanner.

De expert verontschuldigde zich. Hij liet Grace weten dat zijn collega en hij nog een halfuur nadat de Aston Martin was vertrokken, ter plaatse waren gebleven, zoals de opdracht luidde. Maar ze reden nu naar het centrum van Brighton, omdat ze dringend nodig waren bij een surveillance in een drugszaak.

Grace bedankte hem en wendde zich toen tot Guy Batchelor met het verzoek om Sirius' vaste nummer thuis te bellen om te zien of hij daar was.

Twee minuten later liet de rechercheur hem weten dat Sirius even daarvoor het huis had verlaten.

Grace hoorde het vertwijfeld aan. Hij kon gewoon niet geloven dat hij zich zo om de tuin had laten leiden. Dat had het team nooit van hem verwacht. Hij had het van zichzelf ook nooit verwacht.

Hij had Lynn Beckett die ochtend moeten arresteren, toen hij de kans had. Dan had hij tenminste iets in handen gehad. Maar het had natuurlijk wel paniek veroorzaakt en hij had dan geen kans meer gehad om de mensen op heterdaad te betrappen. Lieve hemel, wat was het toch makkelijk om achteraf te praten!

Denk na, spoorde hij zichzelf aan. Denk na, man, denk eens een keer goed na.

Opnieuw rinkelde er een telefoon. Hij kon zich maar moeilijk concentreren door die voortdurende doordringende herrie. Er knipperde een lampje op de telefoon op zijn bureau. Gefrustreerd drukte hij op het knopje en nam op.

'Politie,' zei hij.

440

Hij had een vrouw aan de lijn die uiterst zenuwachtig was. Hij schatte haar een jaar of dertig, veertig. Ze zei: 'Ik wil graag iemand spreken die over die drie lijken gaat die in het Kanaal zijn... zijn ontdekt. Operatie Neptunus heet het toch? Klopt dat?'

Zo te horen was ze weer de zoveelste tijdverspilling, maar je kon het nooit zeker weten. Hij bleef altijd beleefd en luisterde aandachtig. 'U spreekt met inspecteur Grace,' zei hij. 'Ik heb de leiding over operatie Neptunus.'

'O,' zei ze. 'Oké. Mooi. Moet u horen, ik wil u niet lastigvallen of zo, maar ik maak me grote zorgen. Ik zou u niet moeten bellen, weet u, maar ik heb nu even pauze...'

'Goed,' zei hij. Hij pakte een pen en sloeg zijn notitieboekje open. 'Wat is uw naam en uw telefoonnummer?'

'Ik... Ik had uit het bericht van Crimestoppers begrepen dat... dat ik anoniem kon blijven.'

'Ja hoor, dat klopt. Als u dat liever hebt. En wat kunt u voor ons doen?'

'Nou,' zei ze, inmiddels op van de zenuwen, 'misschien is het niets. Maar ik heb gelezen – weet u – en het was ook op het journaal... dat eh... die arme kinderen misschien wel vanwege hun organen zijn vermoord. Nou, het punt is, weet u...' Ze zei opeens niets meer.

Grace wachtte tot ze door zou gaan. Na een tijdje zei hij ietwat ongeduldig: 'Ja?'

'Nou, moet u weten, ik werk voor een farmaceutische groothandel. We leveren nu al een tijdje twee bepaalde medicijnen, en nog wat andere, aan een kliniek voor plastische chirurgie in West-Sussex. Het punt is dat ik niet zou weten waarom deze kliniek dat soort medicijnen nodig zou hebben.'

Grace kreeg steeds meer interesse. 'Om wat voor medicijnen gaat het?'

'Nou, het ene is Tacrolimus.' Ze spelde het voor hem terwijl hij het opschreef. 'En het andere Ciclosporin.' Dat schreef hij ook op.

'Het zijn allebei immunosuppressieven,' vervolgde ze.

'Wat houdt dat in?' vroeg hij.

'Immunosuppressieven worden gebruikt om afstoting na een transplantatie tegen te gaan.'

'En voor de cosmetische chirurgie worden ze nooit gebruikt?'

'Alleen bij huidtransplantaties, zodat de huid niet afgestoten wordt. Maar het lijkt me sterk dat ze de hoeveelheid die ze de afgelopen twee jaar hebben besteld voor huidtransplantaties nodig hadden. Ik weet er veel van, want ik heb in het brandwondencentrum in Oost-Grinstead gewerkt,' zei ze opeens trots en een stuk minder nerveus. 'En dan is er nog een medicijn dat we aan die kliniek leveren en dat misschien ook belangrijk kan zijn.'

'Welke dan?'

'Prednisolone.' Ook dat spelde ze voor hem. 'Dat is een steroïde. Het kan voor veel dingen worden gebruikt, maar over het algemeen wordt het bij levertransplantaties toegepast.'

'Levertransplantaties?'

'Klopt.'

De adrenaline schoot Roy Grace door het lijf. 'Hoe heet die kliniek?'

Ze aarzelde even, en de vrouw werd duidelijk weer zenuwachtig. Bijna fluisterend zei ze: 'Wiston Grange.'

114

De chauffeur sprak amper Engels en dat kwam Lynn goed uit, want ze had totaal geen zin in een kletspraatje. Hij vertelde haar dat hij Grigore heette en elke keer dat ze in de achteruitkijkspiegel keek, zag ze hem met zijn scheve, blinkende tanden naar haar grijnzen. Tijdens de autorit voerde hij twee keer een kort telefoongesprek in een buitenlandse taal die Lynn niet kende.

Zij hield zich voornamelijk bezig met Caitlin, die tot haar immense opluchting tijdens de reis weer een beetje bijkwam, misschien dankzij de glucose of de antibiotica, of misschien allebei. Nu was zij één grote bonk zenuwen. Ze lette niet echt op waar ze naartoe gingen, terwijl ze over de A27 ten westen van Brighton langs Shoreham Airport reden en vervolgens over de rondweg bij Steyning. De lucht was leigrijs, net zoals zij zich vanbinnen voelde, en het ijzelde. De chauffeur zette om de paar minuten de ruitenwissers aan.

'Komt pap me opzoeken?' vroeg Caitlin opeens met een zwak stemmetje. Ze krabde zich over haar buik.

'Ja, natuurlijk. Een van ons zal steeds bij je zijn totdat je weer naar huis mag.'

'Naar huis,' zei Caitlin weemoedig. 'Daar zou ik nu graag willen zijn: thuis.'

Het lag Lynn op het puntje van haar tong om te vragen welk huis ze bedoelde, maar ze deed het toch maar niet. Want ze wist het maar al te goed.

Caitlin, met grote, bange ogen en uiterst kwetsbaar, vroeg: 'Ben je er ook tijdens de operatie bij, mam?'

'Dat beloof ik je.' Ze gaf haar dochters slappe hand een kneepje en kuste haar op haar wang. 'En ik ben er ook als je wakker wordt.'

Caitlin glimlachte wrang. 'Nou, hopelijk heb je dan wel iets fatsoenlijks aan.'

'En bedankt!'

'Je hebt dat afschuwelijke oranje topje toch niet meegenomen?'

'Nee, dat afschuwelijke oranje topje heb ik niet meegenomen.'

Een halfuur nadat ze van het parkeerterrein bij het station van Brighton waren vertrokken, draaiden ze een chique oprijlaan in, door een hek met zuilen aan weerskanten, langs het bordje met KUUROORD WISTON GRANGE erop en vervolgens een oprijlaan in die hen langs een glooiend grasveld en over een aantal verkeersdrempels voerde. Lynn zag een golfbaan links van hen en een groot meer. Voor hen lagen de Downs en ze zag nog net het bosje bomen dat de Chanctonbury Ring vormde.

Caitlin zei niets, ze had haar ogen dicht en luisterde naar de muziek op haar iPod of sliep. Lynn, die doodstil naast haar zat, wilde haar pas op het laatste moment wakker maken, in de hoop dat ze door te slapen haar krachten zou sparen.

God, laat dit de juiste beslissing zijn, bad ze in stilte.

Er was niets aan de hand geweest totdat de politie die ochtend langs was gekomen. Tot dat moment was ze ervan overtuigd geweest dat ze de juiste beslissing had genomen, maar nu wist ze niet meer wat de juiste beslissing was.

Caitlin werd wakker geschud door een verkeersdrempel. Haar ogen vlogen open en ze keek ontdaan om zich heen.

'Waar luister je naar, lieverd?' vroeg Lynn.

Caitlin hoorde haar niet.

Lynn keek haar dochter aan en het leek wel of haar hart op klappen stond, zoveel hield ze van haar. Ze keek naar haar gele huid en haar gele ogen. Ze zag er verdorie zo fragiel en kwetsbaar uit.

Je moet sterk blijven, lieverd. Nog heel even volhouden. Nog een paar uur en dan is alles in orde.

Ze keek door het raam naar het gebouw dat voor hen opdoemde: een groot, lelijk, oud landhuis. Het middelste gedeelte zou victoriaanse gotiek kunnen zijn, maar er waren ook een paar moderne aanbouwen en bijgebouwen, enkele in overeenstemming met die bouwperiode, en andere gewoon moderne, geprefabriceerde, fantasieloze bouwsels. Er was een ronde oprit waar auto's op stonden geparkeerd, met aan beide kanten parkeerterrein. De chauffeur sloeg echter af bij een bordje EIGEN TERREIN en reed door een bomenhaag om het huis heen naar de achterkant, waar een grote binnenplaats lag met aan één kant stallen en aan de andere kant een paar lelijke garages.

De chauffeur zette de auto voor een weinig indrukwekkende achterdeur neer. Voordat Lynn uit de Mercedes was gestapt, kwam er een gigantisch dikke vrouw naar buiten, gekleed in een wit verpleegstersuniform en gympen.

Grigore kwam aansnellen om het portier voor Caitlin open te doen, maar ze schoof met veel pijn en moeite naar haar moeders kant en stapte zonder hulp achter haar uit.

'Mevrouw Beckett, Caitlin Beckett?' Door de formele toon die de vrouw aansloeg en haar accent leek het wel een ondervraging.

Lynn knikte bescheiden, sloeg haar arm om haar dochter heen en zag het naambordje van de vrouw: DRAGUTA.

Ze leek inderdaad op een draak, vond ze.

'Komt u mee, ja.'

'Ik breng uw tassen,' zei Grigore.

Lynn greep Caitlin bij de hand en ze liepen achter de vrouw aan de brede gang door met diverse gesloten deuren. Hij rook naar ontsmettingsmiddel en de muren waren voorzien van witte tegels. De vrouw bleef achter in de gang voor een gesloten deur staan en toetste een code in.

Ze kwamen door een ruimte met tapijt op de grond en lichtgrijs geschilderde muren, die wel wat van een kantoor weghad, en bleven toen weer voor een deur staan. De verpleegster klopte aan.

Een vrouwenstem riep aan de andere kant van de deur: 'Reinkommen!'

Lynn en Caitlin werden een groot, weelderig kantoor binnengeleid en de vrouw sloot de deur achter hen. Marlene Hartmann zat aan een leeg bureau, maar stond op toen ze binnenkwamen. Achter haar bood het raam een schitterend uitzicht op de Downs.

'Gut! Daar bent u! Hopelijk was de reis aangenaam, ga zitten.' Ze gebaarde naar de twee leunstoelen voor haar bureau.

'Het was een zeer boeiende reis,' zei Lynn, met een knoop in haar maag en zo'n groot brok in haar keel dat ze amper een woord kon uitbrengen. Ze stond te trillen op haar benen.

'Ja. Er waren wat problemen.' Ze knikte ernstig. 'Maar ik heb nog nooit een cliënt laten zitten.' Ze glimlachte naar Caitlin. 'Gaat het goed, mein Liebling?'

'Ik zou het wel leuk vinden als de chirurg Feist opzet tijdens de operatie. Zou hij dat willen doen, denkt u?' vroeg Caitlin zachtjes.

Ze zat voorovergebogen in de stoel verwoed aan haar linkerenkel te krabben.

'Feist?' De vrouw fronste haar wenkbrauwen. 'Wat is Feist?'

'Ze is cool. Ze is een zangeres.'

Ze krabde inmiddels over haar opgezette buik.

De Duitse haalde haar schouders op. 'Oké, goed, we vragen het wel. Ik weet het niet.'

'Ik wil één ding toch wel graag weten,' zei Caitlin.

Lynn keek haar angstig aan. Ze had moeite met ademen terwijl ze sprak. 'Ja?'

'Die lever die ik krijg, waar komt die vandaan?'

Zonder ook maar even te twijfelen antwoordde de vrouw: 'Van een arm meisje van jouw leeftijd dat gisteren bij een auto-ongeluk is omgekomen.'

Lynn keek haar dochter betekenisvol aan en gaf met haar ogen aan dat ze verder geen vragen meer moest stellen.

'Waar was dat?' vroeg Caitlin, zonder op haar moeder te letten. Haar stem was opeens een stuk krachtiger.

'In Roemenië, even buiten een stad die Brashov heet.'

'Vertelt u me eens iets over haar,' zei Caitlin.

Marlene Hartmann haalde verontschuldigend haar schouders op. 'Helaas kan ik de geheimhoudingsplicht wat de donor betreft niet schenden. Meer informatie kan ik niet geven. Als je wilt schrijven, via mij, kun je haar familie misschien bedanken. Dat kan ik aanraden, ja.'

'Dus wat de politie zei is niet waar –'

'Lieverd!' onderbrak Lynn haar haastig, omdat ze zo'n voorgevoel had wat ze wilde zeggen. 'Frau Hartmann heeft gelijk.'

Caitlin hield even haar mond en keek om zich heen alsof ze moeite had haar ogen scherp te stellen. Met zwakke stem zei ze: 'Als ik... Als ik toestem in deze lever, wil ik de waarheid weten.'

Lynn keek haar geschokt aan.

Plotseling ging de deur open en kwam de verpleegster Draguta weer naar binnen lopen.

'We zijn zover.'

'Caitlin, ga nu maar,' zei de orgaanhandelaarster. 'Je moeder en ik moeten nog wat afhandelen. Ze komt over een paar minuten bij je.'

'Dus de foto die de politie liet zien klopt niet?' drong Caitlin aan.

'Lieverd! Engeltje!' zei Lynn smekend.

Marlene Hartmann keek hen uitdrukkingloos aan. 'Foto?'

'Het was gelogen!' barstte Lynn met tranen in haar ogen uit. 'Het was gelogen!'

'Welke foto, Caitlin?' vroeg de handelaarster.

'Ze zeiden dat ze nog niet dood was. Dat ze zou worden vermoord vanwege mij.'

Marlene Hartmann schudde haar hoofd. Ze vertrok haar mond tot een grimmige streep en keek haar verbijsterd aan.

Heel vriendelijk zei ze: 'Caitlin, zo doe ik geen zaken. Geloof me.' Ze glimlachte hartelijk. 'Ik geloof niet jouw Engelse politie blij zijn met wat we doen omdat we – hoe heet dat ook weer – de wet ontduiken. Zij zien liever mensen sterven dan een orgaan kopen. Je moet me geloven.'

Achter hen zei de verpleegster: 'Kom mee, alstublieft.'

Lynn gaf haar dochter een kus. 'Ga maar met haar mee, lieverd. Ik kom zo. Ik moet de rest van het geld overmaken. Terwijl jij wordt voorbereid fax ik de bank.'

Ze hielp Caitlin overeind.

Wankelend op haar benen en met draaiende ogen wendde Caitlin zich tot Marlene Hartmann.

'Feist,' zei ze. 'Vraagt u het aan de chirurg?'

'Feist,' zei de Duitse vrouw met een brede grijns.

Toen zette ze met een bange blik in haar ogen een stap richting haar moeder. 'Mama, je komt toch ook snel, hè?'

'Zo snel mogelijk, lieverd.'

'Ik ben zo bang,' fluisterde ze.

'Over een paar dagen ken je jezelf niet meer terug!' zei de orgaanhandelaarster.

De verpleegster begeleidde Caitlin de kamer uit en deed de deur achter hen dicht. Marlene Hartmann kneep meteen haar ogen achterdochtig tot spleetjes.

'Over welke foto had uw dochter het?'

Voordat Lynn iets kon zeggen, werd de aandacht van de Duitse door het geronk van een helikopter getrokken die laag overvloog. Ze sprong op uit haar stoel, rende naar het raam en keek naar buiten.

'Scheisse!' riep ze.

115

De verpleegster liep met Caitlin door de betegelde gang naar een kleine kleedkamer waar een aantal metalen kastjes stond en een ziekenhuisjasje aan een hangertje hing.

'Kleed om,' zei ze. 'Je stopt kleren in kast 14. Ik wacht.'

Ze deed de deur dicht.

Caitlin keek naar de kastjes en slikte moeizaam en trillerig. Bij kastje 14 stak een sleutel met daarin een elastieken polsbandje uit het slot. Het deed haar denken aan het openbare zwembad.

Ze hield niet van zwemmen. Ze had liever vaste grond onder haar voeten. Op dit moment voelde ze de grond niet meer.

Ze zakte duizelig neer op de bank en kwam harder terecht dan de bedoeling was. Ze krabde over haar buik, was moe en misselijk en voelde zich vreselijk verlaten. Ze wilde dat ze zich niet meer zo ellendig voelde. Dat ze niet meer zo'n jeuk had. Dat ze niet meer bang was.

Ze was nog nooit zo bang geweest.

De muren van de kamer leken haar in te sluiten. Haar in elkaar te drukken. Haar te vermorzelen. Ze draaiden om haar heen. Ze moest aan iets denken, maar was het toen weer kwijt. Ze moest het terug zien te halen voordat het voorgoed weg was.

Er werden dingen voor haar verborgen. Door iedereen. Zelfs door haar moeder. Wat voor dingen? Waarom? Wat wist iedereen dat zij niet wist? Welk recht hadden zij om dingen voor haar geheim te houden?

Ze kwam overeind, trok haar duffeljas uit en ging toen snel weer zitten omdat de kamer nog meer tolde. Haar buik deed ook weer pijn. Het leek wel alsof ze door duizend muggen tegelijk werd gestoken.

'Lazer op!' bracht ze opeens uit. 'Lazer nou eens op, pijn.'

De duizeligheid onderdrukkend stond ze weer op. Ze trok het kastje open en wilde net haar jas erin hangen, toen ze opeens aarzelde. In plaats daarvan legde ze hem op de bank en deed de deur open.

De gang was verlaten.

Ze wankelde naar buiten, trok de deur achter zich dicht, keek behoedzaam naar links en rechts, nog steeds met een wazige blik, en liep naar rechts. Links van haar was een deur. Er hing een bordje op waarop stond

VERBODEN TOEGANG ZONDER STERIELE KLEDING. Ze tuurde ernaar totdat ze het eindelijk goed kon lezen.

Ze deed de deur open en struikelde een smalle kamer zonder ramen in die zo te zien dienstdeed als magazijn voor medische toestellen. Er stond een brancard, waar ze met haar bovenbeen tegenaan botste, een grote kast met glazen deuren en planken die vol stonden met chirurgische instrumenten, een rij zuurstofflessen op de grond, waarvan ze er een al vloekend omverliep, en nog wat monitors. Aan de andere kant was een deur met een rond stuk glas erin, als een patrijspoort. Caitlin liep ernaartoe.

En bleef als door de bliksem getroffen staan.

Ze zag een buitengewoon moderne operatiekamer. Er stonden mensen met groene operatiekleding, operatiemutsen, witte mondkapjes en vleeskleurige handschoenen. De meesten stonden om een felverlichte stalen tafel waar een bloot meisje op lag, dat zo te zien klaar was om geopereerd te worden. Ze had al zo vaak in een ziekenhuis gelegen en talloze afleveringen gezien van haar geliefde doktersseries als House en Grey's Anatomy, dat ze heel goed wist aan wat voor toestellen het meisje lag. Er was een beademingsbuis. Een buisje in haar neus dat naar haar maag leidde, de buisjes voorzien van canules die in haar nek zaten, de plakkers van de hartmonitor op haar borst, de buisjes in haar aderen, de bloeddrukmonitor, de zuurstofverzadigingsmeter, en de katheter.

Een oudere man had een scalpel in zijn hand en was in gesprek met een jongere man, die met zijn gehandschoende vinger aangaf waar de incisie moest komen.

Hoewel het gezicht van het meisje vertrokken was en in rust, herkende Caitlin haar meteen.

Het was het Roemeense meisje van de foto die de twee politiemensen die ochtend hadden laten zien.

Het meisje van wie de Duitse had gezegd dat ze bij een auto-ongeluk in Roemenië was omgekomen. Maar, dacht Caitlin, die het meisje beter kon zien toen iemand opzijstapte, als je een auto-ongeluk had gehad, zou dat toch te zien moeten zijn? Je zou toch op zijn minst snijwonden, blauwe plekken en schaafwonden moeten hebben?

Dit meisje zag eruit alsof ze alleen maar lag te slapen.

Caitlin kneep haar ogen dicht, opende ze toen weer om beter te kunnen zien. Ze kon geen wond op het meisje ontdekken.

Ze moest opeens weer denken aan wat de inspecteur had gezegd.

Ze heet Simona Irimia. Volgens ons leeft ze nu nog en is ze gezond. Ze is naar Engeland vervoerd en zal worden gedood zodat uw dochter haar lever kan krijgen.

Hij had de waarheid verteld, besefte ze nu.

De Duitse vrouw loog.

Haar moeder loog.

Ze gingen dit meisje vermoorden. Misschien was ze al dood.

Opeens hoorde ze iemand in slecht Engels woedend schreeuwen: 'Wat doet je daar?'

Ze draaide zich om en zag Draguta op haar af komen denderen.

Caitlin duwde over haar toeren tegen de deur, maar die gaf niet mee. Toen pakte ze de deurknop, ze trok eraan en struikelde de kamer in. Ze was overmand door woede. Ze was woedend op al deze vreselijke mensen. Ze haatte hen allemaal, met hun mondkapje voor.

'Stop!' zei Caitlin schor terwijl ze zich tussen de twee mensen voor haar door wrong. Ze sprong op de chirurg af, pakte de geschrokken man het scalpel af en voelde dat ze zich in haar vingers sneed. 'Hou hier ogenblikkelijk mee op! Jullie zijn puur slecht!'

Ze stond tussen de chirurg en de jongere man in en zag opeens in een flits het hele meisje. Er was nergens iets van een verwonding te bekennen.

'Jongedame, ga onmiddellijk de kamer uit,' zei de oudere man met een deftige stem die werd gedempt door het mondkapje. 'Je besmet de hele boel. En geef dat ding terug!'

'Leeft ze nog?' schreeuwde Caitlin tegen hem en ze legde elk beetje kracht dat ze nog in zich had in haar stem.

Op de muur hing een scherm waar getekende pieken en dalen op te zien waren. Op de kleinere monitors van de vrijstaande apparatuur achter het hoofd van het meisje waren nog meer symbolen en getallen te zien.

'Wat heb jij hier verdomme mee te maken?' viel hij met een paars gezicht van woede uit.

'Best veel, eerlijk gezegd,' zei Caitlin hijgend. Ze prikte met haar vinger in zijn borst. 'Ik zou haar lever krijgen.'

Er viel een verbaasde stilte.

Draguta riep haar bij zich, alsof ze een hond riep.

'Momenteel leeft ze nog,' zei de jongere man enthousiast, alsof Caitlin dat graag wilde horen.

Ze sprong naar voren, pakte de drains die in Simona's linkerarm zaten en trok ze eruit. Toen pakte ze de buisjes die in haar nek zaten en de plakkers van de hartmonitor.

De chirurg greep Caitlin bij haar schouders. 'Ben je gek geworden, meisje?'

Caitlin beet hem hard in zijn hand. De chirurg gilde het uit van de pijn en ze worstelde zichzelf vrij, staarde naar de ogen boven de mondkapjes, die haar geschokt aankeken. Niemand wist wat te doen. Toen zag ze de verpleegster op zich af komen.

Ze hield het scalpel omhoog als een dolk en zwaaide ermee in het rond. Het kon haar allemaal niets meer schelen.

'Haal haar van die tafel!' zei ze met overslaande stem. 'Haal haar nu meteen van die tafel!'

Het hele team stond haar stokstijf en stomverbaasd aan te kijken.

Behalve de grote verpleegster, die zich een weg tussen de mensen door baande, Caitlin bij de arm pakte en daar zo hard aan trok, dat het meisje bijna omviel. Toen trok ze haar achter zich aan naar de deur. Caitlins gympen gleden over de tegels terwijl ze uit alle macht tegenstribbelde.

'Laat los, dikke trut!' snauwde ze.

De verpleegster stond voor de deur en gaf Caitlin weer een harde ruk. Ze struikelde naar voren en terwijl ze haar hand uitstak om zichzelf op te vangen, sneed het scalpel dat ze nog steeds stevig vasthield, door het jukbeen van de vrouw, haar rechteroog en de brug van haar neus.

De vrouw brulde als een bezetene, haar handen vlogen naar haar gezicht en bloed spoot alle kanten op. Ze wankelde krijsend en jammerend tegen iemand aan, en een paar mensen kwamen aangesneld om haar op te vangen.

In alle heisa viel het niemand op dat Caitlin de kamer uit strompelde.

116

Marlene Hartmann schreed bezorgd over de tegels in de gang – van haar stalen zelfbeheersing was inmiddels weinig meer te bekennen – toen ze het gegil hoorde. Ze ging er in een drafje op af en zag een hele kluwen mensen uit de operatiekamer komen.

Ze stormde door het magazijn de kamer in en zag het operatieteam verwoed bezig om de zwaarlijvige verpleegster in bedwang te houden, bij wie het bloed over haar gezicht op haar witte kleding stroomde. Ze sloeg met haar sterke armen krachtig om zich heen en krijste hysterisch terwijl Roger Sirius en twee assistent-chirurgen, de anesthesisten en de operatieverpleegsters met haar worstelden. Simona lag op de operatietafel met buisjes en slangetjes overal om haar heen, zonder iets van de consternatie op te merken.

'*Gottverdammt*, wat is er aan de hand?'

'Het meisje ging over de rooie,' bracht Sirius hijgend uit.

Voordat hij nog iets kon zeggen, stompte Draguta hem met haar vlezige vuist op zijn wang, zodat hij naar achteren vloog en op de harde grond smakte.

Marlene rende naar hem toe en hielp hem overeind. Hij keek versuft uit zijn ogen.

'Er is een politiehelikopter!' riep Marlene tegen hem. 'We moeten de boel afsluiten! Verman je! Begrijp je?'

Draguta viel en nam een paar leden van het in groene operatiekleding gestoken team met zich mee.

'Ik ben blind!' schreeuwde ze in het Roemeens. 'Help me dan toch, ik ben blind!'

'Verdoof haar!' beval Marlene. 'Zorg dat ze haar kop houdt. En snel een beetje!'

Een assistent-anesthesist pakte een injectiespuit, en rommelde zoekend op de trolley naar een verdoving.

Een van de verpleegsters zei: 'Draguta moet onmiddellijk naar een oogziekenhuis.'

'Waar is dat Engelse meisje? Caitlin? Waar is ze?'

Iedereen keek haar glazig aan.

'Waar is het Engelse meisje?!' gilde Marlene.

117

De duizelingen werden erger. Caitlin, die zowat bevroor, knalde tegen de muur op, sleepte zichzelf weer verder en viel bijna om terwijl de ijzel haar gezicht geselde. Het kostte haar oneindig veel moeite om een stap te zetten. Ze sleepte eerst haar ene voet naar voren en daarna de andere. Ze was inmiddels bijna bij de voorkant van het gebouw. Ze zag een parkeerterrein. Rijen en rijen auto's.

Door het waas voor haar ogen zag ze de ene keer scherp en dan weer niet.

Ze struikelde door een bloemperk en viel bijna. Haar iPod, die aan een draadje hing, tiktc tegen haar knie. Ze had overal jeuk.

Ze zullen vast boos op me zijn. Mam. Luke. Pap. Oma. Verdorie, ze zullen echt boos zijn. Verdorie. Boos. Verdorie. Boos.

Boven haar klonk een afschuwelijk hard ratelend geronk.

Ze keek omhoog en krabde ondertussen verwoed op haar borst. Een paar honderd meter boven haar hing, als een gigantisch gemuteerd insect, een donkerblauw met gele helikopter. Ze zag het woord POLITIE op de zijkant staan.

Shit. Shit. Shit. Ze kwamen haar vast oppakken omdat ze die verpleegster gestoken had.

Ze drukte zich naar adem snakkend tegen de muur. Elke ademhaling kostte haar moeite. De muur zwaaide heen en weer. Ze liep een klein stukje naar voren. Zag de ronde oprit. De helikopter zwenkte in een wijde boog weg. Toen zag ze een taxi, ook turquoise en wit, net als de auto waarin ze waren gckomen.

Naast de auto stond een vrouw in een bontmantel en met een zijden sjaal op het hoofd de chauffeur te betalen. Toen draaide ze zich om en liep naar de voordeur, met haar koffer op wieltjes achter zich aan. De chauffeur liep naar de bestuurderskant.

Caitlin rende struikelend en met haar armen zwaaiend op hem af.

'Hé!' riep ze. 'Hé!'

Hij hoorde het niet.

'Hé!'

Hij stapte in.

Ze pakte het portier aan de passagicrskant en hield zich er met de grootste moeite wankelend aan vast. Toen trok ze hem open. 'Meneer,' zei ze hijgend. 'Meneer, mag ik mee?'

'Sorry, meid, maar hier werk ik niet. Ik mag hier niemand oppikken.'

'Meneer, alstublieft, waar gaat u naartoe? Kunt u me dan geen lift geven?'

Hij had grijs haar en een vriendelijk gezicht vol rimpels.

'Waar moet je naartoe dan? Ik ga weer terug naar Brighton.'

'Ja,' zei ze. 'Ja, dat is prima, bedankt.'

Ze viel bijna de taxi in. Het rook in de auto sterk naar parfum.

'Gaat het wel, meid? Je bloedt, hoor.'

Ze knikte. 'Ja,' bracht ze hijgend uit. 'Ik heb alleen… alleen mijn hand tussen de deur geklemd.'

'Ik heb een EHBO-kistje. Zal ik een pleister voor je pakken?'

Caitlin schudde driftig haar hoofd. 'Nee, dank u. Het gaat wel.'

'Ben je hier behandeld?'

Ze knikte en had de grootste moeite haar ogen open te houden.

'Duur hier, heb ik gehoord.'

'Mijn moeder heeft het betaald,' fluisterde ze.

Hij boog zich over haar heen en maakte de gordel voor haar vast.

Tegen de tijd dat ze bij het hek aankwamen was ze bijna bewusteloos.

'Gaat het echt wel?' vroeg hij.

Ze antwoordde knikkend: 'Die behandelingen zijn erg vermoeiend.'

'Daar heb ik geen verstand van,' zei hij. 'Ik kan me zoiets niet veroorloven.'

'Veroorloven,' praatte ze hem zwakjes na. Ze sloot haar ogen en voelde dat de chauffeur gas gaf.

'Weet je zeker dat het gaat?' drong hij aan.

'Ja hoor.'

Vijf minuten later vlogen drie politieauto's in tegenovergestelde richting met zwaailichten en krijsende sirene langs hen heen. Even later kwam er nog een aan.

'Er is iets gebeurd,' zei de chauffeur.

'Die dingen gebeuren,' mompelde ze slaperig.

'Ik weet er alles van,' beaamde hij.

118

Geschrokken door het plotselinge en paniekerige vertrek van de orgaanhandelaarster, liep Lynn naar het raam om te zien wat dat klepperende geluid toch was dat ze steeds hoorde. Haar maag trok samen toen ze de rondvliegende helikopter zag en het woord POLITIE las.

Hij vloog laag over, alsof ze naar iets of iemand zochten.

Naar haar?

De grond zakte onder haar voeten vandaan.

Nee toch. O, lieve hemel, nee. Niet nu. Laat de operatie alsjeblieft doorgaan. Daarna maakt het niet meer uit.

Maar laat de operatie alsjeblieft doorgaan.

Ze stond zo gespannen toe te kijken dat ze niet meteen de telefoon hoorde. Ze zocht in haar handtas naar haar mobieltje en haalde het tevoorschijn. Op het schermpje stond: privénummer.

Ze drukte op de toets met het groene telefoontje erop.

'Mevrouw Beckett?' vroeg een vrouw. Ze herkende de stem wel maar kon hem niet zo gauw plaatsen.

'Ja?'

'U spreekt met Shirley Linsell van het Royal South London ziekenhuis.'

'O. Ja, hallo,' zei ze, verbaasd dat ze haar aan de lijn had. Wat wilde zij nu weer?

'Ik heb goed nieuws. We hebben een lever die misschien geschikt is voor Caitlin. Kunt u over een uurtje klaarstaan?'

'Een lever?' vroeg ze verdwaasd.

'Het is eigenlijk de linkerkwab van een fors persoon.'

'Ja, op die manier,' zei ze driftig nadenkend. De linkerkwab. Ze kon zo snel niet bedenken wat dat nu weer betekende.

'Redt u het in een uur?'

'Een uur?'

'Dat de ambulance Caitlin en u komt ophalen?'

Lynn had het opeens snikheet, alsof haar hoofd op het punt stond te ontploffen.

'Het spijt me,' zei ze. 'Wat zei u?'

Shirley Linsell legde opnieuw geduldig uit wat de bedoeling was.

Lynn hield sprakeloos het mobieltje tegen haar oor.

'Hallo? Mevrouw Beckett?'

Ze kon niet meer nadenken.

'Mevrouw Beckett? Bent u daar nog?'

'Ja,' zei Lynn. 'Ja.'

'De ambulance komt u over een uur ophalen.'

'Oké,' zei Lynn. 'Eh, maar het is zo...' Ze viel stil.

'Hallo? Mevrouw Beckett?'

'Ik ben er nog.'

'De lever is erg goed geschikt.'

'O, mooi. Ja.'

'Zit u soms ergens mee, wilt u erover praten?'

Lynn had moeite het allemaal te bevatten. Wat moest ze nu doen? Moest ze tegen die vrouw zeggen dat het niet meer hoefde, dat ze het al had geregeld?

En met een politiehelikopter die daarbuiten rondvloog.

Waar was Marlene Hartmann eigenlijk? Ze was zowat de kamer uit gerend.

Stel dat het ondanks de vooruitbetaling niet doorging? Zou het misschien verstandiger zijn, zelfs op het laatste moment, om de legale lever toch maar te accepteren?

Net als de laatste keer zeker, toen een of andere stomme alcoholist voorrang kreeg.

'Wilt u er even over praten, mevrouw Beckett?'

'Ja, nou ja, na de laatste keer... Dat was echt heel erg. Ik wil niet dat Caitlin dat nog een keer moet meemaken.'

'Dat snap ik heel goed, mevrouw Beckett. Ik kan u niet verzekeren dat de specialist ook deze lever niet zal afwijzen. Maar tot dusver ziet het er goed uit.'

Lynn plofte in een van de stoelen voor Marlene Hartmanns bureau neer. Ze moest dit even goed overdenken.

'Ik bel u erover terug,' zei Lynn. 'Hoeveel tijd heb ik?'

Verbaasd zei de vrouw: 'Tien minuten, meer niet. Anders gaat hij naar de volgende persoon op de lijst. Het is echt heel dom als u hem afslaat.'

'Tien minuten, dank u wel,' zei Lynn. 'Ik bel u zo terug. Binnen tien minuten.'

Ze verbrak de verbinding. Toen woog ze de voor- en nadelen tegen elkaar af en probeerde niet aan het geld te denken dat ze al had overgemaakt.

In deze kliniek gegarandeerd een lever, of een niet zo gegarandeerde lever in Londen.

Caitlin had hier ook een stem in. Ze keek op haar horloge. Er was al een minuut voorbij.

Ze haastte zich uit het gedeelte waar het tapijt lag door de deur naar de tegelvloer. Rechts van haar stond een deur op een kier en ze keek naar binnen. Het was een kleine kleedkamer, met kastjes en een bank. Op de bank lag Caitlins jas.

Ze moest hier in de buurt zijn, dacht ze. Even verderop, aan de linkerkant, stond nog een deur open. Ze liep ernaartoe, keek naar binnen en zag een opslagruimte met een brancard en achterin een deur naar de operatiekamer, leek het, met een patrijspoort.

Ze liep erheen en keek door het raampje. Er lag een bewusteloos bloot meisje met allemaal slangetjes op de operatietafel. Het was niet Caitlin. Een paar mensen in groene operatiekleding en met een mondkapje voor waren bezig een zware, bewusteloze verpleegster, die onder het bloed zat, van de grond op te tillen. Terwijl ze wankelden onder het gewicht, zag Lynn tot haar schrik dat het Draguta was, de verpleegster die Caitlin had opgehaald.

Haar hart klopte plotseling in haar keel. Er was iets heel erg mis. Ze duwde de deur open en liep naar binnen.

'Pardon!' riep ze. 'Pardon! Kan iemand mij zeggen waar mijn dochter is? Caitlin?'

Een paar mensen keken haar aan.

'Uw dochter?' vroeg een jonge man met een zwaar accent.

'Caitlin. Ze wordt geopereerd. Een transplantatie.'

De chirurg wierp een blik op de verpleegster en wendde zich weer tot Lynn. 'Dat gaat niet door,' zei hij. 'Nu niet meer.'

'Waar is ze?' vroeg ze met stemverheffing terwijl de angst haar bij de keel greep. 'Wat is er aan de hand? Waar is ze?' Ze wees naar Draguta. 'Wat is er gebeurd?'

'Vraag dat maar aan uw dochter,' zei hij.

'Waar is ze? Vertelt u me toch waar ze is.'

Hij haalde zijn schouders op. 'Dat weet ik niet.'

Ze keek op haar horloge. Ze had nog zeven minuten.

In paniek draaide ze zich om en rende ze de kamer uit de gang op, terwijl ze riep: 'Caitlin! Caitlin! Caitlin!'

Ze gooide een deur open, maar dat was de linnenkamer. En nog een, maar daar stond alleen maar een MRI-scanner in en verder niets.

'Caitlin!' schreeuwde ze wanhopig. Ze rende de gang door, de verlaten, ijskoude binnenplaats op. Ze keek wild om zich heen en riep weer: 'Caitlin!'

Snikkend ging ze weer naar binnen en rende de gang door naar het kantoor, ondertussen de ene na de andere deur opengooiend. Het waren allemaal kantoortjes. Administratief personeel keek geschrokken op van hun bureau. Ze opende weer een deur en daar was een trap. Ze rende naar boven en zag bovenaan een zware deur met een bordje waarop stond STERIELE RUIMTE – STRIKT VERBODEN TOEGANG.

Hij was niet gesloten en ze kwam uit in wat leek op en rook naar een ziekenhuisgang. Voor haar bevond zich weer een deur, met ernaast een fonteintje om je handen te wassen. Ze trok de deur open en liep naar binnen.

Het was een kleine intensivecareafdeling. Er stonden zes bedden, waarvan er drie bezet waren. In een lag een langharige man van in de veertig, die heel goed een rockzanger kon zijn, in het andere een jongen van Caitlins leeftijd en in het achterste een vrouw van achter in de vijftig, schatte Lynn. Ze hadden allemaal buisjes en slangetjes in zich die naar een heel woud van infusen en apparaten leidden.

Drie verpleegsters, die hetzelfde witte uniform droegen als Draguta, keken haar achterdochtig vanaf de centrale post aan.

'Ik ben op zoek naar mijn dochter Caitlin,' zei ze. 'Hebben jullie haar gezien?'

'Ga weg,' zei een van hen in slecht Engels. 'Geen toegang.'

Ze liep terug, keek rond of er nog meer deuren waren, ontdekte er een en trok die open. Het was een kleine kantine annex zitkamer. Ze rende erdoorheen naar een volgende deur, maar die leidde alleen maar naar een wc. Ze keek weer op haar horloge.

Iets minder dan vijf minuten.

Ze zouden haar toch wel wat meer tijd geven? Ze moest hier zijn.

Dat moest gewoon.

Ze belde Caitlins mobieltje, maar kreeg haar voicemail. Toen vloog ze de trap af, het kantoor door, en door een andere deur. Ze rende door een gangetje, duwde een deur achterin open en stond opeens in de gigantische entree van het kuuroord met marmeren vloer.

Er waren overal mensen. Drie vrouwen in een witte badjas en met wegwerpsloffen aan hun voeten bewonderden sieraden in een vitrinekast. Een man, die net zo gekleed was, ondertekende een papier aan een van de balies. Naast hem stond een vrouw in een elegante bontmantel en een zijden hoofddoek te wachten tot ze zich kon inschrijven.

Ze keek snel om zich heen.

Caitlin was nergens te bekennen.

Toen ging de elektrische voordeur sissend open. Zes politiemannen in kogelwerende vesten kwamen met vaste tred naar binnen.

Ze draaide zich om en ging ervandoor.

119

'Helemaal achterin!' zei Marlene Hartmann tegen Grigore. 'Achter aan de golfbaan, bij de achtste tee, is nog een uitgang. Daar weet de politie vast niets van. Hij komt uit op een laantje. Zo blijven we een paar kilometer van de hoofdweg af. Dat moet lukken. Ik wijs je de weg wel.'

Ze zat achter in de bruine Mercedes en hield, bezorgde blikken om zich heen werpend en zwaar ademend en vloekend, de bovenkant van de passagiersstoel stevig vast. Ze vervloekte dat mens van Beckett en haar rotdochter. Ze vervloekte de politie. Ze vervloekte de in paniek geraakte chirurg Sirius.

Maar het meeste nog vervloekte ze zichzelf. Wat was ze stom geweest dat ze hiermee weg dacht te komen. Hebzucht. Net als bij gokverslaafden. Niet weten wanneer je moet ophouden.

Voor haar zat Vlad Cosmescu, zwijgend. Hij dacht ongeveer hetzelfde. Aan de roulettetafel wist hij wel – nou ja, bijna altijd dan – wanneer hij moest opgeven. Weg moest lopen. Naar huis moest gaan.

Hij had de vorige avond naar huis moeten gaan. Dan zou alles in orde zijn. Weer thuis in Roemenië. Hij was deze vrouw niets verschuldigd. Ze gebruikte hem, net als iedereen. Net als hij iedereen gebruikte. Zo ging het er nu eenmaal aan toe in deze wereld. Het leven draaide niet om loyaliteit, maar om overleven.

Dus wat deed hij dan hier?

Hij wist waarom. Omdat die vrouw hem in haar macht had. Hij wilde haar overwinnen, met haar naar bed. Hij dacht dat ze hem aantrekkelijk zou vinden als hij dapper was.

Hij vloekte in stilte. Tien jaar lang had hij geld verdiend en was hij uit de handen van de wet gebleven.

Stom, dacht hij. Gewoon stom.

De auto zwenkte en reed over een walletje en vervolgens, tot grote woede van twee golfspelers, recht over een green, tussen de balletjes door die daar lagen om geput te worden. Marlene hield zich stevig vast terwijl de auto een diepe duik maakte en ze met haar hoofd tegen het dak van de auto aan kwam.

'Scheisse!' riep ze uit, maar niet door de pijn.

Ze vloekte omdat ze een wit politiebusje pal voor de achteruitgang van Wiston Grange zag staan.

'Omdraaien!' commandeerde ze Grigore. 'We nemen de voorste uitgang.'

'Kunnen we niet beter te voet gaan?' opperde Cosmescu, terwijl Grigore boven op de rem stond en de auto op het gras slipte.

'Ja hoor, met die helikopter boven ons zeker? Mooi niet!' Ze tuurde door het zijraampje omhoog.

Grigore wees met een schreeuw achter zich. Marlene draaide zich om en zag tot haar afgrijzen een Range Rover van de politie achter hen aan komen, met zwaailichten aan en snel vaart makend.

'Zal ik proberen?' vroeg Grigore. 'Ik snel rijden?'

'Nee, stop maar. Niets zeggen. Ik voer het woord. Ik zal zien of ik ze kan overbluffen. Stop de auto! *Halten!*'

Grigore gehoorzaamde. De drie zaten even zonder iets te zeggen voor zich uit te kijken, terwijl Marlene snel nadacht.

Er kwam nog een politiewagen op hen af racen. Hij ging met wegstervende sirene vlak voor de Mercedes staan, zodat ze geen kant meer op konden. En toen ze de inzittenden zag, zonk de moed haar nog dieper in de schoenen.

De bestuurder was een zwarte politieman die ze niet kende, maar de man die naast hem zat kende ze wel degelijk. Hij was in haar kantoor in Duitsland geweest.

De vorige dag.

Hij stapte uit de auto en kwam naar haar toe lopen, ondertussen zijn jas open knopend zodat die fladderde in de wind. Er kwamen een paar geüniformeerde politiemensen in kogelwerende vesten de Range Rover uit, en gingen pal achter hem staan.

'Goedemiddag, meneer Taylor,' begroette ze hem ijzig toen hij het portier opentrok. 'Of hebt u liever dat ik u inspecteur Grace noem?'

Grace ging niet op die opmerking in en zei zonder te glimlachen: 'Marlene Eva Hartmann, ik arresteer u op verdenking van de handel in organen ten behoeve van transplantaties.' Hij wees haar op haar rechten en zei toen: 'Stapt u maar uit.'

Hij greep haar bij de pols en hield haar vast terwijl ze uitstapte en knikte toen naar een van de agenten in uniform. Hij kwam naar voren en sloeg haar in de boeien. 'Hou haar nog even hier,' instrueerde hij de agent, waarna hij het portier aan de passagierskant opende en Cosmescu arresteerde.

'Vlad Roman Cosmescu, alias Joseph Baker, ik arresteer u op verdenking van de moord op Jim Towers.' Ook hem wees Grace op zijn rechten.

Terwijl Cosmescu handboeien om kreeg, liep Grace naar de bestuurdersplaats en trok daar het portier open. De man keek hem met grote ogen aan en trilde als een rietje. 'En wie bent u?' vroeg hij.

'Ik, Grigore. Ik rij.'

'Hoe luidt uw achternaam?'

'Mijn wat?'

'Grigore? Grigore hoe?'

'O. Dinica. Grigore Dinica!'

'U bent de chauffeur, toch?'

'Ja, als taxichauffeur, net als taxichauffeur.'

'Een taxichauffeur?' drong Grace aan, ondertussen de ijzel van zijn gezicht vegend. Zijn portofoon kraakte, maar hij lette er niet op.

'Ja, ja, taxi. Ik rij alleen taxi voor de mensen.'

'Wil je dat ik je ook nog eens aanklaag voor het illegaal rijden als taxichauffeur boven op alle andere aanklachten?'

Grigore keek hem verstard aan en het zweet brak hem uit op zijn voorhoofd.

Grace gaf Glenn Branson opdracht de man te arresteren op verdenking van meewerken aan mensenhandel en wendde zich toen weer tot de vrouw.

Voor hij iets kon zeggen, nam zij het woord. 'Inspecteur Grace, de volgende keer dat u net doet of u in een bepaalde dienst geïnteresseerd bent, doet u er beter aan er meer van op de hoogte te zijn.'

'Als u zo goed op de hoogte bent, waarom bent u dan gearresteerd?' pareerde hij.

'Ik heb niets verkeerds gedaan,' zei ze hooghartig.

'Prima,' zei hij. 'Dan hebt u geluk gehad. Onze gevangenissen zitten momenteel propvol. Ik zou er niet graag verblijven, en al helemaal niet in een vrouwengevangenis.' Hij veegde nog wat ijzel van zijn gezicht. 'En, Frau Hartmann, werkt u met ons mee of wordt het de harde aanpak?'

'Hoe bedoelt u?'

'Over een paar minuten krijgen we een huiszoekingsbevel voor dit gebouw. U kunt ons rondleiden of we kunnen zelf gaan rondkijken.'

Hij glimlachte.

Ze glimlachte niet terug.

120

Lynn rende door een eindeloze reeks kamers met de vreemdste bordjes en namen. Sommige las ze en sommige niet. De sauna en de stoomcabine, net als de aromatherapiekamer, liet ze links liggen. Maar ze keek wel even bij de yogaklas, het Ayurvedisch Centrum, een paar behandelkamers en de Regenwoudervaringszone naar binnen.

Om de haverklap keek ze achterom of ze al politie zag. Maar ze zaten niet achter haar aan.

Buiten adem en met geen idee waar ze zich bevond, ploeterde ze door. Ze had het benauwd en was onrustig, wat aangaf dat ze een suikertekort had.

Lieverd, Caitlin, lieverd. Engel, waar zit je toch?

Al rennend belde ze voor de derde keer Caitlins mobieltje, maar ze kreeg opnieuw meteen de voicemail.

De tien minuten waren om. Ze bleef hijgend staan, toetste Shirley Linsells nummer in en smeekte om een paar minuten meer tijd met de smoes dat ze met Caitlin in een kuuroord zat en dat haar dochter even onvindbaar was. De transplantatiecoördinator gaf schoorvoetend toe dat ze nog eens tien minuten de tijd had. Maar meer ook niet.

Lynn bedankte haar uitbundig, en bleef toen met bonkend hart staan om eens goed na te denken. Ze wist zich zo langzamerhand geen raad meer.

Caitlin, kom alsjeblieft tevoorschijn. Alsjeblieft, alsjeblieft, alsjeblieft.

Het gebouw was veel te groot. Ze zou haar zonder hulp nooit kunnen vinden. Ze rende terug, de bordjes volgend naar de hoofdingang, en kwam daar sneller aan dan ze had verwacht. Er stond een agent bij de voordeur, alsof hij daar op wacht stond, maar de anderen waren weg.

Ze liep naar de deur met het bordje PRIVÉ – VERBODEN TOEGANG, door naar het kantoorgedeelte, en ging Marlene Hartmanns kantoor in.

Ze bleef stokstijf staan.

De Duitse stond er met haar handen op haar buik geboeid stuurs maar waardig bij. Achter haar stonden twee geüniformeerde agenten. Naast haar stond een lange, kale zwarte man met een regenjas aan, en bij haar bureau, bladerend door wat papieren, stond de inspecteur die die ochtend bij haar langs was geweest. Hij draaide zijn hoofd om haar aan te kijken en zijn ogen werden groot toen hij haar herkende.

'Bent u hier met uw dochter voor haar operatie, mevrouw Beckett?'

'U moet me helpen haar te vinden,' zei ze wanhopig.

'Hebt u een goede reden om hier in Wiston Grange te zijn?' vroeg hij streng.

'Een goede reden? Ja,' zei Lynn venijnig, in haar wiek geschoten door zijn houding. 'Ik wil er mooi uitzien als mijn dochter wordt begraven. Is dat een goede reden, vindt u?'

Ze stopte haar gezicht in haar handen en barstte in snikken uit. 'Helpt u me alstublieft. Ik kan haar nergens vinden. Zegt u me toch waar ze is.' Ze keek met haar rode ogen de Duitse vrouw aan. 'Waar is ze?'

De orgaanhandelaarster haalde haar schouders op.

'Alstublieft,' zei Lynn in tranen. 'Ik moet haar vinden. Ze is ervandoor gegaan. We moeten haar vinden. Het Royal heeft een lever voor haar. We moeten haar vinden. We hebben nog tien minuten. Nog maar tien minuten. Tien minuten!'

Roy Grace zette een stap in haar richting en hield met een ijskoude blik een vel papier omhoog.

'Mevrouw Beckett, ik arresteer u op verdenking van medeplichtigheid aan mensenhandel ten behoeve van orgaantransplantatie, alsmede op verdenking van het willen kopen van een menselijk orgaan. U hoeft niets te zeggen, maar het kan uw verdediging schaden als u iets verzwijgt wat u later in de rechtbank wilt gebruiken.'

Lynn zag opeens wat het vel papier was. Het was de fax die ze even tevoren naar haar bank had gestuurd, met de opdracht de rest van het geld naar de Transplantation-Zentrale over te maken.

Haar knieën knikten. Ze balde haar vuisten, drukte ze tegen haar mond en snikte hysterisch. 'Wilt u alstublieft naar mijn dochter op zoek gaan? Ik geef alles toe. Het maakt me niets meer uit, maar zoekt u haar alsjeblieft.'

Ze keek smekend naar de zwarte man met het vriendelijke gezicht, toen naar het ijskoude masker van de Duitse vrouw en vervolgens naar de inspecteur.

'Ze is stervende! Begrijp het dan toch! We hebben tien minuten de tijd om haar te vinden, anders krijgt iemand anders die lever. Begrijpt u het dan niet? Als ze die lever vandaag niet krijgt, zal ze sterven.'

'Waar hebt u gezocht?' vroeg Marlene terughoudend.

'Overal... het hele gebouw.'

'Ook buiten?'

Ze schudde haar hoofd. 'Nee, ik –'

'Ik neem contact op met de helikopter,' zei Glenn Branson. 'Kunt u uw dochter beschrijven? Wat had ze aan?'

Lynn vertelde het hem en hij zette zijn portofoon tegen zijn oor. Na een kort gesprek liet hij de portofoon zakken.

'Ze hebben een meisje dat aan haar beschrijving voldoet ongeveer een kwartier geleden in een taxi zien stappen.'

Lynn uitte een angstkreet. 'Een taxi? Waar dan? Waar ging die... waar ging die naartoe?'

'Het was een taxi uit Brighton, een Streamline,' zei Glenn Branson. 'Daar kunnen we wel achter komen, maar het gaat langer duren dan tien minuten.'

Lynn schudde verbijsterd haar hoofd en zei: 'Een kwartier geleden, in een taxi?'

Branson knikte.

Lynn dacht even na. 'Moet u horen, ze is waarschijnlijk onderweg naar ons huis. Mag ik daar ook naartoe? Ik kom weer terug... Ik kom echt direct weer terug.'

'Mevrouw Beckett,' zei Roy Grace, 'u staat onder arrest en u wordt naar het Huis van Bewaring van Brighton vervoerd.'

'Mijn dochter is stervende! Dit overleeft ze niet. Als ze vandaag niet naar het ziekenhuis gaat, zal ze sterven. Ik... moet bij haar zijn... Ik...'

'Ik kan wel iemand naar uw huis sturen om te kijken of ze daar is.'

'Zo eenvoudig ligt dat niet. Ze moet naar dat ziekenhuis. Vandaag nog.'

'Kan iemand anders met haar mee gaan?' vroeg Grace.

'Mijn man... ex-man.'

'Hoe kunnen we hem bereiken?'

'Hij werkt op een schip, op zee, een baggerschip. Ik... weet niet meer... wat zijn uren zijn, wanneer hij weer aan wal is.'

Grace knikte. 'Wat is zijn telefoonnummer? We bellen hem wel.'

'Mag ik hem zelf bellen?'

'Nee, dat zal niet gaan.'

'Mag ik dan niet... Ik dacht dat ik recht had op... één telefoongesprek?'

'Nadat u formeel in hechtenis bent genomen.'

Ze keek de twee mannen radeloos aan. Grace keek haar medelevend aan maar hield voet bij stuk. Ze vertelde hem wat het telefoonnummer van Mals mobieltje was. Glenn Branson noteerde het in zijn notitieboekje en toetste het onmiddellijk in.

121

Er waren maar twee dingen om te lezen in de kamer. Op een groene deur met een klein raampje erin hing een bordje waarop stond HET GEBRUIK VAN GSM'S IS VERBODEN.

Op het andere stond: IEDEREEN DIE AANGEHOUDEN IS ZAL ZORGVULDIG GEFOUILLEERD WORDEN DOOR DE BEWAKER. ALS U VERBODEN SPUL-LEN IN UW BEZIT HEBT, MELDT U DAT DAN DIRECT AAN DE POLITIE-AGENTEN.

Lynn had ze allebei al zeker tien keer gelezen. Ze zat nu ruim een uur in deze grimmige kamer met kale witte muren en een kale bruine vloer, op een keiharde bank die wel van steen gemaakt leek. Ze had twee zakjes suiker ge-kregen, waar ze het maar mee moest doen.

Ze had zich nog nooit zo ellendig gevoeld. Het verdriet na de scheiding was niets vergeleken met de pijn die ze nu in haar hoofd en haar hart voelde.

Af en toe wierp de jonge agent die haar vanaf Wiston Grange hiernaartoe had begeleid haar een hulpeloze glimlach toe. Ze hadden elkaar niets te mel-den. Ze had het tig keer aan hem verteld, en hij begreep het helemaal, maar hij kon er niets aan doen.

Opeens piepte zijn mobieltje. Hij nam op. Na een paar tellen en paar een-lettergrepige antwoorden hield hij het telefoontje van zich af en wendde hij zich tot Lynn. 'Dit is rechercheur Branson. U hebt hem bij Wiston ontmoet?'

Ze knikte.

'Hij is nu met uw ex-man bij uw huis. Uw dochter is nergens te beken-nen.'

'Waar is ze dan?' vroeg Lynn zwak. 'Waar is ze?'

De agent keek haar hulpeloos aan.

'Mag ik Mal even spreken, mijn ex?'

'Het spijt me, mevrouw, maar dat mag niet.' Toen hield hij opeens het mo-bieltje weer tegen zijn oor en stak zijn vinger op.

Hij keek Lynn aan en zei: 'Ze hebben Streamline Taxi's aan de lijn.'

Hij luisterde even en zei toen: 'Ik zal dat doorgeven, meneer, blijft u even hangen?'

Hij zei tegen Lynn: 'Ze hebben de chauffeur gesproken die ongeveer twee uur geleden een jongedame van Wiston Grange heeft opgepikt die voldoet aan de omschrijving van uw dochter. Hij zei dat hij zich zorgen maakte over haar gezondheid en haar naar een ziekenhuis wilde brengen, maar dat wilde ze niet. Hij heeft haar afgezet bij een boerderij in Woodmancote, in de buurt van Henfield.'

Lynn fronste haar wenkbrauwen. 'Hoe luidt het adres?'

'Het was alleen maar een zandweggetje, daar wilde ze er per se uit.'

Toen viel het kwartje.

'O, lieve hemel!' zei ze. 'Ik weet het al. Ik weet waar ze is. Geef het alstublieft door aan Mal, hij snapt wel wat ik bedoel.' De tranen bedwingend, zei ze snikkend en met overslaande stem: 'Zeg maar tegen hem dat ze naar huis is gegaan.'

122

Even na vier uur, in het steeds zwakker wordende licht, moest Mal in de loodgrijze lucht de koplampen van de MG al ontsteken. Op het weggetje met diepe voren dat hoofdzakelijk uit modder met hier en daar wat stenen bestond, lag een dikke laag bladeren die van de overhangende bomen af waren gedwarreld. Hij reed langzaam zodat zijn uitlaat de grond niet zou raken en ook geen stofwolk opwierp voor de politieauto die achter hem aan reed.

Hij zat te bedenken hoelang het geleden was dat hij hier was geweest. Ze hadden het na de scheiding verkocht, maar hij had twee jaar daarna gezien dat het weer te koop stond, en was er met Jane naartoe gegaan omdat hij het wel weer wilde kopen. Maar zij wierp er één blik op en vond het drie keer niks. Het lag veel te afgelegen voor haar. Ze zei dat ze daar in haar eentje doodsbang zou zijn.

Daar moest hij haar wel gelijk in geven. Je hield nu eenmaal van afzondering of niet.

Ze kwamen langs de boerderij, waar een oudere boer en zijn vrouw in woonden, hun enige buren. Vervolgens reden ze nog een meter of achthonderd verder, onderweg een rij vervallen schuren, een gedeeltelijk gedemonteerde tractor en een oude caravan passerend, het bos in.

Mal maakte zich grote zorgen om Caitlin. Wat had Lynn verdorie nu weer gedaan? Het had vast te maken met de lever die ze had willen kopen. Hij had Jane nog niets over het geld verteld, maar op dit moment kon hij zich daar ook niet druk over maken.

De politie wilde hem niets vertellen, behalve dan dat Caitlin ervandoor was gegaan en dat haar moeder zich wanhopig zorgen maakte over haar slechte gezondheid, en dat ze de lever die eindelijk beschikbaar was misschien wel misliep.

Ze kwamen bij een open plek en in de verte schemerde een spookachtig wit licht. Het was Winter Cottage, ooit hun droomhuis. En het einde van het pad.

Hij zette de auto zo neer dat de koplampen het kleine huis in het licht zetten. Eerlijk gezegd was het zonder de klimop maar een lelijk pand: laag, vierkant met een bovenverdieping, begin jaren vijftig goedkoop opgetrokken uit B2-blokken om een herder en zijn gezin onderdak te bieden. In de jaren negentig, toen het erg slecht ging in de agrarische sector, was de man niet meer nodig geweest en had de boer het huisje te koop gezet om wat geld bij elkaar te krijgen. En toen hadden zij het gekocht.

Mal en Lynn waren weg geweest van de locatie. Het was er heerlijk rustig, en had een schitterend uitzicht op de Downs in het zuiden, en toch was het maar een kwartier rijden naar het centrum van Brighton.

Zo te zien werd het al een tijdje verwaarloosd. Het stel waaraan zij het hadden verkocht had er grootse plannen voor gehad, maar toen waren ze naar Australië geëmigreerd, en was het opnieuw op de markt gekomen. Er was duidelijk al in geen jaren iets aan gedaan. Misschien was er wel niemand meer geweest die genoeg geld of visie had. Het kon beide goed gebruiken.

Hij pakte de zaklamp van de passagiersstoel en stapte uit, maar liet de koplampen aan. Twee politiemensen, rechercheur Glenn Branson en rechercheur Bella Moy, stapten ook uit, eveneens met een zaklamp in hun hand, en kwamen naar hem toe.

'Ze zullen hier wel niet veel Jehova's getuigen op de stoep krijgen,' grapte Branson.

'Zeker weten niet,' beaamde Mal.

Toen ging hij hun voor, over het bestrate paadje dat hij zelf had aangelegd, naar de voordeur en om het huis heen, onder een haag van hulst die zo wild was dat ze moesten bukken om niet geprikt te worden, en naar de achtertuin. Het paadje liep door langs een rottend houten terras en vervolgens langs een gazon waar hij ooit apetrots op was geweest en dat nu wel een oerwoud leek. Ze kropen door een inmiddels bijna dichtgegroeide opening in een hoge taxusheg, naar wat Caitlin altijd haar 'Geheime tuin' had genoemd.

'Ik snap nu waarom u met ons mee moest, meneer,' zei Bella Moy.

Malcolm glimlachte scheef. Hij stond te trillen op zijn benen toen het licht van de zaklamp het houten hutje bescheen. Opeens bleef hij staan. De zenuwen gierden hem door zijn keel.

Eigenlijk verbaasde het hem dat het er nog stond, en ergens had hij gehoopt dat het weg was. Het verdriet dat hij na de scheiding had gevoeld, kwam daardoor opeens weer naar boven.

Het huisje was gemaakt van balken en was verstevigd met bakstenen op de hoeken. Hij had het zelf voor Caitlin gebouwd. Middenin zat een trapje dat naar een deur leidde, en aan weerskanten daarvan zat een raam. Voor allebei zat nog glas, hoewel het licht van de zaklamp nauwelijks door de dikke laag stof kwam. Het deed hem goed dat het geasfalteerde dak er nog op zat, hoewel het inmiddels wel wat opkrulde langs de rand.

Hij wilde haar naam roepen, maar zijn keel zat dicht en hij kreeg geen woord over zijn lippen. Samen met de twee politiemensen liep hij naar voren, naar het trapje. Hij pakte de gammele deurkruk en trok de deur open.

En zijn hart maakte een vreugdedansje.

Caitlin zat op de grond, in elkaar gezakt als een lappenpop tegen de achtermuur van het huisje, en staarde naar beneden.

Haar iPod, die op haar schoot lag, gaf een groene gloed af en in de stilte kon hij het refrein horen: 'One... two... three... four...'

Hij herkende het: Feist. Een van haar lievelingszangeressen. Amy vond haar ook goed.

'Hoi lieverd!' zei hij zachtjes om haar niet te laten schrikken.

Ze reageerde niet.

De angst greep hem bij de keel. 'Liefje? Ik ben het, papa.'

Iemand legde een hand op zijn schouder om hem tegen te houden.

'Meneer,' waarschuwde Glenn Branson hem.

Hij lette niet op hen, maar rende naar haar toe, liet zich op zijn knieën vallen en hield zijn wang tegen haar gezicht aan.

'Caitlin, lieverd van me!'

Hij pakte haar hoofd in zijn handen en schrok ervan hoe koud ze was. Steenkoud.

Hij tilde haar hoofd zachtjes op en zag toen dat haar ogen open waren en dat ze niet bewogen.

'Nee!' zei hij. 'Nee! Alsjeblieft, nee! Nee! Neeeeeeee!'

Glenn Branson richtte zijn zaklamp op haar, keek naar haar ogen, op zoek naar een glimp van beweging van de pupillen of de oogleden of de wimpers. Maar er was niks.

Mal drukte wanhopig zijn mond op die van zijn dochter voor mond-op-mondbeademing. Achter hem verzocht de vrouwelijke rechercheur via de portofoon om een ambulance.

Twintig minuten later, toen de ziekenauto eindelijk aankwam, was hij nog steeds radeloos bezig om Caitlin te reanimeren.

123

Tien dagen later liepen de aardige agente en de vrouwelijke tolk met Simona over het platform van Heathrow Airport naar een vliegtuig van British Airways. Simona hield Gogu tegen zich aan gedrukt. De agente had in alle vuilnisvaten van Wiston Grange naar hem gezocht.

'En, Simona, ben je blij dat je met de kerst weer thuis bent?' vroeg de agente vrolijk.

De tolk vertaalde de vraag in het Roemeens.

Simona haalde haar schouders op. Ze had niet zo veel verstand van Kerstmis, behalve dan dat er dan heel veel mensen rondliepen met geld in hun tas en portemonnee, en het dus een goede tijd was om te stelen. Ze voelde zich verlaten en was in de war. Ze was van de ene plek naar de andere, de ene kamer naar de andere gebracht. Ze had geen idee meer waar ze was en ze wilde daar ook niet meer zijn. Ze wilde alleen nog maar Romeo zien.

Ze sloeg haar blik neer en wist niet wat ze daarop moest zeggen, en het deed trouwens ook pijn om te praten. Dat kwam door de beademingsslang, hadden ze haar verteld, en dat zou snel overgaan.

Ze wist niet waarom ze een beademingsslang in haar keel had gehad en ook niet waarom ze weer terug moest. De tolk had haar verteld dat een paar slechte mensen haar wilden vermoorden en haar organen weg wilden halen. Maar dat geloofde ze eigenlijk niet zo. Misschien was het gewoon een smoesje om haar weer terug naar Roemenië te sturen.

'Het komt allemaal weer in orde!' zei de agente, die haar vlak voor de vliegtuigtrap nog snel even omhelsde. 'Ian Tilling heeft ervoor gezorgd dat iemand je van het vliegveld in Boekarest ophaalt en naar zijn hostel brengt, hij heeft daar een plek voor je geregeld.'

De tolk vertaalde het in het Roemeens.

'Is Romeo daar ook?' vroeg ze.

'Romeo wacht al op je.'

Simona beklom beduusd de trap en wist niet of ze hen wel kon geloven.

Boven aan de trap werd ze door twee stewardessen begroet, die haar ticket bekeken en haar naar haar stoel brachten en haar gordel omdeden. Ze keek bijna de hele vlucht mistroostig naar de rug van de stoel voor haar, met haar papieren, die ze in Roemenië bij aankomst moest laten zien, in haar hand geklemd, en raakte het blad met eten niet aan. Ze moest steeds aan Romeo denken. Misschien was hij er inderdaad wel. Misschien zou alles weer in orde komen als ze hem weer zag.

Misschien konden ze samen ergens anders over dromen.

124

De wandeling onder de kalkrotsen ten oosten van Rottingdean door was altijd een van Roy Grace' lievelingswandelingen geweest. Als kind was het 's zondags vaste prik, en op de zondagen dat hij niet hoefde te werken was het sinds kort voor hem en Cleo ook een soort ritueel geworden.

Hij hield van de aanblik, en al helemaal als er net als deze middag veel wind stond en het vloed was en de golven tegen het strand beukten en er waterdruppels en grind over het lage stenen muurtje sloegen. En de bordjes waarop gewaarschuwd werd voor vallend gesteente droegen daaraan bij. Hij vond het ook zo lekker ruiken: de zoute lucht en het zeewier en af en toe heel even een vleugje rotte vis. En ook de vrachtschepen en tankers aan de horizon, en soms zelfs jachten, die steeds dichterbij kwamen.

Vandaag was de laatste zondag voor kerst en hij wist dat hij zich vrij als een vogel zou moeten voelen en ernaar uit moest kijken dat hij tijd kon doorbrengen met de vrouw van wie hij hield. Maar hij kolkte net zozeer vanbinnen als het aanstormende, schuimende grijze zeewater rechts van hem.

Ze waren allebei warm gekleed. Cleo had haar arm gezellig door die van hem gestoken en hij vroeg zich ineens af of ze hier over vijftig jaar, als ze oud en gerimpeld waren, ook nog zouden lopen.

Humphrey trippelde mee aan zijn verlengde halsband en had trots een stuk wrakhout als een trofee in zijn bek. Een bruin hondje kwam keffend op hen af gerend terwijl zijn baasje hem een eindje verderop riep. Cleo bukte zich om hem te aaien. Maar hij deinsde bang achteruit toen Humphrey het stuk hout uit zijn bek liet vallen en gromde. Ze suste hem, zette een stap naar hem toe, waarna hij weer wegrende. Ze moesten allebei lachen. Plotseling hoorde hij zijn naam roepen en vloog ervandoor.

'En, meneer de rechercheur, hoe voel je je?' vroeg ze, terwijl ze hem weer een arm gaf.

'Dat weet ik niet zo goed,' zei hij naar waarheid. Hij keek naar Humphrey, die moeite had het stuk wrakhout op te pakken.

'Want?'

'De graaf van Wellington heeft toch ooit gezegd dat er maar één ding erger is dan het verliezen van een strijd en dat is winnen?'

Ze knikte.

'Dat gevoel heb ik nu ook.'

'Weet je wat ik niet begrijp?' zei ze. 'Dat al die mensen dat zo lang stil hebben kunnen houden.'

'Een chirurg in Roemenië verdient driehonderd euro per maand. Gewoon verplegend personeel zelfs nog minder. Daarom dus. Ze verdienden allemaal een vermogen in Wiston Grange, dus zij hadden het prima naar hun zin.'

'En veilig weggestopt op het platteland ook nog.'

'De meesten spraken niet eens Engels. Dus konden ze ook niet met de dorpsbewoners praten. Het zat heel slim in elkaar. Haal ze hiernaartoe, laat ze een hoop verdienen, en daarna kunnen ze weer terug naar huis. Ze zitten bij de EU, dus mogen ze hier werken en worden er geen lastige vragen gesteld.'

'En sir Roger Sirius?'

'Het grote geld. En hij had zijn eigen beweegredenen.'

Ze liepen een tijdje in stilte door.

'Grace, als het ons kind was geweest, Caitlin, bedoel ik, wat had je dan gedaan?' Ze klopte op haar buik. 'Stel dat het onze baby ooit zou overkomen?'

'Wat bedoel je?'

'Onder dezelfde omstandigheden, als je je kind alleen maar kon redden door een lever te kopen, wat zou jij dan hebben gedaan... doen?'

Hij haalde zijn schouders op. 'Ik zit bij de politie. Mijn plicht is het handhaven van de wet.'

'Dat vind ik nu juist zo eng soms.'

'Eng?'

'Ja. Volgens mij zou ik mijn leven geven voor mijn kind. En ik zou ook een moord kunnen plegen voor mijn kind. Dat is toch normaal voor een ouder?'

'Vind je het verkeerd wat ik heb gedaan?'

'Nee, dat niet. Maar ik kan wel begrijpen waarom die moeder dat heeft gedaan.'

Grace knikte. 'In een van die filosofieboeken die ik van je heb gekregen, stond een opmerking van Aristoteles: de goden hebben geen grotere straf bedacht dan dat een moeder haar kind moet overleven.'

'Ja. Precies. Hoe zou die vrouw zich nu voelen?'

'Is het leven van een Roemeens straatkind minder waard dan dat van een kind uit de middenklasse van Brighton? Mijn allerliefste Cleo, ik ben God niet. Ik speel niet voor God, ik ben politieman.'

'Vraag je je nooit af of je niet een tikkeltje te veel politieman bent?'

'Hoe bedoel je?'

'Dat je koste wat kost de wet wilt handhaven? Dat je je verschuilt achter wat het mensen kost? Ben je zo beperkt door je visie als politieman dat je niet verder kunt kijken dan je neus lang is?'

'We hebben het leven van dat Roemeense meisje gered. Dat betekent heel veel voor me.'

'Dus daarna weer fijn verder met de volgende zaak?'

Hij schudde zijn hoofd. 'Nee, zo werk ik niet, en zo voel ik me ook nooit.'

Ze drukte zijn arm tegen zich aan. 'Wat ben je toch een goede man.'

Hij glimlachte weemoedig. 'In een waardeloze wereld.'

Ze bleef staan en keek hem aan met een glimlach waar hij zo een moord voor zou doen. 'Door jou is hij een klein beetje minder waardeloos.'

'Was dat maar zo!'

Epiloog

Lynn stond in Caitlins kamer, waar in bijna tweeënhalf jaar niets was veranderd. Maar nu, tussen alle spulletjes van haar dochter, lag er een stapel verhuisdozen.

Wat moest ze bewaren en wat moest ze weggooien? Ze had maar weinig ruimte in haar nieuwe flat.

Terwijl de tranen over haar wangen biggelden keek ze naar de kleren, knuffelbeesten, cd's, dvd's, schoenen, make-updoosjes, de roze kruk, de mobile van blauwe perspex vlinders, boodschappentasjes en het dartbord waar de paarse boa overheen hing.

De tranen waren voor Caitlin, niet voor het huis. Ze vond het niet erg om weg te gaan. Caitlin had eigenlijk wel gelijk gehad. Dit was wel hun huis, maar geen thuis.

Ze liep naar haar eigen slaapkamer. Op het bed lagen al haar spullen uit de kledingkast en de ladekasten. Bovenop lag haar blauwe jas, nog steeds in plastic verpakt, na haar eerste 'afspraakje' met Reg Okuma. Hoewel het haar lievelingsjas was, had ze het gevoel gehad dat hij bezoedeld was en ze zou hem nooit meer dragen. Maar Reg Okuma was verleden tijd. Denarii had haar goed behandeld nadat Caitlin was gestorven en Bhad had haar manager gemaakt. Daardoor had ze zijn schuld kunnen afschrijven en zijn kredietwaardigheid op de computer kunnen aanpassen. Er had geen haan naar gekraaid.

Ze pakte de jas op, liep naar beneden en naar buiten, de heerlijke lenteochtend in. Toen stopte ze hem in de vuilnisbak.

Luke en Sue Shackleton kon ze terugbetalen doordat ze het huis had verkocht. En ook wat aan Mal en haar moeder. Ze hield dan niet veel over, maar dat maakte niet uit. Ze moest het verleden op de een of andere manier achter zich laten.

En dat lukte al gedeeltelijk. Wat de gevangenisstraf betrof in elk geval. Ze had twee jaar voorwaardelijk gekregen, dankzij een briljante advocaat, of het feit dat ze een rechter had met een hart, of misschien wel beide.

Ze had echter wel levenslang verdriet om Caitlin. Men zei dat het de eerste twee jaar het ergst was, maar Lynn kreeg niet de indruk dat het minder werd. Ze werd een paar keer per week 's nachts badend in het zweet wakker en huilde dan bittere tranen over alles wat ze had gedaan en het prachtige kind dat ze was kwijtgeraakt.

Dan vervloekte ze zichzelf dat de wettelijke transplantatie voor Caitlin zo dichtbij was geweest en dat ze het door blinde paniek en pure stommiteit had verknald.

Alleen het snorren van Max, haar kat, die op het voeteneind lag en haar deed denken aan de glimlach van haar dochter en aan iets wat ze regelmatig zei en waar ze zich gek aan had geërgerd, gaf haar troost en rust.

Rustig, mens.

Dankwoord

Net als alle Roy Grace-boeken is ook deze verzonnen. Maar wat wel klopt is dat er in Engeland helaas per dag drie mensen overlijden omdat er niet genoeg organen beschikbaar zijn. Het is ook een trieste waarheid dat er meer dan duizend kinderen in Boekarest op straat leven – van wie er sommige al de derde generatie zijn – en ruim vijfduizend volwassenen, allemaal de nalatenschap van het monsterlijke regime van Ceauşescu. Sommige van deze kinderen worden inderdaad vermoord voor hun organen.

Heel veel mensen hebben me geholpen bij het tot stand komen van dit boek, en zonder hun enorm vriendelijke en gulle ondersteuning had ik het niet overtuigend kunnen schrijven.

Allereerst wil ik Martin Richards bedanken, hoofdcommissaris in Sussex. Hij stond altijd voor me klaar en gaf me een groot aantal behulpzame voorstellen waardoor er nieuwe deuren voor me werden geopend.

Mijn goede vriend, voormalig hoofdinspecteur David Gaylor, heeft net als altijd een waardevolle rol gespeeld. Hij las het manuscript niet alleen om de feiten te controleren, maar ook om regelmatig bijdragen te leveren. Ik kan naar waarheid zeggen dat het boek zonder zijn hulp een stuk slechter zou zijn geweest.

Heel veel politiemensen in Sussex hebben de tijd voor me genomen en lieten me met hen optrekken en beantwoordden eveneens al mijn vragen. Er waren er zo veel, dat ik misschien iemand ben vergeten, mijn excuses daarvoor. De hoofdinspecteurs Kevin Moore, Graham Bartlett, Peter Coll en Chris Ambler; de inspecteurs Adam Hibbert, Trevor Bowles, Stephen Curry, en Paul Furnell; manager technische ondersteuning Brian Cook; Stuart Leonard; Tony Case; inspecteurs William Warner, Nick Sloan en Jason Tingley; hoofdinspecteur Steve Brookman; inspecteur Andrew Kundert; inspecteur Roy Apps; brigadier Phil Taylor; Ray Packham en Dave Reed van de High Tech Crime Unit; PS James Bowes; hoofdagent Georgie Edge; inspecteur Rob Leet; inspecteur Phil Clarke; brigadier Mel Doyle; hoofdagent Tony Omotoso; hoofdagent Ian Upperton; hoofdagent Andrew King; brigadier Malcolm 'Choppy' Wauchope; hoofdagent Darren Balcombe; brigadier Sean McDonald; hoofdagent Danny Swietlik; hoofdagent Steve Cheesman; brigadier Andy McMahon; brigadier Justin Hambloch; Chris Heaver; Martin

477

Bloomfield; Ron King; hoofdinspecteur Steve Brookman; Robin Wood; brigadier Lorna Dennison-Wilkins en het team van de Specialist Search Unit; Sue Heard, media- en pr-medewerkster; Louise Leonard; James Gartrell; en Peter Wiedemann van het LKA te München.

De fantastische mensen van het mortuarium in Brighton and Hove wil ik heel hartelijk bedanken: Elsie Sweetman, Victor Sindon, Sean Didcott en dr. Nigel Kirkham.

Zahra Priddle en James Sarsfield Watson, die beiden een nieuwe lever hebben gekregen, hebben me een buitengewoon persoonlijk inzicht gegeven in de wereld van leverziekten en -transplantaties. Ook James' fantastische familieleden Séamus Watson, Cathy Sarsfield Watson en Kathleen Sarsfield Watson hebben heel veel aan dit boek bijgedragen.

Veel over leverziekten en aanverwante zaken heb ik van professor sir Roy York Calnes geleerd; dr. John Ramage; dr. Nick Vaughan; de fantastische dr. Abid Suddle van het King's College ziekenhuis, die me hielp bij de ingewikkelde technische onderdelen van leverziekten en het transplantatieproces; dr. Walid Faraj; Gill Wilson; Linda Selves; dr. Duncan Stewart; dr. Jane Somerville; dr. Jonathan Pash; lijkschouwer dr. Peter Dean; patholoog dr. Benjamin Swift; dr. Ben Sharp; Christine Elding, transplantatiecoördinator bij het Royal Sussex districtsziekenhuis; Sarah Davies; en dr. Caroline Thomsett.

Joanne Dale ben ik dank verschuldigd voor het inzicht dat ze me in het leven van een tiener gaf, en ook Anabel Skok, die me de kant van de jeugd leerde zien.

Ook dank aan Peter Wingate Saul, Adrian Briggs en Phil Homan; Peter Faulding van de Specialist Group International; Juliet Smith, politierechter van Brighton and Hove; Paul Grzegorzek; Abigail Bradley en Matt Greenhalgh, directeur van Forensics bij Orchid Cellmark Forensics; Tim Moore, Ray Marshall en de hele bemanning van het baggerschip de Arco Dee, met name superkok Sam Janes! Mel Johnson, hoofd van de Child Trafficking Unit voor CEOP; STOP (Trafficking) UK (www.stop-uk.org); Samantha Godec van City Lights; en Sally Albeury. Heel veel dank aan Nicky Mitchell en Jessica Butcher van Tessera Group PLC. En aan Graham Lewis, garagekenner bij uitstek!

Ik ben veel dank verschuldigd aan mijn team in Roemenië: mijn agent Simona Kessler; mijn fantastische uitgevers Valentin en Angelique Nicolau; Michael en Jane Nicholson van Fara Homes; Rupert Wolfe Murray; en ook had ik veel aan het vurige en waardevolle enthousiasme van Ian Tilling.

Zoals altijd een dankjewel voor Chris Webb van MacService omdat hij mijn computer aan de gang hield ondanks alles wat ik het ding heb aangedaan! Een bijzonder hartelijk bedankje aan Anna-Lisa Lindeblad, die opnieuw mijn onvermoeibare en fantastische onofficiële redacteur was, net als bij de rest van de Roy Grace-serie, en aan Sue Ansell, wier scherpe oog voor details me al voor vele gênante vergissingen heeft behoed.

Wat mijn werk aangaat kon ik het niet beter treffen: de fantastische Carole Blake en Oli Munson zijn mijn agenten; mijn waanzinnige uitgevers Tony Mulliken, Amelia Rowland en Claire Barnett van Midas PR; er is domweg niet genoeg ruimte om iedereen bij Macmillan te bedanken, maar ik moet wel even mijn nieuwe redacteur Maria Rejt bedanken voor haar wijsheid en ervaring. Het was een enorme opgave om haar voorganger Stef Bierworth te vervangen.

Zoals altijd was Helen mijn rots in de branding, die me met engelengeduld en oneindige wijsheid voedde.

Mijn hondenvrienden hielden me zoals altijd geestelijk gezond. Hierbij wil ik onze nieuwe aanwinst Coco verwelkomen, die altijd vrolijk is, Oscar en Phoebe onder mijn bureau gezelschap houdt en elk vel papier van het manuscript in de gaten houdt dat ik weggooi zodat hij het onmiddellijk in stukken kan scheuren...

Als laatste wil ik jullie, mijn lezers dus, bedanken voor jullie ongelooflijke steun. Blijf vooral mailen!

Peter James
Sussex, Engeland
scary@pavilion.co.uk
www.peterjames.com